KB002891

韓國政治

민주주의 · 시민사회 · 뉴미디어

[제3판]

윤성이

法 文 社

이 책을 한국 국민에게 바칩니다.

제3판을 출간하며

2015년『韓國政治』제1판을 출간한 지 9년이 지났습니다. 이번 제3판에서는 책 전반에 걸쳐 데이터를 최신화하고 그간에 일어난 사회갈등 내용과 뉴미디어 시대의 민주주의에 대해 새롭게 보완했습니다. 수정 보완 작업을 하는 내내 마음이 편치 않았습니다. 그간 한국 민주주의의 질은 계속 나빠지고 개인이 느끼는 민주주의 결핍 현상은 더 심해졌습니다. 사회갈등과 정치 양극화 역시 더욱 심각한 양상을 보입니다. 진영 갈등은 인지적 차이를 넘어서 정서적 문제로 변질했습니다. 상대 진영 지지자는 나와 생각이 다른 사람을 넘어 그냥 존재 자체가 싫은 사람이 되었습니다. 한국 정치의 문제는 진영정치를 넘어 혐오 정치로 악화하였습니다.

2022년 대선부터 나타난 악마화 정치로 인해 한국 정치는 더욱 퇴화하고 있습니다. 각 진영이 자신의 능력으로 국민의 지지를 얻지 못하고 상대를 악마화함으로써 반사이익을 취하는 정치를 하고 있습니다. 혐오 정치가 상대방의 존재를 있는 그대로 싫어했다면, 악마화 정치는 모든 수단을 동원해 상대를 악마와 같은 존재로 만들려 합니다. 정부 여당과 야당 모두 당면한 문제를 해결하는 방안을 찾기보다는 상대방의 잘못을 찾기에 골몰하고 있습니다. 상대를 악마화하기 위해 가짜 뉴스도 서슴없이 활용합니다. 4차 산업혁명과 뉴미디어 시대는 가짜 뉴스를 양산하기에 너무나 좋은 환경입니다. 세상이 빠르게 변하면서 우리는 진실과 거짓을 구분하기가 쉽지 않은 탈진실 시대를 살고 있습니다.

"위기란 옛것은 죽어가고 새로운 것은 태어나지 않는다는 것이다. 이 공백 기간에 매우 다양한 병적 징후가 나타난다." 20세기 초 이탈리아의 정치인이자 철학자 안토니오 그람시가 쓴 『옥중수고』에 나오는 말입니다. 그람시의 어록은 한국 정치의 위기를 설명하는 데도 그대로 적용할 수 있습니다. 대의민주주의(옛것)는 죽어가고 있는데 이를 대체할 새로운 민주주의 체제는 나타나지 않고 있습니다. 사실 대의민주주의의 위기 현상은 한국만의 문제가 아닙니다. 모든 민주주의 국가에서 국회와 정당과 같은 대의제도에 대한 국민 신뢰는 바닥에 떨어져 있습니다. 죽어가는 옛것을 대체할 새로운 정치방식을 찾아야 할 시기임에도 여전히 대의민주주의 체제를 붙잡고 있는 것이 문제입니다.

지난 수십 년 동안 계속해서 그리고 사실상 모든 국가에서 대의제도에 대한 불신이 지속되는 원인은 단순히 정치인이나 대의제도의 잘못에만 있지 않습니다. 그보다는 훨씬 큰 구조적인 문제, 즉 사회 전환(social transformation)의 차원에서 그 원인과 대응 방안을 찾아야 합니다. 선출된 엘리트가 대중으로부터 권한을 위임받는 대의민주주의의 위계적 권력구조도 한계에 직면했습니다. '엘리트(대표) 정치'는 이제 옛것이 되었습니다. 4차 산업혁명 사회에서는 생산양식뿐만 아니라 경제, 사회, 문화, 정치 그리고 심지어 사람까지 산업사회와 다른 속성을 갖습니다. 산업사회의 표준화, 통일화, 집중화 등의 원리는 4차 산업혁명 사회에서는 다양화, 복잡화, 분산화 등으로 대체됩니다.

민주화 이후 모든 정부가 정치개혁을 시도했지만 별다른 성과가 없었던 것은 전환시대(transformative age)에 따른 권력구조와 작동방식의 변화를 인정하지 않았기 때문입니다. 다양하고 복잡한 4차 산업혁명 사회에서 소수의 엘리트가 대표하는 '국민을 위한' 정치는 구조적으로 불가능합니다. 전환시대의 민주주의는 '국민에 의한' 정치를 원칙으로 해야 합니다. 국민을 위한 정치가 결과를 중시했다면, 국민에 의한 정치는 과정과 절차를 더 중시합니다. 비록 엘리트 통치보다 못한 결과를 얻더라도 정보사회의 시민은 자기 결정권과 자기 지배권을 더 중요시합니다.

이번에 출간하는 『韓國政治』 제3판에서는 전환시대라는 새로운 패러다임 속에서 한국 정치를 진단하고 문제 해결의 처방전을 찾고자 했습니다. 한국 민주주의가 깊은 수렁에서 벗어나 밝은 미래를 향해 전진할 수 있길 간절히 바랍니다. 『韓國政治』 제3판 출간을 꼼꼼히 챙겨주신 법문사 편집부 김제원 이사님과 기획영업부 정해찬 과장님께 깊이 감사드립니다. 원고수정을 도와준 경희대학교 정치학과 박사과정 최경호와 석사과정 김도훈과 김형수에게도 고마운 마음을 표합니다.

2024년 7월 30일

윤 성 이 씀

제2판 머리말

“피청구인 대통령 박근혜를 파면한다.” 2017년 3월 10일 헌법재판소는 전원일치 판결로 대통령 탄핵을 인용했습니다. 대한민국 헌정사상 최초의 대통령 탄핵이었습니다. 박근혜 대통령이 탄핵된 것을 두고 일부에서는 역사에 남을 민주주의의 승리로 기록될 것이라고 평가합니다. 그렇지만 대통령 탄핵을 마냥 민주주의의 승리로만 평가할 수 있는 것은 아닙니다. 민주주의 공고화(democratic consolidation) 측면에서 보자면 헌법에 명시한 대통령의 의무와 책임을 제대로 지키지 않은 대통령을 탄핵한 것은 분명 민주주의의 승리입니다. 민주주의 공고화는 권위주의 체제로 퇴행할 가능성이 없는 상태를 말합니다. 따라서 민주주의 원칙을 위반한 대통령을 권좌에서 끌어내린 것은 그만큼 한국의 민주주의가 공고화되었음을 반증합니다.

한편 민주주의의 심화(democratic deepening) 혹은 성숙(maturation)의 관점에서 보자면 한국 민주주의는 분명 퇴보했습니다. 1987년 민주화 이후 30년이 지났지만 대통령 탄핵을 겪어야 할 만큼 민주주의가 제대로 자리 잡지 못한 것입니다. 민주주의가 심화되기 위해서는 선거, 의회, 정당 등과 같은 절차적 민주주의가 제도화되어야 할 뿐 아니라, 권력의 책임성, 반응성, 통치능력 또한 강화되어야 합니다. 정치권력에 대한 신뢰, 시민참여의 보장, 시민문화의 확산 또한 민주주의 심화를 위한 필수요건들입니다. 한마디로 민주적 절차뿐만 아니라 민주주의의 내용과 질이 일정 수준 이상이 되어야 비로소 성숙한 민주주의라 할 수 있습니다. 이런 점에서 볼 때 박근혜 대통령에 대한 탄핵은 비민주적인 권력이 한국사회에서 더 이상 용인될 수 없음을 입증하였지만, 그것이 곧 성숙한 민주주의를 성취하였음을 뜻하지는 않습니다.

“하지만 바르지 못한 것들은 그 바르지 못함을 금지함으로써 해결할 수 있는 것이 아니라 바름을 세움으로써 경계할 수 있도다.”(김탁환 「방각본 살인사건 (하)」 p.253).

조선 정조 때를 배경으로 한 역사소설에 나오는 한 대목입니다. 당시 한 신하가 시중에 미풍양속을 해치는 음서가 떠돌고 있으니 이를 모두 수거해 불태워야 한다고 했을 때 정조가 한 말입니다. 그러면서 정조는 백성들이 재미있게 읽을 수 있는 양서를 많이 보급하라고 지시했습니다. 한국의 민주주의도 마찬가지입니다. 성숙한 민주주의를 실현하기 위해서는 잘못된 대통령을 처벌하는 것에서 한 단계 더 나아가 올바른 민주주의를 정립하는 노력이 필요합니다.

해방 후 한국정치는 인물정치, 파벌정치, 그리고 비선정치로 일관되었습니다. 정치제도와 시스템이 제대로 작동하지 못했기 때문입니다. 적어도 백여 년에 걸쳐 사회변동 과정을 반영하면서 차근차근 자리 잡아 온 서구의 민주주의 제도와 달리 한국의 민주주의는 한꺼번에 도입되었습니다. 그러다 보니 대의민주주의의 핵심제도라 할 수 있는 정당부터 정상적인 모습을 갖추지 못했습니다. 정당의 본질적 기능은 사회균열에 근거한 이익대표에 있습니다. 부르조아 대 노동자라는 사회균열에 기반해 형성되고 발전해 온 서구 정당과 달리 한국의 정당은 사회균열의 기반 없이 이승만, 김구, 여운형, 김성수 등과 같은 독립운동 지도자들을 중심으로 만들어졌습니다. 당연히 특정한 계급이나 이념 혹은 가치를 대표하는 정당이 아니었습니다. 인물중심 정당이다 보니 보스가 이끄는 파벌을 중심으로 빈번한 이합집산이 있었습니다.

인물 중심의 정치는 1987년 민주화 이후에도 변하지 않았습니다. 오히려 김영삼, 김대중 정부를 거치면서 파벌과 측근정치는 더 심해졌습니다. 김영삼 정부에서는 상도동계가 그리고 김대중 정부에서는 동교동계가 권력의 중심에 있었습니다. 여기에 덧붙여 대통령 아들과 친인척을 중심으로 형성된 비선조직이 각종 인사와 이권에 개입하는 문제가 발생했습니다. 노무현 정부에서는 친노 그룹이, 이명박 정부에서는 친MB 파벌, 그리고 박근혜 정부 아래에서는 친박과 소수의 측근이 비선정치의 전통을 이어갔습니다.

민주화 30년이 지났지만 성숙한 민주주의를 확립해 가야 하는 과제는 여전히 남아 있습니다. 부도덕한 권력을 심판하는 것이 광장정치의 역할이었다면 성숙한 민주주의를 만들어가는 것은 제도정치의 몫입니다. 이승만 정권은 4·19 혁명에 의해 붕괴되었습니다. 1987년 6월 항쟁은 전두환 정권을 굴복시키며 대통령 직선제를 쟁취했습니다. 그렇지만 두 차례 모두 권위주의 정권에 대한 심판, 거기까지였습니다. 제도정치가 운동정치의 가치와 요구를 제대로 실현하지 못했기에 성숙한 민주주의로 발전하지 못한 것입니다.

현재 상황도 이전과 별반 다르지 않습니다. 촛불집회가 비민주적인 대통령을 탄핵시켰지만 이후의 한국정치가 과거와 다를 것이라고 기대하기 쉽지 않습니다. 문제의 원인이 행위자의 잘못 뿐 아니라 제도와 시스템이 제대로 작동하지 못하는 정치구조에 있기 때문입니다. 또한 촛불이 만들어 낸 광장정치는 과거 4·19혁명이나 6월 항쟁의 운동정치보다 훨씬 더 광범하고 강력합니다.

소셜 미디어를 비롯한 정보통신기술로 무장한 광장의 시민은 더 이상 수동적이고 소외된 개인이 아닙니다. 엘리트 이론에 따르면 소수의 엘리트가 다수의 대중을 지배할 수 있었던 것은 소수의 내부집단이 정보를 독점할 수 있었기 때문입니다. 디지털 네트워크 확산으로 인해 엘리트의 정보 독점구조는 깨졌습니다. 디지털 네트워크로 연결된 시민들은 더 이상 고립된 개인이 아닙니다. 네트워크 개인들(networked individuals)이 우리사회 여론에 미치는 영향력은 나날이 커지고 있습니다.

그렇지만 하버마스(Habermas)의 지적처럼 여론이 통치의 기제가 될 수는 없습니다. 정치제도가 네트워크 개인들의 여론과 정치참여 욕구를 적극적으로 수용할 때 비로소 민주주의가 제대로 작동할 수 있습니다. 한국정치 앞에 놓인 첫 번째 과제는 광장정치와 제도정치를 융합하는 정치시스템을 구축하는 것이며, 그래야만 민주주의 심화를 향한 첫 걸음을 뗄 수 있습니다.

나만의 시각으로 한국정치를 일관되게 풀어가는 책을 쓰고 싶다는 생각은 오래 전부터 가져 왔습니다. 그러면서도 늘 쫓기듯 살아온 일상과 게으른 천성 때문에 실행에 옮기지 못했습니다. 부족하나마 이 책을 쓸 수 있었던 것은 진영재교수님 덕분입니다. 『한국정치』를 기획하고 필자를 독려해주셨기에 오래 동안 미뤄 온 작업을 시작하고 끝낼 수 있었습니다. 이 책을 출판한 법문사에도 감사드립니다. 자료수집과 원고정리를 도와 준 민희박사와 박사과정 김예원과 조윤영에게도 고마운 마음을 표합니다.

이만큼이나마 공부하는 교수가 될 수 있었던 것은 온전히 아내 박재현의 덕입니다. 저보다 더 바쁜 직장생활을 하면서도 집안일을 다 떠맡았습니다. 저한테는 그냥 훌륭한 교수가 되는데 전념하라고 했습니다. 이 책이 아내의 희생에 조금이나마 위안이 되길 바랍니다.

2017년 12월 27일

윤 성 이 씀

한국정치를 출간하며

많은 지식인들이 한국사회를 보면서 '한국시민교육'의 중요성을 절감하고 있습니다. 민주시민이란 궁극적으로 "사회에 대한 애정을 바탕으로 '공공성'에 대한 개념을 갖고 있는 자"라고 생각합니다. 한국사회에서 민주시민이 되기 위해선, 다시 말해 한국사회에 대한 애정을 갖기 위해선, 한국정치과정에 대한 역사 지식이 있어야 합니다. 우리 정치과정에서 어떤 일들이 일어났으며, 어떤 과정을 거쳐서, 어떤 결과를 만들었는지에 대한 지식이 있어야 사회에 대한 애정도 공공성에 대한 올바른 개념도 갖추게 될 것입니다. 한국정치과정 100년에 대한 지식의 습득은 한국사회 구성원들 모두에게 요구되는 소양이라고 생각합니다. '한국시민교육'에 대한 하나의 방편으로 한국정치 단행본을 기획하여 2년 반의 시간을 보내고 졸고를 완성하게 되었습니다.

한국정치는 두 권으로 한 세트가 구성되어 있습니다. 한 권은 진영재의 저서로 '통치구조 · 정당 · 선거'를 다루고 있으며, 또 다른 한 권은 윤성이의 저서로 '민주주의 · 시민사회 · 뉴미디어'를 다루고 있습니다. 시기적으로 전권은 1897년 대한제국 이후 현재까지의 헌법, 행정부, 의회, 정당, 선거의 분야를 다루고 있습니다. 후권은 1987년 민주화시기 이후 현재까지의 한국의 시민사회, 사회균열, 미디어정치, on-line정치를 다루고 있습니다.

해당 한국정치 단행본은 전문적 내용에 보다 많은 일반 독자들도 쉽게 접근할 수 있도록 경어체 문장을 통해서 풀어쓰고자 하였습니다. 추상성이 높은 정치이론도 독자들이 평이하게 이해할 수 있도록 노력하였습니다. 역사적 주요 사건들과 이에 연관된 세부 사안들을 구체적으로 설명하는 과정에서도 간결성이나 명료성을 잃지 않으려고 주의를 기울였습니다. "정교함의 절정은 단순이고, 정교함의 부족은 꾸밈이다." 필자들이 추구한 간결성은 허세적 꾸밈을 피하고 필자들이 갖고 있는 가능한 지식 범위하에서 최대한의 객관성을 추구하려는 의도에서 비롯된 것이기에, 극단적이고 선명한 것을 지향한다는 의미가 아닐뿐더러 다양한 해석의 가능성을 차단하는 것과도 무관한 것입니다.

본 단행본을 접한 독자들이 한국정치에 관한 지식을 늘리고, 흥미를 느끼는 계기가 되기를 기대합니다. 나아가 본 단행본이 궁극적으로 '한국 시민교육'에 긍정적으로 기여할 수 있다면 더 바랄 것이 없습니다. 저자들이 최선을 다하였으나 항상 부족하기에 강호제현의 편달을 바랄 뿐입니다. 해당 단행본을 완성하는 과정에서 최종 원고작업과 사진작업을 마무리하는 과정에서 고생한 박상현, 양규식 조교의 노고에 감사의 말을 전합니다. 원고를 읽어준 이지문 박사, 최선 박사, 정진웅 박사, 성치훈 박사과정생에게 감사의 말을 전합니다. 최종 편집작업을 도와준 법문사 편집부 김진영 씨에게 감사드립니다. 출간과정에서 수고하신 장지훈 부장, 손현오 과장에게도 감사드립니다.

2015. 7. 7.

한국정치 출간에 즈음하여

진 영 재 씀

머 리 말

현재 한국은 '완전한 민주주의' 국가로 평가받고 있습니다. 영국 이코노미스트지가 발표한 2014년 민주주의 평가를 보면 한국은 10점 만점에 8.06점으로 21위를 차지했습니다. 우리가 정치개혁을 논의할 때마다 사례로 참고하는 미국은 8.11점으로 19위입니다. 우리 경제를 보면 2014년 국내총생산(GDP)이 1조4천495억 달러로 세계 13위입니다. 해방 후 70년 동안 우리는 민주주의와 경제성장에 있어 실로 눈부신 성과를 이뤘습니다. 2차 대전 후 독립한 국가 가운데 민주주의와 경제 양면에서 한국만큼 성공한 나라는 없습니다.

이 같은 성장에도 불구하고 국민들이 체감하는 민주주의와 경제는 여전히 부족하고 많은 문제를 안고 있습니다. 경제규모는 지속적으로 성장하고 있지만 소득양극화 현상은 더 심해지고 있습니다. 비록 완전한 민주주의 국가로 평가받고 있지만 국민들의 정치제도에 대한 신뢰는 매우 낮습니다. OECD 조사에 따르면 2014년 정부신뢰도는 25%에 불과합니다. 스위스의 정부신뢰도가 82%이고 핀란드는 62%, 그리고 OECD 평균이 43%인 것과 비교할 때 우리의 정부신뢰도는 심각한 수준이라 할 수 있습니다. 사회갈등도 심각한 수준입니다. 우리나라 사회갈등지수는 1.043(2011년 기준)으로 OECD에 가입된 24개국 중 5위인 것으로 나타났습니다.

1987년 민주화 이후 우리 민주주의는 절차적으로는 공고화되고 있으나 내용적으로는 여전히 많은 문제가 있습니다. 우리 민주주의의 질적 성장을 가로막고 있는 가장 큰 걸림돌은 '진영정치'라 할 수 있습니다. 우리사회 균열구조를 들여다보면 다차원적이면서도 매우 단순합니다. 현재 우리사회 갈등은 지역, 이념, 그리고 세대를 중심으로 전개되고 있습니다. 1987년 민주화 이후 지역주의 투표행태는 선거 때마다 반복되고 있습니다. 2002년 대통령선거를 기점으로 진보와 보수 그리고 청년세대와 노년세대 간의 갈등이 본격화되었습니다. 민주주의 사회에서 갈등이 표출되는 것은 자연스럽고 필요한 현상입니다. 문제는 갈등을 조정하고 사회적 합의를 찾을 수 있는 장치가 제대로 작동하지 못하는데 있습니다. 우리사회 갈등조정이 힘든 이유는 갈등구도가 매우 단순하고 중첩되어 있기 때문입니다. 현재 갈등구도를 보면 여당－보수－영남－노년세대가 한 진영을 이루고 있고, 야당－진보－호남－청년세대가 반대편에서 진영을 쌓고 있습니다. 정당, 지역, 이념, 세대 등 다차원적 갈등요소가 존재하지만 각 요소가 서로 중첩되면서 갈등구도는 보수진영 대 진보진영으로 매우 단순하게 형성됩니다. 갈등요소가 중첩되다 보니 양 진영 간의 차이는 클 수밖에 없고 자연히 배타적이고 적대적인 감정까지 갖게 됩니다. 진영정치의 행위자는 정당뿐 아니라 시민단체, 언론, 그리고 개인에 이르기까지 사회구성원 전반을 포괄하고 있습니다. 진영 간의 갈등은 선거뿐 아니라 일상정치에서도 항시적으로 표출되고 있습니다.

진영정치가 문제인 것은 선과 악 혹은 흑과 백 같은 이분법적 사고와 선택을 강요하기 때문입니다. 양 진영이 극심하게 대립하고 있는 가운데 국민들은 보수진영과 진보진영 둘 중 하나를 선택하도록 강요받습니다. 안타깝게도 우리사회에서 중도적인 목소리 혹은 진보나 보수가 아닌 다른 목소리는 형성되기 어렵습니다. 선택지가 제한된 두 개 진영 간의 대립은 생산적 경쟁이기보다는 파괴적인 공격으로 나타납니다. 비록 우리진영이 잘하지 못하더라도 상대방을 더 나쁜 집단으로 만들면 국민들은 우리진영을 선택할 수밖에 없는 구조이기 때문입니다. 정당들이 제대로 된 정책이나 문제 해결방안을 만들기보다는 상대방을 공격하고 흠집 내서 반사이익을 얻는 편한 길을 쫓는 것도 진영정치 구도 때문입니다.

결국 진영정치 구도를 해소하지 않고서는 우리 민주주의의 질적 성숙을 기대하기는 어렵습니다. 진영정치의 가장 큰 책임은 정당에 있습니다. 정당은 대의민주주의의 근간을 이루는 정치제도입니다. 정당이 이익표출과 이익결집의 과정을 통해 국민의 의사를 잘 대의할 때 비로소 건강한 민주주의가 유지될 수 있습니다. 문제는 정당이 이익대표 기능을 원활하게 수행하기가 쉽지 않다는데 있습니다. 정보사회의 등장과 함께 커뮤니케이션 매체가 바뀌고, 개인의 인식과 행태가 변하고 있습니다. 정보사회에서는 산업사회와는 전혀 다른 정치 환경이 조성되고 자연히 정치제도가 작동하는 방식도 달라집니다. 디지털 네트워크의 확산과 함께 개인들의 정치적 영향력이 커지면서 정당을 비롯한 매개집단의 기능은 점차 약화되는 양상이 나타납니다. 디지털 네트워크로 연결된 개인들은 과거보다 훨씬 쉽게 정치관련 정보를 습득하고, 적극적으로 정치적 의사를 표출하고 공유하면서 사회여론을 주도하고 있습니다. 디지털 개인들은 더 이상 침묵하는 다수이기를 거부합니다. 이들은 정치적 대표에게 모든 권한을 위임하기보다는 참여하는 시민으로 권한을 행사하고자 합니다. 이러한 디지털 개인이 점차 확산되면서 정치엘리트가 주도하는 대의민주주의는 근본적인 한계에 부딪히게 됩니다. 특히 한국은 인터넷 인프라가 잘 갖추어져 있고 인터넷 정치참여는 매우 활발합니다. 한편 대의제도에 대한 불신은 매우 높습니다. 정치개혁 혹은 민주주의 제도개선에 대한 고민과 노력에 있어 이러한 한국적 특성이 고려되어야 합니다.

나만의 시각으로 한국정치를 일관되게 풀어가는 책을 쓰고 싶다는 생각은 오래 전부터 가져 왔습니다. 그러면서도 늘 쫓기듯 살아온 일상과 게으른 천성 때문에 실행에 옮기지 못했습니다. 부족하나마 이 책을 쓸 수 있었던 것은 진영재교수님 덕분입니다. 『한국정치』를 기획하고 필자를 독려해주셨기에 오래 동안 미뤄 온 작업을 시작하고 끝낼 수 있었습니다. 이 책을 출판한 법문사에도 감사드립니다. 자료수집과 원고정리를 도와준 민희박사와 박사과정 김예원과 조윤영에게도 고마운 마음을 표합니다.

이만큼이나마 공부하는 교수가 될 수 있었던 것은 온전히 아내 박재현의 덕입니다. 저보다 더 바쁜 직장생활을 하면서도 집안일을 다 떠맡았습니다. 저한테는 그냥 훌륭한 교수가 되는데 전념하라고 했습니다. 이 책이 아내의 희생에 조금이나마 위안이 되길 바랍니다.

2015. 6. 30.

윤 성 이 씀

■ 차 례

서론
뉴미디어 시대와 한국 민주주의의 세 가지 역설

| 개요 |

민주화 이후 한국 민주주의에는 기존 이론으로 설명할 수 없는 세 가지 역설적 현상이 나타나고 있습니다. 첫째, 민주주의 평가 점수는 꾸준히 향상하고 있는데 정치 제도에 대한 국민의 불신 또한 증가하고 있습니다. 둘째, 대의제도에 대한 국민 불신이 높아짐에도 불구하고 대표를 선출하는 선거의 투표율도 높아지는 역설적 현상이 보입니다. 셋째, 1980년대 민주화운동을 주도한 시민단체에 대한 국민 신뢰가 떨어지면서 이들의 정치적 영향력이 약해졌는데 정치 과정에서 시민사회의 영향력은 점차 강해지는 모습을 보입니다.

민주화 이후 한국 민주주의에는 몇 가지 역설적 현상이 나타나고 있습니다. 역설적 현상은 논리적으로 동시에 발생할 수 없는 현상이 동시에 나타나는 것을 말합니다. 첫 번째 역설적 현상은 외부 기관에 의한 한국 민주주의 평가 점수는 높아지면서 오랫동안 '완전한 민주주의' 국가로 평가받는데, 대의민주주의의 핵심 제도라 할 수 있는 국회와 정당에 대한 국민 신뢰는 계속해서 낮다는 것입니다. 훌륭한 민주주의 국가라고 국제적으로 평가하는데 정작 국민은 대의민주주의의 중추 기관인 정당과 국회를 신뢰하지 않으니 역설적 현상이라 아니 할 수 없습니다. 둘째, 국민의 80% 정도가 정당과 국회를 신뢰하지 않는다고 답합니다. 이러한 제도 불신은 민주화 이후 계속해서 나타나는 현상입니다. 흥미로운 사실은 제도 불신에도 불구하고 대통령과 국회의원 선거 투표율이 2010년 이후 꾸준히 높아지고 있다는 점입니다. 그간의 정치학 이론에 따르면 정치적 무관심과 정치 불신은 낮은 투표율로 연결됩니다. 그런데 한국의 경우 높은 정치 불신과 높은 투표율 현상이 동시에 진행되고 있습니다. 셋째, 시민단체는 한국의 시민사회를 끌어가는 핵심 행위자였고 시민사회의 힘은 시민단체에서 나왔습니다. 그런데 2000년대 중반부터 민주화운동의 주역이었던 시민운동단체에 대한 국민 신뢰가 급격히 떨어지고 이들의 정치적 영향력도 약해졌습니다. 흥미로운 점은 시민단체의 퇴조에도 불구하고 시민사회의 정치적 영향력은 점점 더 강해지고 있다는 것입니다. 이는 시민들의 정치참여 행태의 변화에서 기인합니다. 과거 시민참여가 시민단체의 동원을 통해서 이뤄졌다면 뉴미디어 시대에는 디지털 네트워크에 기반한 개인적 참여가 주를 이루게 됩니다. 네트워크로 연결된 개인(networked individual)이 시민단체의 역할을 대체하면서 과거보다 더 적극적이고 확대된 시민참여가 일상적으로 나타나고 있습니다. 시민단체는 쇠락했으나 시민사회는 더 성장한 양상을 보입니다.

역설 1: 한국 민주주의는 오랫동안 '완전한 민주주의' 국가로 평가받고 있으나 국회와 정당 등 민주주의 제도에 대한 국민 신뢰는 매우 낮습니다.

1987년 민주화 이후 한국은 '민주주의 공고화' 현상과 '민주주의 결핍' 현상을 동시에 겪고 있습니다. 매년 전 세계 국가의 민주주의 수준을 평가하는 프리덤 하우스(Freedom House), 이코노미스트(The Economist), 폴리티 IV(Polity IV), 세계은행(World Bank) 등은 한국을 '완전한 민주주의'(full democracy) 국가로 평가하고 있습니다. 이코노미스트는 각국 민주주의를 선거 과정과 다원주의(Electoral process and pluralism), 정부 기능(Functioning of government), 정치참여(Political participation), 정치 문화(Political culture), 시민 자유(Civil liberties) 등의 영역으로 구분해 평가합니다. 한국은 2023년 평가에서 8.16점(10점 만점)을 받아 '완전한 민주주의' 국가로 분류되었고 167개국 가운데 22위를 차지했습니다. 프리덤 하우스는 정치 권리(political rights)와 시민 자유(civil liberties) 영역에서 각국의 민주주의 수준을 평가하는데 한국은 2023년 평가에서 정치 권리 33점(40점 만점)과 시민 자유 50점(60점 만점)을 받아 총 83점으로 역시 완전한 민주주의 국가로 분류되었습니다.

모든 민주주의 평가 기관이 한국을 완전한 민주주의 국가로 평가하고 있음에도 불구하고, 한국 국민은 자신들의 민주주의에 만족하지 않고 민주주의 결핍(democratic deficit) 현상을 겪고 있습니다. 민주주의 결핍 현상은 현실 민주주의에 대한 만족도가 국민이 갖는 민주주의에 대한 신념의 수준보다 낮을 때 발생합니다. 즉 한국 국민은 "민주주의 국가에 사는 것이 당신에게 얼마나 중요한가"라는 질문에 대해서는 절대다수가 중요하다고 응답하지만 "현재 정부가 얼마나 민주적으로 운영되는가"라는 질문에 대해서는 상대적으로 낮은 점수를 주고 있습니다. 이처럼 민주주의 결핍은 정치 체제에 대한 사람들의 기대와 열망, 그리고 민주주의의 실제 성과에 대한 평가 사이의 격차를 의미합니다. 한국의 민주주의는 공고한 민주주의임이 틀림없으며, 권위주의로 회귀할 가능성은 거의 없습니다. 그러나 정부, 국회, 정당 등 대의제도에 대한 한국 국민의 신뢰 수준은 매우 낮습니다. 해방 후 한국이 이룬 경제성장과 한국 민주주의에 대한 평가 점수를 볼 때 한국의 민주주의가 제대로 확립되지 않았다고 말할 이유는 없습니다. 그렇지만 민주적으로 운영되는 정치 제도가 국민의 요구를 제대로 충족시키지 못하고 있어 민주주의 결핍 현상이 발생합니다.

사실 한국은 2차 대전 이후 독립한 신생 국가 가운데 민주주의와 경제성장을 동시에 이룬 몇 안 되는 국가 중 하나입니다. 짧은 기간에 경제와 민주주의 모두 훌륭한 성과를 거두었는데 왜 한국 국민은 민주주의 결핍 현상을 겪을까요? 민주주의는 "움직이는 표적"(moving target)입니다. 국민이 원하는 민주주의의 모습이 시대에 따라 달라진다는 뜻입니다. 정부의 통치 방식과 국회와 정당의 역할에 대한 국민의 생각이 바뀌고 있습니다. 여전히 대의민주주의 체제를 유지하고 있지만 오늘의 국민은 자신의 정치적 권한을 정부와 정치적 대표에게 온전히 위임하지 않으려 합니다. 정부와 선출된 대표들이 국민의 이익과 가치를 충분히 대표하지 못하고 있기 때문입니다. 이에 많은 경우 국민은 대의적 통치에 의존하기보다는 직접 나서서 자신들의 주장을 표출하고 이익을 결집하고자 합니다. 이러한 시민의 변화는 최근 빈번히 발생하는 광장정치에서 알 수 있습니다. 해방 후 한국 정치의 변동은 제도정치(institutional politics)와 쟁의 정치(contentious politics) 간의 상호작용을 통해 발생했습니다. 해방 후 모든 권위주의 정권을 무너뜨린 세력은 쟁의 정치 즉 광장정치였습니다. 이승만 정권은 4·19혁명에 의해 붕괴했습니다. 1970년대 민주화운동과 부마

항쟁은 박정희 정권의 내부 분열을 조장했고 권위주의 정권의 종식을 가져왔습니다. 전두환 군사정권 역시 6월 항쟁의 힘에 굴복하며 직선제 개헌을 수용했습니다. 그렇지만 광장정치의 힘은 독재 권력을 타도하는 단계에 머물렀습니다. 독재 권력 붕괴 후 등장한 민주 정부의 구성에는 광장정치가 아무런 영향을 미치지 못했습니다. 새롭게 들어선 정부는 당시 야당 세력을 중심으로 하는 또 다른 지배 엘리트들이 주도했습니다. 지배 엘리트는 바뀌었으나 광장과 시민사회의 이익과 가치는 여전히 통치 과정에서 배제되었습니다. 제도정치와 쟁의 정치 간의 단절화는 한국 정치의 오래된 문제입니다.

최장집 교수는 한국 민주주의의 본원적 한계를 '조숙한 민주주의'라는 개념으로 설명합니다. 한국의 민주주의 제도는 토착적 기반을 갖지 못한 상태에서 미군정을 통해 외부로부터 도입된 것이라는 뜻입니다. 한국은 1948년 5월 10일 제헌 국회를 구성하기 위한 첫 선거를 치렀습니다. 선거권은 만 21세 이상인 모든 국민에게 부여되었습니다. 첫 선거부터 연령 이외의 자격 조건을 두지 않는 보통 선거권(universal suffrage)이 부여된 것입니다. 선거가 갖는 의미와 유권자의 권한과 책임에 대한 충분한 이해도 없이 치른 선거였지만 투표율은 95.5%로 역대 선거 중 가장 높았습니다. 한편 서구 민주주의 국가의 경우 오랜 기간에 걸쳐 시행착오와 갈등을 겪으면서 보통 선거권을 완성했습니다. 미국에서 대통령 선거가 최초로 실시된 해는 1789년입니다. 초기 미국 선거법은 "선거권은 백인, 남성, 21세 이상, 재산 소유자, 납세 능력이 있는 자에게만 부여된다."라고 규정하고 있습니다. 미국은 첫 선거 후 약 130년이 지나서인 1920년에 와서야 보통 선거권을 받아들였습니다. 가장 오랜 의회 민주주의 역사를 지닌 영국은 1928년에 만 21세 이상 모든 국민에게 투표권을 주는 보통 선거권을 완성했습니다. 1832년 제1차 선거법 개정 이후 100년 가까이 걸렸습니다. 1832년 제1차 선거법 개정에서는 이전까지 귀족과 토지를 가진 상류층으로 제한된 투표권을 자본가 계급까지 확대했습니다. 당시 국민 대비 유권자 비율은 4.3%에 불과했습니다. 이후 2차(1867년) 선거법 개정에서는 도시노동자와 소시민에게까지 투표권을 확대해 유권자 비율은 9%로 늘었고, 3차(1884년) 개정에서는 농업 및 광산 노동자에게 투표권을 부여해 19%의 국민이 투표권을 가졌습니다. 1918년 시행한 4차 선거법 개정에서는 21세 이상 남자와 30세 이상의 여자에게 투표권이 주어졌습니다. 한편 현재 최고 수준의 민주주의를 실천하고 있는 스위스는 1971년이 되어서야 여성에게 투표권을 인정하는 보통 선거가 완성되었습니다.

제헌국회 선거에서는 제주도를 제외한 선거구에서 198명의 국회의원을 선출했습니다. 48개의 정당과 사회단체가 선거에 참여했습니다. 당선자는 무소속이 85명으로 가장 많았고, 대한독립촉성국민회 55명, 민주국민당 29명, 대동청년단 12명, 조선민족청년단 6명 등이 있었습니다. 대의민주주의 실행에 핵심 역할을 하는 정당을 제대로 갖추지 못한 상태에서 치른 선거였습니다. 선거 출마자와 유권자 모두 정당정치를 경험한 적이 없었습니다. 정당의 기본적 역할이 무엇인지 유권자와 어떤 관계를 갖는지에 대한 충분한 이해가 없었을 것입니다. 이 역시 조숙한 민주주의의 모습이라 할 수 있습니다. 서구의 정당은 계급 이익을 기반으로 만들어졌습니다. 산업혁명의 결과 노동자 계급이 형성되면서 그들의 경제적 이익을 정치적 대표하는 노동당 혹은 사회당이 출현했습니다. 이들은 자본가 계급을 대표하던 보수당 혹은 자유당과 경쟁하면서 대중민주주의를 실현해 갔습니다. 반면 한국 정당은 철저하게 인물 중심의 정당이었습니다. 정당은 정치적 견해를 같이하는 사람들이 만든 결사체로 권력의 획득을 목표로 합니다. 서구 정당은 노동자 혹은 자본가의 계급 이익을 기반으로 유권자들과 연계되어 있습니다. 반면 한국의 정당은 유권자와의 연계성이 약합니다. 정당의 목표가 자신들이 대표하는 유권자 집단의 이익과 가치의 실현이 아니라 정당 보스의 권력 획득이기 때문입니다. 따라서 정당과 유권자 간의 연계성을 말하는 정당 일체감(party identification)도 약할 수밖에 없습니다.

대표성(representation)의 기능은 대의민주주의 작동의 핵심 원리입니다. 선거를 통해서 유권자는 자신들의 정치적 권한을 대표에게 위임하고, 선출된 대표는 입법 활동을 통해 자신들을 지지한 유권자들의 이익과 요구를 충족시켜야 합니다. 정당이 대표성의 기능을 제대로 수행하지 않고 권력 획득에만 몰두한다면 건강한 민주주의를 만들 수 없습니다.

4차 산업혁명과 정보사회로의 전환으로 인해 개인의 정치적 역량은 나날이 강해지고 있습니다. 더 많은 개인이 더 큰 목소리로 정치 과정에 참여하고 있습니다. 개인을 대표하지 않는 대의제도에 대한 불신은 높아갑니다. 개인의 정치 역량 혹은 정치 효능감(political efficacy)이 낮았던 시절에는 제도정치를 불신하는 개인은 정치적 무관심층 혹은 정치적 소외층으로 남았습니다. 그렇지만 디지털 네트워크로 무장한 뉴미디어 시대의 개인은 제도정치의 무능과 나태를 방치하지 않고 강하게 비판하면서 적극적으로 참여합니다. 한편 광장정치가 무능하고 부패한 제도정치를 단죄하고 무너뜨릴 수는 있으나 제도정치의 통치 기능을 온전히 대체할 수는 없습니다. 제도정치와 광장정치의 연계와 상호보완이 잘 이뤄질 때 건강한 민주주의를 유지할 수 있습니다.

앞서 설명한 바와 같이 정치제도에 대한 국민의 신뢰는 꾸준히 하락하는 반면, 개인의 정치적 효능감은 꾸준히 증가하고 있습니다. 이는 정치 시스템의 투입과 산출 사이의 불균형을 초래합니다. 즉 제도정치가 증가하는 시민의 정치적 요구를 제대로 수용하지 못해 현실 민주주의의 역량과 시민의 기대 사이에 불균형이 존재합니다. 이런 상황에서 개인들은 민주주의 결핍을 느낍니다. 한국의 민주주의는 권위주의로 퇴보하지 않을 수준으로 공고하나 국민의 높은 기대 수준을 충족하지 못해 여전히 불안정한 모습을 보입니다.

제도정치와 광장정치 간의 불일치와 갈등은 비단 한국 정치만의 문제는 아닙니다. 민주주의 위기 현상은 전 세계적으로 20년 가까이 지속되고 있습니다. 민주주의 위기는 비단 후진국이나 개발도상국에 한정되지 않습니다. 영국, 미국, 프랑스, 독일 등을 포함한 모든 선진 국가들이 민주주의 위기 현상을 겪고 있습니다. 민주주의 위기 현상의 본질은 정부, 국회, 정당과 같은 대의제도의 부작동에 있으며 이는 곧 대의민주주의의 위기를 말합니다. 대의제도뿐 아니라 언론과 시민단체 같은 정치적 매개 집단 또한 그 기능을 상실하고 있습니다. 디지털 네트워크로 연결된 개인은 기존의 매개 집단에 의존하지 않고 스스로 조직화하여 정치세력으로 힘을 갖습니다. 대의제도가 전환 시대에 따른 정치 환경의 변화와 개인의 의식과 행태를 변화를 따라잡지 못해 제도 지체(institutional lag) 현상이 발생했습니다. 최근 전 세계적으로 겪는 민주주의 위기 현상은 전환 시대에 나타나는 불가피한 현상입니다. 이를 극복하기 위해서는 이미 소명을 다한 대의민주주의를 대체할 수 있는 4차 산업혁명 사회의 민주주의 모델을 찾아야 합니다.

역설 2: 대의제도에 대한 국민의 불신은 높으나 정치적 대표를 선출하는 선거의 투표율은 2010년 이후 증가하는 양상을 보입니다. 정치 불신과 무관심은 낮은 투표율로 연결된다는 기존의 정치참여 이론과는 전혀 맞지 않는 현상입니다.

정치참여 이론에 따르면 정치 관련 정보를 많이 습득할수록 정치에 관한 관심이 높고 투표할 확률이 높아집니다. 반면 정치에 무관심하거나 불신하는 경우 정치 관련 정보를 보지 않게 되고 투표하지 않을 가능성이 높습니다. 논리적으로 보더라도 정치를 불신하는 개인이 대표를 선출하는 선거에 관심을 둘리 없고 당연히 투표도 하지 않을 것입니다. 기존 정치이론에서는 낮은 투표율을 민주주의 위기의 신호로 보았습니다. 시민이 직접 통치하는 직접 민주주의와 달리 대의민주주의에서는 개인을 대신해 선거를 통해 정치적 권한을 위임받은 대표가 통치합니다. 정치 엘리트는 선거를 통해 국민으로부터 권력의 정통성(legitimacy)을 부여받습니다. 따라서 낮은 투표율은 엘리트가 행사하는 권력의 정통성이 취약하다는 것을 의미하며 이는 곧 대의민주주의의 위기로 연결됩니다.

한편 한국의 민주주의는 1987년 민주화 이행 이후 꾸준히 공고화의 단계를 밟고 있습니다. Freedom House, Economist, V-dem 등 모든 민주주의 평가기관들이 한국이 1987년 이후 안정된 혹은 완전한 민주주의 국가로 평가합니다. 그런데 앞서 살펴본 바와 같이 국회와 정당과 같은 대의제도에 대한 국민의 신뢰는 매우 낮은 수준입니다. 낮은 정치 신뢰와 함께 대통령 선거와 국회의원 선거 투표율도 1987년 이후 하락하는 모습을 보였습니다. 정치참여 이론에 근거하면 당연한 결과라 할 수 있습니다.

다음 <표 1>을 보면 역대 대통령 선거 투표율은 민주화 이행 직후에 실시한 13대 대통령 선거에서 89.2%를 기록한 후 2007년 17대 대선에서는 62.9%까지 떨어졌습니다. 꾸준히 하락하던 투표율이 2012년 대통령 선거부터 반등하는 모습을 보입니다. 2007년 대선 투표율이 62.9%이었는데 2012년에는 75.8%로 무려 12.9%가 올랐습니다. 2017년 대선 투표율은 77.2%로 소폭 상승했습니다. 2022년 투표율은 77.1%로 전보다 0.1% 떨어졌지만 역대 최악의 비호감 대선이었음을 고려하면 여전히 높은 투표율이라 할 수 있습니다. 2010년 이후 투표율 상승을 견인한 것은 2030 세대의 높은 투표율이었습니다. 20대 투표율은 1992년 대선에서 71.6%

〈표 1〉 대통령 선거 2030세대 투표율 변화 (13대~20대)

	13대 1987	14대 1992	15대 1997	16대 2002	17대 2007	18대 2012	19대 2017	20대 2022
전체	89.2	81.9	80.7	70.8	62.9	75.8	77.2	77.1
20대	54.2	71.6	68.2	56.5	49.4	68.5	76.1	71.0
차이	-35	-10.3	-12.5	-14.3	-13.5	-7.3	-1.1	-6.1
30대	95.1	84.0	82.7	67.4	54.9	70.0	74.2	70.7
차이	5.9	2.1	2	-3.4	-8	-5.8	-3	-6.4

로 정점을 찍은 후 2007년 대선 49.4%까지 하락했습니다. 30대 유권자는 1988년 대선에서 무려 95.1%의 투표율을 보였다가 2007년 대선에서는 54.9%까지 떨어졌습니다. 전체 투표율과의 차이를 보면 20대 유권자의 경우 2002년 대선에서 -14.3%였던 것이 2012년에는 -7.3%, 2017년에는 -1.1%로 줄었습니다. 30대 유권자 역시 2007년 대선에서 전체 투표율보다 8% 낮았던 것이 2017년에는 -3%로 줄었습니다.

국회의원 선거의 투표율 역시 대통령 선거와 비슷한 양상을 보였습니다. 아래 <표 2>에서 보는 바와 같이 국회의원 선거 투표율은 민주화 이행 다음 해인 1988년 13대 선거에서 75.8%로 최고점을 기록한 후 2008년 18대 선거에서는 54.2%까지 떨어졌습니다. 국회의원 선거 투표율 역

〈표 2〉 국회의원 선거 2030세대 투표율 변화 (13대~21대)

	13대 1988	14대 1992	15대 1996	16대 2000	17대 2004	18대 2008	19대 2012	20대 2016	21대 2020
전체	75.8%	71.9%	63.9%	57.2%	60.6%	46.2%	54.2%	58.0%	66.2%
20대	72%	56.9%	44.3%	36.8%	44.7%	28.1%	43.5%	52.7%	58.7%
차이	-3.8	-15	-19.6	-20.4	-15.9	-18.1	-10.7	-5.4	-7.5
30대	93%	72.1%	62.9%	50.6%	56.5%	35.5%	45.5%	50.5%	57.1%
차이	17.2	0.2	-1	-6.6	-3.9	-10.7	-8.7	-7.5	-9.1

시 대통령 선거와 마찬가지로 2012년 19대 총선부터 반등하기 시작합니다. 19대 총선에서는 54.2% 투표율을 기록해 이전 선거보다 무려 8% 상승했습니다. 국회의원 선거 투표율은 2016년 58%, 2020년 66.2%, 그리고 2024년 선거에서는 67%를 기록해 계속해서 높아지고 있습니다. 국회의원 선거 투표율 상승 현상 역시 대통령 선거와 마찬가지로 2030 세대의 투표율 상승이 주요 요인이었습니다. 20대 유권자의 투표율은 2008년 총선에서 28.1%로 최저투표율을 기록했다가 이후 2012년 43.5%, 2016년 52.7% 그리고 2020년에는 58.7%로 꾸준히 상승했습니다. 전체 투표율과의 차이 역시 2008년에는 -18.1%였으나 2016년에는 -5.4로 간격을 줄였습니다. 30대 투표율 또한 2008년 35.5%로 최하를 기록했습니다. 이 수치는 1988년 93% 투표율과 비교하면 무려 57.5%가 낮아진 것입니다. 30대 투표율도 2012년 45.5%, 2016년 50.5% 그리고 2020년 57.1%로 꾸준히 올랐습니다.

2010년 이후 투표율 상승을 역설적 현상이라고 설명하는 이유는 이 시기 정치제도에 대한 불신은 여전히 높은 수준이었기 때문입니다. 세계가치조사(World Value Survey) 조사에 따르면 정당을 "전혀 혹은 거의 신뢰하지 않는다"고 답한 비율이 Wave 3(1995~1998) 기간에는 74.8%였던 것이 Wave 7(2017~2020)에는 75.5%로 소폭 상승했고, 국회의 경우 불신한다는 응답이 Wave 3에는 68.5%였으나 Wave 7에서는 79.3%로 급격히 올랐습니다. 절대다수의 국민이 정당과 국회를 신뢰하지 않는 상황인데 그 구성원을 뽑는 선거의 투표율은 점차 상승하고 있으니 역설적 현상이라 하지 않을 수 없습니다.

이 같은 역설적 현상이 발생하는 원인은 개인의 정치 효능감 향상과 디지털 네트워크의 확산에서 찾을 수 있습니다. 높은 정치적 불신과 낮은 투표율에도 불구하고 개인의 정치적 효능감은 계속 높아지고 있습니다. 정치적 효능감은 나의 참여가 잘못된 정치를 변화시킬 수 있다는 정치적 자신감을 말합니다. 정치 효능감이 낮은 사람들은 정치에 불만이 있더라도 내가 할 수 있는 것이 없다고 판단하여 잘못된 정치를 외면하고 무관심층으로 남습니다. 그렇지만 정치 효능감이 높은 사람들은 스스로 참여하여 정치 엘리트들이 망친 정치를 개선하고자 합니다. 정부에 대한 국민의 불신은 곧 입법과 정책 같은 정치체제의 산출(output) 능력에 대한 불만을 말합니다. 한편 정치적 효능감은 개인들이 정치체제에 대해 보내는 지지와 비판 즉 투입(input) 시스템과 관련이 있습니다. 투입과 산출이 균형을 이룰 때 비로소 안정된 정치 그리고 건강한 민주주의가 유지됩니다. 정치 효능감이 높은 개인의 정치 참여는 부실한 산출을 개선하여 정치체제의 균형과 안정을 찾고자 하는 노력입니다.

디지털 네트워크 확산은 개인의 정치 효능감 향상과 정치 참여의 활성화를 가져왔습니다. 과거 엘리트 이론에서는 소수의 엘리트가 다수의 대중을 통치할 수 있는 이유를 정보의 독점과 탄탄한 네트워크에서 찾았습니다. 뉴미디어 시대의 개인은 엘리트 못지않게 많은 정보를 습득할 수 있으며 디지털 네트워크를 이용해 촘촘하게 연결되어 있습니다. 일반 대중의 정치적 역량이 강화되었습니다. 2008년 광우병 시위와 20016년 대통령 탄핵 시위와 같이 개인의 정치 참여가 잘못된 정치를 개선한 경험도 했습니다. 정치 불신이 정치적 무관심이 아니라 적극적 참여로 연결된 것입니다.

정치 불신의 수준은 젊은 세대가 나이든 세대보다 더 높습니다. 그런데 과거 정치 참여 이론의 설명과 다르게 왜 점점 더 많은 젊은 세대가 투표장으로 갈까요. 이유는 다음과 같습니다. 젊은 세대들은 몇 번의 성공적인 광장정치를 경험했으나 광장이 정치제도를 대신해 통치할 수 없다는 사실을 깨달았습니다. 현재의 대의 민주주의하에서 개인의 정치적 요구와 가치는 정치적 대표를 통해서만 통치 과정에 반영될 수 있습니다. 광장의 힘이 잘못된 정치를 비판하고 지배 세력을 바꿀 수는 있지만 좋은 정치를 만드는 직접적 주체는 여전히 정치 엘리트입니다. 따라서 좋은 정치를 하기 위해서는 반드시 유능한 대표를 선출해야 합니다. 정치를 불신하는 젊은 세대들이 투표장으로 향하는 이유입니다.

역설 3: 2000년대 중반을 기점으로 시민단체에 대한 국민의 신뢰는 급격히 하락하기 시작했습니다. 시민단체는 한국의 시민사회를 대표하고 주도하는 조직이었습니다. 한편 시민단체는 쇠퇴하는 양상을 보였으나 정치권력을 감시하고 비판하는 시민사회의 기능은 더욱 강해지고 있습니다.

1979년 박정희 대통령의 사망으로 유신정권이 붕괴하면서 한국은 민주화 이행의 기회를 얻었으나 실패했습니다. 한국의 민주화 이행은 1987년에 비로소 성공했습니다. 1970년대 중반 즈음부터 30여 개 국가가 민주화에 성공한 민주화의 제3의 물결이 있었습니다. 많은 민주화 이론가들은 이 시기 민주화 성공의 핵심 조건으로 권위주의 엘리트의 분열을 꼽았습니다. 권위주의 엘리트들이 민주화운동을 강압적으로 진압하자는 강경파와 민주 세력과의 타협을 통해 독재정권의 안정을 유지하자는 온건파로 분열될 때 민주화 이행이 성공할 수 있다는 설명입니다. 하지만 한국의 경우 권위주의 엘리트의 분열은 정반대 현상을 보였습니다. 1979년 유신체제 엘리트들은 당시 대통령 경호실장이었던 차지철을 중심으로 한 강경파와 중앙정보부 부장 김재규의 온건파로 분열되었습니다. 박정희와 차지철은 김재규의 총탄에 의해 사망했습니다. 박정희 사망 후 군부 세력이 정국 수습을 위해 전면에 나섰습니다. 당시 군부는 정승화 참모총장을 중심으로 하는 구군부와 전두환 보안사령관이 이끄는 신군부로 갈라졌습니다. 이처럼 권위주의 엘리트의 분열이 있었지만 민주화 이행은 성공하지 못했습니다. 한편 민주화 이행에 성공한 1987년 권위주의 세력은 전두환 대통령의 장악하에 단결된 모습을 보였습니다.

시민단체가 이끄는 시민사회의 강한 저항이 1987년 민주화 이행의 성공을 가져왔습니다. 1979년 말과 1980년 초 한국의 사회운동 단체들은 취약하고 서로 고립되어 있었으며, 정권에 맞서는 투쟁은 약하고 비효율적이었습니다. 반면 1987년의 사회운동 단체들은 '민주헌법쟁취국민운동본부'의 지도하에 체계적이고 조직적인 민주화 투쟁을 이어갔습니다. 1987년 6월 전두환 정권은 한 달 가까이 지속된 반정부 시위에 굴복하고 대통령 선거 직선제를 받아들였습니다. 그러나 그해 12월 대선에서는 여당 후보인 노태우가 대통령에 당선되면서 권위주의 정권의 유산이 이어졌습니다.

민주화 이행 이후 민주화운동 세력은 정치, 경제, 사회 전반의 개혁을 요구하는 시민운동으로 활동 방향을 바꿨습니다. 개혁적 시민운동이 활발하게 진행된 것은 민주화 이행의 특징과도 관련이 있습니다. 한국의 민주화는 권위주의 정부와 온건 야당 세력 사이의 협약에 기초를 두고 있었습니다. 따라서 민주화 이행과 헌법 개정이 과거 정치 관행과의 완전한 단절로 이어지지는 않았습니다. 정당을 비롯한 정치체제뿐 아니라 경제와 사회 전반에 비민주적 요소는 여전히 남아있었습니다. 정당이 지지 집단의 이익과 가치를 대표하는 기능을 제대로 수행하지 못했고 정당 일체감은 여전히 낮았습니다. 정당의 목표는 자신의 지도자를 대통령으로 만드는 것이었습니다. 해방 후 계속된 인물 정치의 문제를 극복하지 못했습니다. 민주화 이후 지역주의 정치는 더 노골화되었습니다. 권위주의 정권하에서 형성되었던 독재정권 대 민주 세력의 균열구조는 지역갈등과 진영정치의 구도로 변질했습니다. 지역주의와 분열적 진영정치에 기반한 정치체제는 대표성의 위기를 더욱 악화시켰습니다. 정당이 이익과 가치를 대표하지 않고 지역과 진영의 이익을 챙기는데 몰두했습니다. 당연히 정부, 국회, 정당 등 제도정치에 대한 시민의 신뢰는 떨어졌습니다. 이와는 대조적으로 시민단체에 대한 국민의 신뢰는 매우 높았습니다. 정치개혁에 대한 국민의 열망이 강했고 이는 개혁 운동을 주도한 시민단체에 대한 높은 신뢰로 연결되었습니다.

시민단체에 대한 국민의 지지와 신뢰는 '시민단체의 정치화 현상'으로 인해 하락하는 양상을 보입니다. 2000년 총선에서 나타난 시민단체의 낙천·낙선 운동은 정치화된 시민단체의 모습을 여실히 보여주었습니다. 당시 낙천·낙선 운동은 진보 성향의 시민단체가 주도했고, 그 대상은 주로 보수 정당의 후보들이었습니다. 2007년 대선부터는 보수 시민단체들도 낙천·낙선 운동에 적극적으로 나섭니다. 당연히 그 대상은 진보 계열 정당 후보들이었습니다. 진보적 시민단체는 진보 계열 정당 및 정부와 긴밀한 관계를 형성합니다. 반대로 보수 시민단체는 보수 정당 및 정부와 협력 관계를 맺습니다. 민주화운동을 주도했던 많은 시민단체 활동가들이 정부와 정당으로 들어가 정치인으로 변모합니다. 결과적으로 정치사회와 시민사회의 경계가 모호해졌습니다. 민주적 정치체제에서는 국가, 시장, 시민사회 간에 상호 견제와 균형이 중요합니다. 즉 세 영역이 자율성과 독립성을 갖고 어느 한편으로 권력이 집중되지 않아야 합니다. 시민사회의 가장 중요한 역할은 국가와 시장 권력을 감시하는 것입니다. 시민단체가 정치 권력과 밀접한 관계를 맺게 되면 정치사회를 감시하고 통제하는 시민사회 본연의 역할을 하지 못합니다. 시민단체의 정치화 현상은 당연히 국민의 신뢰 하락을 가져왔습니다. 정치사회 기관들의 영향력 조사에서 시민단체는 2004년에 '한국의 가장 영향력 있는 단체' 1위를 기록했습니다. 당시 여당이었던 열린우리당보다 더 높은 순위입니다. 기관 신뢰도 조사에서도 시민단체는 2003년과 2004년에는 1위를 차지했지만, 2005년에는 5위 그리고 2006년에는 7위로 떨어졌습니다. 시민사회를 이끌어 온 시민단체의 쇠락은 곧 시민사회의 약화를 말하며, 이는 민주적 정치체제에 대한 위험신호입니다.

최근까지도 시민단체에 대한 기관 신뢰도 여전히 낮습니다. 한국행정연구원이 주관한 사회통합실태조사에 따르면 2023년 시민단체의 신뢰도는 43.6%입니다. 조사 대상 15개 기관 가운데 시민단체보다 낮은 신뢰도를 보인 기관은 국회(24.7%)와 노동조합(37.7%)뿐입니다. 다행스러운 일은 시민단체의 쇠락과는 별도로 시민사회의 영향력은 매우 강해지고 있다는 것입니다. 정보사회로 들어오면서 시민단체가 시민 참여를 주도하지 않기 때문입니다. 과거 시민단체가 했던 역할을 이제는 디지털 기술을 활용하는 네트워크 개인이 대체했습니다. 정보사회의 시민운동은 과거 시민단체가 주도했던 집단적이고 동원적 참여가 아니라 개인 단위의 자발적 참여를 기반으로 나타납니다. 디지털 네트워크 덕분에 오늘날 개인은 훨씬 쉽게 필요한 정보를 습득하고 공유하면서 정치적 영향력을 행사하고 있습니다. 2008년 광우병 시위와 2016/17년 대통령 탄핵 시위 모두 단체나 조직이 아닌 네트워크 개인이 시작하고 주도했습니다.

디지털 정치의 확산은 권력의 중심이 소수의 엘리트에서 다수의 네트워크 개인으로 옮겨 가는 '권력 이동' 현상을 만들어냅니다. 네트워크 개인이 권력의 중심으로 나타나는 현상을 '롱테일 정치'(long-tail politics)라고 합니다. 롱테일 정치에서 대중은 흩어지고 고립된 개인이 아닙니다. 디지털 네트워크 위에서 촘촘히 연결된 긴 꼬리, 즉 대중은 소수의 엘리트보다 훨씬 많은 정보를 가지고 있고 더 탄탄한 조직을 만들 수 있습니다. 롱테일 정치의 확산으로 시민사회의 힘은 점점 더 강해지고 있습니다.

제 1 장
민주화와 민주주의 공고화

| 개요 |

1987년 한국의 민주화는 운동정치와 제도정치가 결합된 결과입니다. 학생운동을 비롯한 운동정치는 전두환 정권에 맞서 싸워 직선제 개헌을 쟁취하였습니다. 그렇지만 민주화 이행을 위한 협약 체결과 개헌 과정에서 운동정치는 배제되고 정당을 중심으로 한 제도정치가 주역을 맡았습니다. 1987년 민주화는 절차적 민주주의를 위한 기틀은 마련하였으나, 자유와 평등 그리고 노동과 시장 개혁과 같은 내용적 민주주의를 위한 사회적 합의는 만들지 못했습니다.

현재 한국은 '완전한 민주주의' 국가로 평가받고 있습니다. 그렇지만 국민들의 민주주의 만족도와 제도정치에 대한 신뢰는 매우 낮은 수준입니다. 절차적 민주주의는 공고화 되었으나 성숙된 민주주의 국가가 되기에는 아직도 많은 과제가 남아 있습니다.

1. 제3의 물결과 민주화 이행

1) 민주화 이행에 관한 두 가지 시각

1970년대 중반에 민주화의 제3의 물결(The Third Wave of Democracy)이 시작되면서 민주화 이행에 관한 연구가 본격화되었습니다. 2차 대전 이후 신생국가들이 겪은 민주화 이행 과정은 거시적 구조를 강조하는 근대화 이론(modernization theory)과 엘리트 집단의 상황 판단과 선택을 중시하는 발생론적(genetic) 이론을 중심으로 설명했습니다. 1960년대 근대화이론은 제3세계 국가의 민주화 선행조건으로 일인당 국민소득, 교육, 도시화 수준, 정치문화, 역사적 배경 등 사회경제적인 요소들이 중요하다고 설명합니다. 그러나 이 같은 사회경제적 결정주의론(socio-economic determinism)은 민주화 전환 과정에서 엘리트의 역할을 중시하는 발생론적 이론에 의해 비판받았습니다. 발생론적 이론은 결정주의 이론보다는 정치적 선택과 계산에 주목하면서, 사회구조보다는 정치엘리트의 선택이 민주화 이행 여부를 결정한다고 주장합니다. 오도넬과 슈미터(O'Donnell and Schmitter) 같은 학자들은 민주화를 정치엘리트간의 전략적 상호 작용과 타협의 산물로 보았습니다. 즉 민주화 전환은 엘리트의 성향, 계산, 협약 등에 의해 결정된다는 주장입니다.

엘리트중심 이론가에 의하면 지배블록 내부의 분열, 즉 강경파와 온건파간의 갈등이 권위주의 정권의 반체제 세력에 대한 통제력을 약화시키고 결국 민주화 전환을 촉진합니다. 슈미터(Schmitter)는 정권이 응집력을 유지하는 한 시민사회로부터의 어떠한 도전도 효과적으로 탄압하고 정권을 유지할 수 있다고 주장합니다. 엘리트중심 이론가들은 권위주의 정권의 붕괴와 민주화의 계기가 권위주의 정권 외부가 아닌 내부에서 출발한다고 주장합니다. 민주적 체제로의 전환은 저항세력의 투쟁에 의해 쟁취되는 것이 아니라 정치적으로 수동적인 국민들에게 주어지는 것이라고 이해하는 것입니다.

민주화의 제3의 물결

민주화의 첫 번째 물결은 19세기 초 미국과 제1차 세계대전 후에 30개국이 민주화되었던 시기를 말하며, 두 번째 물결은 2차 대전 후 신생 독립국가들의 민주화 그리고 세 번째 물결은 1970년대 중반 이후 유럽과 남미, 동유럽, 그리고 아시아에서 35개 국가들이 민주화 전환에 성공한 시기를 말합니다.

포르투갈의 경우 1974년 경제위기에 불만을 가진 군 장교들의 쿠데타로 권위주의 정권이 붕괴하였고, 스페인은 프랑코 사후 경제성장에 힘입은 노동자와 중간층 그리고 학생층이 민주화 운동을 펼치면서 1975년에 정부와 민주화 협상에 성공하였습니다. 라틴아메리카의 경우 외채증가와 인플레이션, 실업률 증가로 인해 경제위기가 심화되면서 권위주의 정권의 통치기반이 약화되고 권위주의 엘리트 내부에 분열이 발생했습니다. 권위주의 정권의 정통성의 위기가 발생하면서 사회에 대한 통제력이 약화되고 결국 자유화 조치를 시행하게 됩니다.

한편 아시아의 경우 경제위기가 권위주의 정권의 붕괴와 민주화 이행을 설명하는 요인이 아니었습니다. 경제적으로 가장 낙후한 네팔과 중간수준의 필리핀과 태국 그리고 경제적인 성공을 거두었던 대만과 한국 등에서 다 같이 민주화 이행에 성공하였습니다. 필리핀의 경우 1980년부터 원유가 상승과 수출 감소 그리고 차관 증가로 인해 경제위기를 맞게 되고, 농촌지역에서는 공산 게릴라 활동이 극에 달하게 됩니다. 이런 상황에서, 야당 지도자 아퀴노가 암살되는 사건이 벌어지면서 권위주의 정권의 도덕성이 위기에 처하고 군 내부에서 개혁운동이 발생하였습니다. 한편 대만과 한국의 경우 경제성장에 성공하면서 권위주의 정권이 '성공의 위기'를 맞게 됩니다. 경제성장과 함께 중산층이 확산되고 이들의 정치의식이 향상되면서 민주주의에 대한 요구가 높아지게 된 것입니다.

그러나 지배 블록의 단합이 반드시 그 정권이 국민의 지지를 받고 있으며, 또한 반대 세력을 완전히 통제하고 있음을 의미하지는 않습니다. 정권 위기의 원인 또한 지배 엘리트의 분열에만 한정되어 있지는 않습니다. 그 위기는 정권의 외부, 즉 시민사회에서 기인할 수도 있습니다. 잘 조직되고 정치적으로 활발한 시민사회가 권위주의 정권에 압박을 가하여 민주화 전환을 강제할 수 있다는 것입니다. 엘리트중심 이론가들은 상대적으로 짧은 기간에 이루어지는 본격적인 민주화 전환 시기에 주목하면서 권위주의 정권이 위기에 처하기까지의 긴 과정을 간과하고 있습니다. 그렇기에 엘리트의 정치적 계산이나 선택을 강조할 뿐 시민사회의 역할을 제대로 고려하지 않는 실수를 범하게 됩니다. 엘리트중심 이론가들은 정권이 위기에 처하는 과정과 원인을 설명하기보다는 이미 위기에 처한 권위주의 정권이 붕괴되는 과정에 더 많은 관심을 두었기 때문입니다.

사실 대부분의 '지배 엘리트내의 분열'은 정치적 위기를 타개할 방안을 둘러싼 이견에서 기인합니다. 어떠한 지배 엘리트도 자발적으로 민주화 전환을 주도하지는 않으며 아래로부터의 심각한 도전 없이 권좌에서 물러나지는 않습니다. 따라서 정권이 아래로부터의 심각한 도전에 처하게 되는 원인과 과정을 잘 살펴보아야 합니다. 포우레이커(Foweraker)는 이 문제에 대해 정확히 지적하는데, 그는 엘리트중심 이론가들이 민주주의 쟁취를 위해 국민들이 치른 고통과 투쟁은 무시한 채 민주화 전환의 마지막 단계에서 협약을 체결한 엘리트에게 민주화의 모든 공을 돌리고 있다고 비판합니다. 엘리트중심 이론가들은 엘리트 이외의 행위자들도 민주화를 선택하고 이를 위해 집단행동을 취할 수 있다는 단순한 사실을 애써 외면하였습니다.

남미와 남부유럽의 사례연구에서 도출된 엘리트 중심적 모델을 한국의 민주화 이행을 설명하는데 그대로 적용하기에는 여러 가지 무리가 따릅니다. 남부 유럽과 라틴 아메리카 국가의 경우 민주화 이행 이전 단계에서 강경파와 온건파 사이의 갈등이 있었으나, 1987년 한국의 민주화 이행 시기에 지배엘리트의 분열은 나타나지 않았습니다. 민주화 이행 당시 대통령 전두환은 자신이 지명한 후계자인 노태우를 비롯한 정권 내 엘리트들을 강력히 장악하고 있었습니다. 전두환의 권력에 대해 아무런 도전 행위도 드러나지 않았으며 지배 세력은 전반적으로 응집력을 유지하고 있었습니다. 6월 항쟁[1] 중 전두환 정권은 시위진압을 위해 군대 동원을 심각하게 고려하였으나 군부와 집권당인 민주정의당 일부 세력의 반대와 미국의 압력에 의해 좌절된 것은 사실입니다. 그러나 군부와 민정당내 일부세력에 의한 군 동원 반대를 엘리트중심 시각에서 말하는 지배엘리트의 분열 즉 전두환의 강경파에 대한 노태우 중심의 온건파의 조직적 저항으로 해석하기에는 무리가 있습니다. 이 시기 전두환은 노태우를 비롯한 지배엘리트를 강력히 장악하고 있었으며, 엘리트중심 시각에서 말하는 정권 내 온건파와 시민사회 내 저항세력간의 연합전선 형성도 나타나지 않았습니다. 1987년 민주화 이행 당시 지배엘리트들은 그해 12월에 있을 대통령선거를 염두에 둔 전략적 차원에서 온건파 리더인 노태우 당시 집권당 대표가 전두환을 따르는 강경파의 반대를 물리치고 기습적으로 6・29 민주화선언을 발표하는 모양새를 취했습니다. 그러나 그 후 여러 가지 경로를 통해 밝혀진 바에 의하면 대통령 직선제, 김대중 사면, 정치범석방, 언론의 자유 등을 약속한 6・29선언은 전두환이 먼저 결심하고 자신에 대한 정치적 자살 행위라고 강경하게 반대하던 노태우를 설득함으로써 가능하였습니다. 당시 야당지도자 김영삼과 김대중은 오랜 기간 민주화 투쟁을 이끌면서 국민들의 폭넓은 지지를 받고 있었습니다. 이에 비해 전두환 정권의 2인자였던 노태

1) 6월 항쟁은 1987년 6월 10일에 시작하여 6・29 선언시기까지 20일 동안 전국적으로 벌어진 민주화 운동으로 '6월 민주항쟁', '6월 민주화운동', '6월 민중항쟁' 등으로 불립니다.

우의 지지기반은 매우 허약했습니다. 따라서 12월로 예정된 직선제 대통령 선거에서 집권당이 승리하기 위해서는 노태우를 민주화의 영웅으로 포장할 전략적 필요가 있었습니다.

2) 민주화 이행 단계

신생국가의 민주화 과정은 자유화(liberalization) - 이행(transition) - 공고화(consolidation)의 세 단계를 밟으면서 진행됩니다. 자유화 단계는 권위주의 정권이 안정적인 통치 환경을 만들기 위한 목적으로 반대세력에 대한 탄압을 완화하면서 시작됩니다. 자유화 단계에서는 언론 검열을 완화하고, 노동조합의 활동을 어느 정도 눈감아 주고, 임의 동행과 같은 인권 침해를 방지할 수 있는 장치를 보완하고, 정치범을 석방하고, 반대세력을 일부 용인하는 등 권위주의 정권의 탄압이 완화되는 모습이 나타납니다. 한국의 경우 전두환 정권이 1984년 말부터 일련의 자유화조치를 단행하면서 반정부세력에 대한 탄압이 완화되고 그간 숨죽여 있던 시민사회가 부활하는 계기를 맞게 됩니다.

민주화의 두 번째 단계는 이행 과정입니다. 민주화 이행은 민주적 정부를 선출하기 위한 정치제도에 대해 합의하고, 자유롭고 공정한 선거에 의한 정부가 들어서고, 새롭게 들어선 민주정부가 국정을 운영하는 실질적인 권한을 가지고, 새 정부의 행정, 입법, 사법적 권한이 사회 내 다른 집단으로부터 영향을 받지 않을 때 비로소 완성되었다고 볼 수 있습니다. 물론 모든 민주화 이행이 계획대로 진행되지는 않으며, 미완성인 채로 유지될 수도 있습니다. 특히 자유롭고 공정한 선거에 의해 새로운 민주정부가 들어섰지만 군부가 여전히 영향력을 행사하면서 배후에서 실질적인 통치를 하게 된다면 민주화 이행은 미완성인 채로 남게 됩니다. 한국의 경우 전두환 정권의 1987년 4 · 13 호헌조치에 반발한 지식인과 중산층이 본격적으로 민주화운동에 참여하면서 본격적인 이행 단계를 밟게 됩니다. 이후 시민 저항에 굴복한 전두환 정권이 직선제 개헌을 비롯한 일련의 민주화 이행 조치를 수용하는 6·29 선언을 발표하면서 민주화 이행이 완성됩니다.

한편 쉐볼스키(A. Przeworski)는 민주주의가 "마을 내 유일한 게임"(the only game in town)이 될 때, 즉 합의된 규칙에 의한 갈등의 해결이 최선의 방법으로 인식될 때 비로소 민주주의가 공고화되었다고 합니다. 린쯔(Linz)는 민주적 과정만이 정권을 장악할 수 있는 유일한 방법일 때, 즉 어떤 세력이나 집단도 민주적으로 선출된 정책결정자의 행동을 거부할 수 없을 때 비로소 권위주의 정권이 재등장할 가능성이 없어진다고 말합니다. 어떤 중요한 집단도 민주주의를 전복할 의도가 없으며, 대다수의 국민이 정치적 변화는 민주적 절차가 규정하는 테두리 안에서 발생해야 한다고 믿을 때 민주주의는 공고화됩니다. 또한 모든 정치행위자가 정치적 갈등은 확립된 규범에 따라 해결되어야 하며 규범을 위반하는 것은 비효율적이며 값비싼 대가를 치르게 된다는 사실을 받아들일 때 비로소 민주주의가 공고화되었다고 할 수 있습니다. 한국은 1987년 7월 국회에서 개헌작업을 위한 8인 위원회를 구성하고, 개정된 헌법에 따라 그해 12월 국민 직선으로 대통령을 선출하면서 본격적인 민주주의 공고화 단계를 시작하게 됩니다.

2. 한국의 민주화 이행

1) 전두환 정권의 등장, 1979. 10 – 1983. 12

18년간 장기집권 하였던 박정희대통령이 1979년 10월 중앙정보부장 김재규의 총탄에 맞아 서거하면서 유신독재는[2] 막을 내리고 민주주의를

---

2) 1972년 10월 17일 박정희 대통령이 장기집권을 위해 기존 헌법의 일부 조항의 기능

회복할 수 있는 기회를 갖게 됩니다. 그러나 박정희 서거 이후 일시적으로 확장되었던 민주화 운동을 위한 정치기회구조[3]는 전두환 정권의 등장과 함께 급격히 축소되었습니다. 반대세력에 대한 국가의 탄압은 이전 보다 더욱 강화되었으며 정치권내 야당세력도 크게 위축되어 명목상으로만 존재했습니다. 민주화운동에 대한 외부세력의 지원도 미미하였는데, 중산계층과 미국은 혼란을 동반하는 민주화 전환보다는 정치적 안정과 경제발전을 더 원했습니다. 극도로 위축된 정치기회구조 속에서 민주화운동이 전두환 독재정권에 저항하고 위협을 주기는 어려웠습니다. 학생운동만이 겨우 명맥을 유지하고 있었지만 운동조직의 외형과 내용 모두 낮은 수준이었으며 조직 간의 연대는 사실상 불가능한 상황이었습니다.

1979년 12·12 쿠데타로 권력을 장악한 신군부 세력은 정권의 기반을 강화하기 위해 반정부세력에 대한 탄압 수위를 극도로 높여갔습니다. 1980년 5월 17일 신군부는 제주도를 포함한 전국에 걸쳐 비상계엄령을 선포하고 비상조치 10호를 발효하여 모든 정치활동과 정치적인 집회를 금지하였고, 국회를 해산하고 정당을 폐쇄했습니다. 계엄사령부는 구여권 정치인인 김종필, 이후락, 박종규, 재야인사인 김동길 교수, 문익환 목사 등을 포함하는 26명의 주요 반체제인사를 체포했습니다. 신군부의 정치탄압

을 정지시키는 특별선언과 함께 전국에 비상계엄을 선포한 사건을 말합니다. 유신의 내용에는 국회 해산, 정당 및 정치활동을 중지시키고 비상국무회의를 열어 헌법개정안을 마련하는 것으로 구성되었습니다. 새로운 유신헌법으로 그해 12월 23일 통일주체국민회의에서 대의원들의 투표로 박정희가 8대 대통령으로 당선되어 장기 독재의 기반을 마련한 사건입니다.

3) 정치기회구조란 집단행동(Collective action)의 성공과 실패에 대한 판단에 영향을 미침으로써 사람들로 하여금 집단행동에 참여할 동기를 부여하거나 박탈하는 일정한 정치 환경을 의미합니다. 즉 사회운동을 둘러싼 결정적 환경으로서 사회운동의 조직과 활성화에 결정적인 영향을 미치는 것입니다. 정치기회가 확장되면 사회운동은 성공할 확률이 높아지며 반대로 정치기회구조가 축소되면 사회운동의 실패로 연결됩니다. 정치기회구조에 대한 개념은 아이싱어(Eisinger)가 처음 사용하였으며 사회운동의 생성과 그 결과를 설명하는 주요변수로 사용되었습니다.

은 광주민주화운동[4] 진압을 통해 극에 달했습니다. 신군부는 비상계엄령 철폐와 김대중 석방을 요구하는 광주시민의 저항을 군대를 동원하여 진압하였으며, 이 과정에서 시위참가자 200여명이 사망한 것으로 추정됩니다.

이 기간 동안 정치범 수, 정치범의 수감 기간, 고문사례 등을 보면 전두환 정권의 강압정치에 대해 잘 알 수 있습니다. 미국 국무성 통계에 따르면 1983년 말 한국의 정치범 수는 325명에 달하는데, 이 숫자는 1982년에 약 80명 그리고 1983년에 약 300명의 정치범이 석방된 후의 정치범 수입니다. 이 기간 동안의 정치범 수는 박정희 정권 말기보다 훨씬 더 많았습니다. 미국 국무성은 1978년 말 한국의 정치범 수를 약 180-220명으로 추정하였고, 한국의 교회단체는 약 280명의 정치범이 있는 것으로 파악했습니다. 정치범의 수감기간도 이 기간 동안 점차 장기화되었습니다. 반정부 활동으로 구속된 학생들의 수감기간이 1981년 평균 12개월이던 것이 1982년에는 24개월, 1983년에는 36개월로 장기화되었습니다.

1980년대 초반 동안 민주화운동에 대한 외부의 지지 세력은 거의 찾아보기 힘들었습니다. 한국의 경우 민주화운동이 성공하기 위해서는 사회운동 조직에 가담하지 않은 일반 대중과 미국의 지지가 절대적으로 중요합니다. 그러나 이 기간 동안 어느 세력도 민주화운동에 대해 적극적인 지지를 보이지 않았습니다. 신군부가 광주민주화 항쟁을 무자비하게 탄압하는 동안에도 일반 대중은 침묵을 지켰고 미국도 한반도의 민주화보다는

---

4) 1980년 5월 18일부터 27일까지 광주와 전남지역 시민들이 5·17 비상계엄확대조치 철폐와 신군부 퇴진, 구속인사 석방을 요구하며 벌인 민주화 운동입니다. "5·17 비상계엄확대조치"로 전남대학교 출입이 차단되자 학생들은 18일 도심지에서 시위를 확대했습니다. 전두환 정권은 공수부대를 투입하며 시위대를 유혈 진압했고, 이러한 공수부대의 학살에 격분한 시민들이 시위에 참여하며 시가전의 양상으로 변화하였습니다. 군부의 기습진압으로 도청에 있던 시민군들 다수가 사망하며 27일 항쟁이 종결되었습니다. 광주 민주화 항쟁은 한국 현대사 최대의 사건으로 평가받고 있으며 제5공화국 정권의 도덕성과 정통성에 오점을 남겨 80년대 민주화운동의 핵심적 기반이 되었습니다.

광주민주화운동 (1980)

정치적 안정을 통한 현상유지를 선호했습니다.

민주화운동 조직이 펼친 반독재 투쟁은 그 자체로 권위주의 정권에 위협적이었으나, 이데올로기의 급진성과 전국적 지명도를 지닌 지도자의 부재로 인해 일반국민에게 권위주의 정권을 대체할 수 있는 새로운 정치집단으로 받아들여지지 못하는 한계가 있었습니다. 이 같은 한계를 극복하고 새로운 민주정부를 수립하기 위해서는 제도정치권내 동조세력과 연대하는 노력이 반드시 필요했습니다. 그러나 야당 세력은 민주화 운동조직의 한계를 제대로 보완하지 못했습니다. 신군부의 등장과 함께 기존 야당세력은 철저히 붕괴되었습니다. 신군부 세력은 1980년 10월 신헌법을 공포하면서 기존의 국회와 모든 정당을 해산시키고 567명의 구정치인에 대해 1988년까지 모든 정치활동을 금지하였습니다.

박정희 사망 후 사회운동세력은 오랜 동면에서 깨어나 민주화를 향한 행진을 시작했습니다. 그러나 오랜 침체기간으로 인해 제대로 조직되지 못하고 분산되었던 운동세력은 신군부의 물리력 앞에 힘없이 무너졌습니다. 광주민주화운동을 잔혹하게 탄압한 신군부는 새로이 돋아나는 시민사회의 새싹을 무참히 짓밟아 버렸습니다. 광주민주화운동 후 사회운동 세력은 급격히 붕괴되었고 학생운동만이 겨우 그 명맥을 유지하였습니다. 전두환 정권의 잔혹한 탄압으로 인해 학생운동도 다른 운동 영역과의 연대는 물론이고 자체 내 연합조차 이끌어 내지 못한 채 고립적이고 분산적으로 전개되었습니다. 학생운동 내부의 이데올로기 갈등은 이런 상황을 더욱 악화시켰습니다.

1980년 당시 학생운동은 민주화운동 실패에 대한 원인과 향후 운동 방향을 둘러싸고 무림과 학림파로 분열되었습니다. 무림파는 권위주의정권의 탄압을 강화시키는 무분별한 폭력시위를 자제하고 당분간 운동조직의 강화에 힘을 기울여야 한다고 주장한 반면, 학림 조직은 권위주의 정권에 대한 지속적이고 강력한 투쟁만이 학생운동이 나아갈 방향이라는 입장을 견지하였습니다. 무림-학림 논쟁[5]은 1982년에 들어 야학비판-전망 논쟁[6]으로 전환되었습니다. 야비파는 교내문제를 운동의 주 이슈로 하여 일반학생 사이에 지지기반을 확대하는 작업이 우선되어야 한다고 주장한 반면, 전망 조직은 지속적 정치투쟁과 가두시위 전개를 강조했습니다.

박정희 사망 후 정권의 탄압이 완화되는 틈을 타 노동자들은 임금인상, 작업환경 개선, 노동조합의 민주화 등을 요구하며 그 동안 억눌렸던 불만들을 표출하기 시작했습니다. 비록 몇몇 현장에서는 임금인상과 작업환경 개선과 같은 성과를 거두었으나 대부분의 노동운동이 비조직적이고 고립

---

5) 무림-학림 논쟁은 학생운동을 주도한 집단 간에 학생운동의 위치 역할, 향후 활동과 조직 형태를 둘러싼 이론 논쟁을 말합니다. 무림은 80년 광주민주화항쟁의 실패 원인이 통일된 지도부의 부재와 대중기반의 미진함에 있었음을 평가하고 장기적 관점에서 학생운동이 민주변혁 투쟁을 위해 대중운동노선에 주력하기 위해 준비를 해야 한다고 주장했습니다. 이에 반해 학림은 '조직 보존론, 준비론, 당면투쟁방기론, 대기주의'에 빠졌다는 비판을 하면서 학생운동이 정치투쟁에 선도적인 역할을 주도할 것과 투쟁을 통해 발전할 것을 주장하였습니다(김윤철 2012).

6) 무림-학림 논쟁의 연장선상에서 전개된 논쟁입니다. 무림의 주장을 계승한 학생운동가들이 <야학비판>이라는 소책자를 통해 기층 민중세력의 역할강화를 주장한 데서 유래했습니다. 야비는 종래 학생운동이 시위 만능주의였음을 비판하고, 학생대중의 일상적 이익을 대변하는 일상투쟁의 강화와 대중조직 건설을 주장하였습니다. 야비의 노선은 준비론, 주화파 그리고 무림의 맥을 이으며 운동의 대중적인 기반을 넓히는데 기여했습니다. 이에 반해 전망은 투쟁론, 학림의 맥을 같이하고 있습니다. 전망의 노선은 학생운동이 적극적으로 정치투쟁을 전개할 토대를 마련해 주었습니다(홍석만 2000).

서울역 앞에 모인 비상계엄철폐 요구시위대 (1980)

적으로 전개된 탓에 전두환 정권의 노동탄압 정책에 무기력하게 굴복하였습니다.

2) 자유화 단계, 1984. 1 – 1987. 4

제2기에 이르러 민주화운동을 둘러싼 정치기회구조는 조금씩 확장되기 시작하였습니다. 정부의 자유화 조치로 인해 반체제 세력에 대한 탄압이 일시적으로 완화되었고, 1985년 국회의원 선거에서 선전한 신민당이 강력한 야당으로 자리 잡았습니다. 또한 1986년 중반부터 지식인계층을 중심으로 민주화운동에 대한 지지가 확산되기 시작했습니다. 확장된 정치기회구조 속에서 학생, 재야, 노동운동의 부문에서 새로운 운동조직들이 결성되기 시작했고, 각 사회영역에서 특히 학생운동 내에서 조직 간의 연대 움직임이 활발하게 전개되었습니다. 특히 이 시기에는 전 사회운동 부문을 대상으로 민주통일민중운동연합(민통련)[7]이라는 제한적이나마 연합조직이

7) 1985년 3월 29일에 결성되어 80년대 민주화 운동의 구심점의 역할을 한 사회운동단

결성되어 사회운동 세력이 커나갈 수 있는 기반을 갖추게 되었습니다.

이 시기 전두환 정권은 자발적으로 반정부세력에 대한 탄압을 완화하는 자유화조치를 시행합니다. 권위주의 엘리트들이 자유화조치를 시행하면서 민주화 이행을 주도하게 되는 이유는 무엇보다 권력을 유지하는 비용이 권력에서 퇴진하는 비용보다 크다고 계산하기 때문입니다. 주로 군에 대한 애정이 강하고 직업주의 정신이 투철한 군부 엘리트들이 군부의 정치적 연루가 군부의 순수성과 직업주의 정신 그리고 병영체계를 파괴 시킬 수 있음을 우려하여 민주화 이행을 요구하게 됩니다. 두 번째로는 권위주의 엘리트들이 비합법적인 권력을 유지하는 것보다는 민주화 이행이 자신들의 신변안전을 보장한다고 믿기 때문입니다. 세 번째 이유는 권위주의 엘리트들의 계산 착오로 인해 민주화 이행이 시작되는데, 이들은 자신들이 경제성장에 성공했기 때문에 민주적인 선거를 실시해도 국민들이 자신들을 지지할 것이라 확신하면서 선거를 통해 체제 정통성을 쇄신하고자 합니다. 권위주의 엘리트들이 민주화 이행을 주도하는 네 번째 이유는 민주화 이행이 국제사회에서의 정통성을 강화하고, 미국의 제재를 완화하고, 경제 원조를 증대하는 효과를 가져 올 것이라 믿기 때문입니다. 그리고 마지막으로 규범적 이유 때문인데, 비록 불법적 방법으로 권력을 탈취하였지만 역사의 독재자로 남고 싶지 않으며 국민으로부터 존경받는 정권이 되고 싶어 하기 때문입니다.

1983년 말부터 전두환 정권은 극도로 추락한 정통성을 회복하기 위하여 일련의 자유화 조치를 실시하게 됩니다. 1984년 2월 25일 전두환 정권은 정치활동이 금지된 567명의 구 정치인 가운데 202명에 대하여 해금

체입니다. 민주헌법쟁취국민운동본부(국본)를 결성하는데 기초를 세웠습니다. 이후 1987년 대통령 선거에서 김영삼, 김대중 후보에 다른 입장으로 내부 분열이 발생하였고 대선에서 야당의 패배와 1989년 전국민족민주운동연합(전민련)이 결성되면서 해체하였습니다(한국사사전편찬회 2005).

조치를 하였고, 11월에는 김영삼, 김대중, 김종필 등 15명을 제외한 모든 구 정치인에 대하여 정치활동 재개를 허용합니다. 전두환 정부는 1983년 12월 크리스마스 특사로 181명의 시위법 위반 학생 중 131명을 석방하였고, 1984년 1학기 동안에는 86명의 해직교수와 479명의 제적학생의 복교를 허용했습니다. 1983년 11월 457명이었던 정치범의 숫자도 1년 후인 1984년 11월에는 1/4에도 못 미치는 109명으로 감소하게 됩니다.

〈표 1〉 양심수 추이

시기	합계	국보 · 반공	집시법	내란 · 방화	기타
1982. 11. 10	413명	168명	204명	30명	14명
1983. 7. 7	428명	137명	285명	3명	
1983. 11. 25	457명	93명	362명	2명	
1984. 11. 27	109명				

출처: 한국기독교사회연구원, 『한국의 사회정의 지표』, 105.

전두환 정권이 이와 같은 자유화조치를 시행한데는 다음과 같은 배경이 자리 잡고 있습니다. 첫째로, 전두환 정권은 경제정책에 성공하면서 국민 지지에 대해 상당한 자신감을 갖게 되었습니다. 1980년 −3.7%이던 경제성장률이 1983년에는 12.6%로 급증했고, 실업률은 1980년 5.2%에서 1983년 4.1%로 감소하였으며, 인플레이션율도 1980년 28.7%에서 1983년 3.4%로 크게 개선되었습니다. 둘째로, 신군부 정권은 자신들의 통치 기반이 상당 수준 안정단계에 접어들었으며 따라서 굳이 물리적 탄압에 의존하지 않더라도 다른 제도적 수단을 이용해 보다 세련되게 민주화 투쟁을 통제할 수 있다고 믿었습니다. 셋째, 강압정치로 인해 훼손된 정권의 정통성을 회복하기 위해 국민들을 향한 화해의 제스처가 필요했습니다. 1985년 2월로 예정된 국회의원 선거를 앞두고 전두환 정권은 중산층의 지지를 확보할 일정한 조치가 필요했던 것입니다.

그러나 전두환 정권이 실시한 유화정책은 그들이 의도한 결과를 가져오지 못했습니다. 정권의 탄압이 완화되면서 반정부세력들이 운동역량을 재정비할 수 있는 기회를 마련하였고 민주화운동 전 부문에 걸쳐 새로운 조직들이 결성되기 시작했습니다. 유화정책에 힘입어 반정부세력이 급속히 성장하자 전두환 정권은 1984년 말부터 다시 탄압의 강도를 높여갔습니다. 1984년 학생들의 민정당사 점거[8]와 1985년 5월 미문화원 점거[9]는 강압정치로의 회귀를 더욱 가속화 시켰습니다. 미문화원 점거 이전 14명이던 학생 정치범의 수가 점거사건 이후 519명으로 급증하였고, 제적학생수도 1984년에 47명이던 것이 1985년 3월에서 10월 사이에만 102명에 달하였습니다. 전체 정치범의 수도 1984년 11월에 109명이던 것이 1985년 11월 경찰의 민족통일·민주쟁취·민중해방특별위원회(삼민투)[10] 소탕작전 직후에는 704명으로 급증하고, 1986년 12월에는 정치범의 수가 약 2천명에 달하게 됩니다.

---

8) 민정당사 점거사건은 1984년 11월 14일 고려대, 연세대, 성균관대 학생 264명이 연합해 5공화국의 집권여당인 '민주정의당(민정당)'사를 점거하고 군사정권을 규탄하는 집회를 벌인 사건입니다(정진위 2013).

9) 1985년 5월 23일부터 26일까지 학생운동단체인 삼민투의 주도하에 서울대, 연세대, 고려대, 서강대, 성균관대 학생 73명이 서울의 미국 문화원을 기습 점거, '광주 사태'에 대한 미국의 공개 사죄 등을 주장하며 주한 미대사와의 면담을 요구하며 72시간 동안 농성을 벌인 사건입니다(강준만 2009; 정진위 2012).

10) 삼민투쟁위원회(삼민투)는 전국 대학생들의 대표조직인 전국학생총연합(전학련)의 산하단체로 민족통일, 민주쟁취, 민중해방이라는 세 가지 이념 구현을 목표로 결성된 학생운동조직입니다. 1985년 4월 17일 설립 이후 서울 미국문화원 점거 농성에 참여하였으나 삼민투 주요 지도자들이 구속되면서 사실상 해체되었습니다. 그러나 1년 후 '반제반파쇼 민족민주 투쟁위원회(민민투)'와 '반미자주화 반파쇼민주화 투쟁위원회(자민투)'가 결성되면서 운동의 목표를 계속 이어가게 되었습니다(민주화운동기념사업회연구소 2010).

1985년 5월 미문화원 점거 좌측 "미 문화원을 점거하고 농성한 학생들이 건물을 나서며 태극기를 들고 시위하는 모습". 우측 "미국문화원 건물에서 광주학살의 해명을 요구하는 한 대학생"

해금조치로 정치활동을 재개한 구 정치인들은 12대 총선을 불과 한 달 앞둔 1985년 1월에 이르러서야 신민당을 결성할 수 있었지만 국민의 적극적 지지에 힘입어 선거에서 놀라운 성과를 거두었습니다. 신민당은 1985년 총선에서 29.3%의 지지를 얻어 276석(전국구 92석) 중 67석(전국구 17석)을 차지했습니다. 신민당의 이 같은 성과는 전두환 정권 뿐 아니라 야당 자신들도 전혀 예상치 못한 결과였습니다. 신민당은 특히 대도시에서 여당인 민주정의당보다 더 많은 지지를 얻었습니다. 신민당이 서울에서 43.3% 그리고 부산에서 37.0%의 지지를 얻었는데 반해, 민정당은 각각 27.3%와 28.0%의 지지밖에 얻지 못했습니다.

1985년 선거를 통해 야당과 민주화운동세력은 서로간의 연대를 더욱 확대할 수 있는 가능성을 확인했습니다. 선거운동 기간 내내 사회운동 조직은 신민당 선거운동에 적극 참여하여 전단을 배포하고 유권자들을 동원하였습니다. 특히 전두환 정권의 치명적인 약점이라 할 수 있는 광주항쟁 탄압에 대한 진상규명을 요구하면서 군부독재 타도와 직선제개헌을 선거 이슈로 부각시켰습니다. 그러나 야당과 사회운동 세력 간의 표면적 연대에도 불구하고 이들 사이에는 본질적인 이질성이 내재하고 있었습니다. 이데올로기적으로 중도 보수 계층에 지지기반을 둔 신민당이 학생운동과 일부 노동단체의 급진적 이데올로기를 수용하기에는 분명한 한계가 있었습니다.

이 기간 동안 정부의 유화조치와 그에 따른 운동공간의 확장에 힘입어 학생, 노동자, 농민, 빈민, 재야 등 시민사회 전 부문에 걸쳐 새로운 조직들이 우후죽순처럼 결성되었습니다. 이 시기 민주화운동은 동일 부문 내 조직 간의 연대뿐만 아니라 상이한 운동 부문 간의 연대도 모색하고 나아가 상이한 운동부문을 포괄하는 연합조직(umbrella organization)을 형성하려는 움직임도 보였습니다. 이 시기 학생운동의 특징은 타 대학과의 동맹시위, 노동권과의 연대, 조직의 복합성, 급진적 이데올로기 등에서 찾을 수 있습니다. 노학연대 투쟁은 이 시기에 나타난 가장 두드러진 특징 가운데 하나입니다. 1980년 개정된 노동법이 제3자 개입을 금지하자 학생들은 자신들의 신분을 위장한 채 노동현장에 취업하여 노동자 의식화 교육과 노동조합 결성을 주도하게 됩니다. 정부 통계에 따르면 1985년 3월 50명이었던 위장취업자수가 8월에는 800명으로 급증하였고, 1986년 11월에는 377개 작업장에서 699명의 학생이 위장취업 한 것으로 파악되었습니다.

타 대학 및 노동권과의 연대모색에도 불구하고 학생운동권 내부에는 한국사회의 정치경제적 상황에 대한 해석, 투쟁의 방향 등을 둘러싸고 심각한 이데올로기적 분열양상이 나타났습니다. 또한 학생운동에 있어 급진적 이데올로기와 폭력성이 두드러졌습니다. 학생운동이 목표로 자유민주주의 확립이 아닌 프롤레타리아 혁명 완수를 내세웠고, 시위방식에서도 화염병 투척, 경찰서 공격과 같은 심각한 폭력을 동반하여 대부분의 일반 대중으로부터 외면당하는 상황을 만들었습니다.

제2기 동안 학생운동의 성장은 전국적 조직의 결성에서 잘 나타납니다. 자율적 학생대표기구를 결성하기 위한 준비단계로 1984년 3월 '학생자율화 추진위원회'를 구성하였고, 같은 해 11월 42개 대학 2천명의 대표가 참여하여 '전국학생대표 지구회의'라는 연합조직을 결성했습니다. 이 조직은 1985년 4월 전국적으로 지부를 구성한 '전국학생총연합[11]'으로 발전하게 됩니다. 이 같은 조직적 성장과 다른 운동부문과의 연대 활성화에도 불구하고 학생운동 내부 이데올로기 갈등은 지속적으로 전개되었습니다. 이 시기 한국의 정치경제 상황의 해석에 대한 주요 이데올로기로는 CDR(Civil Democratic Revolution), NDR(National Democratic Revolution) 그리고 PDR(People's Democratic Revolution)[12]을 들 수 있습니다. 이 같은 주요 이데올로기를 기반으로 학생 운동권은 깃발-반깃발[13], 민민투-자민투[14] 등의 대립으로 더욱 분열되는 양상을 보였습니다.

이 시기 노동운동에서 나타난 가장 두드러진 특징으로 전국과 지역 조직 결성을 통한 노동자 간의 연대 확산을 들 수 있습니다. 제1기 동안 고

11) 전국학생총연합(전학련)은 1985년 4월 17일 결성된 대학생 운동단체입니다. 전학련은 반외세, 반독재, 민주화투쟁을 위한 학생운동의 연계투쟁과 민족통일·민주쟁취·민족해방투쟁으로 민주화운동의 주도권을 장악하는 것을 목표로 두고 운동을 전개했습니다.

12) 민청련이 분류한 민주화 세력을 말합니다. 마르크스-레닌주의에서 이론적 근거를 가져와 CDR은 시민민주주의혁명, NDR은 민족민주주의혁명, PDR은 민중민주주의혁명을 주창하였습니다. 이 분류를 토대로 민청련은 시민운동단체인 민주통일국민회의를 CDR로, 민청련을 NDR로, 사회주의혁명세력을 PDR로 규정하였습니다. 민청련의 이러한 분류는 80년대 중반에 제기되었던 한국사회 변혁 구성체 논쟁인 CNP논쟁으로 확대되었습니다(역사비평 편집위원회 2009).

13) 1980년 '무림-학림 논쟁', '야비-전망 논쟁'처럼 학생운동조직의 진로와 방향성의 문제를 놓고 이어진 이론적 논쟁입니다. 깃발-반깃발 논쟁은 MT-MC논쟁으로도 불립니다. MT(깃발)는 반합법 투쟁기구로 조직한 '민주화투쟁위원회'의 머리글자에서 유래하였으며 MC(반깃발)는 학생운동의 Main Current(주도세력)의 앞 글자에서 따왔습니다. 깃발(MT)그룹은 선도적 정치투쟁을 주장하여 학생운동을 전민중적 투쟁으로 발전시켜야한다는 학림의 입장을 계승한 반면, 반깃발(MC)그룹은 정치투쟁에 적극적으로 나서기 전에 '선주체 형성'을 주장했습니다(민주화운동기념사업회연구소 2010).

14) 1985년 전학련 산하의 학생운동 단체인 삼민투에서 학생운동세력간의 투쟁노선의 차이로 인해 자민투와 민민투로 나누어졌습니다. 민민투는 민족민주혁명(NDR)을 지향하고 먼저 파쇼헌법을 타도할 것을 주장하였습니다. 반면 자민투는 반외세자주화투쟁 우위론을 주장하며 4월 개헌투쟁보다 반미투쟁을 중심과제로 삼았습니다(정진위 2013).

[그림 1] 학생운동조직의 발전

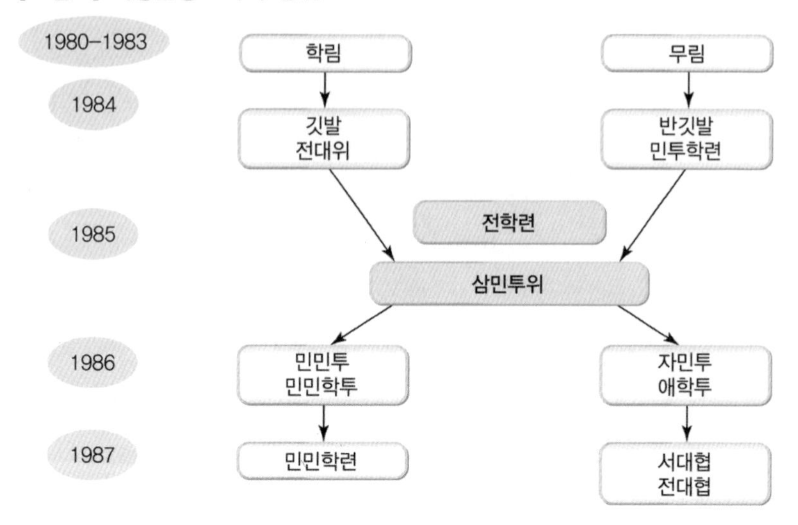

립되고 분열되었던 노동운동의 비효율성을 극복하기 위해 1984년 3월에는 과거 활동한 노동운동가들을 중심으로 '한국노동자복지협의회'를 결성했습니다. 또한 노동운동의 효율성을 높이기 위해 학생운동과 연대하는 전략을 구사하였는데, 1985년 구로동맹시위[15]가 대표적인 사례라고 할 수 있습니다. 구로지구 6개 노동조합과 학생들의 공동투쟁으로 인해 30명의 노동자가 구속되고 1천명 이상의 노동자가 해고되었습니다. 이 시기 노동운동은 운동이슈와 투쟁대상에서 제1기와 많은 차이를 보였습니다. 제1기 노동운동에서는 임금인상, 작업환경개선, 체불임금지급 등 경제적 문제가 핵심 이슈였고 주로 기업주가 투쟁의 대상이었습니다. 그러나 국가권력의 개입

---

15) 1985년 6월 22일 구로 지역의 노동조합이 연대해 벌인 최초의 동맹파업입니다. 구로 지역의 '대우어패럴' 노동조합 위원장을 구속하자 구로지역의 다른 노동조합들이 이를 노조탄압으로 보고 동맹파업을 시작했습니다. 파업시위가 확대되어 노동자, 학생, 재야세력과 함께 가두시위를 벌였으나 강제해산 당하고 핵심조합원이 해고되며 종결되었습니다. 이후 서울노동운동연합(서노련)이 설립되면서 전국적 규모의 노동조합 연대를 이루는 시발점이 되었으며, 노동운동이 사회변혁운동을 전개하는데 일조하였습니다(강준만 2009).

과 노동탄압으로 인해 제대로 된 성과를 얻지 못한 노동 운동권은 권위주의 정권의 붕괴 없이는 자신들의 요구가 실현될 수 없음을 깨닫게 되었습니다. 이에 제2기에 이르러 운동의 주요 이슈는 경제적 문제에 한정되지 않고 정치투쟁으로 확대되었고 투쟁대상 역시 권위주의 정권으로 전환되는 양상을 보였습니다.

이 시기 재야단체로는 민중민주운동협의회(민민협)[16]와 민주통일국민회의[17]가 출범하였습니다. 민민협은 청년, 노동, 농민 운동부문의 젊은 활동가들을 중심으로 1984년 6월 결성된 운동조직입니다. 1984년 10월에는 1970년대 재야운동을 이끌어간 원로 층을 중심으로 민주통일국민회의를 결성하였습니다. 1985년 3월에는 운동자원의 분산에서 오는 비효율성을 극복하고 통일된 민주화 운동을 위해 위 두 단체가 중심이 되어 연합조직인 민통련을 결성했습니다. 1985년 9월 민청련(민주화운동청년연합)[18], 서노련(서울노동운동연합)[19], 기농(기독교농민회)[20], 일부 기독교단체 등

---

16) 1984년 6월 29일 노동단체, 학생운동, 농민단체, 종교지도자 등 각 부문 운동단체들이 연대해 범국민적 민주화 연대운동을 모색하기 위해 결성된 민주화운동단체입니다. 이후에 민주통일국민회의와 함께 민주통일민중운동연합(민통련)을 통합·결성하였습니다(민주화운동기념사업회연구소 2010).

17) 1984년 10월 16일 설립된 민주화운동 단체로 1970년대 민주화운동을 전개한 재야정치세력들을 중심으로 결성되었습니다. 이후에 민민협과 함께 민주통일민중운동연합(민통련)을 통합·결성하였습니다(민주화운동기념사업회연구소 2010).

18) 1970년대 민주화운동을 주도한 청년 운동권 인사들이 중심이 되어 결성한 민주화운동 단체입니다. '민족통일, 부정부패청산, 냉전해소' 등을 구호로 반독재 민주화운동을 전개했습니다. 1983년 9월 결성된 이후 대중노선을 원칙으로 활동을 전개해 나갔습니다. 87년 6월 항쟁 때 민통련에 합류하면서 민주화운동 청년과 노동청년이 중심이 되는 청년대중운동을 표방하였고, 산하 청년조직을 설립하는데 일조하였습니다(민주화운동기념사업회연구소 2010).

19) 1985년 구로동맹파업을 계승하고 노동자계급의 정치적 투쟁을 수행하기 위해 결성된 노동자 중심의 대중정치조직입니다. 구로지역 해고노동자들과 구로동맹파업 조합원들, 노동운동탄압저지 투쟁위원회, 청계피복노조 등 4개의 조직이 연대해 구성하였습니다(유경순 2007).

20) 기농은 1978년 전남기독교 농민회로 출발하여 1982년 전남, 전북, 경북, 충북 기독교농민회로 확대·발전하면서 가톨릭 농촌회와 함께 1989년 '전국농민운동연합'을 결성했습니다. 주로 80년대 농민의 생존권 투쟁과 쌀값보장, 전량수매투쟁을 전개했으며

11개 운동조직이 민통련에 합류함으로써 민통련은 재야, 노동, 종교, 농민, 빈민, 지식인 운동부문의 23개 단체로 구성된 거대연합조직으로 성장했습니다.

거대연합조직인 민통련의 탄생은 민주화운동의 역량을 강화하는데 커다란 힘이 되었습니다. 그렇지만 연합조직의 성격을 지닌 민통련이 강력한 리더십을 발휘하여 민주화 운동을 체계적으로 이끌어 나가기에는 구조적인 한계가 있었습니다. 민통련 가입이 운동가 개인 수준이 아닌 조직별로 이루어짐에 따라 개별 운동조직은 독립성을 유지하였고 민통련 지도부는 회원 개인에 대해 강력한 구속력을 가질 수 없었습니다. 그 결과 민통련의 통합성과 응집력은 크게 강하지 않았습니다.

3) 민주화 이행의 성공, 1987. 4 – 1987. 6

1987년 민주화이행 과정

1월 14일: 서울 남영동 치안본부 대공수사2단에서 서울대생 박종철 물고문 사망
4월 13일: "4 · 13 호헌조치" 발표, 88년 서울올림픽까지 개헌에 관한 모든 논의 금지
5월 18일: "5 · 18 광주항쟁추모미사"에서 김승훈 신부 "박종철 고문치사사건 은폐 · 조작" 폭로
5월 27일: "민주헌법쟁취 국민운동본부" 발족
6월 9일: 연세대생 이한열 학교 앞 시위 과정에서 최루탄 맞아 중태
6월 10일: 민정당 대통령 후보 노태우 선출
"박종철 고문치사 조작 · 은폐 규탄 및 호헌철폐 국민대회" (6 · 10 항쟁) 개최
6월 10일–15일: 명동성당에서 대학생 · 시민 등 1천여 명 농성투쟁

민주화운동에 연대하며 민주화운동을 전개하는데 일조하였습니다(정성헌 2009).

6월 24일: 전두환 · 김영삼 여야 영수회담 뒤 호헌 철회, 김대중 가택연금 해제 발표
6월 26일: '민주헌법쟁취 국민평화대행진', 전국 150만 명 시위참여
6월 29일: 노태우, 직선제 수용을 포함한 "6 · 29선언" 발표

상황적 선택(contingent choice)을 강조하는 엘리트중심 이론가들(elite focused theorists)은 근대화이론을 지나치게 결정론적이라고 비판하나, 그들 역시 권위주의 정권의 붕괴와 민주화 전환을 위한 전제 조건을 은연중에 제시하고 있습니다. 라틴아메리카와 남부유럽의 민주화 과정에 대한 많은 연구들이 '지배엘리트의 분열'을 전제로 하지 않고는 민주화 전환이 불가능하다고 주장합니다. 오도넬과 슈미터는 "어떠한 민주화 전환도 그 시작이 권위주의체제 내부의 심각한 분열, 주로 강경파와 온건파간의 갈등에 기인하지 않은 예가 없다"고 주장합니다.

엘리트중심이론가들의 "엘리트 분열 없이 민주화 전환은 불가능하다"라는 명제는 남부 유럽 및 라틴아메리카의 여러 나라 경우에서 증명되었습니다. 남부 유럽 국가들, 특히 그리스, 포르투갈, 스페인의 경우 권위주의 정권 내부 분열이 그 정권의 붕괴로 이어졌습니다. 브라질, 아르헨티나, 볼리비아 같은 라틴 아메리카 국가들도 1980년대 전반 경제 위기가 권위주의 정권 내부 분열을 초래하였고 이는 민주화 전환으로 이어졌습니다. 엘리트중심 민주화연구에서도 시민사회의 부활(resurrection of civil society)을 민주화과정의 주요한 단계로 다루고 있습니다. 그러나 이들 연구에서 민주화 전환을 설명하는 주요 변수는 시민사회가 아닌 엘리트의 성향, 계산, 협약 등입니다. 또한 이들은 민주화 전환은 지배엘리트의 분열에서 시작되며 시민사회의 부활은 지배엘리트의 분열과 그로 인한 시민사회에 대한 통제력 약화로 인해 수반되는 현상으로 봅니다.

하지만 한국의 경우 엘리트중심이론가들의 설명과 달리 권위주의정권 엘리트들은 여전히 단합된 모습을 보였지만, 시민사회의 거센 저항을 감당하지 못하고 민주화 이행에 동의하게 됩니다. 한국에 있어 민주화 이행을 결정지은 변수는 권위주의 엘리트의 분열이 아니라 중산층과 미국의 태도 변화였습니다. 그 동안 침묵을 지키던 중산층이 적극적으로 민주화투쟁을 지지하기 시작했고, 미국이 전두환 정권에 대한 지지를 철회하면서 민주화 운동의 정치기회구조는 급격히 확장되었습니다. 정치기회구조의 확장에 힘입어 민주화세력은 민통련 조직을 확대 발전하여 야당까지 포함하는 범국민 민주화운동 조직인 '민주헌법쟁취 국민운동본부[21]'를 결성하여 전면적인 반정부 투쟁을 전개하였습니다. 국민운동본부의 폭력을 배제한 온건한 운동 전략과 전 국민의 합의를 쉽게 이끌어 낼 수 있었던 직선제 개헌이라는 이슈 개발은 민주화운동 확산의 결정적 요인이 되었습니다.

1988년 서울올림픽 때까지 헌법 개정에 관한 모든 논의를 금지한다는 전두환 정권의 1987년 4·13 호헌조치[22]는 대통령 직선제를 염원하였던 많은 국민들에게 커다란 실망과 분노를 불러일으켰습니다. 직선제개헌논의 금지조치에 대한 분노는 종교인과 교수 등 지식인 계층에서 먼저 분출되었습니다. 4·13 호헌조치가 발표된 직후 대한변호사협회는 직선제 개헌은 이미 범국민적 합의를 이룬 사항이고 어느 누구도 이를 뒤집을 수 없

21) 1987년 4·13 호헌조치를 발표하자 각계각층의 비난 여론이 있었던 가운데 새로 창당한 통일민주당은 종교계, 노동계, 학생운동세력, 재야세력 등을 연대해 '민주헌법쟁취 국민운동본부(국본)'을 결성했습니다. 국본은 민주화 운동조직을 하나로 결집시켰으며 야당과 재야세력까지 아우르며 6월 민주항쟁을 성공적으로 주도하면서 한국사회의 민주화에 큰 공헌을 하였습니다(민주화운동기념사업회 2008).

22) 1987년 4월 13일 전두환 대통령은 국민들의 민주화 요구에 대해 일체의 개헌 논의를 지양하며 후임 대통령을 기존의 선거방식인 선거인단에 의한 간접선거로 선출하겠다고 선언했습니다. 국민들의 개헌요구를 부정한 이 특별담화문에 대해 국민들은 분개했으며 전국각지에서 개헌을 요구하는 대규모 시위가 벌어졌습니다. 6월 민주항쟁 등 전국적인 시위가 계속되자 전두환 정권은 4·13 호헌조치를 철회하였고 국민들의 민주화 요구와 직선제 개헌안을 수락했습니다(강준만 2009).

으며, 오직 정부의 구조 문제만이 논의 대상이 될 수 있을 뿐이라는 내용의 성명서를 발표했습니다. 광주대교구 소속 신부 18명은 정부의 4·13 조치에 항의하며 무기한 단식투쟁에 들어갔습니다. 이들의 단식투쟁은 커다란 반향을 불러일으켜 4월 24일에는 광주 20개 성당에서 약 1천명의 교인들이 단식투쟁 지지 철야기도회를 열었습니다. 4·13 조치에 대한 저항운동은 교수집단으로 이어갔습니다. 4월 22일 30명의 고려대 교수들이 개헌논의 금지를 비난하는 성명서를 발표한 것을 시작으로 6월 25일까지 전국 48개 대학 1천 510명의 교수들이 반대 서명에 동참했습니다. 교수 이외에 변호사, 성직자, 의사, 예술인 등 34개 단체 4천 136명의 회원들도 4·13 조치 반대서명에 합류했습니다.

이 같은 지식인들의 저항운동은 일반국민들에게 커다란 반향을 불러일으켰습니다. 과거 한국의 중산층은 무질서하고 과격한 반독재투쟁보다는 지속적인 경제성장을 가져다주는 정치적 안정을 더 선호하는 '침묵하는 다수'로 인식되었습니다. 그러나 1987년 6월 한국의 중산층은 더 이상 침묵하는 다수이기를 거부하면서 민주화 투쟁에 적극 동참했습니다. 6월 10일 국민운동본부가 주최한 범국민대회에는 전국 22개 도시에서 약 24만 명이 참여하였고, 6월 26일 '평화대행진'에는 34개 도시에서 1백만 명이 넘는 시민들이 시위에 참여했습니다. 이처럼 침묵하는 다수가 반독재투쟁에 적

국민평화대행진 (1987)

극 동참하면서 전두환 정권에 대한 불만이 결코 일부 급진 운동세력에 국한되지 않았다는 사실을 확인할 수 있었습니다.

6월 들어 반정부 투쟁이 지속적으로 확산되면서 미국 정부는 전두환 정권에 대한 태도를 다시 생각하지 않을 수 없었습니다. 1987년 6월 23일~25일 동안 서울을 방문한 미국 국무성 차관보 개스턴 시거(Gaston J. Sigur Jr.)는 귀국 후 성명을 통해, 서울에서 커다란 변화의 물결을 보았고 한국의 반정부시위가 생각 이상으로 심각한 수준이라고 보고했습니다. 그는 또한 미국 NBC TV 대담 프로에 출연하여 한국정부가 직선제 수용을 위해 반정부세력과 협상하게끔 노력할 것이라고 밝혔습니다. 또한 미국 정부는 전두환 정권에게 민주화 시위를 진압하기 위해 군대를 동원해서는 안 된다는 강력한 메시지를 전달했습니다.

1986년 5·3 인천사태[23]와 건국대 점령사건[24]을 겪으면서 급진적인 학생 및 노동운동 세력이 급격히 쇠퇴하였고, 민주화운동 제3기 동안 사회운동은 온건한 재야세력과 지식인층이 선도하게 되었습니다. 이 시기 반정부 세력은 모든 민주화 세력과 일반시민들이 쉽게 공감할 수 있는 직선제 개헌을 우선적 운동 목표로 하였습니다. 이와 더불어 일반시민들의 지지를

23) 1986년 5월 인천에서 '신한민주당 개헌추진위원회 결성대회'에 학생운동세력, 재야세력과 시민들이 전개한 시위사건입니다. 신한민주당이 직선제 개헌을 위한 천만 서명운동을 전국적으로 전개하는 동안 급진세력들의 주장을 지지할 수 없다는 입장을 표했습니다. 이에 대해 운동권 세력은 신한민주당 인천·경기지부 결성대회 시작 전부터 격렬한 시위를 벌이면서 인천사태가 촉발되었습니다. 이들은 신민당의 각성을 요구하고 이원집정 개헌반대를 외치며 국민헌법제정과 헌법제정민중회의의 소집을 주장하였습니다(안철현 2009, 210).

24) 1986년 10월 28일 건국대에서 '전국 반외세·반독재 애국학생투쟁연합(애학투)' 결성식과 '신 식민지 분단 이데올로기·반공 이데올로기 분쇄를 위한 애국학생 실천대회'에 참가한 전국 29개 대학 학생들이 경찰에 맞서 5개의 대학 건물을 점거하고 농성한 사건입니다. 당시 학생들은 '유엔 동시가입 및 남북한 교차승인 결사반대, 올림픽 공동개최와 단일팀 구성, 통일논의·정치집회 보장, 주한미군 철수' 등을 주장했습니다. 이 때문에 당국은 기존의 용공·좌경을 넘어서 '공산혁명자 건국대 폭력 점거 난동사건'으로 규정하고 대규모 진압 작전을 전개해 진압했습니다(역사학연구소 2004).

확대하기 위해 과격하고 폭력적인 투쟁을 지양하고 온건한 운동 전략을 채택하여 민주화운동의 저변을 확대하였습니다. 이 같은 운동 목표와 전략에 대한 합의의 결과, 야당과 사회운동세력을 통합하는 거대연합조직인 '민주헌법쟁취 국민운동본부'가 출범할 수 있었습니다. 국민운동본부라는 거대연합조직의 출범과 온건한 운동 전략은 6월 항쟁이 성공할 수 있었던 핵심 요인이었습니다.

6 · 10 국민대회 행동요강

1. 당일 10시 이후 각 부분별 종파별로 고문살인 조작 규탄 및 호헌철폐 국민대회를 개최한 후 오후 6시를 기하여 성공회 대성당에 집결 국민운동본부가 주관하는 국민대회를 개최한다.
2. (1) 오후 6시 국기하강식을 기하여 전국민은 있는 자리에서 애국가를 제창하고,
   (2) 애국가가 끝난 후 자동차는 경적을 울리고,
   (3) 전국 사찰, 성당, 교회는 타종을 하고,
   (4) 국민들은 형편에 따라 만세삼창 (민주헌법 쟁취 만세, 민주주의 만세, 대한민국 만세)을 하든지 제자리에서 1분간 묵념을 함으로 민주쟁취의 결의를 다진다.
   (5) 국민대회는 우천 불구 진행한다.
3. 경찰이 폭력으로 대회 진행을 막는 경우
   (1) 전 국민은 비폭력으로 이에 저항하며,
   (2) 연행을 거부하고,
   (3) 연행된 경우에도 일체의 묵비권을 행사한다.
4. 전 국민은 오후 9시 부터 9시 10분까지 10분간 소등을 하고 KBS, MBC뉴스 시청을 거부함으로 국민적 합의를 깬 민정당의 6 · 10 전당대회에 항의하고 민주쟁취의 의지를 표시할 수 있는 기도, 묵상, 독경 등의 행동을 한다.
5. 대회가 만의 하나 경찰의 폭력에 의해 무산되는 경우 부분별 단체별로 교회, 성당, 사찰 기타 편리한 장소에서 익일 아침 6시까지 단식 농성한다.
6. 8, 9일 양일간 전 국민은 6 · 10국민대회 참여를 권유하고 상호 격려하는

<전 국민 전화 걸기 운동>을 전개해 주기 바란다.

7. 또 한 번 부탁하거니와 6·10국민대회는 철저하게 평화적으로 참여해주시기를 바라며 폭력을 사용하거나 기물손괴 등을 자행하는 사람은 국민대회를 오도하려는 외부세력으로 규정한다.
8. 하오 6시부터 성공회 대성당에서 진행될 국민대회 식순은 추후 발표한다.
9. 각 도시 등 지방에서도 위와 같은 행동요강으로 국민대회를 진행하되 시간과 장소는 지역의 편의에 따라 할 것이며 각계각층이 총망라하여 준비위원회를 구성하여 국민대회를 가져주기 바란다.

국민운동본부가 성공할 수 있었던 요인은 거대조직과 온건한 전략에서 찾을 수 있습니다. 1987년 5월 27일 결성된 "민주헌법쟁취 국민운동본부"는 민주화투쟁을 위한 최대 규모의 연합조직으로 야당정치인을 비롯해 종교계, 민통련, 예술인, 언론인, 농민, 빈민 등 전 사회운동 부문을 망라했습니다. 국민운동본부는 6월 10일 범국민 민주화대회를 주최하면서 철저한 비폭력 평화주의와 선거를 통한 민주정부수립을 슬로건으로 내세웠습니다. 국민운동본부는 현 정부에 대한 항의 표시로 애국가 부르기, 자동차 경적 울리기, 교회 종 타종, 9시 TV 뉴스 안 보기 등과 같은 행동지침을 발표하여 일반 시민들이 신체적 위협을 느끼지 않으면서 민주화운동을 지지한다는 의사를 쉽게 표현할 수 있게 하였습니다. 국민운동본부는 6월 10일, 18일 그리고 24일 세 차례에 걸쳐 대규모 집회를 조직하면서 범국민적 민주화투쟁을 선도했습니다.

국민운동본부가 대규모 집회와 온건한 운동 전략을 통해 일반국민의 민주화 투쟁 참여를 유도하였다면 학생운동 세력은 6월 10일에서 29일까지 20일간에 걸쳐 가두시위의 제일선에서 투쟁을 선도했습니다. 전국에 걸친 학생들의 파출소 등 정부 관련 기관 습격, 도로점령, 열차운행 방해와 같은 폭력 시위로 인해 경찰력이 분산되고 소진되면서 곳곳에서 경찰이 시위대를 진압하지 못하는 상황이 벌어졌습니다. 학생운동의 이 같은 투쟁은 국가폭력에 대한 두려움을 제거시킴으로써 일반시민들이 민주화투쟁에 적극적으로 참여할 수 있는 분위기를 조성하였습니다. 국민운동본부가 범국민적 민주화 운동을 조직하고 선도하였다면, 이 시기 학생운동은 시위대 일선에서 투쟁의 열기를 지속, 확산시키는 역할을 하였던 것입니다.

강력한 범국민적 저항이 20일간에 걸쳐 계속되면서 전두환 정권은 자신들의 최고 치적이라 할 수 있는 평화적 정권교체와 서울올림픽이 무산될 수 있는 정치적 위기상황에 처했음을 깨닫게 됩니다. 이에 전두환 정권은 1987년 6월 29일 국민들의 민주화 요구를 대폭 수용하는 8개항의 민주화 조치를[25] 발표하게 됩니다.

4) 민주세력의 분열, 1987. 7 - 1987. 12

6·29선언을 실천하기 위한 후속조치로 국회에서는 여당인 민정당과 야당인 통일민주당이 공동으로 개헌 작업을 협의하는 8인 위원회를 구성하였습니다. 7월 30일부터 본격적인 활동을 시작한 위원회는 9월 18일 개헌안을 국회에 제출하였고 10월 13일 국회는 찬성 254, 반대 4라는 압도적 다수로 새 헌법안을 통과시켰습니다. 새 헌법안은 10월 21일 열린 국민투표에서 93.1%의 찬성을 얻어 통과하였고, 10월 29일 공식 선언되었습니다.

전두환 정권에 의한 민주화조치 발표는 아이러니컬하게도 야당의 분열과 중간계층의 이탈을 가져왔습니다. 민주화 세력은 오랜 투쟁 끝에 전두

---

25) 6·29선언의 구체적 내용은 다음과 같습니다. 1.대통령직선제 개헌을 통한 1988년 2월 평화적 정권이양, 2.대통령선거법 개정을 통한 공정한 경쟁 보장, 3.김대중의 사면복권과 시국관련 사범들의 석방, 4.인간존엄성 존중 및 기본인권 신장, 5.언론기본법 폐지 등의 언론 자유 보장, 6.지방자치 및 교육자치 실시, 7.정당의 건전한 활동 보장, 8.과감한 사회정화 조치의 단행

환 정권으로부터 직선제 개헌이라는 목표는 성취하였지만 막상 민주정부를 선출하는 1987년 12월 대통령선거에서는 패배했습니다. 민주화 운동의 힘으로 권위주의 정권을 붕괴시키고도 민주정부의 첫 대통령 자리를 권위주의 정권의 후계자인 노태우 민정당 대표에게 넘겨주는 우를 범했습니다. 민주화 운동세력과 야당은 권위주의 정권 타도를 위한 투쟁에서는 굳게 단결하였으나, 막상 권위주의 정권이 무너지고 난후 새로운 민주정부를 출범해야 하는 과정에서는 분열하는 모습을 보였습니다. 민주화 투쟁 시기에는 전두환 군사정권이라는 공동의 적이 있었고, 직선제 개헌이라는 공동의 목표가 있었기에 잘 단합할 수 있었습니다. 그렇지만 공동의 적이 무너지고 공동의 목표가 달성되면서 민주화 세력을 묶어 온 단단한 연결고리까지 함께 느슨해지고 말았습니다. 민주화 세력들은 권위주의 정권 타도와 직선제 개헌에는 뜻을 함께하고 있었지만, 그 후에 누가 권위주의 정권을 대체하는 지도자가 될 것인지, 그리고 어떤 민주주의를 만들 것인지에 대해서는 아무런 논의와 합의가 없었습니다.

민주화 세력이 분열된 데에는 6·29선언이 갑작스런 성과였던 이유도 있습니다. 당시 민주화 운동세력과 일반시민들이 직선제 개헌을 거세게 요구하였지만 전두환 정권이 그렇게 빨리 항복 선언을 할 것이라고는 기대하지 않았습니다. 6·29 민주화선언은 일반국민뿐만 아니라 반정부세력조차 예상치 못한 전격적인 조치였습니다. 반정부 세력은 권위주의 정권 타도에는 쉽게 합의하였지만, 그 이후 정치구조를 어떻게 할 것인지에 대해서는 충분히 논의하고 준비하지 못했습니다. 일단 대통령 직선제라는 공동의 목표가 달성되자 반정부세력은 자신들의 기본이익, 이데올로기, 차기 정부의 구조 등에 있어서 이견을 드러내기 시작했습니다. '민주화 이후'를 준비할 겨를 없이 갑작스레 민주화 이행이 완결되었기 때문입니다.

이런 상황에서 민주화 세력의 분열은 두 가지 측면으로 나타났습니다.

첫째는 중산층의 이반입니다. 앞서 살펴본 것처럼 학생, 노동자, 지식인과 같은 운동세력이 권위주의 정권 타도의 선봉에 서 있었지만, 전두환 정권이 굴복할 수밖에 없었던 가장 큰 이유는 중산층의 참여에 있습니다. 6월 들어 20일이 넘게 전국 곳곳에서 민주화 시위가 벌어지고 무엇보다 넥타이 부대가 시위에 참여하고 일반시민들이 적극적으로 호응하는 상황이 벌어지면서 전두환 정권은 정권 유지가 더 이상 힘들다고 판단했습니다. 그런데 민주화 운동의 토대가 되었던 중산층 집단이 민주화 이행 이후 나타나는 사회 혼란과 경제적 불안을 우려하면서 민주화 세력으로부터 이탈하는 모습을 보였습니다. 중산층 이탈의 가장 큰 이유는 대규모 노동 분규의 발생에 있습니다. 1987년 8월 한 달 동안 2천 500건이 넘는 노동자 파업이 발생했는데, 이 수치는 그 이전 10년 동안의 파업 건수를 합한 것 보다 더 많은 것입니다. 중산층들은 과도한 노동자 시위가 자신들이 누려온 경제적 안정을 해칠 수 있다고 우려했습니다. 중산층들이 민주주의를 갈망한 것은 사실이나, 그 보다는 경제적 안정이 더 우선되는 가치였던 것입니다.

한편 누가 민주세력을 대표하는 대선 후보가 될 것인가를 두고 야당 지도자였던 김영삼과 김대중 두 사람이 분열을 일으키면서 민주화 세력에 대한 중산층의 지지도 약해지는 모습을 보였습니다. 대통령 선거를 앞두고 권력 경쟁의 구도가 민주 대 반민주 세력의 대결이 아니라 민주세력 간의 대결로 변질되면서 중산층의 지지도 자연히 분산될 수밖에 없었습니다. 대통령 후보 단일화 실패에 따른 양김씨의 분열로 인해 한국정치의 갈등구도는 민주세력 대 반민주세력의 대결에서

양 김씨의 분열 1987년 대통령선거 후보단일화 조정에 실패한 후 회담장을 나서는 양 김씨

지역갈등 구도로 변질되었습니다. 한국의 민주화운동이 성공을 거둘 수 있었던 중요한 요인 중 하나는 강력한 야당이 존재하고 이들이 국민들에게 권위주의정권을 대체할 새로운 대안으로 인식되었다는 점입니다. 처음 전두환 정권이 직선제 개헌을 수용할 때만 하더라도 일반국민과 반정부 세력은 당시 야당인 통일민주당이 대통령 선거에서 승리할 것으로 확신했습니다. 이러한 확신은 집권당인 민주정의당에 대한 국민들의 누적된 적대감, 권위주의정권을 대체할 야당세력의 존재, 그리고 이에 대한 국민들의 높은 지지에 근거한 것이었습니다. 그러나 야당세력의 분열로 인해 민주세력은 국민들에게 최선의 대안을 제시할 수 없었습니다. 선거운동과정에서 지역감정이 증폭되고 폭력이 난무하면서 국민들은 정치에 대해 깊은 환멸감을 갖게 되었습니다. 국민들의 마음속에 더 이상 양심적인 민주세력은 존재하지 않았습니다.

1987년 12월에 치러진 대통령 선거에서 여당인 민주정의당 후보로 노태우가 출마했고, 야당은 통일민주당의 김영삼, 평화민주당의 김대중, 그리고 신민주공화당의 김종필 후보로 분열되었습니다. 야당 지도자의 분열로 인해 민주화 운동 기간 유지되었던 민주 대 반민주의 정치 구도가 깨어지고 지역주의를 기반으로 하는 선거 경쟁 구도가 자리 잡게 되었습니다. 13대 대통령 선거에서 민주정의당 노태우 후보는 36.6%를 득표하여 각각 28%와 27.1%를 얻은 김영삼과 김대중 후보를 물리치고 민주화 이후 첫 직선제 대통령으로 당선되었습니다. 주요 대선 후보들의 지역별 득표 현황을 보면 지역주의 투표행태가 여실히 드러납니다. 대구 출신인 노태우 후보는 대구・경북에서 68.1%의 지지를 얻었고, 거제 출신인 김영삼 후보는 부산・경남에서 53.7%를 그리고 목포 출신인 김대중 후보는 호남권에서 88.4%의 지지를 얻었습니다. 야당 지도자였던 양 김씨의 분열은 한국정치에 있어 두 가지 오점을 남겼습니다. 하나는 1987년 민주화 이행을 미완의 민주화에 머물게 했다는 잘못입니다. 민주화 세력의 오랜 투쟁 끝에 전두환 군사정권을 굴복시키고 직선제 개헌을 쟁취하였으나 민주화 세력의 분열로 인해 군사정권을 계승하는 노태우 후보가 대선에서 승리하여 실질적인 문민정부는 출범하지 못했습니다. 민주화 세력의 분열이 낳은 두 번째 오점은 13대 대선의 경쟁 구도를 민주 대 반민주가 아닌 지역주의 구도로 변질시켜 이후 한국 정치에서 지역주의가 본격적으로 발호하는 계기를 만든 것입니다.

5) 민주화 이행의 특성

(1) 민주화 이행의 세 가지 경로

'민주화의 제3의 물결'을 연구한 미국 정치학자 헌팅톤(Samuel Huntington)은 1970년대 중반 이후 민주화 이행에 성공한 35개 국가들의 민주화 경로를 위로부터의 민주화(transformation; reforma), 아래로부터의 민주화(replacement; ruptura), 그리고 타협을 통한 민주화(transplacement; ruptforma)라는 세 가지로 구분하였습니다. 위로부터의 민주화 이행의 경우 권위주의 엘리트들이 민주화 과정을 주도하고, 아래로부터의 민주화는 반정부 집단이 주도하며, 그리고 타협을 통한 민주화 이행은 권위주의 엘리트와 반정부 집단 사이의 타협을 통해 진행됩니다. 물론 각 국가들의 민주화 이행과정이 위 세 가지 경로에 정확히 들어맞는 것은 아닙니다. 모든 민주화 이행 사례는 둘 이상의 이행과정이 결합하였고, 대부분의 민주화 이행이 타협의 과정을 포함하고 있습니다. 한편 각 국가의 권위주의 체제의 성격도 다른 양상을 보이고 있었는데, 동유럽 공산국가와 멕시코, 대만 등은 일당 체제의 권위주의 정권이 집권하고 있었고, 한국을 비롯한 그리스, 터키, 파키스탄, 나이지리아 등은 군사정권이 통치하고 있었으며, 포르투갈(살리잘, 카에타노), 스페인(프랑코), 필리핀

(마르코스), 인도(인디라 간디), 루마니아(차우세스쿠) 등은 개인독재 체제를 유지하고 있었습니다.

민주화 이행과정은 지배 연합내 개혁파와 보수파 그리고 반정부 진영의 온건파와 극단주의자들 간의 상호작용을 통해 결정됩니다. 위로부터의 민주화는 정부 진영이 반정부진영보다 강하고 개혁파가 보수파보다 강할 때, 그리고 반정부진영 내 온건파가 극단주의자보다 강할 때 가능합니다. 민주화의 제3의 물결을 거친 35개국 가운데 16개국(일당체제 5개국, 개인독재 3개국, 군사정권 8개국)이 위로부터의 민주화 과정을 거쳤습니다. 위로부터의 민주화는 앞서 설명한 대로 권위주의 체제 엘리트들이 민주화 이행과정을 주도하게 됩니다. 스페인, 브라질, 대만, 멕시코, 헝가리 등과 같이 경제적으로 성공한 권위주의 체제에서 주로 발생하는 이행과정인데, 반정부 세력에 대한 억압수단을 보유하면서 자신들이 원하는 시기에 민주화 이행을 주도하게 됩니다. 이 같은 위로부터의 민주화 이행과정에서는 다음과 같은 5개의 주요국면이 나타나게 됩니다.

첫 번째 국면은 개혁파의 출현입니다. 권위주의 체제 내부에 민주화 이행을 지지하는 지도자 혹은 잠재적 지도집단이 출현하게 됩니다. 스페인, 브라질, 헝가리, 터키 등이 여기에 해당합니다. 권위주의 엘리트들은 민주화 이행을 위해 시민 자유 회복, 검열 완화, 정치토론 허용, 시민단체 조직 허용 등과 같은 자유화 조치를 시행합니다. 그렇지만 이들이 공정한 선거를 통한 민주적 경쟁을 원한 것은 아닙니다. 이들은 단지 국민의 선심을 사면서 온건하고 안정적인 권위주의 체제를 유지하고자 합니다.

위로부터의 민주화 과정에서 나타나는 두 번째 국면은 권위주의 정권 내부의 온건개혁파들이 정부 권력을 장악하는 과정입니다. 대체로 세 가지 경로를 통해 온건파들이 정부 권력을 장악하게 됩니다. 첫째는 권위주의 지도자의 사망으로 자연스럽게 온건파가 권력을 장악하는 과정입니다. 스페인에서는 프랑코 총통이 사망한 후 카를로스가 권력을 계승하였고, 대만에서도 장개석 총통의 사망 후 장경국이 권력을 이어 갔습니다. 두 번째로 브라질과 멕시코의 경우 지도부의 정기적 교체가 있었는데, 브라질은 군부 내 강경파와 온건파 사이의 권력 교체가 있었고, 멕시코도 자유론자인 마드리드가 포르티요 대통령 후임으로 취임하였습니다. 세 번째 경로는 민주적 개혁가들이 강경파를 힘으로 축출하는 것입니다. 페루, 에콰도르, 과테말라, 나이지리아, 불가리아 등에서 온건파의 쿠데타에 의해 강경파가 권력에서 축출되었습니다.

세 번째 국면은 온건파에 의한 자유화 조치가 실패하는 현상입니다. 앞서 설명한 바와 같이 권위주의 정권 내부의 자유적 개혁파들이 자유화 조치를 시행한 이유는 완전한 민주화 이행보다는 안정된 권위주의 정권의 유지에 있습니다. 그렇지만 자유화 조치가 확산하면서 온건파가 의도한 권위주의 정권이 안정적으로 유지되기보다는 보수파의 반동 현상이 나타나거나 시민사회의 부활에 따른 완전한 민주화 이행이 진행됩니다. 스페인의 경우 아리아스 수상이 자유화 조치를 통해 프랑코 체제를 유지하고자 하였으나, 프랑코 사망 후 카를로스 국왕은 그를 해임하고 수아레스를 수상에 임명하여 정치개혁법과 같은 본격적인 민주화 조치를 시행하였습니다. 한편 그리스, 아르헨티나, 버마, 중국 등의 경우 자유화 조치로 인해 사회통제가 완화되고 시민 세력의 저항이 거세지면서 오히려 권위주의 보수파가 재집권하면서 권위주의로 퇴행하는 양상이 벌어졌습니다.

위로부터 민주화 과정에서 발생하는 네 번째 양상은 복고적 정통성(backward legitimacy)에 의존하는 모습입니다. 개혁파가 주도권을 잡은 후에도 강경보수 세력은 여전히 상당한 영향력을 행사합니다. 스페인의 프랑코주의자, 라틴아메리카의 군부, 헝가리의 스탈린주의자, 멕시코의 제도혁명당 등이 그러한 보수 강경 세력들입니다. 개혁파 지도자들은 정부,

군부, 관료 내 보수파를 선별적으로 숙청하여 보수파 내 분열을 유도하고, 한편으로는 스페인의 왕정, 멕시코와 남아공의 제도혁명당과 국민당, 그리고 대만의 삼민주의 등과 같은 과거의 복고적 정통성에 호소하여 사회 내 폭넓은 지지를 구하고 안정을 유지하고자 합니다. 개혁파들은 복고적 정통성에 기대어 시민의 지지를 확보하면서 이를 바탕으로 보수 강경파를 설득하게 됩니다.

위로부터 민주화 과정의 마지막 국면은 반정부 세력을 포섭하는 것입니다. 민주개혁파는 권력을 장악한 후 반정부 세력, 정당, 사회단체 등과 합의를 시도하게 됩니다. 개혁파는 보수 세력을 소외시키면서 반정부 세력 내에 지지를 확대하고 자신의 지지기반을 강화하고자 합니다. 반정부 세력들이 민주화 이행을 지지하도록 하여 보수파를 견제하는 도구로 활용하고자 합니다. 따라서 반정부 세력 내에서 온건파가 주도권을 장악하는 것이 매우 중요합니다. 반정부 세력 내 극단주의자들이 득세하게 되면 강경파의 반동적 반응을 초래할 수 있기 때문입니다. 상대한 규모의 온건 반정부 세력이 정부의 민주화 조치에 합의할 준비가 되었다는 것을 권위주의 강경파에게 보여주면 이들은 자신들의 정통성이 붕괴했음을 인식하고 민주화 이행을 받아들일 것입니다.

아래부터의 민주화는 반정부진영이 정부 진영보다 강하고 온건파가 극단주의자보다 강할 때 발생합니다. 권위주의 정부의 세력이 약화하고 반정부 세력의 힘이 성장하면서 아래로부터의 민주화 이행이 발생합니다. 위로부터 민주화가 권위주의 정권 엘리트들에 의해 주도되는 반면 아래로부터 민주화는 시민의 힘(people power)이 민주화 이행을 주도합니다. 1990년까지 그리스, 아르헨티나, 포르투갈, 필리핀, 루마니아, 동독 등의 6개국에서 시민의 힘으로 권위주의 정권이 붕괴하고 민주화 과정을 밟게 됩니다. 아르헨티나의 경우 포클랜드 전쟁 패배로 군사정권이 붕괴하였고, 나머지 국가들에서는 군부의 이반이 체제 붕괴의 결정적 요인이 되었습니다. 포르투갈, 필리핀, 루마니아 등과 같은 개인 독재 국가에서는 국민 사이에 정부에 대한 반감이 널리 확산해 있었고, 이로 인해 군부가 권위주의 정권에 등을 돌리게 되었습니다.

아래로부터의 민주화의 경우 위로부터의 민주화에서 보인 절차적 연속성이나 복고적 정통성에 대한 호소는 나타나지 않습니다. 오히려 과거와의 단호한 단절이 강조되고 이전의 체제와 연관된 절차, 제도, 이념, 인물 등은 불순한 것으로 간주합니다. 또한 아래로부터의 민주화는 위로부터의 민주화에서 볼 수 없었던 일시적인 권력의 진공상태를 겪게 됩니다. 반정부 세력들은 권위주의 정권의 타도를 위해서 서로 단결하였으나 권위주의 체제의 붕괴이후 권력의 분배와 새로 수립될 체제의 성격을 둘러싸고 서로 분열하게 됩니다.

아래로부터의 민주화가 성공하기 위해서는 권위주의 체제의 부도덕성과 부패 양상을 부각해야 하고, 종교인, 학자, 정치인들 가운데 온건 반대 세력을 폭넓게 포섭하여야 합니다. 무엇보다 국민에게 반정부 세력의 책임감과 안정성을 보여 민주 정부를 잘 운영할 수 있는 대체 세력으로 인식되는 것이 중요합니다. 그러기 위해서는 비폭력 투쟁을 지향해야 하며, 미국 등 외국 국가들의 지지를 확보해야 합니다. 성공적인 민주화 이행을 위해 무엇보다 중요한 것은 민주화 운동 과정에서 반정부 집단들 간의 단합을 잘 유지하고 권위주의 체제 몰락 이후를 제대로 준비하는 것입니다.

타협을 통한 민주화는 개혁파와 온건파가 각각 정부 진영과 반정부진영에서 반민주적 집단을 제압하면서 개혁파와 온건파 사이에 세력의 균형이 이루어질 때 일어납니다. 이때 정부와 반정부진영이 권력을 최소한 잠정적으로나마 분담할 것을 동의해야만 합니다. 타협을 통한 민주화는 정부진영과 반정부진영의 공동 노력으로 민주화로 이행하는 유형입니다. 민주화 제3의 물결을 경험한 35개국 가운데 폴란드, 체코, 우루과이, 한국 등 11개국이 여기에 해당합니다. 정부 세력이나 반정부 세력이 일방적으로 체제의 성격을 결정할 수 없을 뿐 아니라 정부 세력 내에서도 보수파와 개혁파가 세력 균형을 무너뜨릴 수 없는 상황에서 타협에 의한 민주화 이행과정을 밟게 됩니다. 반정부 세력은 권위주의 정권을 붕괴시킬 만큼 강하지 못하며, 정부 세력은 민주화 세력을 폭력으로 탄압하면 그 대가가 엄청나게 큰 것을 잘 인식하고 있어 타협의 방안을 찾을 수밖에 없습니다.

타협을 통한 민주화는 다음과 같은 과정을 거치게 됩니다. 우선 권위주의 정부는 자유화 조치를 통해 반정부 세력과 시민사회에 대한 탄압을 완화하게 됩니다. 물론 이러한 자유화 조치는 앞서 위로부터의 민주화와 마찬가지로 민주화 이행보다는 안정적 권위주의의 유지를 목표로 하고 있습니다. 한편 반정부 세력은 탄압이 완화되는 틈을 타 조직을 강화하고 시민사회 내에 지지기반을 확대합니다. 그 결과 시민사회의 부활(resurrection of civil society)이 나타나게 됩니다. 자유화 조치가 권위주의 정권의 의도와 달리 반정부 운동의 확산으로 연결되면서 권위주의 정부는 민주화세력의 정치적 동원 봉쇄와 탄압을 위해 자유화 조치를 거둬들이고 다시 강압적 방법을 동원하게 됩니다. 이 과정에서 민주화 세력의 파업, 항의, 시위와 정부에 의한 억압, 투옥, 경찰 폭력, 비상사태, 계엄령 사이의 밀고 당기는 투쟁이 계속됩니다. 결국 권위주의 정권과 민주화 운동 세력은 서로를 완전히 제압하기 어려움을 인식하고 타협을 시도하게 됩니다.

양자 간의 협상은 정부 내 개혁파가 주도하게 되는데, 성공적인 타협을 위해서는 정부와 반정부 세력 모두 상대를 협상의 파트너로 받아들이고 서로의 정통성을 인정해야 합니다. 권위주의 정권과 민주화 세력 간의 협상이 성공하기 위해서는 반드시 서로의 안전을 보장하여야 합니다. 위로부터의 민주화는 권위주의 엘리트들이 거의 처벌 받지 않았으나, 시민혁명이 주도하는 아래로부터의 민주화 경우 거의 모두가 처벌을 받습니다. 타협을 통한 민주화는 권위주의 엘리트에 대한 처벌의 수준을 적절히 합의해야 비로소 성공할 수 있습니다. 한편 타협을 통한 민주화는 아래로부터의 민주화 과정에서보다 반정부 세력이 단결을 유지하기가 훨씬 어렵습니다. 권위주의 청산의 수준과 새로운 민주정부의 성격에 대해 합의하기가 쉽지 않기 때문입니다. 한국을 비롯한 우루과이, 남아공, 칠레 등에서 민주화 협상 이후 민주화 세력 내부에 심각한 분열상이 나타났으나, 필리핀과 폴란드는 민주화 운동 지도자였던 아키노와 바웬사를 중심으로 잘 단결하는 모습을 보였습니다. 즉 권위주의 정권을 대체할 확실한 대체 세력이 있을 때 민주화 세력이 단합을 유지할 수 있습니다. 따라서 민주화 세력은 누가 권위주의 정권을 대체하는 지도자가 될지 분명히 결정하여야 합니다. 한국의 경우 민주화 타협 이후 반정부 세력이 김영삼, 김대중 그리고 민중세력으로 분열되면서 결국 대선에서 권위주의 정권을 대표했던 노태우에게 패하는 우를 범했습니다.

(2) 한국 민주화 이행의 특성

한국의 민주화 이행은 아래로부터의 민주화와 타협에 의한 민주화, 두 과정이 결합되어 진행된 것으로 볼 수 있습니다. 권위주의 체제를 붕괴시킨 힘은 아래로부터 즉 학생운동, 노동운동, 지식인 운동과 같은 사회운동에서부터 비롯되었습니다. 그렇지만 개헌을 비롯한 민주화 이행의 구체적인 내용은 정치 엘리트 간의 협약을 통해 결정되었습니다. 결국 한국의 민주화 이행은 운동 정치와 제도정치가 결합하여 진행되었다 할 수 있습니다. 권위주의 정권의 붕괴까지는 운동정치가 주된 역할을 하였고, 민주주의의 제도화 과정은 제도정치가 이끌어 갔습니다. 문제는 이 두 과정이 단절되어 진행되었다는 점입니다. 권위주의 정권에 대한 저항과 투쟁에는 학

여야8인 정치회담 1987년 8월31일 열린 민정당과 민주당 양당 간의 8인 정치회담에서 민정당 권익현(왼쪽), 민주당 이중재(오른쪽) 협상대표가 개헌협상 합의문에 서명하고 있다.

생운동을 비롯한 운동권 세력이 주도적인 역할을 하였습니다. 이들은 다분히 이념적으로 혁신적이고 과격한 투쟁방식을 고집했습니다. 이들은 권위주의 정권을 타도의 대상으로 인식하였고 타협보다는 투쟁을 통해 민주주의를 쟁취하고자 했습니다. 또한 이들은 자유민주주의보다는 훨씬 급진적인 민중민주주의를 실현하고자 했습니다. 한편 민주화 이행의 협상과정을 주도한 제도정치권, 즉 기성 정치인들은 상당히 보수적인 이념을 가졌고 온건하고 점진적인 체제 변동을 선호했습니다. 6·29 민주화 선언 이후 10월 헌법 개정까지 여야 8명으로 구성된 정치회담이 민주화 협약 체결을 이끌어갔습니다. 이 과정에서 민주화 운동 세력을 대변했던 국민운동본부는 배제되었고, 구체제 정치 엘리트들이 협약 과정을 주도했습니다. 8인 회담에서는 대통령 임기, 자격, 집권 가능성에 영향을 미치는 제도적 절차, 그리고 국회 권한 강화 등을 중심의제로 다뤘고, 노동관계법이나 광주항쟁의 성격에 관한 규정 등 첨예한 문제는 논의하지 않았습니다.

진보적 가치를 추구하던 운동 정치 세력의 역할은 권위주의 정권으로부터 민주화 이행의 약속을 받아내는 단계까지였습니다. 이후 실질적인 민주화 이행과정은 보수 성향의 제도정치권이 담당했습니다. 민주화 이행의 일등 공신이라 할 수 있는 운동정치권은 권위주의 정권의 항복과 직선제 개헌이라는 일차적 목표를 달성한 후 어떤 민주주의를 만들 것인가를 놓고 서로 입장을 달리하면서 분열되기 시작했습니다. 운동정치권의 분열은 대선 국면으로 들어가면서 지지 후보를 둘러싸고 본격화되었습니다. 운동

정치권은 김영삼을 지지하는 '후보단일화' 세력, 김대중을 지지하는 '비판적 지지' 세력, 그리고 독자적인 민중후보를 내세우자는 '독자 후보' 세력으로 갈라졌습니다. 민주화 이행과정에서 운동정치권이 보인 가장 심각한 문제는 권위주의 체제를 대체할 대안적 이념과 비전을 발전시키고 이를 공유하지 못한 것입니다. 민주화 운동 과정에서 운동권이 지녔던 이념은 대체로 사회주의나 급진적 민족주의처럼 다분히 낭만적이고 교리적이고 추상적이었습니다. 이러한 이념적 급진성으로 인해 운동권은 스스로 사회로부터 고립되고 정치세력화에 실패하는 잘못을 범했습니다. 또한 기존의 보수정당들과는 차별화되면서도 일반대중들의 호응을 얻을 수 있는 대안적 이념과 새로운 민주주의에 대한 비전을 제시하지 못했습니다.

1980년대 민주화 이행을 가능하게 만들었던 정치기회구조 측면에서는 다음과 같은 특성을 찾을 수 있습니다. 첫째, 국가의 탄압 강화가 항상 민주화운동의 실패로 연결되지는 않았습니다. 1980년 초 사회운동 조직이 제대로 뿌리를 내리지 못했을 때 전두환 정권은 민주화 운동을 물리적 힘으로 탄압할 수 있었습니다. 그러나 1985년 중반 이후 민주화 운동에 대한 국가의 탄압이 더욱 강화되었지만 민주화 운동 세력의 활동은 위축되지 않았습니다. 1984년 자유화 조치에 힘입어 민주화 운동 세력은 국가의 탄압을 견뎌낼 수 있는 내구성을 갖추게 되었고, 연합전선을 형성하여 반독재 투쟁을 지속할 수 있었습니다. 둘째, 지배 엘리트의 분열이 민주화 운동에 긍정적인 영향을 주는 측면이 있으나, 이것이 반드시 민주화 전환의 충분조건은 아니었습니다. 1987년 민주화 이행과정에서 보듯이 권위주의 정권이 비록 내부 단결을 유지하더라도 이미 일정 궤도에 진입한 민주화 운동을 완전히 통제할 수는 없었습니다. 셋째, 민주화 운동에 대한 지지 여부를 판단하는데 외부세력은 합리적 선택의 양상을 보였습니다. 민주화 운동에 대한 지지가 자신들의 정치적 경제적 이익의 희생을 요구할 때 이들 외부 집단은 민주화에 대한 심정적 지지에도 불구하고 적극적 지지 표명을 유보하였으며, 민주화 운동의 성공에 대해 확신을 가질 때 비로소 자신들의 심정적 지지를 적극적 행동으로 표현했습니다. 이는 한국 민주화 운동 과정 중 중간층과 미국의 태도에서 분명히 나타났습니다. 중간층의 경우 1987년 4·13 호헌조치까지만 하더라도 민주화 운동에 적극적으로 참여하지 않았습니다. 당시 학생과 노동자를 중심으로 하는 민주화 운동이 전두환 정권에 상당한 압박을 가하였으나 중간층은 과격하고 급진적인 이들 세력과 일정한 거리를 두고 있었습니다. 4·13 호헌조치에 분노한 종교인과 교수를 비롯한 지식인 집단이 반독재 투쟁에 적극적으로 가담하고 민주화 운동 집단을 포괄하는 국민운동본부가 결성되면서 힘의 균형이 민주화 세력 쪽으로 점차 기우는 양상을 보이게 되었고, 넥타이부대를 비롯한 중간층이 반정부시위에 적극적으로 가담했습니다. 미국의 경우 전두환 정권의 유지와 민주화 전환 가운데 어느 쪽이 자신들의 국익에 도움이 될지 판단하지 못하던 상황에서, 국무성 차관보 개스턴 시거가 서울을 방문한 후 민주화의 물결이 되돌릴 수 없는 상황임을 알고 전두환 정권에게 시위대를 무력으로 진압하지 않도록 압력을 가했습니다. 넷째, 민주화 운동의 성공에 있어 대체 세력(alternative force)의 존재는 필수적이며 한국의 경우 강력한 야당이 그 역할을 맡았습니다. 학생, 노동자, 재야 세력에 의해 주도된 민주화 운동이 국민의 지지를 받을 수 있었던 것은 이들이 야당과 연합전선을 형성하였기 때문입니다. 사회운동 세력은 과격성과 극단적 이데올로기로 인해 국민으로부터 권위주의 정권을 대체할 수 있는 세력으로 인식되기에는 본질적인 한계를 갖고 있었습니다. 이는 1987년 말 대통령 선거에서 민중후보였던 백기완의 조기 사퇴, 이듬해 4월 총선에서 한겨레민주당과 민중의 당의 의회 진출 실패 등에서 잘 나타납니다.

사회운동 이론의 측면에서 한국의 민주화 이행의 특징을 살펴보면 다음과 같습니다. 첫째, 강력한 사회운동은 민주화 전환에 결정적인 영향을 미치며 이를 위해 사회운동 부문 간의 동맹 형성은 필수적인 조건이었습니다. 한국의 경우 민주화 운동 초기 고립 분산되었던 사회운동 조직은 각 부문 내 조직 결성, 동일 부문 내 조직 간의 연대운동, 그리고 여러 부문을 포괄하는 연합조직 형성의 과정을 거치면서 그 역량을 강화하고 민주화 투쟁에 승리할 수 있었습니다. 둘째, 민주화 운동의 성공을 위해 범국민적 합의 도출은 필수조건이었습니다. 폭력에 의존하는 과격한 전략과 사회주의 체제 건설이라는 극단적 이데올로기는 결코 국민의 지지를 얻을 수 없었으며 당연히 민주화 운동도 성공할 수 없었습니다. 반면에 국민운동본부를 중심으로 한 민주화 투쟁이 성공할 수 있었던 것은 범국민대회를 주도하면서 폭력을 배제한 온건한 운동 전략을 선택하여 일반 대중들이 쉽게 지지 의사를 표명할 수 있게 하였기 때문입니다. 운동의 목표 역시 당시 범국민적 여망이었던 직선제 개헌으로 제한함으로써 보다 광범위한 지지를 얻을 수 있었습니다.

3. 민주주의 공고화

1) 민주주의 공고화의 조건

권위주의 정권으로부터 민주주의 체제로의 전환은 자유화(liberalization) - 이행(transition) - 공고화(consolidation)의 세 단계를 거쳐 진행됩니다. 자유화 단계는 권위주의 정권이 안정된 통치를 위해 스스로 반정부 세력에 대한 탄압을 완화하고 개인과 시민사회의 자유를 일부 보장하는 조치를 하는 단계입니다. 한국의 경우 1984년 초부터 전두환 정권이 정치인 해금 조치, 해직 교수 및 제적 학생의 복직과 복교를 허용하는 자유화 조치를 시행하였습니다. 이행 단계는 권위주의 정권이 물러나고 민주정부가 수립되는 과정을 말합니다. 1987년 4·13 호헌조치 이후 급격히 확산한 민주화 운동과 그 결과 얻어낸 6·29 민주화 선언과 직선제 개헌 그리고 12월 대선 국면까지가 이행 단계에 해당합니다. 민주주의 공고화는 민주주의 체제가 붕괴하여 권위주의 정권으로 퇴행할 가능성이 없는 단계를 말합니다. 개념적으로 보면 어떤 나라도 완전한 공고화의 단계, 즉 권위주의 정권이 들어설 가능성이 전혀 없는 상태에 들어섰다고 할 수는 없습니다. 그렇지만 민주화 과정을 연구한 학자들은 민주화 이행 후 두 번의 평화적 정권교체에 성공하고, 일인당 국민소득이 6천 달러를 넘어섰다면 그 나라가 다시 권위주의로 퇴행할 가능성은 거의 없다고 합니다.

자유화와 민주화 이행에 대한 개념 설명은 비교적 명확하지만 민주주의 공고화에 대해서는 학자들 간에 다른 시각을 보이고 있습니다. 민주주의 공고화를 최소한으로 정의하는 학자들은 "정치적으로 중요한 반체제 세력 또는 반정부 사회운동이 부재할 때" 민주주의는 공고화되었다고 봅니다. 달리 말하면, 자유롭고 공정한 선거가 정기적으로 열리고, 권위주의로 퇴행할 가능성이 거의 없다면 민주주의는 공고화되었다는 것입니다. 하지만 민주주의 공고화에 대한 "최대주의"(maximalist) 정의에서는 정치적 정당성 확립, 민주적 가치의 확산, 반체제 세력의 부재, 정당의 제도화, 이익집단 활동, 정치의 일상화, 국가 권력의 분산, 직접 민주주의 요소의 도입, 사법 개혁, 빈곤 해소, 경제적 안정 등의 조건이 성숙했을 때 비로소 민주주의는 공고화되었다고 합니다. 최대주의자들은 민주적인 문화, 가치, 규범, 절차 등을 강조합니다. 민주주의에 관한 규범, 절차, 기대가 내재화되어 있고 구성원들이 경쟁하고 갈등을 빚을 때도 주어진 규칙을 준수할 때 비로소 민주주의가 공고화되었다는 것입니다. 따라서 민주주의가 공고화되기 위해서는 정치, 경제, 사회, 문화 등 모든 영역에서 그리고 정치 엘리트뿐 아니라 일반 대중에 이르기까지 모두가 민주적 절차와 규범을 안정화, 제도화, 일상화, 내면화, 습관화 그리고 정당화하는 수준에 이르러야 합니다.

민주주의 공고화를 영역별로 살펴보면, 우선 시민사회에서는 결사와 소통의 자유가 보장되어야 하며, 정치사회에서는 자유롭게 공정한 선거가 보장되어야 합니다. 또한 법에 의한 통치가 제도와 문화로 자리 잡고 있어야 하며, 국가의 강제력은 법에 근거하여 행사되어야 하며, 시장이 제도적으로 안정되고 법적인 규제를 받고 있어야 합니다. 한편 민주주의 공고화는 정치, 사회, 경제 세 영역에서 진행되는데, 정치 민주화가 먼저 진행되고 그 효과가 사회적, 경제적 영역으로 파급되는 과정을 거치게 됩니다. 우선 정치영역에서는 정치 권력의 재창출과 재생산에서 경쟁 규칙이 합리화되고 참여기회가 확대되는 과정이 있어야 합니다. 여기서는 권력 형성의 정당성, 권력 행사의 합리성, 정치참여의 개방성이 중요한 쟁점으로 다뤄지고, 참여와 이익대표가 중요한 가치로 자리 잡게 됩니다. 사회 민주화는 이러한 절차적 합리성이 사회 전 영역으로 확산·심화하면서 사회구성원이 민주화의 실질적 혜택을 골고루 누릴 수 있도록 하는 보편적 규칙과 제도가 정립되는 과정을 말합니다. 결사와 의사 표현의 자유 그리고 기회 균등과 합리적 관행이 중요한 쟁점이 되며, 형식합리성과 실질합리성을 동시에 실현해야 합니다. 경제영역에서는 경제적 자원과 기회 배분의 평등화를 통해 경제민주화를 실현해야 합니다. 여기서는 성장정책과 분배구조의 개선이 중요 쟁점으로 다뤄지고, 효율성과 형평성의 가치 간의 대립을 해소하면서 양자를 동시에 추구해야 합니다.

2) 민주화 이행과 민주주의 공고화

민주주의 공고화 과정은 민주화 과정과 밀접한 관계가 있습니다. 한국의 민주화는 운동 정치와 제도정치의 협력으로 가능하였습니다. 자유화 조치 이후 활력을 되찾은 학생, 노동, 재야 등 운동 세력의 끊임없는 민주화 투쟁이 전두환 정권을 위기 상황으로 몰고 갔습니다. 그렇지만 일반시민들의 지지를 얻기에는 운동 세력의 투쟁전략은 지나치게 과격하고 급진적인 면이 있었습니다. 전두환 정권의 4·13 호헌조치에 분노한 지식인 집단이 반독재 투쟁에 적극적으로 나서게 되고, 이후 야당까지 함께하는 국민운동본부가 조직되면서 반독재 투쟁이 전국적으로 확산하였고, 결국 전두환 정부는 직선제 개헌을 포함한 민주화 조치를 발표하게 됩니다.

6·29선언 전문

1. 여야 합의 하에 조속히 대통령 직선제로 개헌하고 새 헌법에 의해 대통령선거를 실시, 88년 평화적 정부이양을 실현한다.
2. 직선제도의 변경뿐만 아니라 이를 민주적으로 실천하기 위해 대통령 선거법을 개정, 자유로운 출마와 공정한 선거를 보장하여 국민의 심판을 받도록 한다.
3. 국민적 화해와 대동단결을 위해 김대중씨를 사면복권 시키고 자유민주주의적 기본질서를 부인한 반국가사정이나 살상, 방화, 파괴 등으로 국기를 흔들었던 소수를 제외한 모든 시국관련 사정들을 석방한다.
4. 새 헌법에서는 구속적부심을 전면 확대하는 등 기본권 조항을 강화하고 인권신장에 힘쓰도록 한다.
5. 현행 언론기본법을 빠른 시일 내에 폐지하고 지방 주재 기자제의 부활, 프레스카드의 폐지 등 언론자유 창달을 위해 관련 제도와 관행을 획기적으로 개선한다.
6. 지방자치제 및 교육자율화를 실시한다.
7. 정당의 건전한 활동을 보장한다.
8. 밝고 맑은 사회를 건설하기 위해 과감한 사회정화 조치를 실시하고 유언비어의 추방, 지역감정의 해소 등을 통해 신뢰성 있는 공동체를 만든다.

민주화 이행을 약속한 6·29선언이 발표된 이후 여당인 민정당과 야당인 통일민주당은 각각 4인의 대표로 구성되는 '8인 정치회담'을 구성하여 새 헌법안을 만들게 됩니다. 새 헌법안은 대통령 권한을 축소하여 독재를 방지하는데 초점을 두었습니다. 대통령 임기를 5년 단임으로 한정하여 장기집권을 하지 못하도록 하였습니다. 대통령의 비상조치권과 국회해산권을 폐지하여 대통령의 권한을 축소했습니다. 반면에 국회의 임시회의 소집요건을 완화하고 국정감사권을 부활하여 의회의 대통령 견제 기능은 강화했습니다. 6·29선언과 개정 헌법안은 민주주의의 절차적 요소를 보완하여 공정한 경쟁과 권력 분산의 요소를 잘 담았으나 노동자의 권리, 소득재분배, 복지, 독점자본의 규제 등 사회경제적 개혁은 다루지 못하였습니다. 절차적 민주주의[26]는 개선되었으나 내용적 민주주의[27]까지는 진전시키지 못한 한계를 보였습니다.

1987년 민주화가 절차적 민주주의의 개선에 그칠 수밖에 없었던 것은 민주화 이행과정에서 그 원인을 찾을 수 있습니다. 한국의 민주화 이행은 운동정치와 제도정치가 결합한 결과입니다. 전두환 정권의 직선제 개헌 약속을 받아내기까지는 학생운동을 비롯한 운동 세력이 주도적인 역할을 하였으나 실질적인 민주화 이행과정에서는 6월 항쟁의 주역이었던 국민운동

26) 민주주의가 규정하고 있는 개념이 절차적인 부분에서 실현하고 있다면 민주주의가 실재하고 있다고 보는 관점입니다. 예를 들어, 공정하고 투명한 선거를 통해 공직자를 선출하는 것 등이 있습니다. 절차적 민주주의의 최소요건은 모든 시민이 선거에서 한 표를 행사할 수 있는 투표권을 가지는 1인 1표의 정치적 평등과 그에 기반을 둔 대의제 민주주의라 할 수 있습니다(이주하 2010).

27) 실질적 민주주의는 평등주의에 입각하여 재화와 용역 그리고 기회가 사회의 각 구성원들에게 고루 향유되는 것을 의미합니다. 절차적 민주주의를 넘어 민주주의의 심화를 지향하고 있으며 참여민주주의를 강조합니다. 즉 노동자, 여성, 장애인, 소수집단 등 주변화되고 소외된 모든 계층의 정치적 평등은 물론 실질적인 사회경제적 평등이 보장되고, 나아가 민주주의의 실천이 단순히 공식적인 정치영역에만 한정되지 않고 직장, 학교, 가족 등 사적인 영역으로 간주되는 일상적인 삶의 영역에까지 참여민주주의가 확산하는 것을 의미합니다(이주하 2010).

본부가 개헌 협상에서 배제되고 제도권 정치집단이 주도적인 역할을 했습니다. 이처럼 민주화 과정에서 운동정치와 제도정치는 투쟁과 이행이라는 역할을 분담하였습니다. 문제는 운동 세력과 야당 세력이 독재 권력의 타도라는 기본적인 목표는 공유하였으나 새로운 민주주의의 내용에 대해서는 합의하고 공유하는 부분이 전혀 없었다는 것입니다. 즉 권위주의 정권의 붕괴까지는 뜻을 같이 하였으나 그 이후 어떤 민주주의를 만들 것인가에 대해서는 아무런 논의도 준비도 없었던 것입니다. 운동 세력이 지향하는 이념과 가치가 상당히 진보적이고 급진적이었던 반면에 한국의 야당은 매우 보수적인 성향을 띠고 있었습니다.

한국의 민주화가 노동과 시장의 개혁을 다루지 못하고 절차적 민주화에 그친 또 다른 이유는 권위주의 정권이 성공의 위기에 의해 붕괴하였기 때문입니다. 권위주의 정권이 붕괴에 이르는 과정은 실패의 위기와 성공의 위기 두 가지 경로가 있습니다. 실패의 위기는 라틴아메리카의 많은 권위주의 정권과 같이 경제성장에 실패함으로써 국민의 지지를 얻지 못하고 또 다른 군부 쿠데타나 민간 정치세력에 의해 권위주의 정권이 붕괴하는 것입니다. 정권이 권력을 유지하기 위해서는 국민으로부터 통치권에 대한 정통성을 부여받아야 합니다. 정권의 정통성에는 절차적 정통성(procedural legitimacy)과 내용적 정통성(substantive legitimacy) 두 가지가 있습니다.

절차적 정통성은 민주적 선거를 통해 확보됩니다. 선거에서 다수의 국민으로부터 지지를 받은 정치세력이 통치하게 되는 것입니다. 민주주의 국가에서 가장 기본적인 정통성 획득 절차라 할 수 있습니다. 이에 반해 내용적 정통성은 권력을 획득한 정권의 통치 능력에 의해 획득됩니다. 국민의 요구를 충족시킬 통치 능력이 있을 때 비로소 국민은 정권의 정통성을 인정하게 됩니다. 비록 민주적 절차에 의해 선출된 정부라 할지라도 불법적인 행위를 하거나 통치 능력이 모자라 국민의 삶이 힘들어진다면 정통성을 잃게 됩니다. 한편 군사 쿠데타와 같이 비합법적 방법을 통해 정치권력을 획득한 정권은 내용적 정통성을 확보함으로써 절차적 정통성이 결핍된 한계를 극복하려 합니다. 권위주의 정권이 경제성장에 주력하는 이유가 바로 내용적 정통성을 확보하여 정권의 안정성을 높이려는데 있습니다. 따라서 군사정권이 경제성장에 실패하게 되면 절차적 정통성과 내용적 정통성 모두가 결핍되는 실패의 위기를 겪으면서 정권을 더이상 유지할 수 없게 됩니다.

그렇다면 경제성장에 성공한 권위주의 정권은 안정적으로 유지될 수 있을까요? 그렇지 않습니다. 권위주의 정권에 있어 경제성장은 양날의 칼과 같습니다. 경제성장과 실패한 권위주의 정권과 마찬가지로 성공한 정권 역시 성공의 위기를 맞으면서 결국 붕괴하게 된다는 것입니다. 성공의 위기 시나리오는 근대화 이론(modernization theory)의 주장과 맥을 같이 합니다. 근대화 이론에 따르면 경제가 성장하면서 도시화, 교육 수준의 향상, 미디어 발달이 진행되고 국민들의 정치의식 수준이 높아지는 결과를 낳게 됩니다. 국민의 정치의식이 향상되면서 개인들은 정치적 권리를 자각하고 권위주의 정권의 자유 억압과 인권 침해에 대해 비판적 태도를 띠게 됩니다. 결국 경제성장에 따라 중산층이 확산하고 정치의식이 향상되면서 권위주의 정권은 성공의 위기를 맞게 된다는 것입니다.

한국의 경우 전형적인 성공의 위기에 의해 권위주의 정권이 붕괴되는 과정을 겪었습니다. 그런데 이러한 성공의 위기에 따른 민주화 이행이 오히려 민주주의 공고화에 걸림돌로 작용한 측면이 없지 않습니다. 중산층의 참여가 1987년 6월 항쟁이 성공할 수 있었던 결정적인 요인이었는데 전두환 정권의 6·29 선언 이후 중산층 집단들이 민주화 운동 세력으로부터 이탈하는 양상을 보이게 됩니다. 중산층이 민주화 투쟁에 동참한 가장 큰 이유는 직선제 개헌에 있었습니다. 6·29 선언에서 전두환 정권이 직선제 개헌을 약속함으로써 사실상 중산층들은 자신들의 핵심적 목표를 달성하게 된 것입니다. 무엇보다 민주화 이행과정에서 폭발적으로 증가한 노동자 시위가 안정적인 민주화와 경제성장을 원하는 중산층들에게 많은 불안감을 심어주었습니다. 중산층들은 경제성장의 혜택을 입은 계층이었고 권위주의 체제하의 경제모델에 대해 높은 신뢰를 갖고 있었습니다. 이들은 노동자 시위로 인한 사회적 혼란과 경제적 불안정을 원하지 않았습니다. 6월 항쟁 후 서서히 증가하는 노동자 시위에 대해 중산층들은 초기에는 상당히 우호적인 태도를 보였습니다. 저임금과 열악한 노동환경으로 고통받는 노동자들의 처지를 잘 이해할 수 있었기 때문입니다. 그런데 8월 들어 노동자 시위가 폭발적으로 증가하고 폭력적인 양상이 나타나면서 중산층들은 우려의 시선을 보내게 됩니다. 1987년 한 해에만 3천 749건의 노동 분규가 발생하였는데 이는 과거 10년 동안 발생한 노동 분규보다 두 배 이상 많은 것입니다. 특히 8월에는 2천 552건의 노동 분규가 발생하였습니다. 앞서 살펴본 바와 같이 민주화 이행의 협약 성격을 담고 있는 6·29 선언이 직선제 개헌, 김대중 사면, 정당 활동 보장, 인권 보장, 언론자유 확대와 같은 정치 사회적 내용만 담고 있었고 노동과 시장에 관한 개혁안은 포함되지 않았습니다. 또한 개헌 논의 과정에 운동 세력이 제외되고 제도권 정치인들이 주도함으로써 노동자의 권익을 신장하는 개혁적인 경제모델이 도입되지 못하는 한계를 보였습니다.

〈표 2〉 1979년-1987년 노동 분규 발생 건수

1979년	1980년	1981년	1982년	1983년	1984년	1985년	1986년	1987년
105	407	186	88	98	113	265	276	3,749

출처: 한국경영자총협회. 『노동경제연감, 1989』. p. 55.

〈표 3〉 1987년 월별 노동 분규 발생 건수

1월	2월	3월	4월	5월	6월	7월	8월	9월	10월	11월	12월	합계
16	17	23	15	23	32	86	2,552	703	100	103	79	3,749

출처: 대한변호사협회. 『인권보고서, 1987-1988』. p. 165.

3) 민주주의 공고화의 과제

1987년 6월 항쟁의 결실로 절차적 민주주의를 얻어낸 이후 40년 가까운 시간이 지났습니다. 그동안 한국의 민주주의는 얼마나 발전했을까요? 민주화 이론가들이 제시한 기준을 근거로 하면 우리 민주주의는 분명 공고화의 단계에 접어들었습니다. 헌팅톤은 민주화 이행 이후 두 번의 평화적 정권교체에 성공하였다면 권위주의로 퇴행할 가능성이 없다고 하였고, 쉐볼스키는 국민소득 6천 불이 넘는 국가에서 권위주의 정권이 재등장할 가능성은 매우 낮다고 하였습니다. 우리의 경우 이 두 가지 조건을 이미 오래 전에 충족시켰습니다. 1987년 민주화 이행 이후 노태우-김영삼-김대중-노무현-이명박-박근혜 정부에 이르기까지 이미 다섯 번의 민주적이고 평화적인 정권교체가 있었습니다. 일 인당 국민소득은 1990년 6천 불을 넘어섰고, 1995년에 1만 불을 그리고 2007년에는 2만 불을 넘어섰습니다.

비록 민주주의 공고화를 위한 최소한의 조건은 충족했다 하나 우리 민주주의가 성숙한 단계에 이르렀다 하기에는 여전히 많은 과제가 남아 있습니다. 무엇보다 정부를 비롯한 정치제도에 대한 국민의 불신이 매우 높습니다. 1987년 민주화 이후 대선과 총선의 투표율도 지속적으로 하락하는 양상을 보이고 있습니다. 이에 비해 국민의 정치효능감은 높아지면서 시위와 같은 비제도적 정치참여는 더욱 활발해지는 모습을 보입니다.

(1) 한국 민주주의에 대한 외부평가

각국의 민주주의 수준을 평가하는 여러 평가지표를 보더라도 한국은 '공고화된 민주주의' 수준으로 분류되고 있습니다. 대표적으로 이코노미스트(Economist)와 Polity Ⅳ의 민주주의 지수, 그리고 세계은행(World Bank)의 거버넌스 지수 모두 한국을 완전한 민주주의 국가로 평가하고 있습니다.

〈표 4〉 한국 민주주의 수준

평가기관	민주주의 지수	지표(Indicator)	측정값	측정값의 범위
Economist <Democracy Index> (2023)	8.16 (167국 중 22위)	Electoral process and pluralism	9.58	0~+10
		Functioning of government	8.57	
		Political participation	7.22	
		Political culture	6.25	
		Civil liberties	8.82	
PolityV (2018)	8	Executive Recruitment	8	−10~+10
		Executive Constraints	6	
		Political Participation	9	
World Bank <Worldwide Governance Indicators> (2022)	1	Voice and Accountability	0.87	−2.5~+2.5
		Political Stability and Absence of Violence	0.63	
		Government Effectiveness	1.41	
		Regulatory Quality	1.1	
		Rule of Law	1.13	
		Control of Corruption	0.75	

출처: Economist Intelligence Unit, Democracy Index 2023.
The Wolrd Bank, The Worldwide Governance Indicators

이코노미스트의 EIU(Economist Intelligence Unit)는 2006년부터 2년 단위로 전 세계 167개국의 민주주의 수준을 발표하고 있습니다. 이코노미스트는 선거 과정과 다원주의(Electoral process and pluralism), 정부 기능(Functioning of government), 정치참여(Political participation), 정치 문화(Political culture), 시민의 자유(Civil liberties)의 측면에서 민주주의 수준을 평가합니다. 한국의 경우, 2023년 민주주의 종합지수가 8.16점으로 167개 국가 가운데 22위를 차지하여 '완전한 민주주의'(full democracy)로 분류되었습니다. Polity V는 '통치제도에 나타나는 민주주의 그리고 권위주의적 권력'에 초점을 맞춰 각국의 민주주의 수준을 평가하고 있습니다. Polity V는 정부 충원의 경쟁성과 공개성, 행정 수반에 대한 제약, 정치참여의 경쟁성 등의 범주로 구분하여 각각 −10에서 +10까지 점수를 부여합니다. 이러한 평가점수를 바탕으로 각국의 체제 유형을 완전히 제도화된 권위주의와 아노크라시(Anocracy)라 불리는 혼합 또는 공존하는 권위주의 체제, 그리고 완전히 제도화된 민주주의로 구분합니다. 세습 왕정은 −10점을 그리고 공고화된 민주주의는 +10을 부여하는데, −10~−6은 권위주의, −5~+5는 아노크라시, 그리고 +6~+10은 민주주의에 해당합니다. 한국은 2018년 평가에서 8점을 받아 높은 수준의 민주주의 체제로 인정받았습니다. 한편 세계은행은 1996년부터 기업 및 일반인, 전문가 등을 대상으로 하는 설문조사와 여러 국제기구 및 연구소 등의 자료를 바탕으로 거버넌스 지수를 만들어 발표하고 있습니다. 세계은행은 각국의 민주주의 수준을 참여와 책임성, 정치적 안정과 폭력의 부재, 정부 효과성, 규제의 질, 법에 의한 통치, 부패 관리 등 6개 영역으로 구분하여 평가하는데, 한국은 2022년 조사에서 1.0점을 받아 비교적 높은 수준의 민주주의로 평가받았습니다.

[그림 2] 민주주의 지수의 변화 (2006년~2023년)

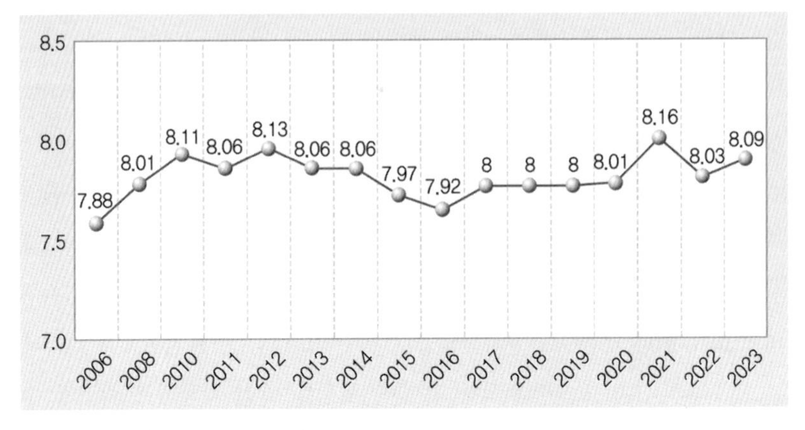

출처: Economist Intelligence Unit, 『Democracy Index 2023』

(2) 정치제도에 대한 불신

민주주의 연구자들이 말하는 민주주의 공고화의 조건이나 주요 민주주의 평가 기관의 평가지표 등을 보더라도 우리 민주주의가 권위주의 독재로 퇴행할 가능성은 거의 없다고 할 수 있습니다. 그렇다면 국민은 우리 민주주의에 대해 얼마나 만족하고 있을까요? 세계가치조사(World Value Survey) 설문에 따르면 절대 다수의 국민이 대의민주주의의 핵심제도인 정당과 국회를 신뢰하지 않는 것으로 나타났습니다. 세계가치조사는 1981년에 세워진 비영리단체로 매 4년마다 세계 각국 시민의 정치, 문화, 사회, 윤리 등에 대한 인식조사를 실시하고 있습니다. 한국의 정당에 대한 불신 정도는 WAVE 4(1999~2004)에서 83.6%로 가장 높았습니다. 가장 최근 조사인 WAVE 7(2017~2020) 기간에도 75.5%의 국민이 정당을 거의 혹은 전혀 신뢰하지 않는다고 답했습니다. 국회에 대한 불신 역시 WAVE 4(1999~2004)에서 84.4%로 가장 높았습니다. WAVE 5와 WAVE 6 기간 동안 정당 불신이 조금 떨어졌지만 WAVE 7 기간에는

79.3%로 다시 상승했습니다.

국회와 정당에 대한 불신이 상대적으로 높았던 WAVE 4와 WAVE 7 기간은 대통령 탄핵사태를 겪었다는 공통점이 있습니다. 2004년 3월 대한민국 16대 국회는 당시 노무현 전 대통령의 탄핵 소추를 결의했습니다. 국회에서 대통령 탄핵 소추안을 통과시키는 과정에서 당시 여당이었던 열린우리당 의원들과 야당인 새천년민주당과 한나라당 의원들 사이에 몸싸움이 벌어졌고 이는 TV 화면을 통해 고스란히 중계되었습니다. 대한민국 20대 국회 역시 2016년 12월 박근혜 대통령 탄핵소추안을 둘러싸고 극심한 혼란에 빠졌습니다. 국회는 12월 9일 박근혜 대통령에 대한 탄핵소추안을 통과시켰고, 2017년 3월 10일 헌법재판소가 탄핵을 결정했습니다.

한편 정당과 국회에 대한 국민의 불신이 위의 특정 기간에만 한정되지 않은 지속적 현상인 것에 주목할 필요가 있습니다. 또한 국회와 정당에 대한 불신은 서구 민주주의 국가 대부분에 공통적으로 나타나는 현상입니다. 그렇다면 대의제도 불신의 원인을 단순히 제도 운영의 잘못으로 결론 내릴 수는 없습니다.

정부를 비롯하여 정당과 국회와 같은 정치제도의 국정수행 능력이 향상된다고 하여 제도정치에 대한 국민의 신뢰가 다시 회복될 것을 기대하기는 어려울 것입니다. 앞서 살펴본 여러 가지 평가지표를 고려할 때 한국사회가 다시 권위주의 정권으로 퇴행할 가능성은 거의 없습니다. 권위주의로 퇴행할 가능성이 매우 낮다는 점에서 한국의 민주주의는 공고화 단계에 접어들었다고 주장할 수 있습니다. 그렇지만 '제도 신뢰' 수준을 볼 때 공고화된 민주주의가 국민의 지지를 받는 성숙하고 건강한 민주주의라 할 수는 없습니다. 현재 우리 민주주의가 권위주의로 퇴행할 가능성이 낮다는 것이 민주주의 작동에 대한 국민의 지지와 신뢰가 높다는 것을 의미하지는 않는다는 뜻입니다. 그렇다면 이제 우리 민주주의는 공고화의 과제는 완수했지만, 국민의 신뢰를 받는 성숙하고 건강한 민주주의를 구현하는 숙제는 여전히 남겨두고 있습니다.

〈표 5〉 대의민주주의 제도에 대한 국민 불신

전혀 신뢰하지 않는다 + 거의 신뢰하지 않는다			
시기	정당	국회	중앙정부
Wave 7(2017~2020)	75.5%	79.3%	48.7%
Wave 6(2010~2014)	73.4%	74.1%	50.3%
Wave 5(2005~2009)	75.7%	73.8%	54.2%
Wave 4(1999~2004)	83.6%	84.4%	66.4%
Wave 3(1995~1998)	74.8%	68.5%	55.8%
Wave 2(1990~1994)	-	67.2%	-
Wave 1(1981~1984)	-	31.0%	-

출처: World Value Survey

최근 한국 선거에서 나타난 시민의 제도 이탈 조짐은 '제도 신뢰' 문제를 쉽게 간과할 수 없다는 것을 다시금 확인시켜 주고 있습니다. 정치제도에 대한 시민의 불신은 무엇보다 정치참여 행태에 큰 영향을 미치고 있습니다. 이러한 시민참여 행태의 변화는 특히 주요 선거의 투표율에서 명확히 드러나는데, 1987년 민주화 이후 대통령 선거와 국회의원 선거의 투표율을 보면 일정한 하향세를 보이고 있습니다. 대통령 선거 투표율을 보면 1987년 민주화 전환 이후 첫 번째 치러졌던 제13대 대선에서는 89.2%였던 것이 조금씩 떨어지기 시작하여 2002년 16대 대선에서는 70.8%, 그리고 2007년 17대 대선에서는 62.9%까지 낮아졌습니다. 선거를 통해 권력의 정통성을 부여하는 대의민주주의에서 투표율의 저하는 민주주의의 위기 현상을 보여주는 지표라 할 수 있습니다. 17대 대선에서 이명박 후보는 48.7%의 득표를 얻어 당선되었습니다. 당시 투표율이 62.9%였던 것을 감안하면 사실상 30.6%의 유권자만이 이명박 후보를 대통령으로 지지하였습니다. 거꾸로 말하면 유권자의 70%가 이명박 후보를 반대하거나 지지를 유보한 상태이기 때문에 비록 민주적 절차에 따라 선출되었으나 대통령 권력의 정통성은 약할 수밖에 없는 상황입니다.

다행히도 대통령 선거 투표율은 2012년 18대 선거를 기점으로 반등하는 양상을 보입니다. 18대 대선 투표율은 78.5%로 지난 대선과 비교해 무려 13% 가까이 증가했습니다. 19대 대선에서도 77.2%의 투표율을 보여 투표율 상승세를 유지했습니다. 20대 대선의 투표율은 77.1%로 증가 추세는 멈췄습니다. 그렇지만 미국의 2020년 대선 투표율이 66.9%로 지난 1990년 이후 120년 만에 가장 높은 투표율이었음을 고려할 때 우리 대선 투표율은 여전히 높은 편이라 할 수 있습니다.

[그림 3] 역대 대통령 선거 투표율(13대~20대)

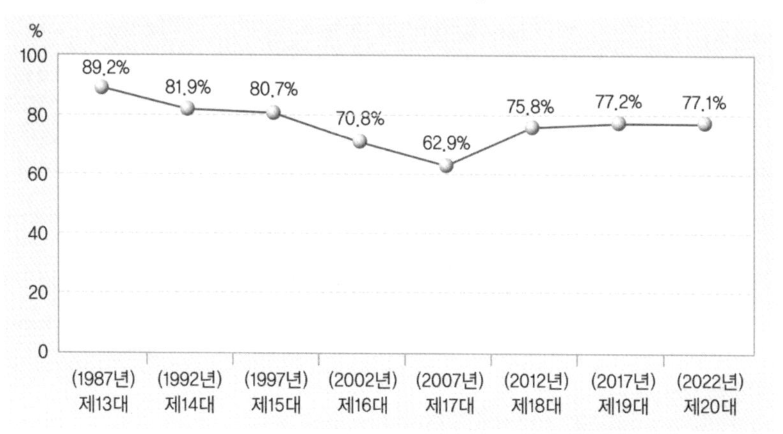

2010년 이전까지 투표율 저하에 따른 대의민주주의의 위기 현상은 20대~30대 젊은 세대에서 더욱 뚜렷하게 나타나고 있습니다. 세대별 투표율은 대체로 젊은 세대에서 낮고 나이가 많을수록 투표율이 높아지는 경

향을 보이고 있습니다. 2007년 17대 대선에서 50대 이상의 투표율이 76%를 넘었는데 20대와 30대는 각각 49.4%와 54.9%만 투표하였습니다. 총선에서 젊은 층의 투표율은 더욱 낮게 나옵니다. 2008년 18대 총선의 경우 60대 이상 유권자의 65.5%가 투표했지만 20대는 28.1%, 30대는 35.5%만 투표했습니다. 대의민주주의의 위기 현상이 젊은 세대를 중심으로 더욱 심각하게 나타났습니다.

〈표 6〉 역대 대통령 선거 연령별 투표율(13대~20대)

	13대 (1987년)	14대 (1992년)	15대 (1997년)	16대 (2002년)	17대 (2007년)	18대 (2012년)	19대 (2017년)	20대 (2022년)
20대	54.2%	71.6%	68.2%	56.5%	49.4%	68.5%	76.1%	71.0%
30대	95.1%	84.0%	82.7%	67.4%	54.9%	70.0%	74.2%	70.7%
40대	97.3%	88.8%	87.5%	76.3%	66.3%	74.0%	74.9%	74.2%
50대	98.2%	89.8%	89.9%	83.7%	76.6%	82.0%	78.6%	81.4%
60대		83.2%	81.9%	78.7%	76.3%	80.9%	84.1%	87.6%
70대							81.8%	86.2%
80세 이상							56.2%	61.8%
전체	89.2%	81.9%	80.7%	70.8%	62.9%	75.8%	77.2%	77.1%

출처: 13대 한국갤럽; 14대~18대 중앙선거관리위원회.

한편 2012년 이후 대통령 투표율은 다시 높아지는 양상을 보입니다. 투표율 상승은 몇 가지 요인으로 설명할 수 있습니다. 일반적으로 국민의 정치 불신이 높으면 투표율은 낮아진다고 합니다. 그렇지만 대의제도에 대한 불신이 여전히 높은 상황이기에 정치 불신이 낮아져 투표율이 높아졌다고 설명하기는 어렵습니다. 대신 두 가지 요인으로 투표율 상승 이유를 설명할 수 있습니다. 우선 선거 경쟁도가 높을수록 투표율은 올라갑니다. 투표율이 가장 낮았던 17대 대선의 경우 한나라당 이명박 후보에 대한 지지는 경쟁 후보들을 압도했습니다. 이명박 후보는 48.67%의 지지를 얻은 반면 대통합민주신당 정동영 후보는 26.14%, 무소속 이회창 후보는 15.07%에 그쳤습니다. 한나라당의 승리는 일찌감치 예측되었는데 당시 노무현 대통령과 여당이었던 대통합민주신당에 대한 지지율이 10%대로 매우 낮았기 때문입니다. 나의 한 표가 선거 결과에 별 영향을 주지 못한다고 판단한 유권자들은 투표장에 가지 않은 것입니다. 18대 대통령 선거부터는 경쟁도가 매우 높았습니다. 18대 대통령 선거의 경우 새누리당 박근혜 후보가 51.55%를 얻었고 민주통합당 문재인 후보의 득표율은 48.02%였습니다. 한편 19대 대통령 선거에서는 더불어민주당 문재인 후보가 41.08%를 얻어 자유한국당 홍준표 후보(24.03%), 국민의당 안철수 후보(21.41%), 바른정당 유승민 후보(6.76%), 정의당 심상정 후보(6.17%)를 압도했습니다. 박근혜 대통령의 탄핵으로 조기 실시된 19대 대선의 경우 보수와 진보 진영 간의 갈등이 첨예했고 국민의 관심도가 매우 높았습니다.

투표율 상승의 또 다른 요인은 2030 세대의 투표율 증가에서 찾을 수 있습니다. 2012년 대통령 선거 투표율은 75.8%로 17대 대선보다 12.9% 높았습니다. 2030 세대 투표율을 보면 20대는 18대 대선 68.5%로 17대 49.4%에 비해 19.1%가 증가했고 30대는 17대 54.9%에서 18대 70%로 올라 15.1% 올랐습니다. 2030 세대의 투표율 증가 현상은 19대 대선까지 이어집니다. 20대 투표율은 76.1%로 전체 투표율 77.2%와 별 차이가 없었습니다. 30대 투표율 또한 74.2%로 18대와 비교해 4.25% 증가했습니다. 2030 세대의 투표율 증가 현상은 정치효능감 향상의 결과입니다. 2008년 광우병 촛불시위의 성공 경험과 2010년 이후 본격 확산한 소셜미디어 정치는 젊은 세대들의 정치효능감을 높이고 적극적 정치참여를 이끌었습니다.

국회의원 선거 투표율 역시 대통령 선거와 비슷한 양상을 보이고 있습니다. 민주화 이후 첫 국회의원 선거였던 13대 총선에서 75.8%로 가장 높은 투표율을 기록한 이후 계속 하락하여 2008년 18대 총선에서는 46.2%까지 떨어졌습니다. 대의민주주의는 선거를 통해 권력을 위임받은 대표가 국민을 대신하여 통치하는 방식으로 작동합니다. 낮은 투표율은 위임받은 권력의 정통성이 약하다는 것을 의미하며 이는 대의민주주의의 위기를 낳게 됩니다.

국회의원 선거 투표율 역시 대통령 선거와 마찬가지로 2012년 선거부터 반등하는 양상을 보입니다. 2008년 46.2%까지 떨어졌던 투표율은 2012년 총선에서 54.2%로 8%가 증가했습니다. 국회의원 선거 투표율 증가 양상은 이후 계속되어 20대 총선 58%, 21대 총선 66.2% 그리고 22대 총선에서는 67%까지 올라갔습니다.

[그림 4] 역대 국회의원 선거 투표율(13대~22대)

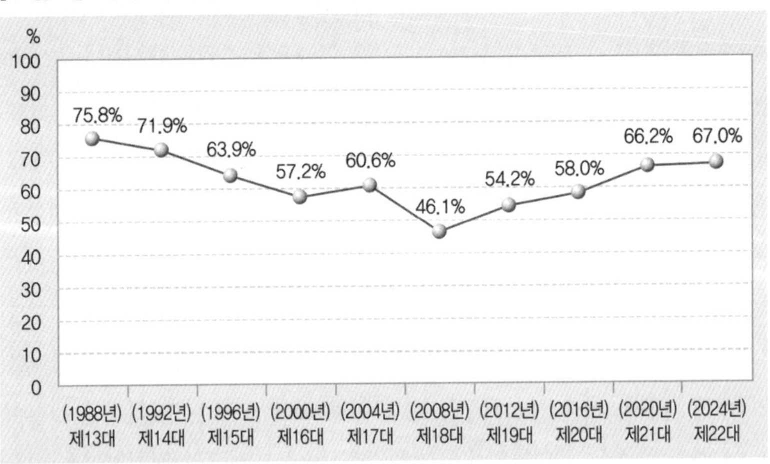

대통령 선거와 마찬가지로 2008년 선거까지 계속된 투표율 저하 현상은 많은 부분 젊은 세대의 낮은 투표율에 기인하고 있습니다. 20대 투표

율을 보면 13대 총선에서 72%이었으나 19대 총선에서는 43.5%까지 떨어졌습니다. 60대 이상 투표율과 비교해 보면 13대 총선에서는 20% 정도 차이가 났는데 19대 총선에서는 25%로 증가했습니다. 30대 투표율은 더 극적인 변화를 보입니다. 13대 총선에서 30대 투표율이 93%로 전 연령층에서 가장 높았습니다. 가장 낮은 투표율을 기록한 18대 총선에서는 30대 투표율이 35.5%로 60대 이상 65.5%와 비교해 무려 30%의 차이가 났습니다.

2012년부터 시작된 국회의원 선거 투표율의 반등 역시 대통령 선거와 마찬가지로 젊은 층의 높은 투표율에 기인했습니다. 13대 총선 이후 18대 총선까지 지속적으로 하락했던 20~40대 투표율이 19대 총선부터 반등하기 시작합니다. 20대의 경우 18대 28.1%였던 투표율이 19대 43.5%, 20대 52.7%, 21대에는 58.7%로 상승했습니다. 30대 투표율을 보면 18대 35.5%였던 것이 19대 45.5%, 20대 50.7%, 그리고 21대에는 57.1%까지 올랐습니다. 40대의 경우 18대 47.9%에서 19대 52.6%, 20대 54.3%, 21대 63.5%로 계속 올라갔습니다. 국회의원 투표율의 상승 역시 진영정치의 강화와 젊은 층의 높은 투표 참여율 그리고 소셜미디어 정치의 확산에 기인하는 것으로 설명할 수 있습니다.

〈표 7〉 역대 국회의원 선거 연령별 투표율(13대~21대)

	13대 1988년	14대 1992년	15대 1996년	16대 2000년	17대 2004년	18대 2008년	19대 2012년	20대 2016년	21대 2020년
20대	72.0%	56.9%	44.3%	36.8%	44.7%	28.1%	43.5%	52.7%	58.7%
30대	93.0%	72.1%	62.9%	50.6%	56.5%	35.5%	45.5%	50.5%	57.1%
40대	90.3%	81.1%	75.3%	66.8%	66.0%	47.9%	52.6%	54.3%	63.5%
50대	86.3%	84.3%	81.3%	77.6%	74.8%	60.3%	62.4%	60.8%	71.2%
60대	91.5%	78.2%	74.4%	75.2%	71.5%	65.5%	68.6%	71.7%	80.0%

70대								73.7%	78.5%
80세 이상								48.3%	51.0%
전체	75.8%	71.9%	63.9%	57.2%	60.6%	46.2%	54.2%	58.0%	66.2%

출처: 13대 중앙대학교 지역연구소; 14대~21대 중앙선거관리위원회.

대의민주주의 위기 현상은 세계가치조사(WVS)를 통해서도 확인할 수 있습니다. 세계가치조사는 "비민주적인 강한 지도자 수용 정도"를 조사하기 위해 다음과 같은 질문을 했습니다. "국회나 선거를 개의치 않는 강한 지도자가 국가를 운영하는 것에 대해 어떻게 생각하십니까"라는 질문에 대해 비교적(fairly) 혹은 매우(very) 좋다고 답한 비율이 Wave 3(1995-97)에 30% 정도였는데 Wave 6(2010-14)에서는 50% 가까이 되었습니다. 아래 [그림 5]를 보면 비민주적 지도자를 수용하겠다는 응

[그림 5] 비민주적인 강한 지도자 수용 정도: 국가별 비교

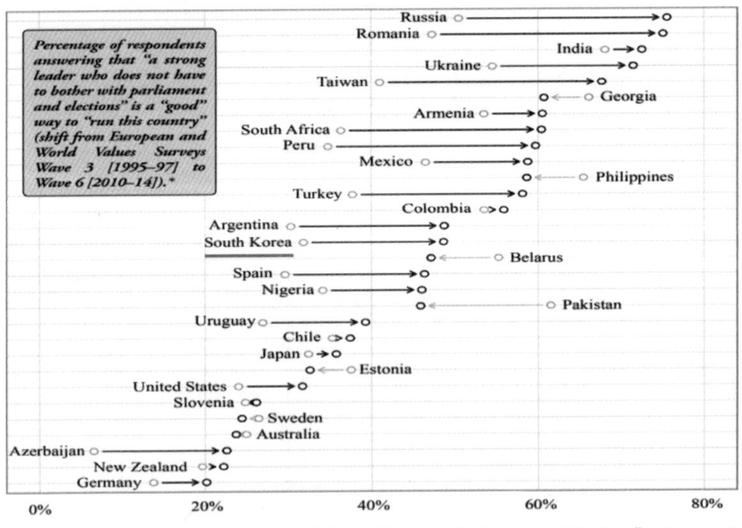

출처: Foa and Mounk. 2017. "The Signs of Deconsolidation." *Journal of Democracy*. 28(1).

답이 독일, 뉴질랜드, 호주, 스웨덴, 미국, 일본 등 다른 민주주의 국가보다 한국이 높습니다. 여타 민주주의 국가에 비해 높은 수치보다 더 심각한 문제는 강한 지도력을 발휘한다면 비민주적 지도자도 괜찮다고 생각하는 국민의 수가 빠르게 증가했다는 것 입니다. 뉴질랜드, 호주, 스웨덴, 일본 등은 5% 내외의 증가율을 보였지만 우리나라는 거의 20% 가까이 늘었습니다.

(3) 비제도적 참여의 증가

민주화 이후 정당과 국회와 같은 대의제도에 대한 신뢰도는 지속적으로 떨어진 반면 거리 시위와 같은 비제도적 참여는 전반적으로 증가하고 있는 양상을 보이고 있습니다. 정치참여의 방식은 크게 제도적 참여와 비제도적 참여 두 가지로 구분할 수 있습니다. 제도적 참여는 국회, 정당, 선거 등과 같은 정치제도를 통하여 시민들이 정치적 의사를 표출하는 방식이고, 비제도적 참여는 시위, 점거와 같이 정치제도 바깥의 통로를 이용해 정치적 요구를 전달하는 방식입니다. 과거 정치발전론에서는 정치적으로 안정되고 민주주의가 발전한 국가에서는 제도적 참여가 일상적인 참여방식으로 자리 잡고 있는 반면에 정치적으로 불안정하고 민주주의가 성숙되지 못한 후진국에서는 비제도적 참여가 많이 발생한다고 보았습니다. 즉 정당과 국회 같은 대의제도가 국민의 목소리를 제대로 수용하지 못하면 시위와 같은 탈법적인 정치참여가 많이 발생할 수밖에 없고, 이는 정치적 혼란을 야기한다는 주장입니다.

[그림 6] 경찰력 동원 집회 시위 현황

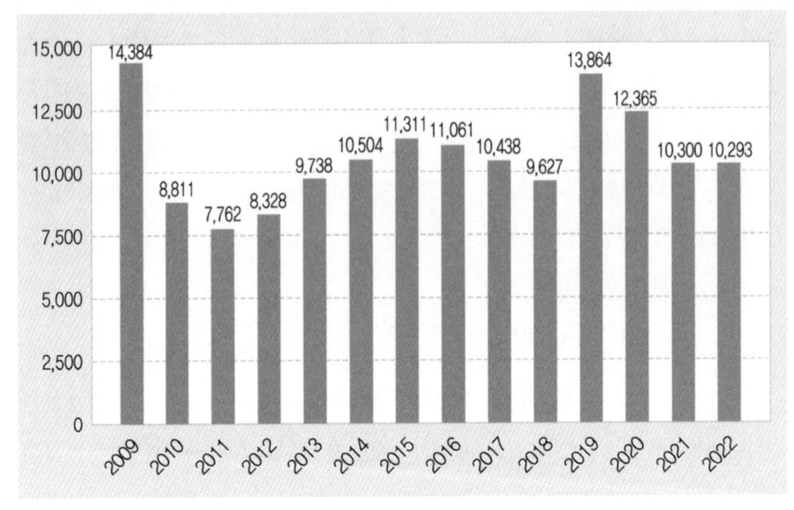

출처: 경찰청. 『경찰백서』

제도적 참여는 민주주의가 발전한 선진국에서 나타나는 정치참여 방식입니다. 정치발전론자들은 투표 참여를 가장 기본적인 정치참여 방식으로 보았고, 투표율의 하락은 곧 정치무관심의 증가라고 해석했습니다. 그렇다면 두 가지 문제에 대해 생각해볼 필요가 있습니다. 첫째는 1987년 민주화 이후 투표율이 전반적으로 하락하고 있는 양상을 정치 무관심이 증가하고 있기 때문이라고 해석할 수 있을까요? 일각에서는 시민들이 정당과 국회에 대해서 실망하고 불신하면서 정치적 냉소와 무관심이 증가하게 되었다고 설명합니다. 그렇다면 일반시민들의 정치효능감[28]이 민주화 이후

28) 정치효능감이란 개인이 가지고 있는 정치적 태도로서 개인이 정치과정에 영향을 미칠 수 있다는 인식이라고 할 수 있습니다. 자신의 행동을 통해 정치적으로 무엇을 이룰 수 있다는 일종의 자신감을 의미합니다. 예를 들어 선거를 통해 정치를 바꿀 수 있다는 신념 등이 이에 해당합니다. 정치효능감은 크게 두 가지의 다른 차원으로 설명되고 있습니다. 첫째는 개인이 정치과정에서 그의 정치적 행동이 영향력을 발휘하여 사회 내 무엇인가를 움직이며 바꿀 수 있다는 적극적인 신념을 말합니다. 둘째는 개인이 정치기구나 정부 관료들의 행태에 대하여 갖는 인식으로, 그들이 시민들의 요구에 반응할 것이라는 주관적인 신념을 말합니다.

꾸준히 증가하고 있다는 사실이 설명되지 않습니다. 정치효능감은 개인 스스로가 정치에 영향을 미칠 수 있다는 정치적 능력에 대한 자신감을 말합니다. 내가 던지는 한 표가 정당정치에 영향을 미칠 수 있고, 개인들이 정치적 사안에 대해 정확히 이해하고 판단하고 나아가 정치현상에 변화를 가져올 수 있다는 정치적 자신감이 곧 정치효능감입니다. 개인의 정치적 관심과 정치효능감은 대체로 비례하는 관계에 있습니다. 정치관심이 많을수록 정치효능감이 높고 거꾸로 정치적으로 무관심한 개인의 경우 정치효능감도 낮습니다. 민주화 이후 개인의 정치효능감이 점차 높아지고 있다는 것은 정치적 관심 또한 많아지고 있다는 것을 의미합니다. 그렇다면 투표율의 하락을 정치적 무관심의 증가로 해석하는 것은 잘못된 판단이라 할 수 있습니다. 개인들이 정치적 관심이 있으나 투표가 아닌 다른 방식으로 정치적 의사를 표출하고 있다고 보아야 할 것입니다.

두 번째로 생각해 볼 문제는 민주화 이후 시위와 같은 비제도적 정치참여가 증가하는 양상을 어떻게 이해할 것인가 하는 것입니다. 민주주의 평가지표에서 보듯이 우리 민주주의 수준은 꾸준히 향상하고 있습니다. 정치 발전론자들의 주장에 따르면 시위와 같은 비제도적 참여는 정치적 후진국에서 나타나는 정치 참여 방식이고 한국과 같이 민주주의가 발전하고 있는 사회에서 시위 횟수는 점차 감소하여야 할 것입니다. 그렇지만 한국의 경우 민주화 이후 시위 횟수는 꾸준히 증가하고 있습니다. 이는 제도적 참여가 선진국의 정치 참여방식이고 시위는 정치적으로 혼란한 후진국에서 나타나는 정치참여라는 정치발전론의 주장이 더 이상 맞지 않다는 것을 의미합니다.

정치발전론의 주장에서 볼 때 투표율의 하락, 당원 수의 감소 그리고 노조 활동 침체 등은 시민들의 정치적 무관심의 증가로 해석될 수 있습니다. 그러나 신사회운동 및 정치 시위의 확산 그리고 인터넷 커뮤니케이션의 활성화 등으로 개인들이 정치적 의사를 표출하는 방식과 기회는 훨씬 다양해졌고 비제도적 정치참여의 비중은 점차 높아지고 있습니다. 이러한 경향은 비단 한국뿐 아니라 서구 민주주의 국가에서도 공통적으로 나타나는 현상입니다. 미국, 영국, 독일 등 서구 8개국의 시위정치 현황을 분석한 피파 노리스(Pippa Norris)의 분석에 따르면 탄원서 서명, 시위, 소비자 저항(consumer boycott), 비공식 파업 그리고 건물 점거와 같은 비제도적 정치 참여의 빈도는 1970년대 중반 이후 꾸준히 증가하고 있습니다.

대표적 비제도적 정치참여 행위 가운데 하나인 시위 정치(protest politics)는 정치적 격변기에만 출현하는 일시적 현상이 아닙니다. 미국, 영국, 독일, 그리고 프랑스의 정치참여 행태를 경험적으로 분석한 달톤(Russel Dalton)은 서구 국가에 있어 시민들의 정치에 대한 관심과 참여가 결코 줄어드는 것이 아니라 정치참여의 행태가 변화하는 것이라고 주장합니다. 시위 정치의 참가자들도 박탈이론[29]에서 말하는 것처럼 체제에 대한 불만이 많은 소외계층이 아니라 소득과 교육 수준이 높은 집단이 주를 이루고 있습니다. 일반적으로 시위와 같은 비관습적 정치참여는 민주주의 제도가 제대로 정착되지 못하여 정치적 의사를 표출하는 기회가 제한된 비민주주의 국가나 빈곤 국가에서 주로 나타나는 현상이라 생각하기 쉽습니다. 그러나 세계가치조사(World Value Survey)의 설문 결과에 따르면 이러한 예상과는 정반대로 정치적으로, 경제적으로 안정된 민주주의 국가일수록 시위 활동의 빈도가 더 높은 것으로 나타났습니다. 스웨덴,

---

29) 박탈이론은 집합행동의 사회적 원인을 사회심리학적 시각에서 설명하기 위해 발전된 이론입니다. 특히 상대적 박탈이론은 집합행동이 사회적 조건에 대한 사람들의 불만스러운 심리상태(dissatisfied state of mind)에서 발생한다고 봅니다. 이에 따르면, 상대적 박탈감의 소유자들은 자신이 처한 박탈의 조건을 정당하지 않은 조건으로 인식하고, 그와 같은 조건에 적극적으로 변화를 일으키려고 하는 환경조정의 의식(sense of environmental control)을 갖게 되었을 때 집합행동에 참여하게 됩니다(임희섭 1993, 133).

독일, 노르웨이, 그리고 독일과 같은 서구민주주의 국가들의 시위 활동 횟수가 가나, 엘살바도르, 인도, 그리고 이집트와 같은 제3세계 국가보다 훨씬 높게 나타났습니다. 또한 시위 활동은 UNDP의 인간개발지수(Human Development Index)와 프리덤 하우스(Freedom House)의 민주주의 지수와 높은 상관관계를 보였습니다. 다시 말해서 선진 민주주의 국가에서 시위 정치는 이제 일상적인 정치활동 가운데 하나로 자리 잡고 있습니다.

국가 소득별 시위 발생 빈도를 보면 2009년을 기점으로 고소득 국가에서 발생하는 시위의 빈도가 저소득 국가는 물론이고 중하 소득 국가와 중상 소득 국가에 비해 더 높다는 것을 알 수 있습니다. 소득이 높은 국가일수록 더 많은 시위가 발생하는 현상은 2009년 이후 최근까지 일관되게 나타나고 있습니다. 시위 발생 횟수 합계를 보더라도 2006년부터 2020년까지 고소득 국가에서는 총 1,122회의 시위가 발생한 반면 중상 소득 국가에서는 737회, 중하 소득 국가는 590회 그리고 저소득 국가에서는 121회의 시위가 발생했습니다. 고소득 국가일수록, 민주주의가 발달한 나라일수록 더 많은 시위가 발생하는 현상은 일반화된 것을 알 수 있습니다.

〈표 8〉 국가 소득별 시위 발생 빈도

	고소득국가	중상 소득국가	중하 소득국가	저소득국가	전 지구적차원	총합
2006	15	26	20	1	11	73
2007	28	26	33	2	12	101
2008	29	38	32	6	14	119
2009	46	33	24	5	16	124
2010	56	48	35	5	15	159
2011	80	61	49	8	18	216
2012	95	69	50	9	20	243

2013	103	60	46	10	18	237
2014	89	44	35	10	14	192
2015	88	47	34	11	13	193
2016	86	54	39	10	13	202
2017	93	52	45	11	17	218
2018	101	60	46	12	19	238
2019	106	59	51	9	18	243
2020	107	60	51	12	21	251
합계	1,122	737	590	121	239	2,809

출처: Isabel Ortiz et al. 2022. *World Protests: A Study of Key Issues in the 21st Century*. Palgrave. NY:New York p. 15.

지금까지 살펴본 투표율의 지속적 하락과 정치제도에 대한 불신의 증가는 비단 우리나라에서만 나타나는 현상은 아닙니다. 이미 성공적인 민주주의라고 평가되는 서구 민주주의 국가에서조차도 정부와 정치에 대한 신뢰 하락은 우려할 만한 수준을 보이고 있습니다. 이와 함께 '시민관여도', '투표율', '사회적 자본'과 '정당충성도' 등도 눈에 띄게 감소하고 있습니다.

그렇다면 왜 이러한 현상이 나타나는 걸까요? 민주주의 평가지표가 높은 국가에서도 정치제도에 대한 불신이 높게 나타나는 이유는 무엇보다 민주주의 수준을 평가하는 방식에 문제가 있기 때문입니다. 지금까지 민주주의에 대한 평가는 대체로 정치제도를 중심으로 이뤄졌습니다. 즉 선거, 정당과 같은 민주적인 제도가 준비되고 얼마나 잘 작동하고 있는가에 초점을 두었습니다. 그러나 성숙한 민주주의는 '얼마나 민주주의적인가'보다 오히려 민주주의의 질적 수준의 평가기준에 따라 '민주주의가 얼마나 잘 작동하고 있는가'에 초점을 맞추어야 합니다. 그리고 이러한 질적 수준은 시민의 눈높이를 통해서 평가됩니다. 이때 시민은 '민주주의가 어떻게 실생활에 도움을 주는가'라는 개인의 경험을 바탕으로 민주주의를 평가하게 됩니다. 따라서 제도가 대표성, 책임성, 반응성과 같은 민주적 요소들을 얼마만큼 잘 실현하느냐의 평가 기준은 '시민'이 되어야 합니다. 링겐(Ringen)은 25개의 공고화된 민주주의 국가를 대상으로 민주주의의 상대적인 질적 점수를 평가하였는데, 그 결과 '민주성'에 대한 평가에서는 크게 차이가 없었으나, 민주주의의 질적 수준에서는 큰 차이가 있는 것으로 나타났습니다. 특히 민주주의 모델이라 불리는 영국과 미국이 8점 만점에 각각 3점과 2점을 받아, 정치제도의 민주성을 평가하는 기존 민주주의 지표와는 전혀 다른 결과를 보였습니다.

결국 성숙한 민주주의 공고화를 논의하는 데 있어서 더 중요한 것은 '개인'을 관찰하는 것입니다. 더욱이 민주주의는 '움직이는 목표물'(moving target)과 같은데, 이는 곧 시대에 따라 시민이 원하는 민주주의가 다르다는 것을 의미합니다. 이렇게 되면, 민주주의 평가 개념 또한 상대적이고, 동태적인 개념의 성격을 띠기 마련입니다. 지금까지 정치개혁을 말할 때 가장 우선 대상이 되는 것은 항상 국회, 정당, 선거와 같은 대의민주주의의 근간이 되는 제도들이었습니다. 다시 말하자면 지금까지의 정치개혁은 항상 대의민주주의의 패러다임 안에서 구상되고 실천되어 왔습니다. 아마도 숱한 정치개혁의 노력에도 불구하고 그간 별다른 성과를 거두지 못한 것은 대의민주주의라는 기본 대전제를 벗어나지 못했기 때문일 것입니다.

제 2 장

민주화 이후 시민사회와 사회갈등

| 개요 |

민주화, 세계화, 정보화의 흐름 속에 한국의 시민사회는 정치권력을 감시하고 견제하는 역할을 하는데 충분할 만큼 성장하였습니다. 그렇지만 시민사회의 뿌리를 1980년대 민주화 운동에 두고 있어 '시민사회의 정치화'라는 심각한 문제를 당면하고 있습니다. 시민사회를 주도하는 주요 시민단체들이 진보와 보수로 갈라져 진영정치의 틀 속에 갇히면서 풀뿌리 민주주의를 위한 생활정치는 제대로 자리 잡지 못하고 있습니다.

민주화 이후 한국사회에서 지역, 이념, 세대 갈등은 더욱 심각해지고 있습니다. 최근에는 계층문제가 새로운 갈등요인으로 떠오르고 있습니다. 선거 때가 되면 지역, 이념, 세대, 계층을 둘러싼 갈등은 더욱 심각하게 표출됩니다. 정당들이 사회갈등을 조정하고 통합하는 능력을 갖추지 못하고 오히려 선거에 이용하는 행태를 보이기 때문입니다.

1. 민주화 이후의 시민사회

1) 시민사회란?

한국의 시민사회를 진단하고 향후 나아갈 방향에 대한 의견을 개진하기 위해서는 우선 시민사회의 개념과 구성요소에 대해 살펴볼 필요가 있습니다. 개인의 자유를 바탕으로 하는 시민사회의 핵심적 내용은 다음과 같이 정리할 수 있습니다. 첫째, 시민사회는 사적영역으로서 공적영역인 국가와 구별되며, 일반시민의 삶의 영역이 기본적인 바탕이 됩니다. 둘째, 시민사회는 개인의 기본적 인권이 보장되는 민주주의적인 사회입니다. 언론, 사상의 자유뿐만 아니라 참정권이 기초가 되는 정치권, 모든 사람이 복지혜택을 누릴 수 있는 사회권을 포괄하는 시민권이 확대된 사회입니다. 셋째, 시민사회는 일반국민에 영향을 미치는 행위나 문제에 대해 이의를 제기하고, 비판하며, 저항할 수 있는 사회로서 이러한 목적을 달성하기 위해 특히 결사의 자유가 보장된 공간입니다. 넷째, 시민사회는 다양한 가치체계를 인정하는 다원성, 법치주의 위주의 규범성, 침해와 종속으로부터 자유로운 자율성이 보장된 사회입니다. 다섯째, 시민사회는 '삶의 질'의 향상을 위해 모든 개인에게 자아를 최대한으로 실현시킬 수 있는 기회를 공평하게 배분해 주는 평등한 사회입니다.

시민사회의 구성요소에 대해서는 학자들 간에 다소 다른 의견을 보이고 있습니다. 하버마스(Jurgen Habermas)가 체계(system)-생활세계(life world)라는 2분 모델을 통해 시민사회를 설명하는데 비해, 코헨과 아라토(Cohen and Arato)는 정치・행정체계(국가)-경제체계-시민사회의 3분 모델을 제시합니다. 코헨과 아라토는 시민사회를 "가족, 자발적 결사체, 사회운동, 그리고 공공의사소통 등으로 구성된, 경제와 국가의 사회적 상호작용의 영역"으로 정의합니다. 이들이 말하는 시민사회는 다원성,

공공성, 사생활 그리고 법률성이라는 네 가지 요소로 구성됩니다. 다원성은 생활 형태의 다양성을 허용하는 다원성과 자율성을 갖고 있는 가족, 비공식집단, 그리고 자발적 결사체를 통해 확보됩니다. 공공성은 문화와 의사소통의 제도를 의미하며, 사생활은 사적 자아발전과 도덕적 선택의 영역을 포함합니다. 법률성이란 국가와 경제로부터 다원성, 사생활, 공공성을 확보하는데 필요한 일반적인 법률과 기본권의 구조를 의미합니다.

코헨과 아라토가 시민사회가 갖추어야 할 규범과 가치 면에서 구성요소를 설명하는데 반해 최장집은 시민사회 구성요소를 영역과 분야에 초점을 두어 설명합니다. 최장집은 시민사회를 “국가와 개인 및 가족 양자 사이에 존재하는 자율적인 결사체의 활동영역”으로 정의하면서 다음과 같은 세 가지 구성요소를 갖는다고 말합니다. 첫째, 의사협회나 약사협회와 같이 동질적인 특수 이익을 증대하기 위한 자율적 결사체로서의 시민사회가 있습니다. 둘째, 이데올로기와 문화, 의식 등을 다루는 언론, 종교, 교육, 청소년 관련 사회단체와 같은 비정부적 제도와 기구 내지는 네트워크로서의 시민사회입니다. 셋째, 특정한 가치와 목표의 실현을 위해, 그리고 무엇보다도 공공선을 추구하기 위해 대중동원을 동반하는 집단행동과 그 조직체들, 즉 사회운동으로서의 시민사회입니다.

에드워드(Edwards)의 시민사회

에드워드(Edwards)는 그간의 시민사회 관련 연구를 종합적으로 정리하면서 시민사회를 바라보는 시각을 결사체로서의 시민사회(civil society as associational life), 공론의 장으로서의 시민사회(civil society as public sphere), 그리고 좋은 사회로서의 시민사회(civil society as good society)로 구분하고 있습니다.

결사체로서의 시민사회는 토크빌(Alex de Tocqueville)의 시각으로 시민사회는 국가 및 시장과 구분되는 사회의 한 부분으로 공동의 이익(common interests)을 증진하고 집단행동을 조성하기 위해 형성되었습니다. 결사체로서의 시민사회는 제3섹트 혹은 비영리 기구로 표현되는 NGO, 노동조합, 정당, 종교단체, 전문가 단체, 경제단체, 공동체, 사회운동, 독립 미디어 등을 포함합니다. 이는 가족, 신념, 이익 그리고 이데올로기를 위해 형성된 일련의 관계망(relational networks)을 의미합니다. 토크빌과 푸트남(Robert Putnam)은 시민사회의 주요 역할을 독재에 저항하여 시민들의 자유와 권리를 보호하는데서 찾습니다. 이들에게 있어 시민사회의 핵심적 가치는 자발적 결사체(voluntary associations)의 활동에 있습니다. 자발적 결사체를 통해 중앙 집중화된 권력의 남용을 견제하고, 다원주의와 사회 규범, 특히 신뢰와 협력의 가치를 배양하는 것이 시민사회의 핵심 기능입니다. 푸트남은 결사체활동이 민주적 시민성을 향상시키고 정부의 책임성을 강화시키는 측면에서 민주주의 발전에 기여한다고 보면서, 최근 미국사회에 있어 공동체와 결사체 활동이 저하되는데 대해 우려를 표하였습니다. 푸트남은 '대부분의 경우' 결사체에 참여하는 것이 참여하지 않는 것보다 민주주의 발전을 위해 바람직하다고 말합니다. 그가 여기서 '대부분의 경우'라고 한정하고 있는 것은 결사체 활동이 오히려 사회통합과 민주주의 발전에 저해되는 경우가 있기 때문입니다.

두 번째 공론의 장으로서의 시민사회는 공적 협의(public deliberation), 이상적 대화 그리고 공동이익 추구를 위한 '적극적 시민성'(active citizenship)이 행사되는 영역, 즉 공공영역(public sphere)입니다. 시민사회를 대화의 장이며, 시민적 대화가 진행되는 영역으로 볼 때 건강한 시민사회란 담론의 시민성이 유지되는 사회, 즉 공론의 장이 작동하고 있는 사회라 할 수 있습니다. 하버마스에 의하면 공론의 장이란 시민들이 공공문제(common affairs)에 대한 숙의(deliberation)를 할 수 있는 과정, 그리고 숙의과정이 자연적으로 나타날 수 있는 공간을 동시에 의미합니다.

하버마스에 의하면 현대사회는 "체계에 의한 생활세계의 식민화"로 특징되고 있는데, 이는 개인의 성찰성을 고양하면서 극복될 수 있다고 주장합니다. 체계는 권력, 돈과 같은 매개체를 통해 도구적 이성에 기반한 전략적 행위가 작동하는 세계이고, 생활세계는 가치, 규범, 상징적 상호작용 등을 매개로 의사소통적 행위가 작동하는 세계라고 할 수 있습니다. 생활세계가 바탕을 이루지만 사회가 발전하고 근대시기로 들어오면서 생활세계에서 체계가 분리되어 나왔고, 체계는 다시 국가와 경제로 분리되었습니다. 생활세계에는 시민사회와 공론영역이 포함됩니다. 그리고 체제와 생활세계의 관계는 현대사회로 올수록 체계의 영역이 확장되면서 생활세계가 축소되고 체계에 종속되는 현상, 즉 생활세계의 식민화 현상이 일어난다고 합니다. 이런 생활세계의 식민화로 인해 현대사회의 각종 병리적 현상이 발생하게 됩니다. 따라서 이러한 식민화 현상을 극복하고 생활세계를 복원하는 것이 중요한데, 이를 위하여 시민운동과 공론영역의 역할이 매우 중요합니다.

셋째, 좋은 사회로서의 시민사회는 규범과 가치, 사회적 목표 달성을 강조하는 시각으로 시민사회의 규범성을 중시합니다. 이기심보다는 봉사(service)의 영역이며, '마음의 습속'(habits of heart), 즉 협력, 신뢰, 관용과 비폭력 등과 같은 태도와 가치를 형성하는 기반이 됩니다. 바버(Barber)는 좋은 사회로서의 시민사회가 형성될 때 비로소 공론의 장으로서 시민사회가 될 수 있다고 하면서, 그러기 위해서는 시민들이 다음과 같은 규범 가치를 갖추어야 한다고 합니다. 첫째는 공동체 정신을 중시하는 마음의 습속입니다. 가시적이고 명확한 공통의 기반, 협력적 전략, 공동의 이해관계 그리고 공공복리를 바탕으로 할 때 시민적 대화가 가능하다는 것입니다. 둘째는 협의의 가치를 중시해야 합니다. 시민의 공적 목소리는 협의적이고, 자기 반성적이고, 성찰적이면서, 비판적인 특징을 갖습니다. 셋째는 민주적인 공통의 습관을 통해 차이를 부정하기보다 그 차이를 인정하고 포용해야 합니다. 개인의 의견은 임의적이며, 자기 선택적이고, 또 소외당할 수 있음을 인정해야 합니다. 넷째는 타인의 주장을 귀 기울여 듣는 수용성을 갖춰야 합니다. 공적이익은 사람들이 서로의 이야기를 들을 수 있을 때 비로소 동감하고 조화를 이룰 수 있으며, 공적이익도 확인되고 표출될 수 있습니다. 또한 의견이 다른 사람과의 대화를 통해 공통의 기반을 발견하고 자신의 입장을 수정할 수 있어야 합니다.

에드워드는 이러한 시민사회에 대한 세 가지 시각이 상호 독립적이고 분리되어 있다기보다는 상호 교차적이면 연결되어 있는 개념으로 보고 있습니다. 즉 세 가지 시각이 서로 강조하는 부분의 차이는 있으나, 상호 통합적으로 적용될 때 비로소 시민사회에 대한 완전하고 정확한 이해가 가능하다고 말합니다.

2) 시민사회의 성장과 쇠락

(1) 한국 시민사회의 성장과 특징

수십 년간 권위주의 통치에 억눌려 있던 한국의 시민사회는 민주화운동 과정에서 부활하게 됩니다. 1987년 민주화 이행의 과정에서 학생운동과 지식인 집단이 주도적 역할을 하였으나, 일반 시민의 광범위한 참여가 없었다면 권위주의 정권의 퇴진을 이끌어내지 못했을 것입니다. 민주화 이후에도 시민사회는 정치사회에 영향력을 행사하고 이들의 책임성을 확보하는 정치사회 개혁에 많은 역할을 하였습니다. 민간 정부 하에서 시민사회운동은 금융제도개혁, 정치부패 추방, 환경보호, 인권보호 등 불특정 다수의 공공이익을 실현하는데 상당한 성과를 거두었습니다. 특히 시민사회운동은 정치개혁에 대한 국민들의 열망에 힘입어 2000년 총선시민연대의 낙천·낙선운동, 2002년 12월 대통령선거, 2004년 3월 대통령 탄핵반대 촛불시위, 2004년 4월 17대 총선에 이르기까지 막강한 힘을 발휘하였습니다. 이 같은 시민사회운동의 힘은 여론조사에서도 그대로 나타났습니다. "한국을 움직이는 가장 영향력 있는 집단 혹은 세력(대통령 제외)"에 대한 여론조사에서 시민단체는 정당과 언론을 제치고 1위를 차지하였습니다. 응답자의 28.9%가 시민단체를 가장 영향력 있는 집단으로 응답한 반면, 당시 여당이었던 열린우리당은 23.7%, 언론계는 18.1%, 야당인 한나라당은 17.8%에 그쳤습니다.

민주화 이후 한국 시민사회 성장을 가져온 환경적 변화는 민주화, 세계화, 그리고 생활정치의 부상을 들 수 있습니다. 첫째, 수십 년간 권위주의 통치에 억눌려 있던 한국의 시민사회는 민주화 운동 과정에서 부활하였고, 민주화 운동의 주축이었던 학생운동, 청년운동, 그리고 재야운동은 민주화 이후에도 시민운동의 주도세력으로 활동하였습니다. 또한 민주화와 함께 시민들의 참여의식이 확대되면서 시민사회 발전에 커다란 밑거름이 되었습니다. 둘째, 세계화는 '삶의 개인주의화'를 급속히 촉진시켰습니다. 경쟁과 효율이 가장 지배적인 담론이 되는 세계화는 개인의 경쟁력을 요구하였습니다. 삶의 안전망으로 국가나 지역 또는 가족과 같은 공동체의 책임에 대한 강조는 의식적으로 또는 무의식적으로 약화되었습니다. 세계화는 국가 간 관계의 중요성을 상대적으로 축소시키는 대신 시장이나 시민사회의 개방적 상호작용은 크게 활성화시켰습니다. 셋째, 사회경제적 발전과 함께 탈물질주의 가치가[1] 확산되면서 자아 정체성과 삶의 의미를 재성찰하는 태도가 증가하고, 이에 따라 '일상생활' 영역을 중시하는 생활정치(life politics)가 주목받게 되었습니다.

한국의 시민사회는 개발 독재 시대의 민주화운동이라는 큰 흐름 속에 배태되고 성장하였습니다. 하지만 '시민사회' 담론이 적극적인 의미를 부여받은 시점은 1987년 민주화 이후라 할 수 있습니다. 그 이전에는 한국의 시민사회는 민주화운동의 상징 속에 포괄되었고, 노동운동, 학생운동, 농민운동, 시민운동 등이 모두 독재-민주라는 이원적 구도 속에 포함되었습니다. 일본의 시민운동이 주로 지역단위에서 생활 속의 문제를 드러내고 해

1) 탈물질주의 가치는 잉글하트(1977)가 처음 소개한 개념으로, 서구사회가 후기 근대화 과정(Post-modernization)을 거치면서 탈물질주의 가치관을 가진 사람들이 증가한다는 것입니다. 탈물질주의자들은 2차 대전 이후 경제적으로 풍요로운 환경에서 성장했기 때문에 물질적 가치보다 삶의 질, 자유나 인권, 환경 등의 가치를 중시하며, 정치에 대한 관심도 많아서 정부 정책과 사회문제에 적극적으로 참여합니다.

결하는데 초점을 두는 자기 제한적 성격을 갖는데 반해, 한국의 시민운동은 정부와 직접적 상호작용을 상정한 운동으로 자리매김 해왔습니다. 시민사회의 뿌리가 민주화운동에서 비롯되었고 시민사회를 이끈 활동가 대부분이 민주화 운동을 주도한 집단들이었기에, 반정부투쟁에 익숙할 수밖에 없었습니다. 더구나 한국과 같이 중앙집중적 권력의 힘이 비대한 사회정치적 지형 속에서는 정치권력을 견제하고 감시하는 활동이 시민운동의 자원동원이나 영향력 행사에 있어 효율적인 수단이 될 수 있습니다. 시민운동의 이러한 전략으로 인해 '주요한 정치적 정책적 사안에 대해 개입하는 시민운동'이 주요한 행동양식으로 자리 잡게 되었습니다. 이처럼 한국의 시민사회는 민주화 운동을 통해 성장하였고, 주요 활동가들 또한 민주화 운동 출신이어서 민주화 이후에도 정치적 사안에 집중해 활동하는 모습을 보였습니다. 한편으로 이러한 역사적 배경으로 인해 정치와 시민사회 사이의 경계가 흐릿해지고 시민운동이 정치화되는 양상이 나타났습니다.

준정치세력화한 시민사회의 특징은 시민운동이 모든 정치적, 정책적 사안에 개입하려한다는 점입니다. 시민사회의 정치화는 시민단체를 사회갈등의 중심에 서게 했습니다. 특히 참여정부 등장 이후 사회 내 이념갈등이 확산되고 그 갈등의 중심에 시민단체가 위치했습니다. 시민단체의 정치화 현상은 매번 선거마다 뚜렷이 나타났습니다. 2000년 총선시민연대의 낙천·낙선운동을[2] 필두로 2002년 12월 대통령선거와 2004년 4월 17대 총선에 이르기까지 시민단체들은 정치적 성향을 분명히 드러내며 선거과

2) 낙천·낙선운동은 2000년 1월부터 '경제정의실천시민연합(경실련)', '정치개혁시민연대(정개련)', '2000년 총선시민연대(총선시민연대)' 등이 공천부적격자 명단을 공개하고 이들의 공천탈락과 낙선을 추진한 운동입니다. 낙천·낙선운동과 관련된 시민단체 중 총선시민연대는 "시민의 힘으로 정치를 바꿉시다"라는 구호를 내걸고 큰 영향력을 펼쳤습니다. 그 결과 일부 정치인들은 정계은퇴, 선거에 출마하지 않았으며, 112명의 공천반대자 중 58명이 공천에서 탈락하였으며 86명의 낙선대상자 중 59명이 낙선하였습니다(김도종 2000).

정에 개입하였고 결과에 영향을 미치고자 했습니다. 이때까지의 시민단체들의 선거활동이 진보단체를 중심으로 진행된 반면, 2007년 대선에서는 보수와 진보 시민단체 모두 선거에 적극 개입하는 모습을 보였습니다.

총선시민연대의 낙천 · 낙선운동 (2000)

시민단체들의 정파적 선거개입과 정치활동은 정치사회와 시민사회의 경계를 불분명하게 하면서 의도와는 달리 시민단체에 대한 시민들의 신뢰를 약화시키는 결과를 가져왔습니다. 민주화 운동과정에서 시민사회는 권위주의 정권의 강력한 통제와 감시를 받았으나 대항세력으로서 존재는 유지되었습니다. 그러나 민주화 이후 오히려 시민사회가 국가와 밀착되면서 체계에 의한 생활세계의 식민화 현상이 가중되는 현상이 나타난 것입니다.

(2) 김대중 정부의 시민사회

민주화 이후 특히 김대중 정부 시기부터 이념적 정파성에 따라 정부와 시민사회의 밀착관계가 뚜렷이 나타나기 시작했습니다. 진보정권이 보수세력을 약화시키기 위해서 진보세력들의 정치사회적 지지가 필요했고, 시민단체는 정부의 이러한 필요를 충족시켜줄 수 있는 유용한 사회세력이었습니다. 당시 자민련의 김종필 명예총재는 시민단체를 문화혁명의 전위세력으로 활용되었던 '홍위병'[3]에 비유하기도 했습니다. 김대중 정부가 비정

3) 홍위병은 중국 문화대혁명(1966-1969)의 추진세력이 된 학생 조직을 말합니다. 이 조직은 마오쩌둥을 지지하고 그의 이념을 숭배하였으며, 중국 대륙 곳곳에서 마오쩌

부조직을 정치적지지 세력으로 편입시키고자 한 노력은 '민족화합협력범국민회의'와 '제2건국범국민추진위원회'의 사례에서 분명하게 드러납니다. 특히 제2건국위는 기본이념을 김대중 정부의 정치경제적 모토인 '민주주의와 시장경제'에 두고, 중앙조직은 청와대와 중앙정부부처가 그리고 지방조직은 지방정부가 주도하여 만들었다는 점에서 정부간섭의 정도가 매우 강했습니다. 정부와 시민단체와의 관계가 민주화 이후 협조적 동반자적 관계로 전이되고 있는 것처럼 보이지만, 실제로는 협조적 대행자의 관계나 국가주의적 모형이 더욱 뚜렷이 나타났습니다.

김대중 정부는 행정기관과 법률을 이용해 시민사회를 지원하는 한편 포섭하고자 하였습니다. 1999년 1월 15일 행정자치부는 민간협력, 시민단체지원, 국민운동 지원, 자원봉사단체 관리 및 지원의 4대 업무를 수행하기 위해 '민간협력과'를 신설・운영한다고 발표했습니다. 당초 '제2건국범국민추진위원회'와 함께 양대 축의 하나로 설정하였던 반관반민 '국민운동본부'가 시민운동단체들의 반발로 무산되면서 그 대안으로 행정자치부 내에 민간협력과라는 조직을 만든 것입니다. 2001년 1월 12일에는 비영리민간단체의 자발적인 활동을 보장하고 건전한 민간단체로 성장하도록 지원함으로써 비영리 민간단체의 공익활동 증진과 민주사회 발전에 기여한다는 취지로 '비영리민간단체지원법'을 제정했습니다. 문제는 이러한 제도와 법률이 시민사회를 지원하고 정부와의 관계를 수평적으로 만들기보다는 시민사회를 포섭하여 정부의 권한을 강화하는 도구로 활용되었다는 점입니다.

시민사회가 참여하는 정부의 위원회나 자문기구 또한 자율적인 거버넌스 방식으로 운영되지 못하고 정부의 들러리 역할을 하는 양상이 빈번하게 발생했습니다. 방송개혁위원회는 대통령 직속자문기구로 1998년 12월

등을 반대하는 당 지도자, 지식인 등을 공격하는 역할을 하였습니다.

1일부터 1999년 2월 27일까지 약 3개월 동안 방송개혁 방안을 만드는 작업을 하였습니다. 방송개혁위원회는 정치인, 학자, 방송현업인, 노조와 시민단체 등을 포괄한 14인의 방송위원과 30인의 실행위원으로 구성되었습니다. 방송개혁위원회 구성에서 야당이 불참하면서 여당과 청와대가 선임한 인물위주로 참여하게 되었습니다. 정부는 방송법을 둘러싼 이해당사자들의 의견을 수렴하기 위해 시민사회와 이익집단 대표들을 방송개혁위원회에 참여토록 하였지만 정부와 여당 측 인사들을 중심으로 위원회가 운영되면서 시민사회는 제 목소리를 제대로 낼 수 없게 되었습니다.

정부와 시민사회의 밀착관계

출처: (좌측) e영상역사관(1998. 10. 2) "제2건국위 창립식" (http://ehistory.go.kr)
(우측) 동아일보(1998. 12. 3) "제 2 건국위 점검: 의식개혁기구에 시군구조직 필요하나" 사진설명: 제2건국위 관련 만평그림

(3) 노무현 정부의 시민사회

참여정부를 표방한 노무현 정부가 들어서면서 시민사회의 국정참여는 더욱 활기를 띠게 되었습니다. 노무현 정부는 국가 영역을 시민들에게 대거 개방함으로써 정치권에 의한 권력독점현상을 와해하고 시민들의 정치참여를 활성화하고자 하는 다양한 시도를 하였습니다. 정권인수위원회 시절부터 국민참여센터를 설치해 운영했는가 하면, 청와대 비서실에 시민사회수석실을 두어 시민사회단체와의 협력과 대화를 강화하고자 했고, 외교

통상부에 NGO 대사직을 신설하여 외국 NGO와 국내 NGO, 정부와 NGO 간의 조정과 협력의 과제를 담당하도록 했습니다. 특히 의제설정과 정책결정 과정에 있어 시민단체들의 영향력은 크게 증진되었습니다. 참여정부에서 여성정책분야는 다른 어느 정책영역보다 여성단체들의 활약과 참여가 두드러졌으며, 과거사청산, 진실규명, 의문사규명, 인권보호, 새만금 사업 등 주요 국가정책의 결정과 시행과정에 관련 시민단체와 전문가들의 영향력이 크게 강화되었습니다. 참여정부 때 만들어진 시민사회발전위원회는 시민사회 발전의 3대 목표로 '시민사회의 기반 확충, 시민사회단체의 활성화, 시민사회단체와 정부 및 타 영역의 파트너십 구축'을 제시하고 자원봉사·기부문화 활성화와 시민사회단체의 재정자립도 제고, 시민사회단체의 역량 강화 등의 10대 과제를 설정했습니다.

그러나 참여정부가 주로 진보적인 NGO 활동가들과 일종의 가족주의적 네트워크를 구축하거나 그런 NGO 출신인사를 광범위하게 정부에 진출시킴으로써 동반자적 관계를 구축했다는 인식이 광범위하게 확산되면서, 참여정부의 이념적 편향성에 문제를 제기하는 목소리가 커졌습니다. 또한 노무현 정부 동안 숱한 위원회가 설치되어 '위원회 공화국'이라는 비판을 받을 정도였지만, 그 성과는 대체로 행정 관료들이 미리 정해둔 정책기조를 정당화 해주는 '옹호형 위원회'의 수준을 벗어나지 못했다는 비판도 받았습니다.

시민사회의 정치화 현상과 함께 시민사회의 영향력은 약화되는 양상을 보였습니다. 2000년 초반의 여론조사를 참조하면 국회, 정부부처, 시민단체 등 16개 기관 신뢰도를 조사에서 시민단체는 2003년과 2004년에는 1위를 차지하였으나 2005년에는 5위로, 2006년에는 7위로 하락하였습니다. 2005년 3월 한국사회여론조사소가 실시한 시민단체평가에서는 무책임한 비판 등 부정적인 측면이 많다는 응답이(55.4%) 권력 감시 등 긍정적인 측면이 많다는 의견(37.0%)보다 훨씬 많았습니다. 시민단체가 이처럼 국민의 신뢰를 받지 못한 것은 순수성을 잃은 채 정치세력화 한 것이 가장 큰 이유로 지적되었습니다. 송호근의 지적에 따르면 과거에 비해 시민사회의 참여가 크게 증진되었음에도 불구하고 노무현정부가 비판받는 점은 정부와 이념적 성향과 이해를 달리하는 시민단체에게는 참여의 기회가 불균등하게 주어지거나 기회가 주어졌더라도 과소 대변(under representation)되는 상황이 나타났기 때문입니다. 반면 진보적 성향의 시민단체는 의제설정을 관할하고 공공 영역에의 의제상정을 통제할 뿐 아니라 정책결정과정에서도 커다란 영향력을 행사했습니다. 그 결과 진보적 시민단체에 의한 '과잉 대변'(excess of representation)의 문제가 발생했습니다. 정치권과 시민단체의 상호관계를 보면 양자 간의 '이념적 동질화'로 인해 상호간 합의가 쉽게 이루어졌으나, 이는 이념적 성향이 다른 사회집단의 승복과 동의를 거치지 않아 진정한 사회적 합의로 보기는 어렵습니다.

시민사회의 이념화는 '시민 없는 시민운동'의 문제를 더욱 심화시키는 문제를 낳았습니다. 무엇보다 진보와 보수 혹은 좌파와 우파라는 거대담론이 더 이상 시민들의 관심을 끌지 못했습니다. 참여정부 출범 이후 시민사회 내부의 이념갈등은 갈수록 심해졌습니다. 국가보안법 등 소위 4대 개혁

참여정부 시기 시민사회운동 (좌) "부안군민 핵 반대 대규모 격렬 시위" (우) "2006년 스크린쿼터 축소 반대 시위를 하는 영화계 관계자들."

입법을 둘러싼 이념갈등 뿐만 아니라, 천성산 터널[4], 새만금사업, 부안 핵 폐기물 처리장[5], 그리고 스크린 쿼터제[6]와 같은 환경, 평화, 문화 등과 같은 사회 이슈를 둘러싼 대립도 이념갈등 양상으로 변질되었습니다. 참여정부 출범 이후 일반시민들의 관심사는 경제나 사회복지와 같은 민생 이슈에 집중되어 있는데 시민단체들은 거대 담론에 치우쳐 일반 시민들의 관심과 참여를 이끌어내지 못했습니다. 시민운동 역량의 많은 부분이 정파적 성향을 띤 정치개혁에 집중되면서 시민들과 함께하는 주민 결합형, 자립형 시민운동을 진전시키지 못하고 정파적이고 중앙집중형 구조에 매몰된 것도 문제였습니다. 총선연대, 대선연대를 거치면서 정치적 영향은 키워가면서도 시민운동의 근간이라 할 수 있는 생활정치와 풀뿌리 운동은 소홀히 하였던 것입니다.

---

4) 1990년 정부는 경부고속철도 대구-부산 구간에서 천성산을 터널로 통과하는 노선을 건설하는 사업을 확정하였습니다. 그러나 천성산 지역이 생태계 보호지역으로 지정되면서 환경단체와 불교계는 천성산 노선을 반대하면서 정부와 대립하였습니다. 2002년 노무현 대통령의 대선 후보 시기 천성산 노선 백지화를 공약하였으나 2003년 9월 정부가 기존의 천성산 터널노선을 고수하기로 하자 시민단체는 천성산 도롱뇽을 원고로 하여 정부를 상대로 '공사착공금지 가처분 소송(도롱뇽 소송)'을 제기하였습니다. 법원이 시민단체의 소송을 기각하면서 노선공사가 마무리되었습니다(이재민 2009).

5) 2003년 5월 부안군수가 정부에 방사성 폐기물 관리시설 유치를 신청하면서 지역주민들과 갈등이 빚어진 사건입니다. 부안군민들이 '핵폐기장 철회'를 요구하며 각종 시민단체와 연대해 시위를 펼쳤습니다. 핵폐기물처리장 시설을 둘러싸고 경찰과 충돌하는 등 상황이 악화되자 주민투표를 실시했습니다. 2004년 위도에 방폐장 유치 찬반을 묻는 주민투표에서 유권자의 91.8%의 반대로 백지화되었습니다.

6) 스크린 쿼터제는 1966년 영화법 개정을 통해 영화관에 대해 연간 90일 국산영화 상영을 의무화하면서 시작되었습니다. 1984년 정부는 한국 영화의 의무 상영일수는 연간 146일(상영비율 40%)로 늘려 한국의 영화산업을 보호하고 육성하는 제도적 장치를 강화했습니다. 그러나 98년 한미투자협정 협상 중 미국 측은 스크린쿼터가 무역투자협정의 표준에 어긋난다고 지적하면서 폐지를 주장하였으나 영화인들은 거세게 반발하였습니다. 한미 FTA 협상의 선결조건으로 연간 73일로 축소시행 되어 현재까지 유지되고 있습니다(이태규 2006).

(4) 이명박 정부의 시민사회

이명박 정부는 기본적으로 시민사회에 대해 부정적인 인식을 갖고 출발했습니다. 이는 이대통령의 각종 발언에서도 잘 나타납니다. 이대통령은 취임사에서 "시민사회는 양적으로 성장했지만 권리와 주장이 책임의식을 앞서고 있다"며, 시민사회의 무분별한 자기주장을 비판하였습니다. 2009년 6.10민주항쟁 제22주년 기념식 축사에서는 "민주주의가 열어 놓은 정치 공간에 실용보다 이념, 그리고 집단 이기주의가 앞서는 일들이 종종 벌어지고 있으며", "자신의 주장을 관철시키기 위해 법을 어기고 폭력을 행사하는 모습도 우리가 애써 이룩한 민주주의를 왜곡하고 있다"고 시민사회의 불법적 행위를 비판했습니다. 이러한 시민사회에 대한 부정적 인식은 2008년 광우병 촛불시위에서 비롯되었습니다. 경찰청이 작성한 "2008년 불법 폭력시위 관련 단체 현황" 자료에 따르면 2008년 광우병국민대책회의에 참가한 1천 840개 단체 전부와 한국진보연대 소속 50개 단체를 불법폭력시위 관련 단체에 포함시켰습니다. 또한 참여연대와 민주사회를 위한 변호사 모임을 비롯한 시민사회단체와 천주교정의구현사제단과 한국 YMCA 등 종교단체, 한국기자협회 같은 직능단체까지도 불법폭력시위 관련단체로 분류하였습니다. 이명박 정부는 시민사회에 대한 지원도 관변단체와 친정부적 사업에 집중하였습니다. 2009년 1월 30일 행정안전부는 비영리민간단체지원법에 따라 정부보조금 지원 대상이 되는 5개 사업유형을 공고했습니다. 이는 ① 100대 국정과제, ② 저탄소 녹색성장, ③ 사회통합과 선진화를 지향하는 신국민운동, ④ 일자리 창출과 4대강 살리기 운동, ⑤ 관계 법률에 의해 권장 또는 허용되는 사업 등 입니다. 이는 비영리민간단체의 고유한 활동 영역이라기보다는 정부의 주요 정책을 지원하는 사업으로 한정한 것이며, 결과적으로 친정부적인 보수단체의 사업이 정부보

조금 지원을 많이 받을 수밖에 없는 조건을 만든 셈입니다. 또한 새마을운동중앙회, 바르게살기운동중앙협의회, 한국자유총연맹 등 보수 관변 3단체는 2010년 비영리민간단체지원법에 의한 정부보조금 총액과 비교하여 80%에 상당하는 금액을 지원받았습니다. 이상의 3단체는 2010년 이후 직접지원단체가 되어 '성숙하고 따뜻한 사회구현 사업'에 의한 지원을 받고 있습니다.

박근혜 정부는 '국민생활안보협회', '선진화시민행동', '탈북자단체 숭의동지회', '엔케이지식인 연대' 등 우파 성향의 시민단체를 편향적으로 지원했습니다. 문재인 정부에 들어서 박근혜 정부 때 지원을 많이 받았던 우파단체에 대한 지원은 끊기고, 문재인 정부 관련 친여・좌파 성향의 단체들이 대거 새 지원 대상이 되었습니다. 윤석열 정부의 시민단체 지원 형태도 과거 정부와 다르지 않습니다. 문재인 정부 5년 동안 지속해서 정부 보조금을 받았던 시민단체 상당수가 지원 대상에서 배제되고, 대신 전 정부 5년 동안 단 한 번도 지원금을 받지 못한 시민단체 38곳이 윤석열 정부 출범 이후 처음으로 지원 대상에 선정되었습니다.

3) 시민사회 발전 방향

(1) 정부-시민사회 관계 변화

'정부의 실패' 그리고 '대의민주주의의 위기'에 대한 지적은 이미 오래전부터 시작되었습니다. 정부뿐 아니라 대의제도에 대한 국민의 신뢰가 나날이 떨어지고 있습니다. 더 이상 정부의 일방적 요구와 명령에 의해 의제가 제기되고 정책이 결정되지 않습니다. 정부, 정치인, 언론 등 전통적인 중간 매개자의 역할은 점차 약화하면서 시민들 간의 직접적인 거래와 상호작용은 급격히 증가하고 있습니다. 따라서 정부 주도의 일방적 통치는 불가능하며 정책결정과정에 시민참여는 필수적 절차가 되었습니다. 정책수행의 효율성 측면에서 볼 때도 정부의 일방적 의사결정은 오히려 비효율적인 결과를 가져옵니다. 특히 정부와 정치에 대한 신뢰수준이 낮은 한국의 상황에서 일방적 통치는 기대한 성과를 거두기 어렵습니다. 정부와 시민은 이제 의사결정뿐만 아니라 의제설정에 있어서도 그 권한을 공유할 필요가 있습니다.

향후 시민의 역할은 고객적 시민에서 파트너적 시민 그리고 나아가 스스로 통치하고자 하는 주인적 시민으로 변화해 갈 것이고, 정부의 역할 역시 관리자적 정부에서 파트너적 정부로 그리고 궁극적으로는 피지배적 정부의 위치로 자리매김할 것입니다. 이에 따라 시민-정부 간 상호작용의 유형은 정부 우위 관계에서 협력적 관계를 거쳐 시민 우위의 관계로 바뀌어 갈 것입니다. 이러한 시민-정부 역할 변화가 시사하는 바는 정부 일방

[그림 1] 시민-정부 간 역할 변화

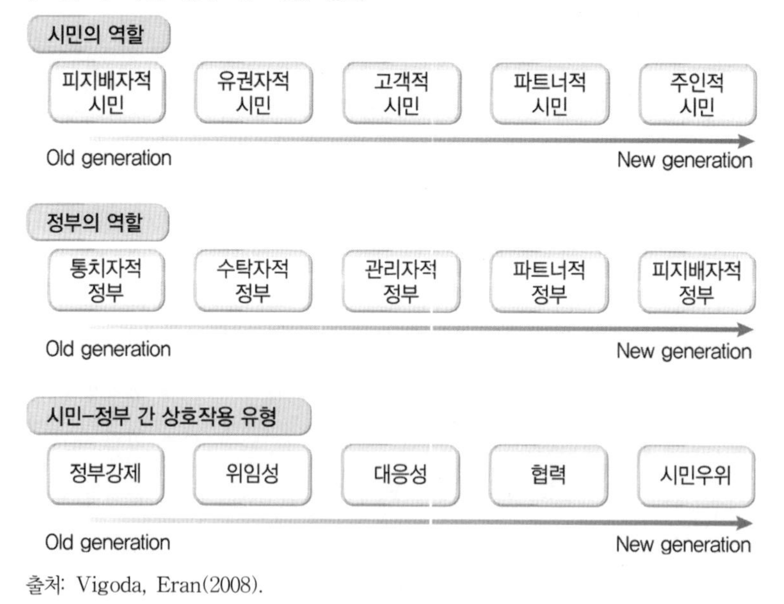

출처: Vigoda, Eran(2008).

적 정책결정을 통해 줄일 수 있는 거래비용보다는 시민의 저항이 가져오는 순응비용이 몇 배 더 커질 수 있다는 것입니다.

무엇보다 정보통신기술의 발전과 함께 위계적 사회질서를 넘어서 수평적인 네트워크 사회가 확산되고 있습니다. 디지털 네트워크의 확산과 함께 기존 정부 중심의 통치체제는 점차 약화되면서 시민사회의 권력은 더욱 강화되는 양상이 나타날 것입니다. 위계적 정치구조와 수평적 네트워크 질서 간의 충돌로 인해 정부와 시민 간의 긴장과 대립은 더욱 첨예해지는 양상을 보일 것입니다. 정부-시민 간의 긴장과 대립을 완화하기 위해서는 엘리트 중심의 대의민주주의 제도에 전적으로 의존하기보다는, 시민사회를 비롯한 다양한 사회 구성원들이 참여하는 협력적 거버넌스를 구축하여 이를 통해 사회갈등을 조정(coordination)·조종(steering)·조절(regulation)할 필요가 있습니다. 따라서 정부의 역할 역시 정치과정의 중심에 서 있는 허브(hub)가 아닌 노드(nod)로서 네트워크의 일부가 되어야 합니다. 이제 정부의 역할은 직접 개입자에서 간접 유도자로, 직권해결자에서 중재자로 전환되어야 합니다. 정부가 시민사회를 직접적으로 통제하거나, 인위적으로 자원을 배분하거나, 민간부분에 대해 독점권을 행사하거나, 불필요한 독점적 지위를 유지하거나, 중앙집권적 방식으로 권한을 배분하는 행위는 더 이상 수용되기 힘든 사회로 변모하고 있습니다.

(2) 민주적 거버넌스와 시민사회

그간 우리정부는 시민의 변화 그리고 정치 환경의 변화에 적응하려는 노력을 보여 왔습니다. 무엇보다 정책결정과정에 있어 시민의 참여를 확대하고자 여러 가지 노력을 하였습니다. 그럼에도 불구하고 정부의 이러한 노력이 민주적 거버넌스의 정착으로까지 발전하지는 못했습니다. 앞서 살펴본 시민-정부 간 상호작용 유형에 근거해 보면 그간 정부는 정부강제의 방식에서 벗어나 위임성과 대응성의 단계까지는 진전하였으나 협력과 시민우위 단계까지는 이르지 못했습니다. 주성수(2008)는 이를 거버넌스 유형에 따라 설명하면 '도구적' 거버넌스의 단계에는 이르렀으나 '보완적' 혹은 '전환적' 거버넌스로 까지는 발전하지 못했다고 평가하고 있습니다. 스켈처(Sketlcher)는 거버넌스와 대의민주주의의 관계를 '불가양립', '도구적', '보완적, '전환적' 유형으로 구분하여 설명합니다. 첫째, 거버넌스와 대의민주주의 양자는 각기 다른 제도적 규율에 기초하므로 서로 양립할 수 없는 '불가양립'의 관계에 있다고 볼 수 있습니다. 거버넌스는 다차원의 공유된 주권 체제를 갖추지만 대의민주제는 국가의 헤게모니 체제이므로 결국 양자가 함께 존재하기는 어렵다는 것입니다. 둘째, '도구적' 거버넌스는 중앙정부나 정치인들이 자신들의 정치적 목표 달성을 위한 도구로 거버넌스를 이용하는 유형입니다. 정부 행위자들은 시민사회나 민간 행위자들에 비해 더 우월적인 법적, 재정적, 정치적 자원을 갖고 거버넌스의 구조를 디자인하고 자신들이 바라는 정책결과를 유도하는 주도적인 역할을 할 수 있습니다. 셋째는 거버넌스와 대의민주제가 '보완적' 관계에 있는 경우입니다. 현대 대의민주주의는 국민의 신뢰 상실 등 정책결정의 주체로서 정통성을 결여함으로써 '민주주의 결핍'에 직면해 있습니다. 이러한 정통성의 위기를 극복하기 위한 방편으로 대의민주제는 거버넌스 체제를 제도적으로 수용하게 됩니다. 다양한 이해관계자들이 정책과정에 참여하는 거버넌스 체제를 통해 정책결정 과정에서 나타나는 정통성의 위기 문제를 해소할 수 있습니다. 거버넌스 구조에서는 정책과정의 초기 의제설정부터 정책결정, 집행, 평가에 이르는 전체 정책과정에 시민과 시민사회 등 이해관계자들의 참여를 보장하기 때문입니다. 마지막으로, '보완적' 관계가 좀 더 발전하면 '전환적' 거버넌스가 구축될 수 있습니다. '전환적' 거버넌스는 중앙집중적 체제가 분권화된 네트워크형 정책결정 형태로 전환하는 과정을 말합니다. 거버넌스 네트워크에 시민사회를 포함한 다양한 이해관계자들이 참여해 서로 경쟁하고 협의하게 됩니다. 이해관계자들 사이의 심의적 논의와 절차가 중시되는 일련의 정책결정 과정을 통해 대의민주제의 정통성이 강화될 수 있습니다.

그간 한국정부는 '도구적' 거버넌스를 유지하면서 정책결정의 정통성 확보에 도움이 되는 한도 안에서 부분적으로 시민사회의 요구와 압력을 수용해 왔습니다. 김대중, 노무현 정부를 통해 거버넌스가 부분적으로 진행되었지만, 정부와 시민사회 관계를 포함한 거버넌스에 대한 회의론이 강하게 제기되고 있는 것도 이 같은 정부주도의 '도구적' 거버넌스의 특성 때문입니다. 이명박 정부 역시 '실용주의'를 앞세우며 시민사회를 필요에 따라 이용하려는 자세를 보였습니다. 새로운 정부-시민관계의 방향은 우선 '보완적' 거버넌스를 구축하는 것에서부터 출발해야 합니다. 그간의 정부중심의 통치방식에서 벗어나 시민사회의 주체적 참여가 보장되는 보완적 거버넌스를 만드는 과정에서는 행위자들 간에 이해관계가 충돌하여 정치적 갈등이 발생하기 쉽습니다. 따라서 '질서 있는 변화'를 위해서는 무엇보다도 정부의 역할이 중요합니다. 시민사회의 다원성・복잡성・역동성의 가속화로 인해 초래된 이질적 정치의식과 다층화 된 이해관계를 정치과정에 적절히 흡수하고, 이들 간의 유연한 조화를 꾀하는 방안이 모색되어야 합니다. 정부는 다양한 행위자들을 정책결정 네트워크로 유인하고 참여시키는 전략적인 '시민관여의 장려자'로, 그리고 정책결정 네트워크를 구성하고 관리하고 통합하는 조정자로서의 역할을 수행하여야 할 것입니다. 시민-정부 간의 역할 변화는 필연적으로 통치구조의 변화를 동반하게 됩니다. 정부 일방적인 통치방식의 한계가 지적된 것도 이미 오래전의 일입니다. 또한 시민과 함께하는 거버넌스 통치방식이 필연적이라는 점도 수없이 지적되었습니다. 시민과 함께하는 거버넌스 방식으로 통치 시스템을 전환하지 못한 대가는 사회갈등의 증가로 나타났습니다. 한국의 사회갈등지수는 0.71로 OECD 평균 0.44를 훨씬 상회하여 27개 OECD 회원국 중에서 네 번째로 나타났습니다. 사회갈등지수가 10% 하락할 경우 1인당 GDP가 7.1% 증가하는 효과가 발생한다고 합니다. 한국의 갈등지수가 OECD 평균인 0.44로 완화될 경우 1인당 GDP는 27% 증가할 것으로 추정됩니다. 정부의 일방적 정책결정 방식이 치러야 하는 순응비용이 결코 만만치 않음을 알 수 있습니다.

(3) 시민사회의 탈정치화

보완적 거버넌스를 구축하려는 노력과 함께 시민사회의 정치참여 행태도 바뀔 필요가 있습니다. 그 동안의 시민운동이 권력에 대한 도전과 저항에 집중하였다면, 향후에는 삶에 대한 직접적인 변화를 목표로 하는 운동에 주안점을 두어야 할 것입니다. 권력에 대한 감시와 견제 운동이 수세적이고 부정적인 성격을 갖는 반면, 다양한 시민 사회적 실천들이 이루어지는 생활 세계에서의 운동은 적극적이고 긍정적인 모습을 갖습니다. 과거 우리 시민운동은 단지 도덕성의 우위만으로 사회적 의제들을 선점하면서 시민들의 지지와 여론을 이끌어내며 사회개혁을 주도할 수 있었습니다. 이제는 커다란 틀의 운동을 보다 더 구체적인 영역으로 진전시킬 필요가 있습니다. 과거 백화점식의 종합적 시민운동에서 벗어나 보다 구체적인 분야에서 선택과 집중을 하는 전문적인 운동으로 변모하여야 합니다. 동시에 현재의 정당과 정치세력의 한계를 극복할 시민적 대안정치세력에 대해 고민할 필요가 있습니다. 시민운동 쇠퇴의 원인이 아젠다의 상실과 관습적인 운동방식에 있었기에 향후 시민운동은 시민참여형 운동, 그리고 삶에 기반을 둔 운동에 더욱 집중하여야 할 것입니다. 시민운동의 성격이 대중동원주의 모델에서 대안적 참여주의 모델로 변모하여야 한다는 뜻입니다. 대중

동원주의가 시위나 집회와 같은 직접적 행동을 통해 정치권력에 저항하고 권력구조를 변화하고자 하는 반면 대안적 참여주의는 대안적 실천이나 학습과 토론 등을 통한 정체성(identity)의 변화에 주력합니다. 구체적으로 대안적 교육모델을 개발하고 실험하는 신교육운동, 환경운동에서 재활용방법을 개발하여 지역별로 실천하는 노력, 여성운동에서 성역할의 새로운 모델을 제시하고 실현하는 활동, 문화자원봉사자들의 아카데미운영, 우호적이고 문화적인 생활공동체로서의 지역 만들기 실천 등이 대안적 참여주의 모델의 사례들입니다. 대안적 참여주의 모델은 안토니 기든스나 울리히 벡 등이 말하는 '생활정치'(life politics) 개념과 밀접한 관련이 있습니다. 이제까지 시민운동이 시민사회의 자율성을 침해하는 각종 권력의 지배질서에 맞서 싸우는데 집중했다면, 향후에는 시민들이 일상생활에서의 자아실현과 행복추구, 그리고 자유로운 삶을 증진시키는 대안적인 삶의 양식들을 실천하는데 더 많은 노력을 기울여야 할 것입니다.

〈표 1〉 시민운동의 변화

	권위주의 정권	현재의 모습	미래 지향점
대립구도	민주 대 반민주	진보 대 보수	다양화, 다층화
역할	저항, 투쟁	비판, 견제, 정파활동	정보제공, 의식, 규범
이슈	민주화	과거 청산, 개혁	생활정치
내부 구조	중앙집중, 연대형	중앙집중, 연대형	분권화, 지역화

권위주의 정권하에서 위축되었던 시민사회는 민주화 운동과정에서 부활하였습니다. 1987년 민주화 이후의 시민사회와 시민운동은 민주화 운동에 뿌리를 두고 성장해왔습니다. 권위주의 정권하에서 시민사회는 권위주의 정권 타도에 모든 역량을 집중하였습니다. 민주 대 반민주 구도 하에서 학생, 노동, 재야, 여성 등 다양한 시민운동 세력들이 권위주의 정

권 타도와 직선제 개헌이라는 공동의 목표 아래 서로 단합하고 연대하였습니다. 민주화 이후 시민사회의 양상 또한 크게 변화하지 않았습니다. 대립구도에 있어서만 민주 대 반민주 구도에서 진보 대 보수 구도로 바뀌었을 뿐, 민주화 운동 세력들이 시민운동을 주도하였고 권위주의 정권 청산과 정치개혁을 목표로 하는 정치 지향적 활동에 집중하였습니다. 정치권력을 비판하고 견제하고자 하는 정치 지향적 활동이 정파성을 띠면서 시민사회는 오히려 정부 혹은 정치사회에 종속되는 양상이 나타났습니다. 이러한 시민사회의 정파적 활동은 앞서 살펴본 정부의 도구적 거버넌스 구축과 맞물려 시민사회의 정치 예속화 현상을 더욱 부추기는 결과를 가져왔습니다. 시민사회의 존재 의의는 정부와 정치사회에 대한 견제와 비판을 통해 개인의 자유와 시민사회의 자율성을 높이는데 있습니다. 그런데 시민사회가 진보와 보수로 나눠져 정치화되면서 정치권력 대 시민사회의 견제구도가 아니라 보수정부-보수시민단체 대 진보정권-진보시민단체라는 정쟁구도가 만들어졌습니다. 그러면서 정치 이슈뿐 아니라 경제, 사회, 문화, 환경, 교육 할 것 없이 우리사회 모든 갈등이 진보 대 보수의 획일화된 갈등으로 환원되어 사회갈등이 더욱 증폭되는 문제를 낳았습니다.

시민사회가 본연의 기능을 수행하기 위해서는 우선 시민단체의 정치화에서 벗어나야 합니다. 시민단체의 주요 활동가들이 과거 민주화 운동에 뿌리를 두고 있고, 그런 만큼 정치권과 밀접한 관계를 맺고 있어 시민단체의 탈정치화가 쉬운 일은 아닙니다. 시민단체의 탈정치화를 위해서는 우선 활동의 주요 무대를 정치 지향성에서 생활정치로 옮겨가야 합니다. 운동의 방식 또한 대중동원주의에서 대안적 참여모델로 바뀌어야 합니다. 그러기 위해서는 지역의 자생적 시민단체들이 활성화되어야 합니다. 지역의 시민단체들이 진보와 보수라는 거대담론이 아니라 개인 삶의 문제와 직결된 생활정치 이슈를 다룰 때 갈등구도가 다양화되고 다층화되어 소모적 정쟁구도에서 벗어날 수 있을 것입니다. 또한 소모적 정쟁에 휩쓸리지 않을 때 비로소 시민의 참여를 기대할 수 있을 것이며, 정치권력에 대한 비판과 견제라는 시민사회 본연의 기능을 수행할 수 있을 것입니다. 시민사회가 정쟁으로부터 자유로운 생활세계의 영역으로 자리잡아야 합니다. 생활세계는 사회통합의 기반으로서 '합의에 대한 해석적 이해'가 이루어지는 일상영역입니다. 하버마스에 의하면 해석적 이해는 규범적으로 보장되고 또한 의사소통을 통하여 재생산됩니다. 상호이해는 상황정의를 함에 있어 공통적으로 받아들이는 해석의 틀이 존재할 때만 가능합니다. 모든 의사소통행위는 생활세계 영역 내에서 이루어지기 때문에 생활세계는 "인지적 준거체계"(cognitive reference system)를 제공합니다. 따라서 왜곡된 대립구도 속에서는 시민사회 담론 역시 비이성적이고 비합리적으로 흐를 수밖에 없습니다. 이 같은 왜곡이 가져오는 심각한 문제는 시민사회가 처한 본질적 갈등과 이슈를 제대로 논의하고 다룰 수 없다는데 있습니다.

최근 한국사회가 당면하고 있는 갈등의 중심축은 탈냉전과 신자유주의 세계화에 따른 사회균열 현상이라 할 수 있을 것입니다. 그럼에도 불구하고 비정규직 문제, 교육정책, 부동산정책, 사회복지제도 등 세계화와 신자유주의 갈등들은 한국의 정치사회나 시민사회에서 갈등의 중심축으로 다뤄지지 않은 채 탈냉전 갈등만이 부각되고 있습니다. 시민사회의 잘못된 담론구조는 우리사회의 갈등을 단순화시킬 뿐 아니라 종종 문제의 본질을 왜곡시킵니다. 이념으로서의 진보와 보수, 이데올로기로서의 좌파와 우파 그리고 시장경제에 대한 좌파와 우파가 동일 선상에서 이해되면서 우리사회의 모든 갈등이 하나의 축으로 환원되고 있습니다. 정치와 경제 이슈뿐만 아니라 외교, 환경, 인권, 교육, 문화 등 모든 사회갈등을 동일선상에서 이해하고 대립하게 되는 것입니다. 외교정책이 진보와 보수의 입장에서 이해되고, 환경문제도 이데올로기적 좌파와 우파로 대립하며, 심지어 스크린 쿼터제와 같은 문화이슈까지도 정파적으로 다뤄지고 있습니다. 그러다 보니 갈등의 폭은 지극히 단순화되고 좁아지면서 갈등의 강도는 나날이 강해지고 있습니다.

2. 이념갈등

1) 이념갈등의 심각성

한국사회 이념갈등은 지역 및 세대갈등과 함께 대표적인 사회갈등의 축이라 할 수 있습니다. 갈등의 범위와 폭 그리고 갈등표출의 시기 등을 고려할 때 이념갈등은 다른 갈등에 비해 더욱 심각한 양상을 보입니다. 지역주의나 세대갈등에 비해 이념갈등의 심각성이 더한 것은 이념갈등이 다른 갈등요인과 중첩되어 표출되기 때문입니다. 이념은 영호남 지역주의나 세대갈등과 중첩되어 나타납니다. 진보적 이념성향이 호남지역과 젊은 세대에 많이 자리 잡고 있으며 보수적 이념성향은 영남과 나이든 세대와 중첩되어 있습니다. 이러한 현상은 진보와 보수의 심정적 거리를 더 멀게 하고 상호 배타성을 넘어 적대감을 조장하고 있습니다.

한편 지역주의가 주로 영호남 지역에 집중되어 있고 주로 선거 국면에서 표출되는 반면 이념갈등은 사실상 전체 국민들 속에서 그리고 일상적으로 표출된다는 문제가 있습니다. 이러한 이념갈등은 여야 간의 진영정치와 맞물리면서 사실상 우리사회 모든 쟁점이슈를 이념갈등의 구조 속으로 흡입하면서 사회갈등을 심화시키는 문제를 낳고 있습니다. 이로 인해 이념갈등의 범위가 북한문제와 같은 정치적 이슈에 국한되지 않고 경제, 사회, 문화, 교육 등 모든 영역으로 확산될 뿐 아니라, 갈등표출 시기 또한 선거

시기로 국한되지 않고 일상화되는 문제가 있습니다. 모든 사회쟁점의 이념화 현상은 갈등의 대상을 확대시키고 표출방식을 구조화시키는 문제도 야기합니다. 모든 사회쟁점에 대해 정당, 시민사회, 국민 개개인이 진보와 보수의 갈등구조 속에 편입되어 진영정치를 공고화하는 양상이 나타나고 있습니다.

정리하자면, 이념갈등은 세대 및 지역갈등, 그리고 진영정치와 중첩되어 표출되는 까닭에 갈등의 정도가 매우 강하고 합리적 타협점을 찾기가 쉽지 않습니다. 또한 이념갈등의 대상이 정당, 시민사회, 일반시민 등 모든 사회구성원을 포괄하고 있어 갈등의 범위가 매우 넓게 펼쳐집니다. 갈등의 시기 또한 상시적이고 지속적이어서 그 심각성이 더합니다. 지역주의 갈등이 주로 선거 시기를 중심으로 표출되는 반면 이념갈등은 선거시기와 일상시기를 구분하지 않고 상시적으로 나타나고 있습니다. 우리사회 이념갈등이 심각한 상황임에도 불구하고 이를 해결하기 위한 사회적 노력은 충분하지 않습니다. 진보와 보수 모두 소모적 진영정치의 틀 속에서 상대방을 거꾸러뜨릴 방안을 찾는 데만 골몰할 뿐, 우리사회 이념갈등의 내용과 본질이 무엇이고, 이를 완화할 수 있는 방안은 무엇인가에 대한 진지한 고민은 제대로 하지 않고 있습니다.

2) 진보와 보수의 의미

'보수(conservatism)'라는 용어는 에드먼드 버크(Edmund Burke)의 『프랑스 혁명에 관한 성찰』에서 처음 사용되었습니다. 버크는 1789년 프랑스 혁명 직후 사회가 무질서에 빠지자 인간 사회에는 '역사 속에서 쌓아 온 보존하고 지켜야 할 가치들'이 있다고 주장했습니다. 여기서 보수는 현실을 유지하려는 정치적 논리의 용어입니다. 한편 좌파와 우파라는 개념은 프랑스 혁명 당시 국민공회에서 봉건적인 왕당파가 오른쪽에,

부르주아 혁명을 지지하는 급진파가 왼쪽에, 그리고 중간파가 한가운데 자리를 차지한 사실에서 유래했습니다. 프랑스 혁명에 대한 입장의 차이에서 시작한 보수와 진보의 논쟁은 지금까지 다양한 측면에서 진행되어 왔습니다.

진보와 보수의 대립이 합리적이고 생산적인 갈등이 되기 위해서는 우선 용어의 개념에 대한 정확한 이해가 필요합니다. '진보'는 통념적으로, "인간 존재의 자연적, 사회적 조건은 과학과 이성의 작용을 통하여 개선될 수 있으며, 행복과 복지 수준을 부단히 향상시키는 것으로 귀결될 것이라는 생각"으로 일반화할 수 있습니다(홍윤기 2002). 또한 진보는 역사의 객관적인 발전을 의미하며, 진보주의는 역사적 발전을 요구하는 태도입니다. 따라서 진보는 한 사회의 발전을 지향하는 모든 사회적 운동의 목표라고 규정될 수 있는 매우 폭넓은 개념이라고 할 수 있으며, 이러한 진보의 개념에 대한 정확한 반대어는 퇴보입니다. 진보와 퇴보는 역사의 객관적 발전과 후퇴를 의미하며, 그것은 행위자들이 가지는 이념적인 태도라기보다는 현실적인 사태의 진전 자체와 관련되는 개념이라고 할 수 있습니다.

한편 역사 발전의 방식과 경로를 둘러싸고, 기존의 질서를 고수(보수)하려는 입장과 기존의 질서를 혁신(혹은 개혁)하려는 입장이 존재하며 이를 각각 보수주의와 혁신주의라는 이름으로 부를 수 있습니다. 즉 보수주의는 해당 시기에 기존의 사회질서를 고수하는 것이 객관적인 사회 발전에 기여한다고 주장하는 반면, 혁신주의는 기존의 사회질서를 개혁하는 것이 객관적인 사회발전에 기여할 수 있는 길이라고 주장합니다. 만일 보수주의를 역사적인 진보와는 무관하게 지배 계층의 특권을 유지하기 위해서 기존 질서를 유지하고자 하는 입장으로만 정의한다면, 보수와 혁신의 합리적인 논쟁 구도는 존재할 수 없습니다. 왜냐하면 보수주의를 이러한 방식으로 규정하는 것은 이미 그 입장 자체를 타파해야 할 특권 세력을 대변하는 수구 반동의 논리와 동일시하기 때문입니다. 따라서 진보는 보수주의와 혁신주의 모두가 지향하는 공동의 목표라고 보아야 합니다. 역사적 퇴보를 가져오는 태도는 왜곡된 보수주의인 수구 반동의 입장과 현실을 무시한 급진적 혁신주의(혹은 모험주의)로 구별될 수 있습니다. 이러한 면에도 볼 때 우리사회의 진보 대 보수 대립은 변화의 속도를 둘러싼 혁신 대 보수로 대립으로 전치되어야 합니다. 진보라는 용어는 앞서 살펴본 대로 현실의 개선과 사회발전의 의미를 함축하는 가치 내재적 개념입니다. 따라서 진보는 민주주의와 같이 우리 사회 모두가 지향해야 될 가치이지 타협하고 양보할 내용이 아닙니다. 이러한 까닭에 진보와 진보를 반대하는 세력 사이에 합리적이고 이성적인 논의, 그리고 타협과 양보는 애초에 불가능한 것입니다.

정치철학적 측면에서 볼 때 자유(진보)주의(liberalism)를 구성하는 핵심요소는 개인의 자유 입니다. 자유주의자들은 인간의 본성과 인간의 완결성에 대해 낙관적 견해를 가지고 있습니다. 자유주의자들은 인간은 '구속받지 않는 성찰'(unconstrained vision), 즉 자기발전을 추구하는데 있어 무한히 자유로울 수 있는 본성을 갖고 있다고 봅니다. 한편 보수주의(conservatism)는 '위치상 이념'(positional ideology), 즉 권위와 제도에 대한 도전에 대한 반응으로 이해할 수 있습니다. 보수주의는 전통적으로 인간의 본성에 대해, 인간은 본래적으로 이기적이고 불완전한 존재라는 비관적 견해를 가져 왔습니다. 따라서 인간이 시민답게 함께 살아가기 위해서는 '구속받는 성찰'(constrained vision), 즉 권위, 제도, 전통의 구속이 필요하다고 봅니다. 진보주의자와 보수주의자는 개인 성격에 있어도 서로 다른 모습을 보입니다. 진보주의자가 대체로 개인적 차원과 정치문제에 있어 변화와 새로움을 추구하는 성향을 가지는 반면에, 보수주의자는 친숙하고, 안정되고, 예측 가능한 것을 선호하는 경향이 있습니다. 보수주의자는 사회적 질서에 대한 위협에 민감하여 질서를 유지하기 위해서는 개인의 자유를 제한할 수 있다고 봅니다. 조스트(Jost)는 '변화에 대한 저항'과 '불평등의 수용'이 보수주의를 구성하는 핵심요소라고 주장합니다.

한편 진보와 보수는 도덕성을 해석하는 시각에서도 차이를 보이는데, 진보적인 사람은 개인적 차원의 도덕성에 민감하며, 보수적 사람은 개인적 차원의 도덕성도 중시하나 결속적 차원의 도덕성을 더욱 중시하는 성향을 보입니다. 즉, 보수적인 사람은 자기가 속한 집단에 충성하고 권위를 존중해야 도덕적이라고 봅니다. 도덕 심리학에서는 도덕성(morality)의 핵심은 개인 보호에 있다고 믿습니다. 뚜리엘(Turiel)은 도덕성을 "개인이 타인들과 관계를 맺는 방식을 정함에 있어 필요한 정의, 권리, 복지에 관한 처방적 판단"이라 정의합니다. 도덕 시스템은 가치(values), 습관(practice), 제도(institutions), 그리고 진화된 심리적 메커니즘(evolved psychological mechanism)이 상호 연관된 일체이며, 이러한 도덕 시스템이 존재할 때 개인은 이기심을 억누르고 규제하여 사회적 삶을 살아간다고 주장합니다. 하이트(Haidt)는 도덕 시스템이 작동하는 방식을 개인적 접근(individualizing approach)과 결속적 접근(binding approach) 두 가지로 구분합니다. 개인적 접근에서는 법을 통해 개인을 직접적으로 보호하거나, 타인의 권리보호에 대한 교육을 통해 이기심을 억누르는 것을 강조합니다. 여기에서는 개인이 도덕가치의 핵심이 됩니다. 한편 결속적 접근에서는 이기심을 억제하기 위해 집단과 제도를 강화하거나 개인을 역할과 의무로 구속하여 불완전한 본성을 제어하는 방식을 강조합니다.

그라함(Graham)의 도덕적 본능과 이념

그라함(Graham)은 인간의 도덕적 본성을 다섯 가지 영역(fairness-reciprocity, harm-care, ingroup-loyalty, authority-respect, purity-sanctity)으로 구분하여 이념적 진보-보수 간의 차이를 연구했습니다. 앞의 두 가지는 개인적 차원에서의 도덕성을 중요시하며, 뒤 세 가지는 결속적 차원의 도덕성을 강조하고 있습니다. 즉 개인적 차원에서 도덕적 인간은 공평해야하고 받은 만큼 되돌려 주어야 하며(fairness-reciprocity), 남에게 해를 끼쳐서는 안 되고 불쌍한 사람은 도와주어야 합니다(harm-care). 한편 결속적 차원에서 도덕적 인간은 자기가 속한 집단에 충성하여야 하며(in group-loyalty), 권위를 존중하여야 하고(authority-respect), 순결성과 신성함을 추구해야 합니다(purity-sanctity). 그라함은 진보적인 사람은 개인적 차원의 도덕성에 민감하며, 보수적 사람은 개인적 차원의 도덕성도 중시하나 결속적 차원의 도덕성을 더욱 중시하는 성향이 있다고 주장합니다. 이들은 인간의 도덕적 본성이 타고난 것이기는 하나 그렇다하여 고쳐지지 않는 것은 아니라고 보았습니다. 즉 도덕적 본성은 경험에 앞서 인간의 뇌 속에 구조화되어 있는 것이며, 현상을 인식하는 틀로서 우선 작동하나 이는 향후 경험을 통해 수정되어진다고 봅니다.

한편 이러한 두 가지 도덕 시스템이 정치적 좌파-우파의 구분과 반드시 일치하지는 않습니다. 정치적 좌파는 때로는 사회주의 혹은 공산주의와 연결되어 개인의 권리보다는 집단의 복지를 우선시하며 개인의 자유를 심하게 제한하기도 합니다. 거꾸로 정치적 우파는 자유주의자(libertarians) 혹은 '자유방임주의적'(laissez faire) 보수주의와 연결되어 개인의 자유가 자유 시장을 위해 필수적 요소임을 강조합니다. 따라서 이념을 단일 스펙트럼으로 이해하는 것은 옳지 않습니다. 그럼에도 불구하고 개인적-결속적 접근의 차이는 정치적 좌파-우파의 도덕적 인식과 상당한 연관성을 보이고 있습니다.

정신분석학에서의 이념

정신분석학에서는 인간의 무의식 내에서 자아가 원하는 대로 가려는 자아이상(ego ideal)과 자아를 억제하려는 초자아(super ego)라는 충돌하는 두 욕구 간의 관계를 통해 보수와 진보를 설명합니다. 자아이상이란 인간이 막 태어났을 때의 원초적 자아도취의 완전성으로 돌아가려는 욕망이며, 초자아란 오이디푸스 콤플렉스를 통하여 형성된 자아를 억제하려는 욕망입니다. 달리 표현하자면 자아이상이란 현실을 벗어난 이상 혹은 기쁨의 원리를 따르려는 욕망이며, 초자아란 자아이상을 억제하면서 현실의 원리를 따르려는 욕망입니다. 프랑스의 정신분석학자인 샤스귀에르 스미젤(Janine Chasseguert-Smirgel)에 따르면 자아의 무의식적 변화 과정은 점진적인 길과 급진적인 길, 두 가지가 있다고 합니다. 점진적인 길이란 초자아가 원초적인 자아이상을 누르고 현실의 원리를 일부 받아들이면서 그 이상을 실현하려는 무의식적 활동을 의미하며, 급진적인 길이란 자아이상이 초자아가 따르려는 현실의 원리를 완전히 무시하고 기쁨의 원리만을 추구하려는 무의식적 상태를 말합니다. 따라서 보수적인 사람들의 무의식 속에는 초자아가 자아이상을 억누르면서 현실의 원리를 따르고 점진적인 변화를 추구하는 성향이 있는 반면, 진보적인 사람의 경우 자아이상이 더 강해 기쁨의 원리를 추구하고 급진적인 변화의 과정을 선호하는 성향이 있습니다. 보수적인 사람들은 비록 지금의 상황에 대해 만족하지 못할지라도 급진적인 변화를 두려워하는 심리 상태를 보이지만, 진보적인 사람들은 현실적 위험에도 불구하고 급진적인 변화를 통해 자신들이 원하는 바를 이룰 수 있다고 믿습니다(김용신 2009).

3) 한국에서의 진보와 보수

그간의 많은 연구들은 한국사회의 이념갈등이 일반적으로 인식되는 것처럼 심각하지 않다는 경험적 분석결과를 보여주고 있습니다. 많은 연구들이 우리사회에서 진보-보수를 구분하는 가장 중요한 잣대는 북한문제에 대한 태도로 한정되어 있다고 주장합니다. 즉 북한에 대해 비판적 입장을 견지하고 햇볕정책을 반대하는 태도를 보이면 보수주의자로 규정되며, 북한에 대해 유화적 태도를 보이고 햇볕정책을 지지하면 진보주의자로 분류된다는 것입니다. 2002년 대통령선거 후 실시된 한국선거연구회 설문 자료를 분석한 김무경과 이갑윤은 한국인의 이념정향은 외교와 안보 이슈를 포함한 일부 이슈에서만 진보와 보수 간의 갈등이 존재하는 반면 대부분의 이슈에서는 진보적 태도를 보이고 있다고 밝혔습니다. 대북지원과 국가보안법 폐지와 관련된 갈등도 극단적 의견이 많은 양극화 현상이 발견되지 않는다는 점에서 그 갈등이 크다고 할 수 없다고 주장합니다. 이들은 또한 국가보안법폐지[7]나 대북지원과 같은 외교·안보적 태도가 다른 정치·사회적 이슈와 비교할 때 주관적 이념성향과 가장 높은 상관관계를 보인다고 밝혔습니다. 한국사회의 이념갈등을 안보, 경제, 도덕가치 세 차원의 9개 이슈로 구분하여 분석한 윤성이의 연구에서도 보수-진보갈등은 일반적으로 인식되는 만큼 심각하지 않은 것으로 나타났습니다. 조선일보 국민인식조사 자료(2002년, 2004년, 2006년)를 분석한 결과 9개 이슈[8]

---

7) 국가보안법은 1948년 여순사건을 계기로 친북 공산혁명을 막기 위해 제정되었습니다. 그러나 반민주성 및 인권침해로 논란이 계속되었으며, 국제사회도 국제인권규약에 위배된다고 주장하며 전면 폐지를 권고한 바 있습니다. 1998년부터 국보법 개폐 논의가 활발하게 전개되었고, 2002년 노무현 대통령이 당시 대선후보시절 '국보법 폐지'를 선거공약으로 내세우며 논쟁이슈가 되었습니다. 17대 총선에서도 열린우리당이 국보법 폐기를 공약으로 내걸며 과반의석을 획득하게 되었습니다. 정치권뿐 아니라 시민사회도 폐지론과 존치론으로 나눠져 공방이 가열되었습니다. 대법원은 국가보안법 합헌 취지의 판결을 내렸습니다(이규정 2013).

8) 구체적 설문내용은 다음과 같습니다. 안보차원: ① 북한의 기본적 태도의 변화가 없는 한 무조건 지원은 곤란하다. ② 국가보안법을 현재대로 존속시켜야 한다. ③ 통일은 자유시장 경제체제로만 이루어져야 한다. / 경제차원: ① 정부는 소득분배보다는 경제성장에 주력하여야 한다. ② 사유재산은 제한할 수 없는 권리이므로 토지소유도 예외가 아니다. ③ 근로자들의 파업은 한국 기업의 국제경쟁력을 떨어뜨리므로 자제하여야 한다. / 도덕가치 차원: ① 시위로 인해 사회질서가 위협받을 때 경찰이 무력을 사용하는 것은 당연하다. ② 내가 하고 싶은 일이라도 집안 어른들의 체면을 깎는 일이면 하지 말아야 한다. ③ 나이 차이가 별로 나지 않더라도 선배는 항상 깍듯이 모셔야 한다.

가운데 국가보안법에 대한 태도만 보수와 진보집단 간에 인식의 차이가 있었고 변화의 방향도 반대로 이동하였으며, 나머지 이슈들에 있어서는 그 차이가 심하지 않거나 같은 방향으로 움직이고 있어 갈등이라 할 만큼 심각한 차이는 아닌 것으로 나타났습니다.

한국사회 이념갈등 연구의 또 다른 주제는 개인의 주관적 이념성향과 구체적 정책에 대한 선호 사이에 일관된 상관성이 있는가 하는 점입니다. 이현지는 응답자로 하여금 주관적인 자기이념 위치를 답하도록 하고 이를 바탕으로 개인의 이념성향을 이해하는 조사방식에 대해 문제를 제기하면서, 추상화의 수준이 낮은 유권자가 스스로 진보 혹은 보수로 명명한 것과 그가 실제로 이념적으로 진보 혹은 보수인지와는 별개의 문제라고 주장합니다. 이현지는 16대 대선 결과를 분석하면서 대북문제와 안보문제를 제외하고는 주관적 이념성향과 개별정책에 대한 입장 사이의 상관관계가 나타나지 않았으며, 일반국민의 경우 다양한 이슈들을 하나의 이념적 스펙트럼상의 어느 한 점으로 추상화시킬 수 있는 능력이 형성되지 않았다고 주장합니다. 김주찬·윤성이의 연구도 많은 유권자들의 인식 속에 16대 대선이 이념선거이고 정책선거로 치러졌음에도 불구하고 유권자들의 정책성향과 투표행태 간의 관계를 요인분석 한 결과 '진보'와 '보수'의 대결이라고 보기에는 분명한 한계가 있음을 밝히고 있습니다. 유권자의 정책적, 이념적 입장을 측정할 수 있는 이슈를 세 가지 요인으로 분류하였을 때 지지후보의 입장이 극명한 차이를 보였던 이슈들(북한 핵개발, 국가보안법)에 대해서는 지지자들의 태도에도 분명한 차이가 나타났으나, 후보자들의 태도가 분명히 드러나지 않은 이슈들(개발과 환경보존, 기여입학제, 시장과 정부의 관계)을 놓고 볼 때는 진보적 유권자가 노무현 후보를 그리고 보수적 유권자가 이회창 후보를 지지하였다고 판단할 근거가 없다는 것입니다. 이를 통해 볼 때 이슈에 대한 유권자들의 태도는 개인의 본래적 이념 성향에 의해 결정되기보다는 지지후보의 정책에 의해 상당한 영향을 받았음을 알 수 있습니다. 즉 개인이 지닌 보수적 혹은 개혁적 성향보다도 지지후보의 성향에 의해 유권자들의 이슈에 대한 입장이 결정된 측면이 강한 것으로 해석될 수 있습니다. 이갑윤의 연구 역시 출신지역과 정치적 정향, 그리고 정당 지지의 관계를 규명하는 연구에서 개인의 정치적 정향이 지지정당의 결정에 영향을 못 미치는 반면 지지정당의 입장에 따라 개인의 이슈 및 정책에 대한 태도가 결정된다는 것을 보여주고 있습니다. 특히 교육수준과 지역을 도구변수로 사용하여 분석한 결과 정당호감도에는 지역변수만이 영향력을 미치고 있으며 출신지역별로 나타나는 정향과 태도의 차이는 지지정당을 결정하는 원인이 되지 못하고 그 결과에 불과하다고 주장합니다.

진보, 보수와 함께 시민사회 담론에서 흔히 사용되는 좌파와 우파의 개념 역시 불명확하기는 마찬가지입니다. 우리사회에서 사용되는 좌파와 우파는 냉전이데올로기에 대한 입장을 나타내는 의미와 시장에 대한 국가개입에 대한 태도를 구분하는 의미가 혼재되어 사용되고 있습니다. 전자의 경우에 좌파라는 용어는 탈냉전주의와 북한에 대한 관용적 태도를 담고 있습니다. 한편 후자에서 사용되는 좌파는 시장에 대한 국가의 적극적 개입을 찬성하면서 신자유주의 경제를 거부하는 입장입니다. 북한에 대한 태도와 신자유주의에 대한 입장이 결코 동일 선상에서 판단될 수 없는 사안임에도 불구하고 우리사회의 담론에서는 이들을 같은 의미로 사용하고 있습니다. 그러다보니 한미 FTA 체결을 추진하는 노무현정부가 스스로를 좌파적 신자유주의자라 명명할 수밖에 없는 상황이 벌어진 것입니다. 사실 '좌파적'이란 냉전이데올로기에 대한 태도를 의미하고 신자유주의는 시장경제에 대한 입장을 명시한다고 이해하면 '좌파적 신자유주의'는 충분히 가능하고 이성적인 자리매김 임에도 불구하고 현재 우리사회의 담론은 이

보수(우파) · 진보(좌파)단체 한미 FTA 찬반집회

를 받아들이지 못하고 있습니다.

현재 우리사회의 담론에서는 자유주의(진보)=냉전이데올로기 좌파=시장경제 좌파가 동일한 차원으로 이해되며 그 반대편에는 보수=냉전이데올로기 우파=시장경제 우파가 동일집단으로 대립 축을 형성하고 있습니다. 이처럼 우리사회에서 사용하는 이념의 의미에는 세 가지 차원이 – '냉전이데올로기' 영역, '경제' 영역, 그리고 '사회도덕' 영역 – 혼재되어 있습니다. 우리사회에서 사용되는 진보와 보수의 의미를 세분화해 보면 개인의 주관적 이념성향을 결정하는 데는 사회 도덕적 성향, 이데올로기적 성향, 시장에 대한 태도, 탈물질주의 가치, 정파적 성향 그리고 출신지역 등이 혼재되어 복합적으로 작용하고 있습니다.

〈표 2〉 한국사회 이념의 개념적 혼재

주관적 판단	진보	보수
사회 도덕적 성향	liberal	conservative
이데올로기 성향	좌익(친북/반미)	우익(반북/친미)
시장 성향	좌파(분배, 복지)	우파(성장, 자유경쟁)
탈물질주의 성향	환경, 개인, 자유	성장, 공동체, 질서
정파적 성향	새정치민주연합	새누리당
출신지역	호남	영남

4) 한국사회 이념갈등의 실체

한국사회 이념갈등의 실체를 들여다보면 주요 쟁점에 대한 태도에 있어서는 진보와 보수 간에 유의미한 차이를 보이지 않습니다. 그렇지만 현직 대통령에 대한 선호도나 민주주의 만족도와 같은 정파적 문제에 이르면 진보와 보수의 시각 차이는 극명하게 나타납니다. 국민대통합위원회가 2014년 6월에 1,210명을 대상으로 실시한 '사회갈등 해소와 통합을 위한 국민의식 조사' 자료를 통해 한국사회 이념갈등의 실체를 살펴보겠습니다.

(1) 주요 쟁점에 대한 인식

한국사회 이념갈등의 실체를 살펴보기 위해 정치, 경제, 사회 영역에서 각각 3개의 이슈에 대한 이념집단 간 태도를 비교해 보았습니다. 정치영역 이슈로는 한미동맹 강화, 국가보안법 폐지, 북한지원 확대에 대한 태도를 물었고, 경제영역 이슈로는 경제성장과 복지증대, 고소득자 세금 증가, 공기업 민영화에 대한 태도를, 그리고 사회영역 이슈로는 학교체벌 허용, 대체복무 허용, 사형제 폐지에 관한 태도를 물었습니다. 우선 정치, 경제, 사회 이슈들 간의 상관관계를 보았을 때 모두가 유의미한 상관성이 있는 것으로 나타났습니다. 즉 정치적 이슈에 대해 보수적 태도를 갖는 개인들은 경제 및 사회 이슈에 대해서 일관되게 보수적 입장을 고수할 가능성이 높다는 것을 의미합니다.

주요 이슈에 대해 이념집단별 평균값을 볼 때 한미동맹 강화에 대해서는 진보, 중도, 보수 세 집단 모두 찬성하는 입장이나, 보수가 진보나 중도 집단에 비해 찬성하는 비율이 높음을 알 수 있습니다. 좀 더 자세히 살펴보면 진보와 중도 모두 한미동맹 강화에 대해서 찬성하는 입장이나 보수 집단은 이들보다 훨씬 강하게 찬성하고 있음을 알 수 있습니다. 한편 국가보안법 폐지와 북한지원 증대에 대해서는 세 집단 모두 국가보안법 폐지와 북한지원 증대에 반대하는 입장이나 상대적으로 진보가 중도나 보수집단에 비해 덜 반대하는 입장을 보이고 있습니다. 국가보안법 폐지의 경우 세 집단 모두 대체로 반대가 우세하지만 그 중에서도 보수집단은 국가보안법폐지를 매우 강하게 반대하고 있음을 알 수 있습니다. 북한지원 증대에 대해서는 이념 세 집단 모두 회의적인 태도를 갖고 있으며, 이념 집단 간에 유의미한 차이는 없습니다. 경제 이슈에 있어서는 복지증대와 고소득자 세금인상에 대해 세 집단 모두 찬성하는 태도를 보이고 있고, 공기업 민영화에 대해서는 진보와 중도 집단은 반대하는 입장에 가까운 반면, 보수집단은 찬성하는 입장을 보이고 있습니다. 복지증대와 고소득자 세금인상에 대해서는 이념집단 간에 태도의 차이가 없으나, 공기업 민영화에 대해서는 진보, 중도, 보수 집단 간의 태도의 차이가 뚜렷한 것으로 나타났습니다.

〈표 3〉 이념별 이슈태도에 대한 차이

이슈	진보	중도	보수	사후검증
한미동맹 강화	2.77	2.87	3.12	1=2<3
국가보안법 폐지	2.29	2.27	2.05	1=2<3
북한지원 증대	2.14	2.13	2.06	1=2=3
복지 증대	2.71	2.65	2.62	1=2=3
고소득자 세금인상	3.51	3.39	3.42	1=2=3
공기업 민영화	2.02	2.26	2.56	1<2<3
체벌허용	2.72	2.67	2.87	1=2<3
대체복무 허용	2.07	2.02	2.04	1=2=3
사형제 폐지	2.17	2.12	2.07	1=2=3

평균값: 1=매우 반대, 4=매우 찬성, 사후검증: 1=진보, 2=중도, 3=보수

사회이슈에 있어서는 세 집단 간에 동일한 태도를 보이고 있습니다. 즉 체벌 허용에 대해서는 세 집단 모두 찬성하는 입장이 강하고, 대체복무와 사형제 폐지에 대해서는 모두 반대하는 태도를 보이고 있습니다. 대체복무허용과 사형제 폐지에 대해서는 이념 집단 간의 태도의 차이가 없었으나, 학교 내 체벌허용에 대해서는 보수집단이 진보나 중도 집단에 비해 뚜렷한 찬성의 태도를 갖는 것으로 나타났습니다. 이를 종합해 볼 때 이념 집단 간에 가장 뚜렷한 차이를 보이는 이슈는 공기업 민영화에 대한 입장입니다. 특히 진보와 보수 집단은 찬성과 반대로 극명한 입장 차이를 보이고 있습니다. 그 밖에 한미동맹, 국가보안법, 체벌허용 이슈에 대해 보수집단은 진보와 중도 집단과 다른 태도를 갖고 있는 것으로 나타났습니다.

결국 우리사회에서 쟁점이 되는 정치, 경제, 사회 영역의 9개 이슈 가운데 이념 집단 간 인식차이가 명확히 드러나는 이슈는 공기업 민영화뿐이었습니다. 정치 이슈의 경우 이념집단 간 정도의 차이는 있으나 진보, 중도, 보수집단 모두 한미동맹 강화, 국가보안법폐지, 그리고 조건적 북한지원에 대해 찬성하는 입장이 많았습니다. 사회이슈의 경우에도 모든 이념집단들이 학교체벌 허용에 대해서 찬성하는 답변이 많았고, 대체복무와 사형제폐지에 대해서는 반대하는 입장을 보였다. 경제이슈에서는 진보, 중도, 보수집단 모두 복지증대와 고소득자 세금인상을 찬성하고 있습니다. 다만 공기업 민영화에 대해서만 진보는 반대 입장을 그리고 보수는 찬성 입장을 보였습니다. 결국 우리사회에서 이념갈등이 심각한 양상을 보이고 있지만 이는 구체적인 정책이나 사회쟁점을 둘러싼 입장의 차이 때문에 발생하는 것이 아니라는 것을 알 수 있습니다.

(2) 정파적 이슈에 대한 태도

정책 이슈와 달리 정파적 이슈에 있어서는 이념집단 간의 인식의 차이가 분명하게 드러났습니다. “현재 우리나라에서 민주주의가 얼마나 잘 되고 있다고 생각하십니까?”란 질문에 대해 진보와 중도는 각각 10점 만점에 5.92점과 5.94점으로 평가한 반면 보수집단은 6.65점을 주어 상당한 인식의 차이를 보였습니다. 우리나라 민주주의라는 객관적 대상에 대해 이념집단 간에 이러한 평가의 차이가 나는 것은 정파성이 상당 부분 작동했기 때문입니다. 민주주의에 대한 진보와 보수의 평가가 극명하게 갈리는 것은 자신과 이념성향이 다른 정치세력이 집권하게 되면 민주주의라는 근본적인 문제에까지 불만을 갖게 되는 것으로 해석할 수 있습니다. 이념갈등에 정파적 요소가 강하게 내재되어 있다는 점은 정당과 대통령에 대한 선호도의 차이에서도 분명히 드러납니다. 새정치민주연합을 비롯한 야당에 대해서는 세 이념집단 모두 부정적인 평가가 다수를 이룬 반면 새누리당에 대해서는 진보와 중도 집단이 그리고 대통령에 대해서는 진보집단만이 부정적인 평가를 하고 있습니다. 새누리당과 대통령에 대한 진보와 보수집단의 선호도의 차이는 극명하게 드러나고 있는데, 진보집단이 새누리당과 박근혜 대통령에 대해 각각 100점 만점에 37.19점과 41.67점으로 부정적으로 평가하고 있는 반면, 보수집단은 각각 60.20점과 65.79점으로 비교적 긍정적으로 평가하고 있습니다.

〈표 4〉 이념성향별 대통령 직무 수행 평가 (%)

	잘하고 있다	잘못하고 있다	어느 쪽도 아니다	모름/응답거절
진보	6	90	2	2
중도	15	76	2	6
보수	38	54	6	3
모름	30	42	6	22
전체	21	70	4	6

출처: 한국갤럽 2024년 5월 31일 조사

이념 성향에 따른 대통령 평가현황은 최근에도 큰 변화가 없습니다. 2024년 5월 31일 한국갤럽 조사에 따르면 윤석열 대통령이 직무 수행을 잘하고 있다는 응답은 21%에 불과했습니다. 이념 성향에 따른 대통령 직무 수행 평가는 큰 차이를 보이고 있습니다. 진보 성향의 경우 대통령이 직무를 잘 수행하고 있다는 응답은 6%에 불과했고, 90%가 잘못하고 있다고 평가했습니다. 보수집단은 38%가 잘하고 있다고 응답했고, 진보집단보다 훨씬 낮은 54%가 잘못하고 있다고 답했습니다.

이념 성향에 따라 대통령 직무 평가에 큰 차이를 보이는 현상은 갈수록 심해지는 정서적 양극화 현상과 관련이 있습니다. 정서적 양극화(affective polarization)는 상대 정당과 지지자들에 대해 부정적 감정을 갖는 성향이 강해지는 현상을 말합니다. 이념 양극화가 정책과 가치 및 태도에 대한 차이가 심해지는 것을 말한다면 정서적 양극화는 구체적 이유를 따지지 않고 감정적으로 싫다는 것입니다. 거대 양당 지지자를 대상으로 정당 호오도를 조사한 김성현 교수의 연구에 따르면 지지 정당에 대한 호오도(가장 부정적 감정 0점, 중립 5점, 가장 긍정적 감정 10점)는 18대 대통령선거 시점에서 7.4점에서 19대에는 7.9점으로 올랐다가 20대 대선에서는 6.8점으로 내렸습니다. 반면 상대 정당에 대한 호오도는 18대 대선에서 3.5점이던 것이 19대 대선에서 2.82점으로, 20대에는 1.7점으로 떨어졌습니다. 상대 정당에 대한 부정적 감정을 지닌 유권자의 비율은 18대 대선에서 57.2%에서 19대 대선에는 74.2%로 그리고 20대 대선에서는 86.5%로 올랐습니다. 상대 정당에 대한 부정적 감정이 10년 동안 30% 가까이 증가했습니다.

앞서 살펴본 바와 같이 주요 정책 이슈에 대해서는 이념집단 간 차이가 크지 않았지만, 대통령에 대한 평가가 이념에 따라 극명하게 차이가 나고 정서적 양극화 또한 심해지고 있는 것은 우리 사회 이념 갈등이 정파적 갈등에서 비롯되고 있다는 점을 명확히 보여줍니다. 정파성에 근거한 이념갈등은 주요 쟁점에 대한 사회적 합의를 도출하는데 심각한 걸림돌이 될 것입니다. 정책의 내용에 관해 이념집단 간 차이가 있다면 토의와 조정의 과정을 거치면서 합의점을 찾을 수 있을 것입니다. 그렇지만 특정 정치인과 정치세력에 대한 정서적 거부감은 토론과 조정으로 해결되기 어려운 문제입니다.

국무총리실 산하 국무조정실이 발주한 '사회적 갈등으로 인한 경제적 비용분석'에 관한 연구에 따르면 사회갈등이 갈수록 거칠어지면서 그에 따른 경제적 손실이 심각한 상황에 달했습니다. 삼성경제연구소에 따르면 한국은 연간 최대 246조 원(GDP의 27%)을 사회적 갈등관리 비용으로 쓰고 있습니다. 한국의 갈등 수준은 세계적으로 가장 높은 수준입니다. 영국 킹스칼리지 2021년 보고서에 따르면 한국은 지지 정당, 이념, 빈부, 성별, 나이 등 12개 갈등 항목 가운데 7개 항목에서 갈등 순위 1위를 기록했습니다. 특히 응답자 91%가 지지 정당 갈등이 심각하다고 응답해 세계 평균 69%보다 훨씬 높았습니다. 이념 갈등 역시 세계 평균이 65%인데 비해 한국은 87%였습니다. 국내 연구소의 분석 결과도 다르지 않습니다. 전국경제인연합회 보고서(2021년)에 따르면 한국의 국가 갈등 지수는 55.1점으로 OECD 30개 국가 가운데 멕시코(69점)와 이스라엘(56.5점)에 이어 세 번째로 높습니다.

갈등 수준보다 더 걱정되는 것은 갈등 추이, 갈등 프레임, 갈등 해소에 대한 기대와 관련한 부분입니다. 갈등 추이를 보면 해가 갈수록 집단 간 갈등이 더 심해지고 있습니다. 한국리서치 2023년 5월 2주 조사에 따르면 94%의 응답자가 여당과 야당 사이의 갈등이 매우 크다 혹은 큰 편이라고 답했습니다. 진보와 보수 갈등에 대해서는 92%가 크다고 답했습니다. 여야 갈등이 아주 크다는 답변은 2020년 60%에서 2023년 70%로 높아졌습니다. 진보와 보수 갈등 역시 2020년 51%에서 2023년에는 63%로 올랐습니다.

더 심각한 문제는 소수의 강경 세력이 갈등을 적극적으로 부추기고 있고 다수의 중간집단은 볼썽사나운 싸움을 외면하고 침묵하고 있다는 사실입니다. 한국행정연구원의 '2022년 사회통합실태조사'를 보면 지지 정당이 없다는 응답자가 67.7%에 달합니다. 이념 성향을 보면 중도가 48.7%로 절반에 가깝고 28.1%는 보수이고 진보는 20.7%입니다. 매우 보수적이라고 답한 사람은 4.7%이고 매우 진보적은 2.2%에 불과했습니다. 90%가 넘는 사람들이 여야 갈등과 진보 보수 갈등이 심각하다고 말하지만 국민 다수가 어떤 정당도 지지하지 않거나 이념적으로 중도적 입장을 갖고 있습니다. 우리 사회에서 가장 심각하게 표출되는 갈등이 국민의 가치나 이해관계와는 별 상관이 없다는 것입니다. 무엇을 위한 갈등인지 묻지 않을 수 없습니다.

(3) 한국사회 이념표상

우리사회 이념갈등의 본질을 이해하기 위해서는 진보와 보수의 가치차이를 밝히는 작업과 함께 두 집단 간의 상호인식에 대한 규명이 반드시 필요합니다. 비록 진보와 보수집단 간에 가치의 차이가 존재하더라도 상대방을 '틀림'이 아니라 '다름'으로 인정한다면 그 차이는 갈등이 아니라 발전적 경쟁으로 승화될 수 있을 것입니다. 그렇지만 진보와 보수집단이 서로를 배타적이고 적대적으로 인식하고 있다면 가치의 차이는 서로 극복할 수 없는 장벽이 되고 갈등은 더욱 심화될 것입니다. 따라서 진보와 보수집단이 상대방을 어떻게 인식하고 있는지를 분석하는 것은 이념갈등의 본질을 이해하는데 매우 중요한 작업입니다. 진보와 보수집단이 상대방을 어떻게 인식하고 있는지 규명한다면 양 집단 간의 상호이해의 실마리를 찾을 수 있을 것입니다. 사회심리학 연구에서 소개한 사회적 표상(social representation)은 진보와 보수 간의 상호인식 양태를 살펴보는데 매우 유용한 개념입니다.

모스코비치(Moscovici)의 사회적 표상이론

사회적 표상이론은 프랑스 사회심리학자 모스코비치(Moscovici)에 의해 처음 본격적으로 소개되었습니다. 그는 과학의 세계가 어떤 과정을 통해 일반인의 지식 즉 사회적 세계로 전화되는지에 관심을 두었습니다. 모스코비치가 말하는 표상(表象 representation)은 어떤 대상(사물이나 사람)에 대해 사회적으로 구성된 실재적 표상체이며, 또한 이러한 표상체가 인간의 마음속에 내재된 상태를 의미합니다. 그는 사회적 표상을 "지역사회의 집단체가 행위의 양식 설정과 의사소통의 목적을 위해 사회적 대상물(social object)을 의미있는 실체로 형상화 한 것"이라고 정의했습니다. 모스코비치에 따르면 사람들은 대부분의 지식을 독자적 사유나 직접적 체험을 통해 얻기보다는 다른 사람과의 의사소통을 통해 습득하게 됩니다. 이러한 의사소통에 있어 가장 기본적인 수단은 인지인데, 동일한 인지내용이 집단속에서 반복적으로 교환될 때, 그러한 인지내용은 주관성인지에서 객관성인지로 전환되며, 구체적인 외적준거를 갖추게 됩니다. 이것이 곧 사회적 표상이며, 이러한 사회적 표상은 사람들이 대상에 대해 새로운 지식을 갖는 과정에서 준거체제로 작용하면서, 새롭게 얻는 지식을 상식과 같은 기정 사실적 지식유형으로 전환시키는 역할을 합니다. 즉, 사람들은 사회적 표상을 이용해 새로운 지식을 인지하고 또한 상호교환하게 되는 것입니다(최상진 1990).

사회적 표상은 사회적 의사소통과 상호작용 과정에서 필요한 대상에 대한 이해를 공유할 수 있는 전형적 의미(또는 상징), 기호 및 설명체계를 제공합니다. 이와 동시에 세상사나 과거의 역사적 사건에 대한 전형적 해석양식을 부여함으로써 사회구성원간의 의사소통이 가능하도록 만듭니다. 표상의 일차적 역할은 새로운 대상자극을 기존의 전형을 통해 구태화(舊

態化 conventionalize) 혹은 전형화(典型化)시키는 일입니다. 예를 들어 사람들은 진보/보수와 같은 개념들을 이에 대한 사회적 표상을 통해 개인적으로 인지하게 됩니다. 또한 표상은 사회 내에서 통용되는 관행적 규범성을 가지고 있어 개인들이 함부로 저항하거나 비판할 수 없는 힘을 갖고 있습니다. 이러한 점에서 사회적 표상은 우리 사회에 이미 존재해오던 구조화된 지식과 같은 것이어서 개인들이 이에 대해 특별한 의문을 갖지 않고 무의식중에 받아들이게 됩니다. 사회적 표상이 규범력을 갖는 것은 한 사회가 공유한 경험과 생각은 시간이 흐른다고 없어지지 않고 현재에도 사람들의 인지과정에 침투하여 경험과 생각에 영향을 미치기 때문입니다(최상진 1990).

한국사회에서 형성된 진보와 보수의 사회적 표상을 알아보기 위해 개혁, 기득권, 열린 사고, 친북 등 15개 단어를 제시하고 이 가운데 진보 혹은 보수를 가장 잘 나타내는 단어를 3개씩 선택하도록 했습니다. 그 결과, 진보를 가장 잘 나타내는 단어로는 개혁(25%), 열린 사고(12.4%), 급진(9.4%), 혼란(8.2%), 합리성(7.1%) 등이 가장 많이 언급되었습니다. 한편 보수를 가장 잘 나타내는 단어로는 권위적(20.7%), 안정(15.2), 기득권(14.2%), 정체(13.2%), 합리성(8.2%) 등으로 나타났습니다. 전체적으로 보았을 때 진보의 표상 가운데 개혁, 열린 사고, 합리성 등 긍정적 단어가 65.9%를 차지하였고, 급진, 혼란, 좌경 등 부정적 단어는 34.1%를 차지했습니다. 한편 보수의 경우 안정, 합리성, 정직 등 긍정적 표상이 42.2%, 권위적, 기득권, 정체와 같은 부정적 표상이 57.8%로 나타났습니다. 이를 통해 볼 때 우리사회에서 진보가 보수에 비해 긍정적으로 인식되고 있음을 알 수 있습니다. 진보의 경우 개혁과 열린 사고라는 긍정적 표상이 많이 언급된데 비해 보수는 권위적과 기득권이라는 부정적 표상이 다수를 차지했습니다. 결국 진보는 급진적이고 혼란을 초래한다는 인식을 극복해야 하고, 보수는 권위적이고 기득권을 추구하며 정체되어 있다는 부정적 인식을 해소해야 하는 과제를 안고 있습니다.

[그림 2] 한국사회에서 형성된 진보와 보수의 사회적 표상

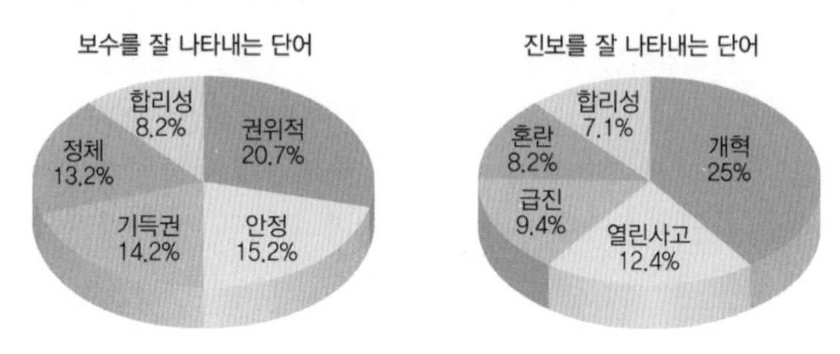

보수와 진보가 각각 스스로에 대해 혹은 상대집단에 대해서는 어떤 표상을 갖고 있을까요? 우선 보수가 진보에 대해 갖는 표상을 보면 개혁(22.5%), 혼란(12%), 급진(10.9%), 열린 사고(8.8%), 친북(8.5%) 등이 다수를 차지했습니다. 한편 보수가 스스로에 대해 갖는 표상은 안정(19.1%), 권위적(18%), 기득권(12.8%), 합리성(9.9%), 정체(9.8%) 순으로 나타났습니다. 전체적으로 보았을 때 보수가 인식하는 진보의 표상은 개혁, 열린 사고, 성장 등 긍정적 단어가 54.4%를 차지하였고, 혼란, 급진, 친북 등 부정적 표상은 45.6%를 차지하여 긍정적 표상이 좀 더 많은 것으로 나타났습니다. 보수는 진보집단의 개혁성과 열린 사고에 대해서는 긍정적으로 평가하나, 혼란, 급진, 친북 등과 같은 부정적 인식을 상당히 갖고 있음을 알 수 있습니다. 한편 보수집단은 스스로를 안정을 추구하고 합리적이라고 긍정적 인식을 하는 반면 동시에 권위적이고 기득권을 추구하고 정체되어 있다는 부정적 인식 또한 갖고 있습니다.

그러면 진보집단은 보수와 스스로에 대해 어떤 표상을 형성하고 있을까요? 우선 진보집단은 보수에 대해 권위적(23.1%), 정체(16.6%), 기득권(16.1%), 안정(10.4%), 합리성(5.7%) 등과 같은 표상을 갖고 있으며,

스스로에 대해서는 개혁(27.6%), 열린 사고(15.8%), 급진(9.1%), 성장(9.1%), 합리성(8.3%) 등의 표상으로 인식하고 있었습니다. 즉 진보는 보수집단에 대해 권위적이고 정체되어 있으며 기득권을 추구한다는 부정적 인식을 가지면서도 안정적이고 합리적인데 대해서는 긍정적으로 평가하고 있었습니다. 보수가 권위적이고, 정체되고, 기득권을 추구한다는 표상은 보수 스스로도 인식하고 있는 표상이어서 보수집단이 극복해야 할 과제임을 알 수 있습니다. 한편 진보는 스스로에 대해 개혁, 열린 사고 등 대체로 긍정적으로 인식하고 있으며, 부정적 표상으로는 급진적이라는 점이 다수 지적되었습니다. 진보가 갖는 이념표상을 전체적으로 보면 보수에 대해서는 합리성, 성장 등 긍정적 표상이 30.6%를 차지한 반면 권위적, 정체, 기득권 등 부정적 표상이 69.3%로 절대적으로 많았습니다. 진보가 스스로에 대해 갖는 표상은 개혁, 열린 사고, 성장 등 긍정적 단어가 78.8%로 절대적으로 많았고, 급진성, 혼란과 같은 부정적 표상은 21.2%에 불과했습니다.

[그림 3] 진보와 보수가 가지고 있는 상대방에 대한 이념표상

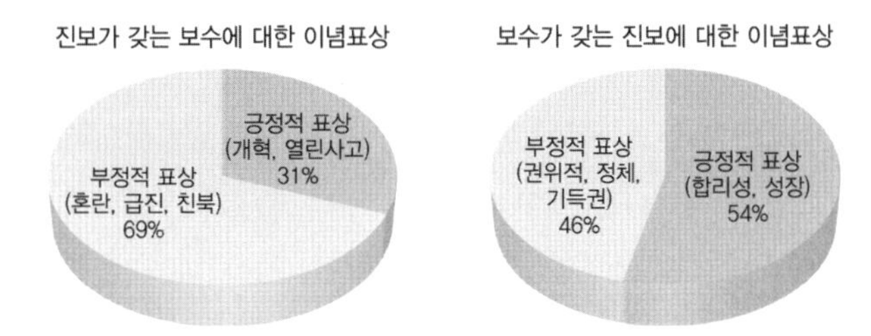

5) 이념갈등의 세대 간 차이

(1) 세대와 이념갈등

이념은 기본적으로 사회문제에 대해 개인이 가진 가치와 태도를 반영합니다. 개인은 성장하면서 각종 사회문제에 대한 가치를 형성하게 되고, 이는 자연히 성장환경의 영향을 받을 수밖에 없습니다. 따라서 성장환경이 다른 개인은 다른 가치관을 가질 가능성이 높습니다. 청년세대와 장년세대가 다른 가치관을 가지고 있다는 것은 잘 알려진 사실입니다. 그렇다면 다분히 추상적인 개념인 이념에 대한 이해 또한 세대 간에 차이가 날 수 있습니다. 비록 동일하게 보수와 진보라는 용어를 사용하지만 청년세대와 장년세대가 의미하는 이념의 뜻은 다를 수 있다는 것입니다. 우리사회 청년세대(2030세대)와 장년세대(50세 이상)는 전혀 다른 정치사회적 환경에서 정치사회화[9] 과정을 겪었으며, 따라서 이들의 주관적 이념성향을 결정하는 요인은 분명히 차이가 있을 것이며, 갈등의 양상도 다르게 나타날 것이라고 가정할 수 있습니다. 세대 간 이념 결정요인과 갈등양상의 차이를 규명함으로써 우리사회 이념갈등의 실체를 좀 더 정확히 이해할 수 있을 것입니다.

세대 간 이념갈등의 차이를 규명하기 위해서는 몇 가지 가정을 검증해 볼 필요가 있습니다. 첫 번째로 규명할 가정은 청년세대의 진보-보수에 대한 개념적 이해가 장년세대와 동일한지에 대한 문제입니다. 청년세대가 스스로를 진보 혹은 보수로 자리매김할 때 적용하는 기준이 중장년 세대의 그것과 다를 수 있기 때문입니다. 만약 그렇다면 청년세대와 장년세대의 이념갈등의 내용은 다를 것입니다. 권위주의 정권과 산업화시기에 정치사회화 과정을 겪은 장년세대의 이념에 대한 인식이 민주주의 정권과 정보사회의 환경 속에서 자란 청년세대와 다를 것이라는 것은 충분히 가능한 가정입니다. 그렇다면 이념갈등 극복과 사회통합의 방안 역시 다른 방

9) 정치사회화는 한 세대에서 다음 세대로 정치적 기준과 신념을 물려주는 과정을 뜻합니다. 즉 정치문화 전승의 과정을 말합니다. 정치사회화는 한 국가의 환경과 상호작용으로 한 세대가 습득한 정치적 지각과 문화가 젊은 세대에게 전수됩니다. 또한 대중이 정치를 다른 각도에서 바라보고 경험하면서 정치문화를 변형시킵니다(Almond and Powell 2011).

향에서 찾아야 할 것입니다. 두 번째로 살펴 볼 가정은 청년세대와 장년세대의 진보-보수 간의 차이 혹은 갈등의 폭이 동일하지 않을 것이라는 점입니다. 장년세대의 이념갈등은 민주 대 반민주 그리고 지역주의 갈등과 중첩되어 진행되어 왔고, 이를 기준으로 오랫동안 진영정치에 동원되어 왔습니다. 한편 청년세대의 경우 민주대 반민주 갈등을 겪지 않았을 뿐 아니라 지역주의 성향 역시 상당히 약화된 환경에서 정치사회화 과정을 겪었습니다. 정당에 대한 불신과 정치적 무관심이 높은 상황에서 진영정치에 의한 정치적 동원 역시 과거세대 만큼 강하게 나타나지 않았습니다. 그렇다면 청년세대는 장년세대에 비해 진보-보수 집단 간의 배타성과 적대성이 상대적으로 약할 것입니다. 세 번째 가설은 청년세대와 장년세대는 이념에 대해 서로 다른 표상(representation)을 가지고 있을 것이라는 점입니다. 여기서 표상이란 어떤 대상에 대해 사회적으로 구성된 의미와 이해를 의미합니다. 개인이 진보와 보수라는 용어를 사용할 때 그 단어가 뜻하는 바는 사전적 정의에 의해 결정되는 것이 아니라 사회구성원들의 의사소통 과정 속에서 구성적으로 의미가 형성됩니다. 따라서 청년세대와 장년세대의 가치와 규범 그리고 의사소통의 환경이 다르다면 이들이 사용하는 진보와 보수에 대한 구성적 의미 또한 다를 것입니다. 각 세대의 이념의 표상에 대한 차이를 살펴본다면 세대 간 이념갈등 양상의 차이를 규명하는데 도움이 될 것입니다.

(2) 세대 간 이념 결정요인의 차이

세대 간 이념갈등의 차이를 분석한 윤성이·이민규(2014)의 연구에 따르면 우리사회 이념갈등에서 냉전이데올로기가 매우 중요한 축을 형성하고 있으나, 청년세대의 이념성향을 결정하는데 있어서 대북정책은 영향을 미치지 않는 것으로 나타났습니다. 청년세대에게는 소득분배와 경제성장에 대한 태도가 주관적 이념성향을 예측하는 가장 중요한 변인이었고, 사회가치 이념이 그 뒤를 이었습니다. 2030세대에 있어 대북정책과 고향변수는 주관적 이념성향 결정에 유의한 영향을 주지 않았습니다. 그렇지만 다른 세대와 마찬가지로 지지정당 변인은 청년세대의 주관적 이념성향을 예측하는데 매우 중요한 변수로 드러났습니다. 새누리당 지지여부는 보수성향을 결정하는데 가장 중요한 변인이었으며, 진보정당 지지여부는 분배와 성장 변인 다음으로 진보이념을 갖는데 강한 영향을 주는 것으로 나타났습니다. 2030세대가 냉전이데올로기와 지역주의의 영향에서는 벗어나 있으나 정당을 중심으로 한 진영정치의 굴레로부터는 자유롭지 못하다는 것을 알 수 있습니다.

50세 이상 장년세대의 주관적 이념성향을 예측하는 데 유의한 변인을 보면, 2030세대와 달리 대북정책이 매우 중요한 변인으로 작용하고 있었습니다. 지지정당이 미치는 영향은 2030세대와 마찬가지로 매우 강한 것으로 나타났는데, 특히 새누리당 지지여부가 보수 이념성향을 결정하는데 강한 영향을 주는 것으로 나타났습니다. 고향변수의 경우 2030세대와 달리 호남고향 여부가 개인의 주관적 이념성향을 결정하는데 유의미한 영향을 주는 것으로 나타났습니다. 한편 청년세대와 장년세대 모두 사회가치 이념 변인이 주관적 이념성향을 결정하는데 중요한 변인으로 나타나, 진보와 보수 사이에 사회질서와 개인자유, 경험과 이성, 사회개혁, 사회권위 등의 가치에 대한 태도에서 차이가 분명히 존재하고 있음을 알 수 있습니다.

전체적으로 새누리당 지지자들에 있어서는 청년세대와 장년세대 모두 정당 지지여부가 개인의 이념성향을 결정하는 가장 중요한 변인이었습니다. 지지정당 다음으로 개인의 이념성향 결정에 영향을 미치는 변인은 2030세대는 분배와 성장 이슈, 사회적 가치, 그리고 환경과 성장 이슈 순으로 나타났습니다. 새누리당 지지자 가운데 장년세대의 경우, 지지정당,

사회적 가치, 대북정책 그리고 분배와 성장 이슈 순으로 이념성향 결정에 중요한 영향을 미치는 것으로 나타났습니다. 한편 진보정당 지지변인을 추가하였을 경우, 청년세대 이념성향 결정에 가장 많은 영향을 미치는 변인은 분배와 성장 이슈, 진보정당지지, 사회적 가치, 환경과 성장 이슈 순으로 나타났습니다. 장년세대의 경우 진보정당 지지여부가 이념성향 결정에 가장 큰 영향을 미쳤으며, 그 다음으로 사회적 가치, 대북정책, 분배와 성장, 그리고 환경과 성장이슈가 중요한 변인으로 나타났습니다. 전체적으로 보았을 때 개인의 이념성향을 결정하는데 대북정책보다는 지지정당과 사회적 가치가 더 중요한 변인으로 작용하고 있음을 알 수 있습니다.

한편 고향변수를 추가해 분석해 보면, 영남출신의 경우 사회적 가치가 이념성향 결정에 가장 중요한 영향을 미쳤으며, 그 다음으로 분배와 성장, 환경과 성장, 그리고 대북정책이 중요한 변인으로 나타났습니다. 영남출신 청년세대의 경우 분배와 성장 이슈와 사회적 가치가 이념성향 결정에 가장 중요한 영향을 주었으며, 장년세대는 사회적 가치와 대북정책의 영향을 많이 받았습니다. 호남출신의 경우에는 전체적으로 보았을 때 영남출신과 마찬가지로 사회적 가치가 가장 중요한 변인이었으며, 분배와 성장 이슈, 환경과 성장 이슈 그리고 대북정책이 그 뒤를 이었습니다. 호남출신 청년세대의 이념성향 결정에 가장 중요한 영향을 미치는 변인은 분배와 성장 이슈, 사회적 가치, 환경과 성장 이슈 순으로 나타났습니다. 장년세대에게는 사회적 가치, 대북정책, 출신지역, 분배와 성장, 그리고 환경과 성장 이슈 순으로 영향력이 나타났습니다.

그렇다면 청년세대와 장년세대 중 어떤 세대가 진보와 보수 사이에 더 많은 차이를 보일까요? 동일 세대 내에서도 진보집단과 보수집단 사이에 주요 정책과 사회가치에 차이가 있을 것입니다. 두 세대 모두 진보와 보수 사이의 태도 차이가 가장 크게 나타난 쟁점은 사회적 가치로 나타났습니다. 이념집단 간에 자유와 질서, 이성과 경험, 사회개혁 속도, 권위에 대한 태도에 있어 분명한 인식의 차이를 보였습니다. 주요 정책에 있어서는 청년세대의 경우 소득분배와 경제성장에 대해 진보와 보수 사이에 입장 차이가 큰 것으로 나타났고, 장년세대의 경우 대북정책을 둘러싼 견해차이가 가장 컸습니다. 양 세대를 비교해 볼 때 진보-보수 간의 입장의 차이가 장년세대에 비해 2030세대가 훨씬 적은 것으로 나타났습니다. 이는 2030세대가 장년세대에 비해 진보-보수 집단 간의 배타성이 적으며, 결과적으로 사회적 합의를 도출할 가능성도 더 높다는 점을 말합니다. 2030세대의 경우 이념의 본질적 정의를 담고 있는 사회가치에 대한 태도와 분배와 성장이라는 경제적 이슈에 있어 분명한 차이를 보이는 반면, 대북정책에 대한 입장 차이는 상대적으로 적어 서구 국가에서 나타나는 진보-보수 차이와 유사한 내용을 보이고 있습니다. 이에 반해 장년세대의 경우 대북정책에 대한 입장의 차이가 뚜렷해 냉전이데올로기를 중심으로 진보와 보수가 대립하고 있는 모습을 보이고 있습니다.

(3) 세대 간 이념표상의 차이

그렇다면 이념표상에 있어서는 세대 간에 어떤 차이가 있을까요? 장년세대의 경우 보수가 바라보는 진보에 대해 갖는 표상은 친북, 급진, 좌파 등 부정적 이미지가 많았으며, SNS와 같은 중립적 이미지 그리고 연대와 같은 긍정적 이미지도 일부 있었습니다. 한편 진보는 보수를 권위, 닫힌 사고, 친미와 같은 부정적 표상으로 인식하고 있었으며, 이익과 충성심 같은 중립적 이미지도 갖고 있었습니다. 50대 이상의 장년층의 경우 진보와 보수 모두 상대방을 대체로 부정적으로 인식하고 있음을 알 수 있습니다. 앞서 살펴본 주요 정책에 대한 태도에 있어서도 장년층의 경우 진보와 보수 간의 차이가 뚜렷하게 나타났는데, 상대방에 대한 표상 역시 상당히 부정적으로 나타나 양 집단 간의 배타성과 적대성이 상당히 심각한 수준임을 알 수 있습니다. 한편 청년세대의 경우 보수가 갖는 진보에 대한 표상은 SNS, 급진, 개혁, 변화, 혁신 등이 주를 이루었고, 진보는 보수를 닫힌 사고, 권위, 충성심, 명예, 전통 등의 표상으로 인식하고 있습니다. 보수가 진보를 이해하는 표상의 경우 급진이라는 부정적 이미지가 있으나, 개혁, 변화, 혁신과 같은 긍정적 이미지가 다수를 차지하고 있습니다. 한편 진보가 바라보는 보수의 표상은 닫힌 사고와 권위라는 부정적 이미지와 충성심과 전통이라는 중립적 이미지 그리고 명예라는 긍정적 이미지로 구성되었습니다. 진보와 보수 양 집단 모두 장년층에 비해 상대방에 대한 표상을 비교적 긍정적으로 인식하고 있는 것을 알 수 있습니다. 보수는 진보를 대체로 긍정적으로, 그리고 진보는 보수를 중립 및 부정적으로 인식하고 있음을 알 수 있습니다. 결국 진보와 보수 간의 배타성을 완화시키기 위해서는 진보는 급진적이라는 인식을 불식시키는 노력이 필요하며, 보수는 닫힌 사고와 권위적이라는 이미지를 불식시켜야 합니다.

6) 이념갈등의 원인과 해소방안

(1) 이념갈등의 원인

문화적 요인

우리사회에 팽배해 있는 이념갈등의 뿌리는 역사 및 문화적 요인과 정치구조적 요인 등에서 찾을 수 있습니다. 김용신(2009)은 진보-보수 갈등의 퇴행성은 집단무의식에서 비롯되었으며, 이러한 집단무의식은 한국인이 겪은 문화 및 역사적 경험에서 비롯되었다고 주장합니다. 유목문화를 바탕으로 한 서양사회가 '나(개인)'를 강조하는 반면 농경문화의 전통을 갖고 있는 한국사회의 경우 강한 집단의식이 형성되고 개인보다는 '우리'를 더 중요시하는 문화가 자리 잡게 되었다는 설명입니다. 군사정권하에서 형성된 상명하달과 목적중심의 사고 또한 획일화된 사고를 강조하고 이에 따라 이분법적 사고와 행태를 확산시켰습니다. 군사문화는 명령에 대한 절대적 복종을 요구합니다. 명령이 내려지면 수단과 방법을 가리지 않고 반드시 완수하여야 합니다. 위에서 내리는 명령에 대해 의문을 제기하거나 토를 다는 것도 전혀 허용되지 않습니다. 그저 일사분란하게 명령을 수행하는 것만 요구됩니다. 명령을 수행하는데 방해되는 집단은 자연히 적으로 간주됩니다. 명령에 대해 복종이냐 저항이냐, 그리고 아군이냐 적군이냐 하는 이분법적 사고가 무의식중에 자리 잡게 되는 것입니다. 명령수행을 위해 더 효율적이고 합리적 방안을 찾거나, 과정에서 발생하는 갈등을 조정하고자 하면 양쪽으로부터 기회주의자로 배척되기 십상입니다. 이러한 목적 중심 사고와 흑백 논리의 무의식은 감성이 풍부한 한국인의 성격과 합해져서 사회갈등을 더욱 극한 상태로 몰고 갑니다. 논리와 합리성보다는 일단 목적을 달성하고 자기편이 이겨야 한다는 감성이 먼저 작동하게 되는 것입니다.

정치적 요인

정치와 정당구조 또한 불합리한 이념갈등을 조성하는 뿌리로 작용했습니다. 분단의 상황으로 인해 한국정치의 균열 구조는 제한적이고 왜곡되게 형성되었습니다. 서구의 정당 구조는 노동과 자본을 대변하는 진보와 보수, 좌와 우의 형태를 보이고 있습니다. 하지만 한국에서 노동을 대변하는 세력은 북한과 동일시되어 제거의 대상이었고 따라서 정상적으로 성장할 수 없었습니다. 분단체제하에서의 정치세력의 갈등은 보수와 진보 양측 모두에게 커다란 콤플렉스를 안겨주었습니다. 보수집단은 군사 독재의 협조자로 치부되는 콤플렉스를 갖게 되었고, 진보는 친북좌파와 동일시되는 콤플렉스를 갖게 된 것입니다. 건전한 경쟁구도가 봉쇄된 상황에서 형성된 대안은 인물의 경쟁과 원초적 지역주의뿐 이었습니다. 한국의 정당은 애초부터 사상이나 철학적 기반을 갖지 못했으며, 가치지향적인 집단을 형성하기보다는 사적인 이익을 추구하는 집단으로 기능해왔습니다.

정당이 사상과 가치에 토대를 두지 않고 인물중심으로 형성되다 보니 정당 간의 경쟁 역시 건전한 정책경쟁보다는 상대방 흠집 내기 방식으로 이뤄질 수밖에 없었습니다. 본시 정당은 정책과 공약을 통해 유권자들의 지지를 얻고 정권을 획득하여야 합니다. 그렇지만 정당의 이념적 정체성이 불분명하고 제대로 된 정책을 내세울 게 없는 상황에서는 일방적인 편 가르기를 통해 표를 호소할 수밖에 없습니다. 이런 상황에서 정당은 지역주의를 교묘히 이용하거나 상대방을 수구 기득권 집단이나 혹은 좌익 급진주의자로 매도하는 전략을 쓰게 됩니다. 당원과 지지자들 역시 이념과 가치보다는 자기가 지지하는 정치지도자와 일체화하면서 무조건적으로 지지하고 맹종하는 행태를 보입니다. 결과적으로 논리와 이성의 정치는 점차 약해지고 본능과 감성의 정치가 판치는 상황이 됩니다. 본능과 감성의 정치에서는 대화와 타협이 아니라 헐뜯기와 정치폭력이 난무하게 됩니다. 그리고 싸움의 논리는 매우 간명해 집니다. 모든 정치적 이슈가 진보와 보수 즉 급진좌파와 수구기득권의 싸움으로 단순화됩니다. 대북정책뿐 아니라 경제, 환경, 인권, 여성, 심지어 문화 이슈까지도 이념논쟁으로 환원되면서 극명한 편 가르기가 이루어집니다. 여기에는 정당뿐 아니라 시민단체 그리고 일반시민들까지도 어느 한 쪽 편에 서게 됩니다. 각 진영의 우군은 이슈와 상관없이 항상 일정합니다. 대북정책에 있어 진보적 정책을 지지하면 다른 모든 이슈에서도 진보진영 편에 설 수밖에 없는 구조인 것입니다. 결과적으로 적군과 아군이 명확한 사회갈등 구조가 시간이 갈수록 탄탄하게 자리 잡게 됩니다. 이 같은 이념갈등에 지역과 세대갈등이 중첩되면서 양

진영 간의 다툼은 더욱 극렬해지는 양상을 보이고 있습니다.

우리사회 이념갈등의 뿌리는 앞서 살펴본 것처럼 농경사회의 집단문화, 군사정권하에서 무의식중에 자리 잡은 목적 중심적이고 이분법적 사고방식 그리고 냉전이데올로기의 정치적 상황 등에서 찾아볼 수 있습니다. 그렇지만 모순되고 비합리적인 이념갈등이 시간이 갈수록 더 심화되고 있는 것은 정치권에 의한 '편향성의 동원'에 기인하는 바가 큽니다. 정당의 출발이 이념과 가치가 아니라 인물에 있다 보니 정당 간 정책의 차별성이 분명히 드러나지 않았습니다. 이러한 상황에서 유권자들의 지지를 얻기 위해서 지역을 내세우거나 상대방을 일방적으로 매도하는 전략에 매달리게 됩니다. 즉 정당이 정책이 아니라 손쉽게 지지자를 동원할 수 있는 지역이나 이념을 앞세우는 편향된 동원에[10] 의존하면서 우리사회의 이념갈등을 부추기고 있는 것입니다.

앞서 살펴본 국민대통합위원회 인식조사 자료에서도 이념갈등의 정파성 문제는 분명히 드러납니다. 의사결정나무(decision tree) 분석을 통해 개인이 자신들의 주관적 이념성향을 결정하는데 어떤 요인이 더 많이 영향을 주는지 분석한 결과, 연령, 성별과 같은 사회경제적 변인과 정치, 경제, 사회 영역의 9개 이슈만을 포함할 경우 개인의 이념성향 결정에 가장 큰 영향을 주는 변수는 연령으로 나타났습니다. 연령이 35세 미만인 집단, 35세에서 55세 집단 그리고 55세 초과 집단을 기준으로 개인의 이념성향이 다르게 나타났습니다. 개인의 이념성향을 결정하는데 두 번째로 중요한 변수는 한미동맹에 대한 태도였으며, 대체복무에 대한 인식이 그 다음으로 중요한 변인으로 나타났습니다. 그렇지만 대통령 및 정당에 대한 선호도와 민주주의 만족도와 같은 정파적 변인을 추가하여 의사결정나무 분석을 했

10) 편향성의 동원이란 "정치조직들이 유리한 지지자 동원을 위해 사회의 중심 갈등은 억압하고 특정 갈등을 부각시키려는 성향"을 말합니다. 사회의 중심 갈등을 억압 또는 대체하기 위해 특정갈등을 부각하고 그에 따라 정치참여를 동원하는 것을 말합니다.

을 때 사회경제적 변수와 정책에 대한 태도는 이념성향 결정에 아무런 영향을 미치지 않은 것으로 나타났습니다. 개인의 이념성향 결정에 가장 큰 영향을 미치는 변수는 박근혜 대통령에 대한 선호도였습니다. 박근혜 대통령에 대한 선호도가 65점 이하인지 아닌지를 기준으로 개인의 이념성향이 분명히 갈렸습니다. 개인의 주관적 이념성향을 결정하는 가장 중요한 요인이 대통령에 대한 선호도인 것은 분명 논리적으로 설명하기 어려운 현상입니다. 이는 한국사회의 이념갈등이 지극히 비논리적 차원에서 형성되어 있음을 말해줍니다.

언론의 문제

우리사회 이념갈등이 심각한 상황인 것은 언론이 공론장의 역할을 제대로 하지 못하기 때문입니다. 공론장이라 함은 다양한 이념적 성향과 배경을 지닌 사람들이 자유롭게 자신들의 의사를 표현하고 공유할 수 있는 공간을 의미합니다. 하지만 우리의 언론은 진보 혹은 보수로 과도하게 편향되면서 이념갈등을 부추기는 주범으로 비난받고 있습니다. 개인들의 이념성향 그리고 각종 이슈에 대한 태도는 자신들이 습득하는 정보의 내용에 영향을 받을 수밖에 없습니다. 개인들이 여러 종류의 언론매체에 노출되고 다양한 정보를 얻게 된다면 쟁점사안에 정확하고 객관적인 판단을 할 가능성은 높아집니다. 그렇지만 개인은 현실적으로 제한된 언론매체만을 선택하게 되고, 자신의 이념성향에 따라 선택적 노출을 하는 것이 일반적입니다. 선택적 노출이 일반화될수록 개인의 가치관과 이념성향은 재강화 현상을 겪을 수밖에 없습니다. 진보성향의 개인들이 한겨레·경향으로 대표되는 진보신문을 구독하면서 자신의 이념성향을 재강화 할 것이고, 보수집단은 조선·중앙·동아로 대표되는 보수신문을 읽으면서 보수의 논리를 더욱 강화시키는 결과를 얻을 것입니다.

(2) 이념갈등 해소방안

갈등구도의 다원화

우리사회의 잘못된 담론구조는 사회갈등을 단순화시킬 뿐 아니라 종종 문제의 본질을 왜곡시키고 있습니다. 이념으로서의 진보와 보수, 이데올로기로서의 좌파와 우파 그리고 시장경제에 대한 좌파와 우파가 동일 선상에서 이해되면서 우리 사회의 모든 갈등이 하나의 축으로 환원되고 있습니다. 정치와 경제 이슈뿐만 아니라 외교, 환경, 인권, 교육, 문화 등 모든 사회갈등을 동일선상에서 이해하고 대립하게 되는 것입니다. 외교정책이 진보와 보수의 입장에서 이해되고, 환경문제도 이데올로기적 좌파와 우파로 대립하며, 심지어 스크린 쿼터제와 같은 문화이슈까지도 정파적으로 다뤄지고 있습니다. 그러다 보니 갈등의 폭은 지극히 단순화되고 좁아지면서 갈등의 강도는 나날이 강해지고 있습니다.

우리사회의 대립구도가 합리적으로 형성되기 위해서는 왜곡된 이분법적 구도에서 벗어나 사회갈등이 다양화되고 다층화 될 필요가 있습니다. 이념적 진보가 이데올로기적 우파가 될 수 있어야 하고, 이데올로기적 우파는 시장경제적 좌파가 될 수 있다는 사실을 받아들어야 합니다. 그래야만 문제의 본질에 대한 정확하고 합리적 이해가 가능하고 적과의 대화와 타협도 기대할 수 있습니다. 모든 사회이슈가 지금과 같이 진보와 보수의 갈등으로 환원된다면 갈등의 범위는 좁아지면서 갈등의 강도는 강할 수밖에 없습니다. 모든 이슈에 있어 사회구성원들이 진보 혹은 보수 가운데 하나로 줄서기를 강요받고, 일단 한쪽 편에 줄을 서게 되면 모든 이슈에 대해서 이들과 동일한 입장을 취해야만 합니다. 북한 문제에 대해서는 유화책을 지지하지만 한미 FTA는 찬성한다는 태도는 우리사회에서 받아들여지지 않습니다.

한때 노무현 전대통령이 한미 FTA를 추진하면서 진보세력의 거센 비판에 직면하자, 스스로를 '좌파적 신자유주의'라 칭했습니다. 당시 보수와 진보 모두가 노대통령을 궤변론자라 공격했습니다. 그렇지만 논리적으로 따져보면 북한 유화론자가 신자유주의를 지지하지 못할 아무런 이유가 없습니다. 북한문제는 북한문제로 그리고 경제문제는 경제문제로 분리하여 따지고 경쟁하고 타협하여야 합니다. 사회 쟁점을 개별적 이슈로 다루고 논의하고, 개인들은 각각의 이슈에 대해서 자신의 태도를 결정한다면 각 이슈별로 지지집단의 다양한 합종연횡이 이뤄지면서 갈등의 범위는 넓어지면서 갈등의 강도는 줄어들게 될 것입니다.

[그림 4] 이념갈등 구도의 전환

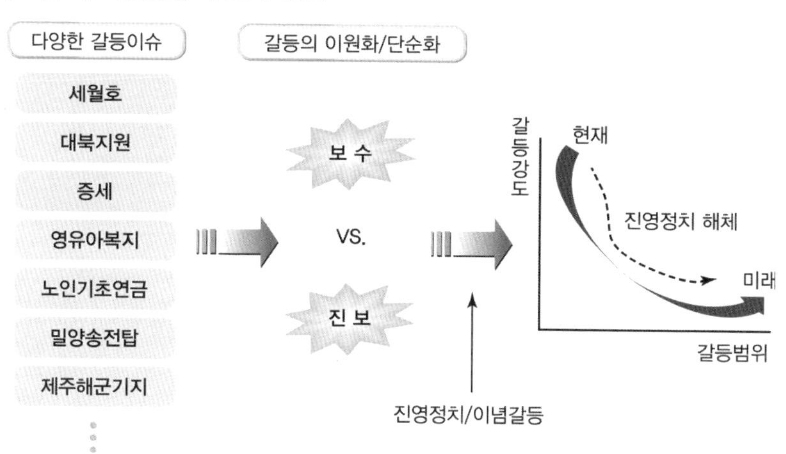

건전한 공론장 구축

이념갈등 해소를 위한 두 번째 방안은 건전한 공론장을 구축하는 것입니다. 유감스럽게도 우리사회에서 건전한 공론장을 찾기는 쉽지 않습니다. 모든 담론에 대해 비판과 반박의 가능성이 열려 있는가, 시민의 목소리가 협의적이고 자기반성적인 특징을 갖는가, 차이를 부정하기보다 그 차이를 인정하고 포용하는가, 적과의 대화를 통해 공통의 기반을 발견하고 자신을 입장을 수정할 수는 있는지 등의 모든 물음에 대해 부정적인 답변을 내릴 수밖에 없습니다. 송호근(2005)은 '한국사회의 공론장은 서로 충돌하는 논리로 뒤덮이고 담론은 이데올로기의 난투장으로 바뀌었다'고 진단합니다. 담론세계는 상호이해의 장입니다. 담론세계는 과거로부터 상대방을 '이해하고' 상대방의 현재 입장을 '해석하는' 의사소통의 장입니다. 하지만 우리 사회에서는 과거를 들추어 상대를 비방하고 현재의 입장을 과거로 소급하는 형태로 담론이 진행되고 있습니다.

한국사회의 공론장이 제대로 형태를 갖추지 못한 가장 큰 이유는 진보 대 보수의 이념갈등이 공론장의 담론을 지배하고 있기 때문입니다. 민주주의사회에 있어 갈등은 자연스러운 현상입니다. 립셋(Seymour M. Lipset)은 갈등(conflict)과 합의(consensus) 모두 민주주의를 위해서는 필수적인 요소라고 말합니다. 갈등의 부재는 사회의 특정 집단이 공공의 집합적 결정과정에서 배재되어 있음을 의미합니다. 민주주의는 갈등의 표출을 요구하는 한편 합의없는 민주주의 역시 존재할 수 없습니다. 우리사회 이념갈등의 문제는 보수와 진보 사이에 합의의 통로가 마련되어 있지 않다는데 있습니다. 현재의 이념대립은 정치권의 편향성의 동원에 의해 왜곡되면서 보수와 진보의 다양한 하위유형에 대한 구분없이 수구반동 아니면 급진좌경이라는 이분법적 흑백논리가 무차별적으로 적용되고 있습니다. 수구반동과 급진좌경은 결코 공존할 수 없는 집단입니다. 따라서 이러한 갈등국면에서는 합의도출은 물론이고 합리적 대화와 토론조차 기대할 수 없습니다. 권위주의 정권하에서는 단일한 정치적 문제가 사회 전체의 운명을 결정하는 핵심적 문제로 제기되며 사회는 기득권 세력과 민주세력으로 구분될 수밖에 없습니다. 그러나 민주주의 체제하에서는 정치적 대립이 다원화되고 사회적 이슈가 통일문제, 노동문제, 환경문제, 여성문제 등으로 다양해지면서 한 가지 획일적 기준에 따라 보수주의와 진보주의를 일관되게 구분하는 것은 불가능해지게 됩니다. 노동자와 서민에게 더 많은 혜택을 주어야 한다고 주장하는 진보주의자가 여성이나 동성애 문제에 있어서는 보수주의적인 태도를 취할 수 있습니다. 반대로 여성이나 동성애 문제에 대해 진보적 입장을 취하는 사람들이 경제정책과 관련하여서는 얼마든지 보수적인 태도를 보일 수 있습니다.

그렇지만 현재 우리사회 공론장은 진보와 보수로 양분되어 반쪽짜리 공론만 만들고 있습니다. 주요 언론매체가 보수언론과 진보언론으로 나뉘어 이념갈등을 증폭하고 있으며, 온라인 공간 역시 진보와 보수의 공간이 뚜렷이 갈라져 각자 자신들의 논리를 강화하고 상대방에 대한 적대감을 부추기고 있습니다. 이처럼 이념적으로 양분된 공론장은 사실 우리사회 여론을 정확히 대변하지 못하고 있습니다. 개인의 주관적 이념성향을 보아도 대부분의 조사에서 중도 집단이 40%이상으로 가장 다수를 차지하고 있습니다. 정당 지지도 역시 여당이나 야당 지지자들보다는 무당파층이 항상 다수를 형성하고 있습니다. 사실상 이념적 중간집단이 다수임에도 불구하고 이들의 목소리는 제대로 대변되지 못하면서 극단적 목소리에 묻히고 맙니다. 따라서 우리사회 이념지형과 여론을 정확히 반영하는 건전한 공론장이 되어야 우리사회 다수의 목소리가 제대로 표출될 수 있습니다. 유감스럽게도 중간집단의 공론장을 구축하기는 현실적으로 매우 어렵습니다. 이미 기존 공론장을 보수와 진보집단이 탄탄히 구축하고 있는 실정이어서 이 틈을 비집고 중간집단을 위한 새로운 공론장을 만들기는 결코 쉽지 않습니다. 이러한 역할을 할 수 있는 사회세력도 딱히 눈에 띄지 않는 현실입니다.

그렇다면 건강한 공론장 구축을 위한 현실적인 대안은 진보와 보수가 함께 어울리는 공간을 만드는 것입니다. 지금처럼 진보와 보수가 각자의 진지를 구축하고 그 안에서 자기들끼리 어울리고 세를 키우는 것이 아니라, 진보와 보수가 같은 공간에서 뒤섞이면서 서로에 대한 이해를 키우는 노력이 수반되어야 합니다. 다행히도 현재 대표적인 진보와 보수 신문이 사설을 공유하면서 서로의 시각을 교환하고 있습니다. 앞서 살펴본 것처럼 시민들은 자신의 이념성향에 맞는 신문을 선택하여 구독하는 경향이 강합니다. 그러다보니 세상을 보는 눈을 넓히지 못하고 한쪽 방향으로만 나아가게 됩니다. 진보와 보수 신문이 사설을 공유함으로써 진보 독자는 보수의 주장을 읽게 되고 보수독자 역시 진보의 논리를 알게 됩니다. 건전한 공론장 구축을 위해 진보와 보수 언론이 사설 공유에서 한 걸음 더 나아가 주요 쟁점에 대해 공동으로 기획하고 보도하는 지면을 공유할 필요가 있습니다. 언론이 사실을 보도한다고는 하나 사실상 자신들의 프레임에 맞춰 사건을 취재하고 전달하고 있습니다. 동일한 이슈에 대한 진보와 보수의 프레임을 동시에 접할 수 있다면, 독자들은 사회쟁점에 대해 보다 균형

[그림 5] 중간집단의 공론장 구축

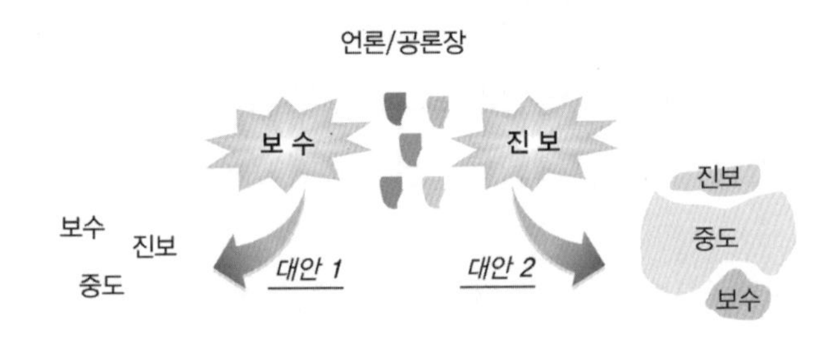

잡힌 이해를 할 수 있을 것입니다. 이러한 과정을 통해 결국 보수와 진보는 서로에 대한 이해를 높일 수 있을 것이며, 상호 간에 타협점을 찾을 수도 있을 것입니다.

정책 인프라 강화

이념갈등 해소를 위한 세 번째 방안은 정책 인프라를 강화하는 것입니다. 앞서 살펴본 바와 같이 우리사회 이념갈등은 진영정치의 틀 속에 갇혀 있습니다. 국민들은 정당의 편향성의 동원에 휘말려 이념갈등의 구도 속으로 빨려 들어가고 있습니다. 정당이 진보와 보수 같은 거대담론을 앞세워 상대방을 공격하고 국민들을 호도하는 것은 제대로 된 정책을 생산할 능력이 없기 때문입니다. 정책생산 능력을 갖춘 정당이라면 정책의 타당성과 우월성을 앞세워 국민의 지지를 호소할 것입니다. 정당이 그런 능력을 갖추지 못하다보니 지역이나 이념을 앞세워 편 가르기를 하고 증오의 정치를 부추기고 있습니다. 현재 우리 정당의 정책인프라는 너무나 취약합니다. 국회의원 보좌관 숫자만 보더라도 미국의 경우 상원은 40명, 하원은 20명 내외이나 우리 국회의원은 9명의 보좌진이 있을 뿐입니다. 국회의 정책인프라 또한 매우 취약합니다. 국회의원의 입법 활동을 지원하는 국회조직인 입법조사처와 예산정책처에는 각각 115명과 123명의 직원이 근무하고 있습니다. 한편 미국의회는 의회예산처(CBO) 240명, 의회조사처(CRS) 675명, 회계검사원(GAO) 2,800명, 상하원 위원회 2,700명이라는 거대한 입법지원 조직을 갖고 있습니다. 양국의 정책 인프라를 비교해 볼 때 우리 국회의원의 의정 활동 질이 미국에 비해 형편없이 떨어지는 것은 당연한 현상입니다. 소모적인 진영정치의 늪에서 벗어나자면 튼튼한 정책 인프라가 뒷받침되어야 합니다.

3. 지역갈등

1) 지역갈등의 원인

지역주의는 오랫동안 우리사회 갈등의 축으로 자리 잡고 있습니다. 지역갈등은 민주화 이후 민주주의와 사회통합을 저해하는 가장 큰 해악으로 지적되어 왔습니다. 우리사회가 단일 민족으로 구성되어 있고 동일한 언어를 사용해 구성원들 간의 동질성이 매우 높음에도 불구하고 지역 간의 대립은 매우 심각한 양상입니다. 한국의 지역주의는 자기 지역에 대한 애착이나 자부심에 의한 긍정적 감정이 아니라 타 지역에 대한 배타적 거리감에 근거하고 있어 문제가 더 심각합니다. 이러한 지역주의는 선거 때 더 뚜렷이 발현되어 유권자들은 자기 지역정당을 맹목적으로 지지하는 투표행태를 보입니다. 이러한 지역주의 성향은 진보-보수로 나눠진 진영정치와 맞물리면서 사회갈등을 더욱 심화시키고 있습니다. 특히 영남과 호남의 경우 지역감정 뿐 아니라 보수와 진보라는 이념적 차이까지 중첩되면서 두 지역의 배타적 거리감은 더욱 멀어지고 있습니다.

우리사회 지역갈등이 선거 때 나타나는 지역주의 투표행태로만 발현되는 것이 아니라는데 더 큰 문제가 있습니다. 영호남 지역주의뿐 아니라 소지역주의도 심각한 문제입니다. 몇 개의 행정지역이 합쳐진 복합 선거구의 경우 자기 지역출신을 무조건적으로 지지하는 소지역주의 투표행태가 자리 잡고 있습니다. 지방자치단체 수준에서 지역발전을 위해 각종 산업시설을 유치하고자 하는 과정에서 나타나는 지역갈등도 매우 치열하게 나타납니다. 여기에 수도권 집중현상으로 인한 수도권과 비수도권 간의 경제적 갈등도 심각한 문제입니다. 지역갈등의 이슈가 정치적 문제뿐 아니라 사회경제적 문제로까지 확대되고, 지역갈등의 단위 또한 전국수준뿐 아니라 광역지역과 기초지역 간의 갈등으로까지 확산되고, 여기에 수도권과 비수도권 간의 갈등까지 심화되고 있는 현실입니다.

지역갈등, 그 중에서도 영호남 지역주의의 원인에 대해서는 여러 가지 주장들이 있습니다. 일부에서는 지역주의의 뿌리를 제1공화국, 혹은 일제 시대에서 찾고 있거나 심지어 삼국시대까지 거슬러 올라가고 있습니다. 역사적 접근을 통해 지역주의 원인을 찾는 경우 많이 인용되는 것이 고려 왕건이 남긴 훈요십조입니다. 여기에 차령 이남의 사람 중에 권세에 붙어 정사를 어지럽힘으로써 재변을 일으키는 자가 반드시 있을 것이라는 내용이 있는데 이를 호남 차별의 뿌리로 보는 것입니다. 그렇지만 이 내용은 구신라계 인물인 최항 등에 의해 변조된 것이라는 논란이 있습니다. 한편에서는 조선시대에 전라지역에서 민란이 자주 발생했다는 주장을 하면서 호남 차별의 근거로 삼고 있습니다. 그러나 조선시대를 통틀어 군란, 반란, 민란의 지역별 발생빈도를 보면 영남이 12건인 데 비해, 전라지역은 동학혁명을 포함해 4회에 불과했습니다.

지역갈등의 원인을 구조적 측면에서 찾는 많은 연구들은 박정희 정권의 산업화 과정에서 나타난 호남에 대한 경제적 차별과 편향된 엘리트 충원을 영호남 지역주의의 원인으로 지적하고 있습니다. 박정희 정권에서 집권세력이 영남의 지역적 연고에 기반을 둔 폐쇄적인 연줄 망을 형성하고 다른 지역을 정치적으로 배제하였다는 것입니다. 또한 산업화 과정에서도 영남지역에 산업시설을 집중투자하고 호남에는 일차 산업을 고착화 시키면서 지역갈등을 조장했다고 설명합니다. 결국 정치와 경제에 있어 호남을 차별하고 소외시킨 것이 지역주의의 원인이라는 주장입니다. 따라서 지역주의는 단순한 감정의 문제가 아니라 물질적 토대를 갖는 이데올로기의 차원으로 인식하여야 한다고 주장합니다. 다른 한편에서는 지역 간 불평등 구조로 인해 지역주의가 발현되었다는 주장은 민주화 과정에서 어떻게 지역갈등이 증폭되었는지를 제대로 설명하지 못한다고 말합니다. 이들은 정치사회에서 정권을 잡기 위한 정치적 동원방식으로 활용하면서 지역주의가 증폭되었다고 설명합니다. 1987년 민주화 이후 우리사회에서 민주 대 반민주의 정치적 대립구조가 약해졌고, 민주세력을 대표하였던 양 김씨가 후보단일화에 실패하면서 지역을 기반으로 하는 정치적 동원구조가 자리 잡게 되었다는 주장입니다. 소선거구제를 기반으로 하는 국회의원 선거제도 또한 지역주의를 부추기는 원인으로 지목 받습니다. 한 선거구에서 일등만 당선되는 소선거구제에서는 각 정당들이 유권자들을 지역적으로 결집시키고자 하는 선거 전략을 구사하기 쉽습니다. 주요 정당들 간에 선거공약의 차이를 찾기가 쉽지 않는 상황에서 유권자들은 자기 지역 출신 후보자와 지역을 대표하는 정당에게 표를 주기가 쉽습니다. 이러한 지역주의 투표행태를 개인의 운명과 지역의 운명을 동일시하는 정치적 정체성으로 설명하기도 합니다. 지역을 대표하는 정당이 승리하는 것을 곧 개인의 승리로 해석한다는 것입니다.

한편 지역주의 투표행태를 전근대적인 구태 정치로 보지 않고 유권자들의 합리적 선택의 결과로 보는 시각도 있습니다. 정치인들이 지역주의를 이용한 정치적 동원 행태를 보이는 것은 사실이지만 유권자 입장에서 이러한 지역주의 동원전략에 호응을 하는 것은 자기 지역의 정치, 경제, 사회적 이익을 향상시키고자 하는 합리적 목적에 근거한 행동이라는 것입니다. 그러나 자기 지역출신 후보를 맹목적으로 지지하는 것을 과연 합리적 선택이라 할 수 있는지에 대한 비판이 있습니다. 투입비용에 비해 얻는 수익이 더 높을 때 우리는 합리적 선택을 했다고 할 수 있습니다. 지역주의 투표를 했을 때 일반 유권자들이 얻는 수익은 무엇이 있을까요? 정당과 정치엘리트들의 입장에서 볼 때 지역주의를 이용하여 손쉽게 정치권력을 획득할 수 있지만, 일반 유권자의 경우 자기 지역 출신이 국회의원이 되거나 지역정당이 집권하였다고 하여 얻을 수 있는 실질적인 혜택은 거의 없다고 보아야 할 것입니다. 오히려 올바른 대표를 뽑지 못함으로써 감수해야 하는 손해가 더 크다고 할 수 있습니다.

지역주의의 원인을 역사 문화적 배경에서 찾는 입장도 있습니다. 지역주의는 근대화를 경험하지 못한 전통사회에서 일어나는 현상이며, 혈연, 지연과 같은 유교적 가족주의 혹은 연고주의를 바탕으로 개인의 정치적 태도와 신념이 형성되었다는 시각입니다. 따라서 비합리적 연고주의가 지역주의를 조장하고 있으며, 정치문화가 합리적으로 개선될 때 전통적인 지역주의가 해소될 수 있다고 주장합니다. 한편 개인의 주관적 인식과 행동에 초점을 두는 사회심리학적 시각에서는 지역주의가 각 지역집단에 대한 고정관념과 편견에서 비롯되었다고 봅니다. 이러한 지역편견과 고정관념은 개인 차원에서 경험적으로 인지하고 판단하기보다는 역사적으로 오랫동안 형성된 고정관념에 의해 영향을 받는 측면이 더 크기 때문에 지역감정을 해소하기가 쉽지 않다고 합니다.

2) 지역주의 투표행태

(1) 선거에서 나타난 영호남 지역주의

박정희 정권의 영남중심의 산업화와 편향된 엘리트 충원구조가 지역주의 감정을 조장했다는 지적이 있으나, 선거에서 영호남 지역주의가 본격적으로 나타난 것은 1987년 민주화 이후 대통령 선거와 국회의원 선거부터입니다. 박정희와 윤보선이 겨루었던 1963년, 1967년 대통령선거뿐 아니라 김대중과 경쟁했던 1971년 대선에서도 지역주의 투표행태가 지금처럼 극명하게 나타나지는 않았습니다. 1963년 5대 대통령선거에서 박정희 후보는 전국 평균 51%의 지지를 얻었고, 자신의 고향인 경북에서는 61%를, 전북과 전남에서는 각각 54%와 62%의 지지를 획득했습니다. 전남에서 얻은 득표율이 경북보다 더 높았습니다. 1967년 대선에서 박정희는 호남에서 43%의 지지를 얻었습니다. 1963년 대선에 비해 10% 정도 떨어졌으나 여전히 영호남 지역주의를 우려할 수준은 아니었습니다. 박정희와 김대중이 맞섰던 1971년 7대 대통령선거에서도 영호남 지역주의가 극명하게 나타나지는 않았습니다. 박정희와 김대중 후보가 각각 영남과 호남에서 승리한 것은 맞지만, 박정희 후보는 호남에서 35%의 지지를 획득했습니다. 김대중 후보는 부산에서 43.6%를 얻었는데, 이는 1967년 대선에서 윤보선이 획득은 31%보다 12% 포인트 더 높았습니다. 한편 경북과 경남에서는 박정희 후보가 각각 76%와 73%의 득표를 하였는데 비해 김대중 후보는 23%와 26%에 그쳤습니다. 그렇지만 민주화 이후 실시된 대통령 선거와 비교할 때 지역주의 투표행태는 훨씬 약하게 나타났습니다.

[그림 6] 민주화 이전 대선에서의 투표행태

(단위: %)

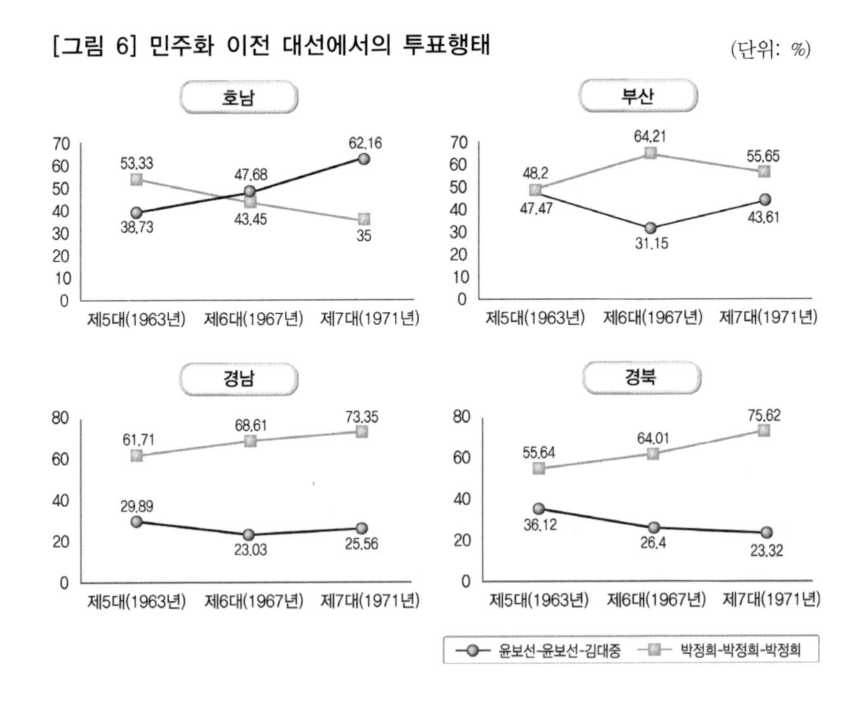

지역주의 투표행태는 1987년 민주화 이후부터 본격적으로 나타났습니다. 1987년 대통령 선거를 앞두고 김영삼과 김대중 두 야당 지도자가 분열하면서 지역감정이 민주 대 독재의 정치적 균열구조를 대체하게 되었습니다. 1987년 대선에서는 민주정의당의 노태우, 통일민주당의 김영삼, 평화민주당의 김대중, 그리고 신민주공화당의 김종필 후보 간의 4자 대결이 펼쳐졌습니다. 이들은 각각 대구와 경북(TK), 부산과 경남(PK), 호남, 그리고 충청을 기반으로 하는 지역정당의 모습을 갖추었습니다. 1987년 대선에서 노태우 후보가 36.6%, 김영삼 후보가 28%, 김대중 후보가 27.1%, 그리고 김종필 후보가 8.1%를 얻어 전두환 군부정권을 계승한 노태우 후보가 승리했습니다. 노태우 후보는 호남에서 9.9%의 지지를 얻는데 그쳤지만, 대구·경북에서 68.1%, 수도권에서 37.8%의 지지를 얻었습니다. 김영삼 후보는 부산·경남에서 53.7%의 득표율을 보였지만, 호남에서는 1.2%를 얻는데 그쳤습니다. 김대중 후보는 대구·경북에서 2.5%, 부산·경남에서 6.9%의 지지를 얻었지만 호남에서는 88.4%의 몰표를 얻었습니다. 김종필 후보는 충청권에서 34.6%의 지지를 얻었지만, 여타 지역에서는 단 한 자리 수의 득표밖에 하지 못했습니다.

1988년 국회의원 선거를 거치면서 4당이 경쟁하는 지역정당체제는 확고히 자리 잡게 되었습니다. 13대 국회의원 선거에서 평민당은 호남에서 1석을 제외한 36개 의석을 얻었고, 민정당은 대구에서 8석을 모두 얻었고, 경북에서는 21석 가운데 17석을 차지했습니다. 민주당은 부산·경남의 37석 가운데 23석을, 공화당은 충남의 18석 가운데 13개 의석을 얻었습니다. 1990년 초 민정당, 민주당, 공화당이 3당 합당을 단행하여 민주자유당(민자당)을 창당하면서 4당 체제가 종결되고 호남의 평민당과 비호남의 민자당이 경쟁하는 양당체제가 만들어졌습니다. 3당 합당은 호남을 정치적으로 고립시켰고, 영호남 지역주의를 본격화시키는 결과를 낳았습니다.

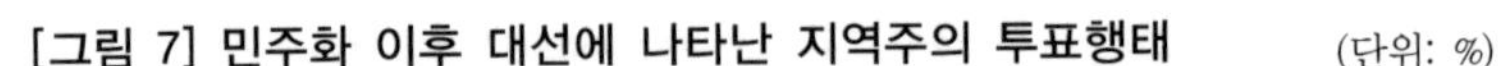

[그림 7] 민주화 이후 대선에 나타난 지역주의 투표행태 (단위: %)

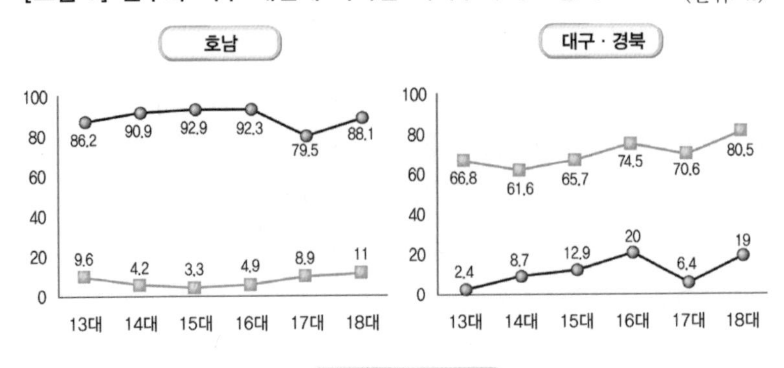

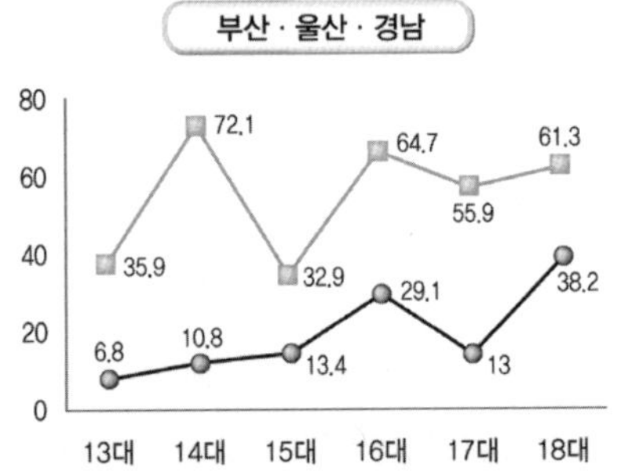

김대중-김대중-김대중-노무현-정동영-문재인 노태우-김영삼-이회창-이회창-이명박-박근혜

민자당의 김영삼 후보와 민주당의 김대중 후보가 대결한 1992년 14대 대선에서도 영호남 지역주의 투표행태는 극명하게 나타났습니다. 14대 대선에서 김영삼 후보는 9백 98만 표(42%)를 얻어 8백 4만 표(33.8%)를 얻은 김대중 후보를 제치고 승리했습니다. 김영삼 후보가 부산(73.3%), 경남(72.3%), 대구(59.6%), 경북(64.7%)에서 크게 이긴 반면, 김대중 후보는 광주(95.9%), 전남(92.1%), 전북(89.1%)에서 몰표를 얻었습니다. 김대중 후보가 비록 호남에서 압도적인 몰표를 얻었지만 영남지역 유권자 수가 8백 49만 명으로 호남 유권자 3백 59만 명에 비해 2.4배나 많은 상황에서 승리하기는 힘들었습니다. 실제 두 후보 간의 표차이가 1백 94만

표인데 영호남에서만 1백 37만 표가 차이 났습니다. 1997년 국민회의 김대중 후보가 승리할 수 있었던 것도 지역주의 투표의 영향이 컸다고 할 수 있습니다. 1997년 11월 국민회의 김대중 후보와 자유민주연합(자민련) 김종필 후보는 후보단일화에 합의하는 이른바 'DJP연합'을 형성하여 영남 대 비영남의 지역대결 구도를 만들었습니다. 그 결과 김대중 후보는 호남뿐 아니라 충청권에서도 한나라당 이회창 후보보다 더 많은 표를 얻어 승리할 수 있었습니다. 2002년 16대 대선 또한 지역주의 투표행태에서 크게 벗어나지 못했습니다. 일부에서는 영남출신의 노무현 후보가 호남권에서 90%가 넘는 압도적 지지를 받았다는 점을 들면서 지역주의가 약화되었다는 진단을 내리기도 했습니다. 그렇지만 노무현 후보가 비록 영남출신이기는 하나 호남을 기반으로 하는 새천년민주당 후보였고 영남을 기반으로 하는 한나라당 이회창 후보와 경쟁하는 구도에서 호남 유권자가 노후보를 전폭적으로 지지한 것을 지역주의의 약화로 해석하기는 무리가 있습니다. 다만 영남에서 10% 안팎의 지지에 머물던 호남기반 정당인 '새천년민주당'의 후보로서 대구 · 경북 지역에서 20%, 부산 · 경남에서 29.1%의 득표를 얻은 것은 지역주의 극복의 작은 희망을 본 것으로 평가할 수 있습니다. 그렇지만 17대 대선에서 영남지역에서 대통합민주신당의 정동영 후보와 한나라당 이명박 후보 간의 득표율 격차는 16대 대선보다 더 벌어졌습니다. 정동영 후보는 영남지역에서 10.3%의 지지를 얻었고, 이명박 후보는 전국에서 48.7%를 얻었지만 호남지역에서는 9%밖에 득표하지 못했습니다. 18대 대선에서 민주통합당 문재인 후보는 영남에서 36.7%의 득표를 얻어 16대 대선 당시 노무현 후보가 영남에서 얻은 25.8%보다 10% 포인트 이상 더 높은 지지를 얻었습니다. 그렇지만 새누리당 박근혜 후보는 호남에서 10.5%의 지지를 얻는데 그쳐 지역주의 투표행태의 장벽은 여전히 높았습니다.

[그림 8] 제20대 대통령선거 (2022년): 주요후보별 지역득표율

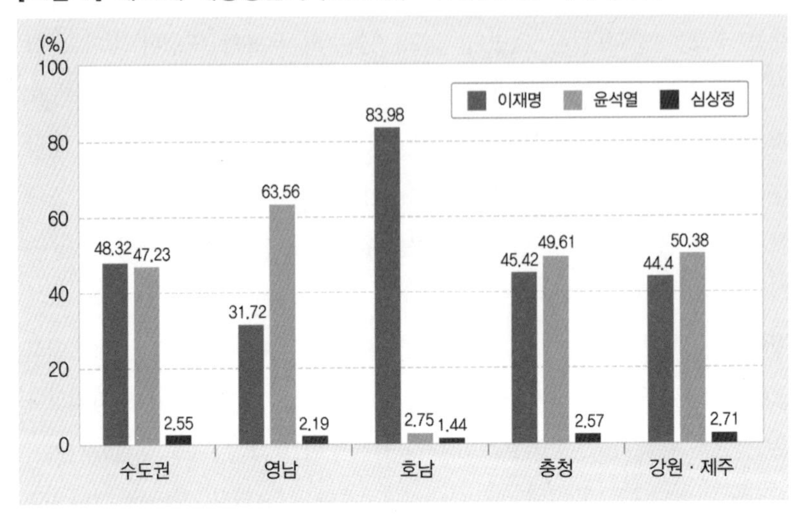

20대 대선에서도 지역주의 투표 행태는 그대로 나타났습니다. 20대 대선에서 국민의힘 윤석열 후보는 영남에서 63.6%를 득표해 19대 대선 당시 홍준표 후보가 영남에서 얻은 38.6%보다 25% 포인트 더 높은 지지를 얻었습니다. 더불어민주당 이재명 후보는 호남에서 84%를 얻었는데 이는 19대 대선에서 문재인 후보가 얻은 61.7%보다 23% 가까이 높은 득표율입니다.

(2) 소지역주의 투표행태

지역주의 투표행태는 비단 대통령 선거에서 영호남을 중심으로 나타나는 현상은 아닙니다. 국회의원 선거에서도 영호남 지역주의 투표행태는 뚜렷이 나타나고, 심지어 몇 개의 행정구역이 합쳐져 있는 복합선거구의 경우 자기 지역출신 후보를 일방적으로 지지하는 소지역주의 투표행태도 나타납니다. 소지역주의는 유권자들이 정당이나 후보자의 공약과 능력을 보

지 않고 같은 지역 출신이라는 이유만으로 몰표를 안겨주는 것을 의미합니다. 역대 총선 때마다 복합선거구를 중심으로 소지역주의 양상이 뚜렷이 나타났습니다. 몇 가지 사례를 보면, 2000년 16대 총선의 충북 보은, 옥천, 영동 선거구에서 한나라당 심규철 당선자는 보은과 옥천 지역에서 8.6%의 지지밖에 못 얻었지만 자신의 출신지인 영동에선 64.9%의 몰표를 얻어 당선되었습니다. 반면 옥천 출신인 민주당 이용희 후보와 자민련 박준병 후보는 각각 옥천에서 42.3%와 42.8%를 얻었지만 영동과 보은의 득표율이 낮아 낙선했습니다. 무소속으로 출마한 어준선 후보도 옥천과 영동에서는 7% 내외의 득표로 꼴찌를 했지만 고향인 보은에서는 가장 높은 48.6%의 득표를 했습니다.

〈표 5〉 16대 총선 보은 · 옥천 · 영동 선거구 후보별 득표율

	보은	옥천	영동
심규철	2천160표 (8.7%)	2천871표 (8.6%)	2만999표 (64.9%)
이용희	6천234표 (25.1%)	1만4천105표 (42.3%)	4천453표 (13.8%)
박준병	4천401표 (17.7%)	1만4천268표 (42.8%)	4천594표 (14.2%)
어준선	1만2천74표 (48.6%)	2천049표 (6.2%)	2천296표 (7.7%)

2012년 19대 총선에서 나타난 소지역주의 투표행태 사례를 보겠습니다. 경남 사천, 남해, 하동은 19대 총선부터 하나의 선거구로 합쳐졌습니다. 여기에서 하동 출신 새누리당 여상규 후보, 옛 사천읍 출신 통합진보당 강기갑 후보, 그리고 옛 삼천포 출신 무소속 이방호 후보 간의 3자 대결이 펼쳐졌습니다. 개표 결과 여 후보가 50.3%의 지지를 얻어 각각 24.1%와 24.6%를 얻는데 그친 강기갑, 이방호 후보를 누르고 당선되었습니다. 지역별 투표결과를 살펴보면 유권자들이 출신지역 후보에게 표를 몰아주는 소지역주의 투표행태가 자리 잡고 있음을 알 수 있습니다. 새누

리당 여상규 후보는 사천 지역에서는 이방호 후보(44.8%)와 강기갑 후보(28.4%)보다 낮은 25.6%의 지지밖에 얻지 못했으나 자신의 고향인 하동에서 80.4%라는 압도적인 몰표를 받아 당선될 수 있었습니다. 이러한 소지역주의는 선거 후에도 심각한 후유증을 겪는데 주민들 간에 분열 현상이 지속되고 지역발전 사업을 둘러싸고 지역 간에 심각한 갈등이 발생하는 문제가 있습니다.

〈표 6〉 19대 총선 사천 · 남해 · 하동 선거구 후보별 득표율

	하동	남해	사천
여상규	2만4천759표 (80.4%)	1만8천601표 (67.2%)	1만4천480표 (25.6%)
강기갑	4천815표 (15.6%)	6천776표 (24.5%)	1만6천62표 (28.4%)
이방호	905표 (2.9%)	2천12표 (7.3%)	2만5천334표 (44.8%)

소지역주의 투표 행태는 22대 총선에서도 계속되었습니다. 충남 보령시·서천군 선거구에서 국민의힘 장동혁 후보는 50.8%를 얻어 46.7%를 득표한 민주당 나소열 후보에 승리를 거뒀습니다. 장동혁 후보는 인구 약 10만의 보령시 출신이고 나소열 후보는 인구 약 4만 9천 명의 서천군이 고향입니다. 장동혁 후보는 고향인 보령시에서 나소열 후보보다 약 6천 6백 표를 더 얻었고, 나소열 후보는 서천군에서 장동혁 후보보다 약 2천 9백 표를 많이 득표했습니다. 더 많은 유권자가 있는 보령시 출신이 승리한 선거였습니다.

〈표 7〉 22대 총선 충남 보령시 · 서천군 선거구 후보별 득표율

	보령시(59,232표)	서천군(32,384표)	합계(91,616표)
장동혁	3만2천196표(54.35%)	1만4천309표(44.18%)	4만6천505표(50.76%)
나소열	2만5천597표(43.21%)	1만7천205표(53.12%)	4만2천802표(46.71%)

4. 세대갈등

1) 세대와 정치 갈등

'세대'가 정치적으로 주목을 받는 이유는 같은 시기에 성장한 사람들이 동일한 사회적 경험을 하게 되면서 상대적으로 유사한 의식, 태도 그리고 행위양식을 가질 가능성이 높다고 보기 때문입니다. 또한 성장기에 경험한 정치사회적 사건으로 인해 형성된 가치관과 태도는 나이가 들어도 쉽게 변하지 않고 지속되는 경향이 있기 때문입니다. 따라서 비록 같은 시대에 살고 있다하더라도 성장기에 겪은 역사적 경험이 다른 세대 간에는 구별되는 가치관의 차이가 존재합니다. 만하임(Mannheim)은 '세대'가 사회변동의 원천이 되고 정치적 의미를 갖게 되는 이유는 '동시대의 비동시대성'이라는 명제 때문이라고 말합니다. 비록 같은 시기에 살고 있다고는 하나 서로 다른 세대들은 역사적 경험의 내용과 그에 대한 해석이 다르고 주변 상황에 대한 인식과 세상을 살아가는 방식에 있어 많은 차이를 보인다는 것입니다. 따라서 이들은 동시대인이라 할지라도 동시대적이라 볼 수 없습니다. 이전 세대와 역사적·문화적 경험을 달리하는 새로운 세대는 그들 세대들만의 독특한 태도와 행위양식을 갖게 되며, 이는 결국 세대갈등을 야기하는 원천이 됩니다. 이처럼 '동시대의 비동시대성'의 명제는 세대갈등을 이해하는데 매우 중요한 함의를 갖습니다.

각 세대 간에 가치관이나 행위양식의 차이가 존재한다는 이론적 근거는 연령효과(age effect)와 코호트 효과(cohort effect)[11]로 설명하고 있습니다. 이 개념들은 서로 다른 연령층에 있는 사람들에게서 나타나는 태도나 행위 양식에서의 차이가 무엇에 기인하는지를 설명합니다. 연령 효

11) 코호트 효과를 세대 효과로 칭하기도 합니다. 한편, 연령효과와 코호트 효과 외에 시기효과(period effect) 개념이 부가적으로 활용되기도 합니다. 이는 특정한 시기의 상황이나 사건이 모든 사람에게 공통적으로 영향을 미치는 것인지에 대해 관심을 가집니다.

과는 세대 간의 차이가 연령이나 생애 주기 단계의 차이에서 비롯된 것으로 봅니다. 흔히 연령이 높아질수록 보수적인 경향이 나타난다고 이야기할 때 여기에 해당됩니다. 반면 코호트[12] 효과는 세대 특성을 출생시점에 따라 역사적 사건이나 사회화 경험이 다르기 때문에 나타나는 차이로 이해합니다. 즉, 각 세대가 겪는 독특한 사회적, 문화적, 역사적, 정치적 경험으로 인해 세대별로 특이한 정치적 성향을 가지게 된다고 봅니다. 이와 같이 연령효과와 코호트 효과 개념은 세대 혹은 특정 연령집단 연구에 있어서 세대나 연령집단간의 의식, 태도, 행위양식이 차이가 있는지 그리고 차이의 원인이 어디에 있는지(연령 혹은 코호트)를 규명할 때 사용 됩니다.

'세대' 개념이 기본적으로 경험과 행위양식의 공유에서 비롯되는 집단 내의 유사성과 집단 간의 차이라는 함의는 공통적으로 갖고 있으나, 그 구체적 용법에 있어서는 조금씩 차이가 있습니다. 컬처(Kertzer)는 '세대' 개념을 다음과 같이 구분하여 사용합니다. 첫째는 친족 계보에서 같은 항렬에 속하는 사람들을 지칭하는 개념입니다. 이는 조부모-부모-자녀 세대와 같은 용법으로 사용됩니다. 여기에서는 다양한 연령층의 부모세대가 동격으로 취급됩니다. 둘째, 동일한 시기에 태어난 집단(cohort)을 지칭하는 개념입니다. 전쟁세대-산업화세대-386세대-정보화세대와 같이 각 세대가 겪은 역사적 경험을 기반으로 구분합니다. 여기에서는 세대 간의 차이를 설명함에 있어 코호트 효과를 중시합니다. 셋째, 동일한 생애주기 단계에 있는 사람들을 가리키는 개념입니다. 청소년세대-대학생 세대와 같은 용법으로 사용됩니다. 생애단계로서의 세대개념은 세대 간의 차이를 설명함에 있어 연령효과를 강조합니다. 넷째, 특정 역사시기에 생존한 사람들을 지

12) 코호트는 본래 인구학 분야에서 흔히 쓰이는 개념으로 특정한 기간 중에 동일한 사건을 경험한 사람들이라고 정의됩니다. 사건의 종류에 따라 출생코호트, 혼인코호트, 입학코호트 등이 있지만 대부분의 경우에는 출생코호트(birth cohort)라는 의미로 사용됩니다(박재흥 2005).

칭하는 개념입니다. 해방세대, 전쟁 전·후 세대와 같은 용법으로 사용됩니다. 이 가운데 한국사회의 급격한 사회변동으로 인해 나타나는 세대갈등 현상을 분석하는데 유용한 용법은 코호트 집단으로서의 세대 개념이라 할 수 있습니다. 박재흥은 코호트 집단으로서의 세대 개념을 "① 동일한 역사·문화권에서 비슷한 시기에 출생함으로써 역사적·문화적 경험을 공유하고, ② 공유된 경험에 기초해 다른 코호트에 비해 상대적으로 유사한 의식, 태도, 행위양식이 어느 정도 지속적으로 유지되는 경향을 가지며, ③ 자신이 속한 코호트에 대해 최소한 느슨한 수준에서라도 동류의식을 갖는 사람들의 집합"이라고 정의합니다.

세대연구가 주목을 받는 이유는 시간이 지나면서 세대가 대체된다는 가정 때문입니다. 세대란 정치, 경제, 사회적 변화를 동시대적으로 경험한 집단이며, 모든 세대는 앞선 세대 및 후세대와 차별되는 고유한 세대경험을 갖고 있습니다. 따라서 기존 세대와는 다른 가치관과 세계관을 지닌 새로운 세대가 사회 중심세력으로 등장하면서 자연스레 사회변동 현상이 나타나게 됩니다. 또한 세대론에서는 동일한 역사적 경험과 가치관이 동일 세대 내의 연대의식을 만드는 기초가 된다고 주장합니다. 이에 따르면 동시대적 경험이 세대의 고유한 특성을 형성하는 바탕이 되고, 그 후 그들의 세계관, 가치관 형성을 주도하게 됩니다. 특히 청년기는 외부의 가치에 대한 흡수력이 매우 커서 이 시기 노출의 효과는 장기적으로 지속됩니다.

2) 사회변동과 세대갈등

(1) 사회변동과 세대구분

현재 우리사회에서 진행되고 있는 세대갈등의 문제는 그동안 잠재되어 있던 문제가 본격적으로 표출되고 있는 측면도 있는 반면, 한편으로는 우리 사회의 구조적 변화와 함께 필연적으로 겪어야 될 문제인 측면도 있습니다. 해방이후 50여 년 동안 겪은 변화에 비해 최근 몇 년간 우리사회는 더욱 격심한 변화의 소용돌이 속에 있습니다. 1990년대 초반부터 우리사회는 세계화, 민주화, 정보화라는 근본적인 사회변동 과정을 겪고 있습니다. 우리사회의 세대갈등은 이러한 사회구조의 변동으로 인해 더욱 증폭되어 나타나고 있습니다. 세대갈등은 사회변동의 속도와도 밀접한 관련이 있기 때문입니다. 급속한 사회변동은 생애와 세대를 통해 분배된 기회/자원의 차이를 크게 할 수 있습니다. 급격한 변동을 겪는 사회일수록 세대 간의 역사적, 문화적 경험의 차이는 크게 나타나며, 새로운 세대가 출현하기까지의 시간도 짧아져, 세대갈등은 더욱 극심하게 나타납니다. 각 세대가 갖는 고유한 정치경험은 집단의식으로 표출되어 정치적 갈등으로 이행될 수 있습니다.

젊은 세대와 기성세대는 상이한 성장기를 거쳤고 그들이 겪은 사회변동의 특성 또한 다르기에 가치와 인식에 있어 차이를 가질 수밖에 없습니다. 그간의 세대특성에 관한 연구들을 살펴보면 젊은 세대는 개인지향, 소비지향, 탈권위적인 특성을 갖고 있으며, 집단생활보다는 개인생활을 추구하는 것으로 설명합니다. 흔히들 젊은 세대들은 버르장머리가 없고 예절이 부족하다고 합니다. 또한 근검절약하지 않고 소비지향적이라고 비판합니다. 한편 1990년 한국사회학회가 조사한 세대 특성에 따르면 당시 40대 이상 기성세대는 권위주의적이고 보수적이며 고집이 세지만, 근면하고, 검소하며 인내심이 강하고 희생적인 모습을 보입니다. 당시 40-50대는 전쟁과 빈곤을 경험하였고, 1960년대에서 1980년대까지 진행된 산업화시기를 겪으면서 형성된 세대특성이라 할 수 있습니다.

정치적 측면에서 세대 연구는 생물학적 연령보다는 동일한 역사적 경험을 공유한 코호트 집단에 대한 연구에 초점을 두고 있습니다. 특히 정치사회화가 본격적으로 진행되는 청소년기에 경험한 역사적 사건이 개인의 가치관 형성에 중요한 영향을 미친다고 보고 이를 기준으로 세대를 구분합니다. 대부분의 학자들이 해방 후에 겪은 사회변동 사건들, 즉 한국전쟁, 산업화, 민주화, 정보화 등을 중심으로 코호트 집단을 구분하지만 구체적인 시기 구분에 대해서는 조금씩 다른 의견을 보이고 있습니다. 예를 들면, 일부 학자들은 전전세대, 산업화세대, 민주화세대, 탈물질주의세대 등으로 구분하고 있으며, 황아란(2009)은 산업화/전쟁세대(1957년 출생까지), 민주화 투쟁세대(1958-1966년), 민주화 성취세대(1967-1971년), 신세대(1972년 이후)로 구분합니다. 홍덕률(2003)은 1950년대 이전에 출생하여 60-70년대의 급격한 산업화를 경험한 산업화세대, 1953년 이후에서 1960년대 초반에 태어난 세대, 1960년대 후반 1970년 초반에 출생한 흔히 386으로 지칭되는 민주화세대, 1970년대 이후 태어난 정보화세대로 구분합니다.

그렇지만 앞서 설명한 바와 같이 세대구분은 학자에 따라 그리고 시기에 따라 조금씩 다르게 하고 있습니다. 그간 우리사회에서 나타나는 세대갈등을 둘러싸고 가장 주목을 받은 세대는 흔히들 기성세대라 부르는 산업화세대, 민주화의 주역인 386세대 그리고 신세대라 부르는 정보화세대라 할 수 있습니다. 산업화세대는 1960-1970년대 경제성장의 주역이면서 권위주의 정권하에서 철저한 반공 이데올로기 교육을 받았던 세대입니다. 이들은 가난에서 벗어나기 위해 악착같이 일하고 근검절약하는 생활을 미덕으로 삼았습니다. 생존을 위해 살아야 했던 이들에게 여가생활은 사치로 여겨졌습니다. 삶의 질, 평화, 인권, 환경과 같은 탈물질주의 가치를 생각할 여유는 없었습니다.

냉전이데올로기와 군사문화의 영향 아래 살았던 산업화세대는 국가안보와 경제성장을 중요시합니다. 이들은 국가나 집단의 이익을 위해서는 개인의 자유가 제한될 수 있다고 믿으며, 경제성장의 밑바탕이 되는 사회 안정과 질서유지를 중요시 합니다. 한편 1987년 민주화 운동의 성공을 경험한 386세대는 권위주의 정권에 저항하고 냉전이데올로기로부터 탈피하고자 하는 태도를 보였습니다. 산업화세대가 정치적으로 탈동원화된 세대였다면 386 세대는 적극적인 정치참여를 통해 권위주의 정권에 정면으로 도전하고 민주주의를 쟁취한 정치세대라 할 수 있습니다.

정보화 세대는 말 그대로 인터넷을 비롯한 정보통신기술이 급속히 확산하던 1990년대에 청소년기를 보낸 세대를 말합니다. 젊은 세대들에게 나타나는 새로운 사회문화적 특성에 대한 논의는 1990년대 신세대론을 필두로 하여 X세대, Y세대, W세대, R세대, P세대 그리고 웹 2.0 세대에 이르기까지 다양하게 전개되었습니다. 한국에 신세대론이 처음 등장한 것은 1990년대 상반기였는데, 이때 신세대는 물질적 풍요 속에서 자랐고, 책보다는 TV나 잡지와 같은 각종 매스미디어를 통해 정보를 얻었고, 핵가족 속에서 성장한 특성을 갖고 있습니다. X세대는 1990년대 중반에 신세대를 이르는 말로 가장 많이 쓰였던 명칭입니다. 이들은 물질적인 풍요 속에서 자기중심적인 가치관을 형성하였고, 처음에는 TV의 영향을 받았지만 점차 컴퓨터를 더 많이 이용하게 되었습니다. 정성호는 X세대의 특징을 PANTS로 설명합니다. P(Personal, 개인화)는 '나만의 것을 찾음'을 의미합니다. A(Amusement, 즐거움 추구)는 '인생은 즐거워야 한다'는 X세대의 사고방식을 말합니다. N(natural, 자연에의 욕구)은 X세대가 생수와 유기농법으로 재배한 채소, 천연암반수로 만든 맥주 등을 좋아하는 것을 의미합니다. T(trans-Border, 무경계화)는 X세대에게는 더 이상 나이가 문제되지 않음을 뜻합니다. S(service, 서비스 중시)는 가격은 비싸더라도 서비스가 좋은 곳을 찾는 성향을 말합니다. Y세대는 Y2000의 주역이 될 세대를 부르면서 생겨난 용어입니다. Y세대는 X세대의 특성을 거의 그대로 수용하고 있지만 생활양식 면에서는 차이가 있습니다. X세대는 비록 개성이 강하고 목표의식이 뚜렷하지만 '우리'보다는 '나'만 아는 세대였던 비해 Y세대는 그 이전 세대와는 달리 긍정적 가치관과 공동체 의식을 갖고 있습니다. Y세대는 어릴 때부터 컴퓨터를 이용해 각종 정보를 수집하거나 교환하며 오락을 즐기는 데 많은 시간을 보낸다는 특성도 있습니다.

2002년 월드컵과 P세대

P세대는 2002년 월드컵, 대선, 촛불시위 등을 거치며 나타난 세대로 사회 전반에 걸친 적극적인 참여 속에서(participation), 열정(passion)과 힘(potential power)을 바탕으로 사회 패러다임의 변화를 일으키는 세대(paradigm-shifter)로 불립니다. P세대는 과거 386세대의 사회의식, X세대의 소비문화, N세대의 라이프스타일, W세대의 공동체 의식과 행동이 모두 융합되어 나타나는 집단으로 봅니다. 이들 P세대의 특징은 'CHIEF'로 요약할 수 있습니다(제일기획 2004). 첫째, 도전(Challenge): 권위와 고정관념을 거부하고 새로움과 변화를 추구하는 자유로운 사고방식을 갖고 있습니다. 둘째, 관계(Human network): 자신이 갖고 있는 정보를 공유하고 전파하는 것을 즐거워하며, 같은 의식과 취미를 갖고 있는 집단끼리 뭉치기를 좋아하며, 인간관계를 중시합니다. 셋째, 개인(Individual): 개성과 다양성을 존중하면서 싫고 좋음에 대한 자신의 의견을 솔직하게 표현하는 세대로, 사회발전을 위해서는 다양한 의견이 존재해야한다고 믿습니다. 넷째, 경험(Experience): 한 분야의 전문가가 되는 것보다 다양한 분야를 경험하고 싶어 하고, 물건을 살 때도 본인이 직접 확인한 후 구매하는 등 직접적인 경험과 체험을 중시합니다. 다섯째, 감성(Fun/Feel): 무슨 일이든지 재미와 즐거움을 추구하고 행동자체에 엔터테인먼트 요소가 많이 가미되어 있습니다. 느낌과 감성을 중시하고 선/악보다는 호/불호를 중심으로 판단하는 특징을 보입니다.

2002년 월드컵이 태동시킨 W세대 혹은 R세대는 자발적 공동체, 열광적 에너지, 개방적 세계관의 특징을 보입니다. 과거 '386세대'가 오프라인에서, 'N세대'가 온라인에서 활동했던 것에 비해, 'R세대'는 온라인을 통해 조직화되었지만 활동공간을 오프라인(길거리)으로 끌어냈다는 점에서 차별성이 있습니다. 'W세대'는 강한 집단주의 성향의 386세대나 철저한 개인주의로 무장된 X세대와는 달리 길거리 응원에서도 드러나듯이 개성이 강하면서도 공동체를 지향하는 특징을 보입니다.

2008년 촛불시위에서 드러난 청소년들의 사회문화적 특성은 X, Y, W, P 세대 등으로 지칭되었던 과거 신세대들과 크게 다르지 않습니다. 이들은 개인주의를 지향하면서도 공동체적 가치를 함유하고 있습니다. 개성과 다양성 그리고 변화를 추구하면서 개인적 관심사에 대해 적극적으로 표현하고 참여합니다. 다만 웹 2.0 세대라 불리는 만큼 이들의 커뮤니케이션 채널이 과거보다 훨씬 다양화되면서 보다 강력한 네트워크를 구축하게 되었습니다. 웹 2.0 기술을 바탕으로 만들어진 온라인 커뮤니티들은 대개 네티즌들이 자기 공간을 가지고 독립적으로 활동하면서 연계하고 경험을 공유하는 사회적 네트워크 구조의 특성을 보이면서 정치적 잠재력을 확장하게 됩니다. 2008년 촛불시위에서 1인 미디어는 청소년들의 집합적 정체성(collective identity)을 만드는데 중요한 역할을 하였습니다.

2020년부터 자주 언급되는 세대 관련한 신조어로 MZ 세대라는 용어가 있습니다. MZ세대는 M세대와 Z세대를 묶어 부르는 표현으로 디지털 네이티브 세대를 말합니다. 특히 Z세대는 스마트폰 네이티브 세대로 개인 미디어의 시대를 살아가고 있습니다. 스마트폰과 wi-fi의 보급으로 Z세대는 인터넷이 언제 어디서든 접속되는 환경에서 자랐습니다. 이들은 인터넷 문화에 익숙해 정보 습득뿐 아니라 일상생활에서도 소셜미디어를 자유롭게 사용합니다. Z세대는 개인이 가진 다양성을 존중하며 진로나 직업을 선택할 때 안정성이나 연봉보다는 자신의 취미와 흥미에 더 중점을 두고 자신만의 의미를 찾을 수 있는가를 중시합니다.

〈표 8〉 시대별 세대의 특징

세대	출생 시기	연령	특징
알파세대	2010년대	10대	첨단 기술 친화 세대: AI, VR, 로보틱스 등
Z세대	90년대 중반 ~ 00년대	20대	스마트폰 네이티브: 소셜 미디어와 영상매체 선호 개인의 개성과 취향 중시, 파편화된 미디어 환경
M세대 (밀레니얼)	80년대 ~ 90년대 초반	30대	디지털 네이티브: 소셜 미디어, SNS의 대중화 저성장 시대: '88만원 세대', 'N포세대' 워라밸(Work-Life Balance) 중시
X세대	70년대	40대	정보화 사회로의 전환: 인터넷의 보급 개인주의와 경제적 안정 추구
586세대	60년대	50대	민주화 세대: 1980년대 민주화 운동의 주역 정치 참여와 사회 정의에 대한 관심
전후세대	50년대	60대	산업화 세대: 산업화와 경제성장의 주역 국가주의와 집단주의

알파세대는 2020년대에 들어 새롭게 규정된 세대입니다. 알파세대는 AI(Artificial Intelligence), VR(Virtual Reality), 로보틱스(Robotics)와 같은 첨단 디지털 기술이 보편화되는 사회에서 자라고 성장하는 세대입니다. 알파세대를 처음 명명한 호주 미래학자 마크 맥크린들(Mark McCrindle)은 "그들은 현재 최연소 세대이지만, 나이를 넘어선 브랜드 영향력과 구매력을 가지고 있으며 소셜 미디어 환경을 새롭게 만들고, 대중문화에 영향을 미치며 떠오르는 소비자"라고 분석합니다.

(2) 2002년 대선과 세대갈등

스페인의 사상가 오르테가 가셋(Ortega y Gasset)은 세대갈등을 권력 갈등의 관점에서 설명하고 있습니다. 그는 30-45세 연령을 "창조·갈등의 시기"로 45-60세는 "지배·명령의 시기"로 구분하면서, 이들 두 연령층 간에는 항시적으로 갈등이 존재하며 이러한 갈등이 역사변동을 가져온다고 주장합니다. 가셋의 주장을 이어받은 마리아스(Marias) 역시 30-45세 연령층을 혁신을 도모하고 투쟁하는 "저항의 세대"로 그리고 45-60세를 모든 분야에서 권력을 갖는 "권력점유 세대"로 규정하면서, 역사란 저항세대의 혁신이 점차 확산되어 전 사회에 걸쳐 지배적이 되는 과정이라고 보았습니다.

2002년 대선은 우리 사회에 세대정치를 사회적 화두로 올려놓았습니다. 특정 세대가 정치의 지각 변동을 일궈냈기 때문입니다. 즉 정치적인 세대인 386과 비정치적 정보화세대가 합작하여 공동의 결과를 만들어냈습니다. 386세대와는 매우 이질적인 역사적 경험과 기억, 감성을 지닌 정보화세대의 정치활동은 2002년 월드컵, 의정부 여중생 장갑차 사망 사고와 같은 역사적 사건이 맞물린 상황적 조건에서 발생했습니다. 박길성의 연구에서는 이러한 결과에 대해 386 세대는 역사적 경험의 공유에서 비롯된 구조적 산물이라면 정보화세대는 탈정치 세대의 상황 조건적 산물로 인해 비롯되었다고 평가합니다.

2002년 대통령 선거를 계기로 한국사회에서 '세대'는 지역, 이념과 함께 사회갈등의 핵심 축으로 부각되었습니다. 2002년 대선 이후 한 언론은 대통령선거를 통해 여론 주도세력 즉 한국사회의 주류가 50-60대 위주의 소수 권력층과 보수언론으로부터 20-30대 주축의 네티즌으로 바뀌었다고 평가했습니다. 과거에는 소수 권력층과 보수언론, 해외유학파들이 우리사회의 주류로 자리 잡고 여론을 장악하였으나, 2002년 대선을 계기로 인터넷과 휴대폰으로 무장한 2030세대가 기존 주류세력을 물리치고 선거에서 승리했다는 분석입니다. 인터넷과 휴대전화로 무장한 젊은 네티즌들이 온라인 공간에 진보의 진지를 굳건히 구축하여 보수 이데올로기에 맞서는 대항 이데올로기를 생산하였습니다. 특히 월드컵, 효순·미선 추모 촛불시위 그리고 노사모로 연결되는 2002년의 일련의 사건들은 광장문화로 일컬어지는 새로운 정치참여 문화를 만들면서 젊은 세대들의 정치참여를 촉발하였습니다.

대통령선거 이후 세대교체와 관련된 여론동향은 크게 두 갈래로 충돌했습니다. 하나가 주류 교체는 역사의 순리이므로 50-60대 구주류는 물러나라는 것이라면, 다른 한쪽은 신주류로 부상한 20-30대의 미숙함을 우려하면서 기성세대 폄하를 비판하는 내용들입니다. 그렇지만 세대 교체론에 대한 논의가 신구세대간의 갈등을 지적하고 우려하는 방향으로만 진행된 것은 아니었습니다. 송호근(2003)은 대선 결과가 반드시 세대 갈등을 시사하는 것은 아니라고 했습니다. 2002년 12월 대선 이후 주요 일간지에 게재된 사설과 칼럼들은 접점보다는 결절점을, 이해보다는 충돌을 부각시키면서, 세대 갈등이 사회질서를 파괴하고 급기야는 극심한 혼란과 혼돈을 자초할지 모른다고 진단했습니다. 그러나 송호근(2003)은 2002년 대선을 통해 2030세대와 5060세대 간의 '문화충돌'이 표출되기는 했지만, 1996년-2003년 동안 양 세대의 가치관이 같은 방향으로 변화하며 상호 접점을 찾고 있다는 실증적 연구 결과를 보였습니다. 송호근은 우리사회 가치관의 변동에 영향을 주는 가장 핵심적 요인으로 민주화와 세계화, 경제성장 세 개 영역을 설정하고 1998년과 2002년 사이에 각 영역에서 발생한 변화양상을 조사했습니다. 민주화 영역에서는 지역주의, 시민참여, 권위주의, 일반적 불신, 사회 불신에 대하여, 세계화 영역에서는 공정성, 개방성, 북한 호감도, 미국 호감도에 대하여 그리고 경제성장 영역에서는 대기업 신뢰, 물질주의, 구조조정 수용에 대한 의식변화를 조사했습니다. 2030세대와 5060세대의 의식변화 조사결과 그는 질적으로 상이한 두 개의 세계관이 대립하고 있다거나 세대 간 충돌이 너무 심해서 사회통합의 문제가 심각해졌다는 세간의 인식은 기우에 불과하다고 주장합니다. 연구에 따르면 IMF사태의 소용돌이 속에서 각 세대는 서로 유사한 방향으로 가치관 변동을 겪었으며, 공유면적이 더 넓어진 것으로 나타났습니다. 서로 다른 방향으로 변화된 것도 있으나, 결별의 항목들이 세대 간 의사소통을 불가능하게 하거나 접합되지 않을 만큼 서로 다른 논리체계를 만들어낸 것은 아니라는 주장입니다. 두 시기 동안의 세대별 가치관의 변화를 보면 대체로 같은 방향으로 움직이고 있음을 알 수 있습니다. 12개 항목 가운데 지역주의, 일반적 불신, 사회 불신, 공정성, 개방성, 북한 호감도, 물질주의, 구조조정 수용 등 8개 항목은 같은 방향으로 움직였고, 시민참여, 권위주의, 미국호감도, 대기업 신뢰 등 4개 항목에서만 서로 다른 방향으로 변화했습니다. 그렇지만 시민참여와 대기업 신뢰에 대한 세대 간 인식의 격차는 그리 크지 않았으며, 권위주의와 미국 호감도에서는 격차가 비교적 크게 나타났습니다. 이와 같은 조사결과에서 볼 때 세대 간의 차이는 서로 다른 논리체계와 가치관을 갖고 있어 결코 접합될 수 없을 정도는 아니고, 그간의 세대 갈등에 대한 우려는 지나친 과장이고 증폭된 측면이 없지 않았다는 것이 송호근의 주장입니다. 그렇지만 2003년 가치관 조사결과에서 권위주의, 미국 호감도, 그리고 북한 호감도에 있어 두 세대 간의 인식의 차이가 매우 크게 나타난 것은 2002년 대선 이후 적어도 정치적 문제 있어서는 세대 간에 인식의 차이가 더 커졌다는 것을 말해 줍니다. 더욱이 우리 사회에 있어 친북과 반미 이슈는 이념논쟁의 핵심을 이루고 있어, 세대갈등이 이념갈등과 중첩되면서 갈등의 폭과 깊이가 더 커질 수밖에 없습니다.

(3) 2008년 촛불시위와 디지털 세대

1990년대 디지털 기술의 확산 속에서 성장한 정보화세대는 과거 산업화세대와는 전혀 다른 특성을 보입니다. 오랫동안 세대문제를 연구한 박재흥은 산업화세대와 정보화세대 간에는 성장주의와 소비주의, 국가주의와 개인주의, 그리고 권위주의와 탈권위주의라는 문화갈등이 존재하고 있다고 주장합니다. 1960-70년대 개발독재를 경험한 산업화세대는 나태와 여가와 과소비는 죄악이고 생산, 수출, 근검절약만이 자신과 가족 그리고 나라가 살 길이라고 생각했습니다. 성장주의 세대는 밤샘 근무를 밥 먹듯 하면서도 경제성장의 주역이라는 자부심을 갖고 있었습니다. 그렇지만 1990년 후반 경제성장의 풍요 속에서 성장한 정보화세대는 일 못지않게 여가를 중시하고, 절제와 희생을 요구하는 근검절약보다는 소비를 통한 욕구표출을 더 중요한 가치로 받아들입니다. 정보화세대는 여가활동과 소비를 통해 개성을 표출하고 자유분방함과 삶의 다양성을 추구하고자 합니다. 산업화세대는 개인의 이해보다는 집단의 목표와 이해관계를 더 중시하고 집단을 위해서는 개인이 희생할 수 있다는 공동체 지향적 의식을 갖도록 배웠습니다. 이에 반해 정보화세대는 행동과 선택을 함에 있어서 공동체적 관점보다는 개인의 이익과 선호를 더 중시합니다. 이들은 자신이 좋아하고 재미있는 일을 통한 자아실현을 중시하고, 이를 침해하고 억압하는 사회적 권위는 단호하게 거부합니다. 2009년 한국종합사회조사를 보면 '본인 생각과 다르더라도 다수의 생각에 반대하는 것은 바람직하지 않다'는 의견에 대해 4-50대의 37%, 60대의 49%가 동의한 반면, 2-30대는 20-26%만이 동의했습니다. '원만한 관계를 위해 불평을 드러내지 말아야 한다'는 의견에 대해서도 40대 38%, 50대 46%, 60대 이상 58%가 동의했지만,

2-30대는 18-24%만 동의했습니다. 정보화세대는 정치적 권위주의와 유교사상에서 기인한 사회적 서열의식에 대해서도 거부감을 갖고 있습니다. 권위주의 정권 하에서 태어난 산업화세대가 전통적 권위주의 문화를 어려서부터 학습하고 내면화한 반면 민주화 이후에 청소년기를 보낸 정보화세대는 부당한 정치권력에 대해 적극적으로 저항할 뿐 아니라 상하서열을 중시하는 유교적 문화에 대해서도 거부감을 갖고 있습니다. 권위주의에 대한 거부와 개인의 자유 추구는 정보화세대의 핵심 문화코드라 할 수 있습니다. 한국사회종합조사의 "지도자가 능력이 있다면 모든 것을 결정하도록 하는 것이 좋다"는 항목에 대해 60대 이상은 43%가 동의한 반면 2-30대는 12%만 동의하는 것으로 나타났습니다.

2008년 촛불시위는 정보화세대의 특성이 가장 잘 드러난 정치적 사건이라 할 수 있습니다. 이 시기에 태동된 새로운 정치문화의 특성 가운데 하나는 과거의 엄숙한 집회의례가 유희적인 양태로 변모하였다는 것입니다. 지도부와 깃발을 중심으로 한 대오, 전투적인 운동가요, 획일적 구호 등은 일부 운동집단의 유산으로 사라졌습니다. 대신 자유분방하고 탈중심적인 행렬, 경쾌한 대중가요, 손수 제작한 다양한 피켓이 과거의 집회의례를 대체했습니다. 이러한 새로운 정치참여 문화는 2008년 촛불시위에 참여한 청소년들에 의해 확고하게 정착되었습니다. 당시의 청소년 세대는 1990년대 이후 출생이 대부분이어서 이들은 1987년 민주화운동 당시의 시위문화에 대한 기억이 없었습니다. 대신 2002년 한일월드컵 당시 거리응원과 2002년 효순·미선 추모 촛불시위가 시위의 원형으로 자리 잡고 있었습니다. 때문에 청소년들에게 집회 참여에 대한 거부감은 크지 않았고 이들은 적극적으로 자신들의 의사를 표현했습니다.

청소년들이 주축이 되면서 촛불시위는 다양한 패러디와 풍자가 범람하는 축제와 문화의 장이 되었고 참여의 문턱은 크게 낮아졌습니다. 청소년

서울시청 광장에서의 촛불시위 (2002)

들은 다양한 손 피켓을 가지고 기존 음절에서 벗어난 구호를 선창했습니다. 촛불시위에서 가장 큰 인기를 끈 자유발언에도 청소년들이 가장 적극적으로 참여했습니다. 울리히 벡(Ulrich Beck)의 설명처럼 유희의 양식으로 정치가 표출되면서도, 매우 진지하고 적극적인 탈근대적 참여의 형태로 이해할 수 있습니다. 이러한 현상은 분방하고 다양한 표현을 촉진해온 온라인 문화에 영향을 받은 바가 큽니다. 특히 웹 2.0의 발전 속에서 패러디와 UCC 같이 이용자가 직접 만든 참여적 콘텐츠들이 확산되면서 청소년들의 유희적 참여문화는 더욱 확산될 수 있었습니다. 인터넷을 통한 정치참여는 탈권위주의, 탈엄숙주의, 탈형식주의라는 특성으로 인해 정치에 대한 거리감, 거부감을 줄여 주었습니다. 유석진 등(2005)은 인터넷을 적극적으로 활용하는 젊은 네티즌들을 '탈정치화된 문화세대'로 규정하기보다는 '정치를 문화적으로 수용하는 세대'로 보는 것이 더욱 타당하다고 주장합니다. 젊은 세대 집단에서 나타나는 '정치의 문화화' 현상은 정치를 더 이상 국가의 영역에 국한시키거나 의회나 정당의 전유물이 될 수 없는 정치변동의 가능성을 담고 있다는 것입니다. 김호기는 2008년 촛불시위에 참여한 중고생들을 웹 2.0세대라 지칭하며 그 특징을 다음과 같이 정리합니다. 첫째, 웹 2.0세대는 개인주의적이면서도 소통을 중시하는 열린 공동체를 지향합니다. 둘째, 이들은 모바일과 인터넷을 표현 수단으로 삼는 '디지털 유목민(nomad)'입니다. 셋째, 기성세대의 '욕망의 정치'에 반해 자아실현을 소중히 하는 '탈물질주의 가치'의 세대입니다. 넷째, 부모인 '386세대'로부터 사회비판 의식을 학습한 특징을 보입니다.

3) 선거에서 나타난 세대갈등

우리 사회에 세대갈등의 문제가 본격적으로 대두되기 시작한 것은 2002년 대선 때부터입니다. 김대중 대통령이 퇴임하면서 지역주의에 기반을 두었던 3김 정치가 막을 내렸고 노무현 후보는 지역주의 타파를 주창하면서 386세대를 비롯한 젊은 세대들의 지지를 얻게 되었습니다. 1987년 민주화 이후 대통령 선거에서의 핵심 균열구조였던 지역주의가 가려지고 세대와 이념이 새로운 균열구조로 부각되는 양상이 나타났습니다. 2002년 대선 결과를 보면 표의 동서현상이 여전히 나타나 외형적으로는 지역주의 투표행태가 지속되었다고 볼 수 있습니다. 그렇지만 투표행태에 관한 경험적 분석 결과를 보면 세대 간 이념의 차이가 지지후보를 결정하는 데 중요한 영향을 미친 것으로 나타났습니다. 그동안 한국 선거를 지배해 온 지역주의하에서도 노무현 후보가 젊은 층의 압도적인 지지를 받으며 당선되었습니다. 노무현 후보가 20대와 30대에서 각각 59%와 59.3% 지지를 얻은 반면 이회창 후보는 34.9%와 34.2%를 득표하는데 그쳤습니다. 반면 50대와 60대 유권자의 경우 이회창 후보가 각각 57.9%와 63.5%의 득표를 한 반면 노후보는 40.1%와 34.9% 밖에 얻지 못했습니다.

한편 17대 대선에서 한나라당 이명박 후보가 전 세대에 걸쳐 민주당 정동영 후보를 압도하는 지지를 얻으면서 세대투표가 일시적 현상이 아니었나하는 의구심을 갖게 했습니다. 이명박 후보는 40대 이상의 유권자로부터는 50%가 넘는 지지를 얻었고, 20대 유권자에서도 정동영 후보보다 20% 이상 높은 지지를 얻었습니다. 17대 대선에서는 '경제 살리기'가 선거의 최대 쟁점으로 떠올랐고, 현대건설 사장 출신으로 샐러리맨 신화를 보여준 이명박 후보가 모든 세대에 걸쳐 고른 지지를 얻을 수 있었습니다. 그렇지만 18대 대선에서는 세대투표 현상이 다시 뚜렷이 나타났습니다. 새누리당 박근혜 후보와 민주통합당 문재인 후보 간의 득표 차이를 보면 박 후보가 50대와 60대에서는 각각 25.1% 포인트와 44.8% 포인트를 앞섰지만, 20대에서는 32.1% 포인트, 30대는 33.4% 포인트, 그리고 40대에서는 11.5% 포인트를 뒤졌습니다. 16대 대선에서 노무현 후보와 이회창 후보의 득표 차이가 20대에서는 24.1% 포인트, 30대는 25.1% 포인트, 그리고 40대는 0.2% 포인트였던 것과 비교해 볼 때 18대 대선에서 세대투표 현상이 더욱 뚜렷이 나타났다고 할 수 있습니다.

세대투표 현상은 19대 대선에서도 이어졌습니다. 문재인 후보는 20대 47.6%, 30대 56.9%, 40대 52.4%의 높은 득표율을 기록했으나 50대는 36.9%, 60대 24.5%, 70대 이상에서는 22.3%로 낮았습니다. 한편 홍준표 후보의 경우 20대와 30대에서는 10%에 못 미치는 지지를 받았으나 60대와 70대 이상에서는 각각 45.8%와 50.9%의 높은 득표율을 기록했습니다.

윤석열 후보와 이재명 후보가 경쟁한 20대 대선의 경우 전반적으로는 세대투표의 경향이 계속되었으나 세부적인 면에 있어 이전 대선과는 다른 양상을 보였습니다. 윤석열 후보는 60대와 70대 이상에서 각각 67.1%와 69.9%의 높은 지지를 받았습니다. 윤석열 후보에 대한 지지가 가장 낮은

〈표 9〉 대선에서 나타난 세대투표 현상 (단위: %)

대선	후보	20대 이하	30대	40대	50대	60대	70대 이상
16대 대선	이회창	34.9	34.2	47.9	57.9	63.5	
	노무현	59.0	59.3	48.1	40.1	34.9	
17대 대선	이명박	42.5	40.4	50.6	58.5	58.6	
	정동영	20.7	28.3	27.1	23.5	24.8	
18대 대선	박근혜	33.7	33.1	44.1	62.5	72.3	
	문재인	65.8	66.5	55.6	37.4	27.5	
19대 대선	문재인	47.6	56.9	52.4	36.9	24.5	22.3
	홍준표	8.2	8.6	11.5	26.8	45.8	50.9
	안철수	17.9	18.0	25.4	25.4	23.5	22.7
20대 대선	이재명	47.8	46.3	60.5	52.4	32.8	28.5
	윤석열	45.5	48.1	35.4	43.9	67.1	69.9

연령대는 20대가 아닌 40대로 35.4%의 지지를 받았습니다. 이재명 후보의 경우 40대에서 60.5%라는 높은 득표율을 기록했고, 60대와 70대 이상에서는 32.8%와 28.5%의 낮은 지지를 받았습니다. 한편 20대와 30대는 이전까지의 대선과는 다른 투표 행태를 보였습니다. 20대 이하 유권자의 경우 이재명 후보가 47.8%를 얻어 45.5%를 받은 윤석열 후보와 별 차이가 없었습니다. 30대 유권자는 이전 선거와는 달리 보수 후보에게 더 많은 표를 주었습니다. 출구조사 결과를 보면 윤석열 후보가 48.1%로 46.3%를 얻은 이재명 후보를 이겼습니다.

20대 대선에서 2030 유권자의 세대투표 현상이 과거 선거와 다른 양상으로 나타난 이유는 젠더(gender) 투표의 영향 때문입니다. 2030 세대의 남성 유권자의 경우 연령보다 젠더가 투표 행태에 더 큰 영향을 주었습니다. 40대 이상 유권자의 경우 성별과 상관없이 세대별로 같은 후보를

〈표 10〉 대선에서 나타난 젠더 투표 현상 (단위: %)

	이 재 명	윤 석 열
총 득표율	47.83%	48.56%
18 - 29 남성	36.3%	58.7%
18 - 29 여성	58.0%	33.8%
30 - 39 남성	42.6%	52.8%
30 - 39 여성	49.7%	43.8%
40 - 49 남성	61.0%	35.2%
40 - 49 여성	60.0%	35.6%
50 - 59 남성	55.0%	41.8%
50 - 59 여성	50.1%	45.8%
60 - 69 남성	30.2%	67.4%
60 - 69 여성	31.3%	66.8%
70세 이상 남성	25.6%	72.5%
70세 이상 여성	30.7%	67.8%

출처: 방송3사 출구조사

지지하는 양상을 보였습니다. 4050 세대는 남녀 모두 이재명 후보에게 더 많은 표를 주었고 60세 이상 유권자는 남녀 모두 윤석열 후보를 지지했습니다. 한편 20대 이하 남성 유권자의 경우 윤석열 후보 지지표가 58.7%로 이재명 후보의 36.3%를 압도했습니다. 30대 남성 유권자 역시 윤석열 후보에게 52.8%, 이재명 후보에게 42.6%의 지지를 보여 세대보다 젠더가 더 중요한 투표 요인으로 작용했습니다.

2030 세대의 젠더 투표 현상은 정치권이 젠더 갈등을 편향성의 동원의 수단으로 활용하는 행태에 영향을 받았습니다. 19대 대선 당시 문재인 후보는 '페미니스트 대통령'이 되겠다며 여성 유권자의 지지를 호소했습니다. 20대 대선에서는 윤석열 후보가 '여성가족부 폐지' '병사 봉급 월 200

만원' 등과 같은 공약을 내세웠습니다. 대통령 직무 수행 평가에서도 20대 남녀의 차이는 명확히 드러났습니다. 한국갤럽이 문재인 정부 말기인 2022년 4월에 실시한 조사에서 20대 남성의 66%가 잘못한다고 평가했고, 20대 여성의 부정 평가는 30%에 그쳤습니다. 2022년 6월에 실시된 윤석열 대통령에 대한 직무 수행 평가에서 20대 남성은 60% 대 18%로 긍정적 평가가 압도적이었으나 20대 여성의 경우 34% 대 48%로 부정 평가가 더 많았습니다.

〈표 11〉 세대별 한국 사회에서 가장 심하다고 느끼는 갈등 (단위: %)

20대	젠더(32.9)	빈부(30.7)	지역(10.4)
30대	빈부(33.8)	젠더(18.2)	이념(16.4)
40대	빈부(44.6)	이념(20.8)	지역(15.4)
50대	빈부(40.6)	이념(27.6)	지역(15.8)
60대 이상	이념(39.1)	빈부(30.9)	지역(17.3)

출처: 부경대 지방분권발전연구소. <2021년 서울, 부산 보궐선거 유권자 정치의식 조사>

2030 세대는 다른 세대와 비교해 젠더 갈등의 심각성을 더 많이 인식하고 있습니다. 한국 사회에서 가장 심하다고 느끼는 갈등에 대해 20대는 젠더 갈등(32.9%)을 가장 먼저 꼽았고 빈부 갈등(30.7%)과 지역 갈등(10.4%)이 다음이었습니다. 30대는 빈부 갈등(33.8%)이 가장 심하다고 답했고 젠더 갈등(18.2%)과 이념 갈등(16.4%)이 뒤를 이었습니다. 40대 이상은 빈부 갈등, 이념 갈등, 지역 갈등을 심각한 갈등으로 꼽았고 젠더 갈등은 순위 안에 없었습니다.

향후 대선에서도 세대투표 현상이 지속된다고 하면 어떤 정당이 더 유리할까요? 세대투표는 이념균열과 밀접히 관련되어 있습니다. 젊은 유권자들이 대체로 진보 성향을 갖는데 비해 노년층 유권자들은 보수 성향을 보이기 때문입니다. 따라서 인구 고령화에 따라 노년층 유권자 비율이 점차 늘어나게 되면 보수정당에 유리한 선거 구도가 만들어집니다. 대선에서의 연령별 유권자 비율을 보면 2002년 16대 대선의 경우 2030 유권자가 48.1%로 60대 이상의 16.4%보다 무려 31.7% 포인트 더 많았습니다. 그렇지만 2012년 대선에서는 2030 유권자가 38.2%, 60대 이상 유권자는 20.8%로 차이는 17.4% 포인트로 줄어들었습니다. 2022년 대선의 유권자 분포를 보면 30대 이하 유권자는 32%, 60대 이상은 30.1%로 두 집단 간 차이는 1.9% 포인트였습니다. 향후 저출산 고령화 현상이 지속된다면 60대 이상 유권자의 비율은 더 증가할 것이고, 세대투표는 보수정당에 유리한 선거 구도를 만들 것 입니다. 세대투표가 보수정당에 더 유리한 또 다른 이유는 연령별 투표율의 차이 때문입니다. 최근 들어 젊은 층의 투표율이 조금씩 증가하는 현상을 보이기는 하나 여전히 60대 이상 노년층의 투표율이 훨씬 더 높습니다. 20대와 60대 이상 유권자의 투표율의 차이가 16대 대선에서 22.2% 포인트였던 것이 18대 대선에서는 12.4% 포인트로 줄어들긴 했지만 그 차이는 여전히 높습니다. 20대 대선의 60대 투표율은 87.6%, 70대는 86.2%로 71%를 기록한 20대보다 각각 16.5%와 15.2%가 더 높습니다. 연령별 유권자 구성비와 투표율의 차이라는 두 가지 요인 모두 세대투표 구도에서 보수정당이 유리한 국면을 만들게 될 것입니다. 물론 연령 효과보다 코호트(cohort) 효과가 더 많이 작용한다면 세대투표 구도는 달리 해석해야 합니다. 실제 최근 선거에서 진보 계열 정당을 지지하는 50대 유권자가 많아지고 있습니다. 민주화 세대인 386세대가 60대로 접어드는 상황에서 이들이 진보적 성향을 계속 유지할 것인지 살펴볼 필요가 있습니다.

〈표 12〉 연령별 유권자 비율과 투표율

(단위: %)

대선	유권자 비율/투표율	18세	19세	20대	30대	40대	50대	60대	70대	80대 이상
16대 대선	유권자 비율	-	-	23.2	25.1	22.4	12.9	16.4		
	투표율	-	-	56.5	67.4	76.3	83.7	78.7		
17대 대선	유권자 비율	-	-	21.1	22.9	22.5	15.4	18.1		
	투표율	-	-	49.4	54.9	66.3	76.6	76.3		
18대 대선	유권자 비율	-	-	18.1	20.1	21.8	19.2	20.8		
	투표율	-	-	68.5	70.0	74.0	82.0	80.9		
19대 대선	유권자 비율	-	1.6	15.9	17.4	20.4	20.0	13.0	7.9	3.8
	투표율	-	77.7	76.1	74.2	74.9	78.6	84.1	81.8	56.2
20대 대선	유권자 비율	1.1	1.1	14.8	15.0	18.4	19.4	16.4	8.6	5.1
	투표율	71.3	72.6	71.0	70.7	74.2	81.4	87.6	86.2	61.8

유권자들이 올린 투표 인증 샷

세대투표 현상은 지방선거에서도 나타나고 있습니다. 2007년 대선에서 잠시 주춤했던 세대투표 현상은 2010년 지방선거에서 다시 나타났습니다. 새누리당과 야권 후보(민주당+통합진보당) 지지율을 비교해보면, 20대는 25.4% 대 64.9%(민58.5%, 진6.4%), 30대는 33.8% 대 56.9%(민49.4%, 진7.5%), 그리고 40대는 30.4% 대 59.3%(민52.6%, 진6.7%)로 야당에 대한 지지가 절대적으로 높았던 반면, 50대는 52.3% 대 35.5%(민33.5%, 진2%), 그리고 60대 이상에서는 67.9% 대 23%(민21.7%, 진1.3%)로 새누리당이 앞서 세대투표 현상이 뚜렷이 나타났습니다. 2010년 지방선거에서 SNS(social networking service)라는 새로운 매체가 확산되면서 젊은 층의 투표참여를 독려하는데 큰 기여를 했습니다. 특히 트위터를 이용한 투표 인증 샷 운동이 젊은 층들에게 큰 호응을 얻었습니다. 많은 문화예술인들이 트위터를 통해 젊은 층의 투표참여를 독려했습니다. 소설가 이외수는 자신의 트위터에 투표 인증샷을 올리면 소설책을 선물하겠다 약속했고, 한 화가는 투표한 20대 1천명에게 본인의 판화를 주겠다고 했습니다. 소녀시대, 노홍철, 2PM 등 인기 연예인들도 투표 인증 샷 대열에 동참했습니다. "투표 포기는 주권을 포기하는 것" "선투표 후욕설" "88만원세대 88% 기록하자"와 같은 투표를 독려하는 트윗 글들이 활발하게 퍼져 나갔습니다.

2012년 지방선거 투표율은 54.5%로 역대 최고를 기록했습니다. 연령대별 투표율을 보면 60대의 경우 2006년 지방선거 70.9%에서 2010년에는 69.3%로 소폭 하락하였으나, 20대는 2006년 33.9%에서 2010년에는 41.1%로 7.2% 포인트 상승했습니다. 이는 전체 투표율 상승 3.9% 포인트보다 높은 것이어서, 트위터를 이용한 투표독려운동이 20대 투표참여에 영향을 미쳤다는 해석도 가능합니다. 20-30대 유권자 층의 투표율 향상은 2012년 19대 총선에서도 뚜렷이 나타났습니다. 19대 총선에서 20대 유권자의 투표율은 18대 총선의 28.1%에 비해 13.4% 포인트 높아진 41.5%였으며, 30대 유권자는 35.5%에서 45.5%로 10% 포인트 상승했습니다. 특히 20대 전반 유권자의 투표율은 24.1%에서 40.4%로 16% 포인트 이상 상승했습니다. 40대 이상의 투표율이 57.1%에서 61%로 4% 포인트 정도 올라간 것과 비교하면 2030세대의 투표율 상승은 주목받을만한 현상입니다. 19대 총선에서도 투표 인증샷 운동이 매우 활발하게 일어났으며 선거 당일에는 투표참여를 독려하는 온라인 투표참여 운동이 적극적으로 전개되었습니다.

5. 계층갈등

1) 계층갈등의 심각성

그간 우리 사회의 주요 갈등요인으로 지역, 이념, 세대 등의 요인이 지적되었습니다. 이 세 가지 갈등요인은 선거 때마다 정치적 갈등으로 표출되면서 우리사회 균열의 기본 축으로 인식되었습니다. 실제 선거 후 투표행태 조사를 보면 지역주의 투표, 이념 투표, 그리고 세대 투표 현상이 뚜렷이 나타났습니다. 민주화 이후 모든 선거에서 표의 동서현상을 찾아볼 수 있습니다. 2002년 대선부터는 이념과 세대가 주요한 투표 결정요인으로 나타나고 있습니다. 진보와 보수로 나뉘어 싸우는 진영정치가 한국정치의 핵심 갈등구도로 자리 잡았고, 이와 맞물려 세대 간 투표행태도 점점 더 차이를 보이고 있습니다.

이러한 정치 갈등과는 별개로 경제적 불평등을 둘러싼 계층갈등이 우리사회에서 점점 심각한 문제로 자리 잡고 있습니다. 산업화 시대의 고도성장 시기가 끝나고 저성장, 저출산, 고령화를 특징으로 하는 후기산업사회로 접어들면서 우리사회의 계층갈등은 점점 더 심각한 문제로 부각되고 있습니다. 국민대통합위원회 2014년 조사에 따르면 많은 국민들이 우리 사회에서 가장 시급하게 해결되어야 할 과제로 '이념 대립'(32.1%)과 함께 '계층 갈등'(29.1%)을 들고 있습니다. '세대 갈등'(14%)과 '지역 갈등'(11.3%) 보다 계층갈등을 훨씬 더 심각한 문제로 인식하고 있습니다. 계층갈등이 심각하다고 인식하는 것은 소득 양극화의 문제 때문입니다. 1997년 외환위기 이후 소득 양극화가 심화되면서 빈부격차와 중산층 붕괴와 같은 계층갈등 문제가 확산되고 있습니다. 소득 양극화는 단순한 경제 침체나 소득 감소의 문제와 달리 상대적 박탈감을 낳아 계층 간 갈등을 심화시키고 지배층에 대한 불신을 양산하는 문제를 안고 있습니다. 개인들이 받아들이기 힘든 것은 모두가 가난한 절대 빈곤보다 소득 양극화로 인한 상대적 박탈감입니다. 정치적 집합행동이 발생하는 원인에 대해 연구한 테드 거(Ted R. Gurr)는 사람들이 주관적으로 인식하는 기대가치와 현재 수용 가능한 가치 간의 차이로 인해 상대적 박탈감을 느끼고 개인의 좌절을 극복하기 위해 공격성을 표출하게 된다고 합니다. 개인이 상대적 박탈감을 느끼는 것은 상황에 대한 주관적 인식 때문입니다. 즉 객관적 상황이 얼마나 어려운가와 상관없이 개인이 합당한 대우를 받지 못하고 차별 당했다고 주관적으로 판단할 때 좌절감을 느끼고 분노를 표출하게 됩니다. 가령 한 회사의 승진 심사에서 다른 부서 직원은 아무나 승진하지 못했지만 자기 부서 직원 10명 가운데 8명이 승진했다면 그 사람은 상대적 박탈감을 갖게 됩니다. 본인이 속한 부서가 훌륭한 평가를 받은 것과는 상관없이 다수의 동료가 승진한 상황에서 본인이 소외되었다는 사실에 좌절감을 느끼게 되는 것입니다. 모든 직원이 승진하지 못한 절대적 박탈감은 사람들에게 순응과 적응을 하게 하지만 다수가 승진하고 본인이 소외된 상황에서는 분노를 낳게 합니다.

이처럼 경제적 절대 빈곤보다는 소득과 자산 분배의 심각한 편중과 소

[그림 9] 한국사회 계층구조에 대한 인식

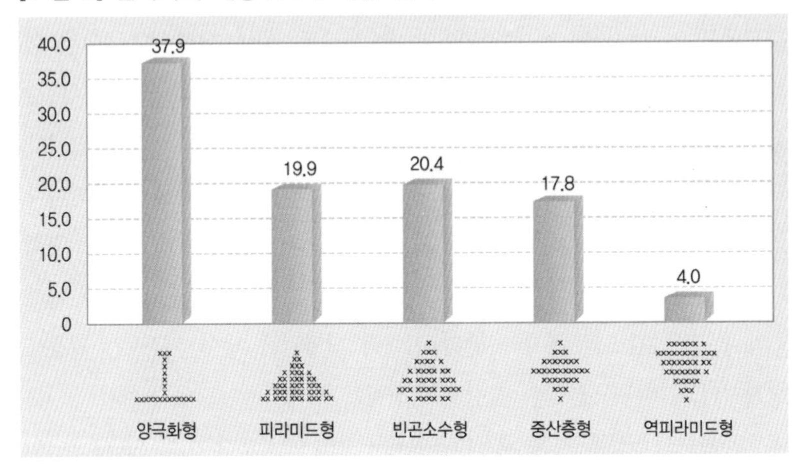

비의 양극화 현상이 사회적 괴리감을 낳고 계층 간 갈등을 부추기게 됩니다. 우리사회의 경우 절대 소득과 상관없이 주관적 중산층이 줄어들면서 개인이 체감하는 상대적 빈곤이 증가하고 있는 것이 문제입니다. 실제 국민대통합위원회 조사를 보면 많은 사람들이 우리사회 계층구조가 양극화되어 중간층이 별로 없고 상층과 다수의 빈곤층이 대부분이라고 인식하고 있습니다. 우리사회 계층구조가 양극화 형이라는 응답이 37.9%인데 반해, 통합된 사회에 더 가까운 중산층 구조나 소수 빈곤층 구조라고 인식하는 비율은 각각 17.8%, 20.4%에 그쳤습니다. 만약에 이러한 소득 양극화 현상이 개인능력의 차이보다는 구조적으로 제도화된 불평등의 문제이거나 혹은 개인들이 그렇게 인식한다면 상대적 박탈감은 심화되고 계층갈등은 더욱 심각하게 나타날 것입니다.

1980년대까지 비교적 양호했던 우리 사회 소득분배 상황은 1997년 외환위기 이후 나빠져 소득 불평등이 계속 확대되는 양상을 보이고 있습니다. 1990년부터 2011년까지 1인 가구를 제외한 도시 가구의 상대적 빈곤율(중위소득 50% 기준)이 시장소득을 기준으로 1990년 7.8%에서 2011년 15%로 20여 년 동안 두 배 가까이 증가하였고, 가처분 소득 기준으로도 1990년 7.1%에서 2011년 12.4%로 나빠졌습니다. 전체 인구 대상 상대적 빈곤율은 2012년 18.3%에서 2022년 14.9%로 다소 개선되는 추세를 보입니다.

1997년 외화위기 이후 중산층이 감소하는 현상이 지속되고 있습니다. 빈곤층과 부유층이 꾸준히 증가한 반면 중산층의 규모는 축소되는 추세를 보였습니다. 중위소득 50% 이상에서 150% 이하를 중간 계층으로 보았을 때 중산층의 규모는 1990년 75.4%에서 외환위기를 겪은 직후인 1999년에 69%로 급감했다가 세계금융위기를 겪은 2008년에는 66.3%를 차지했습니다. 주관적 계층 인식을 보더라도 스스로 중산층이라고 생각하는 사람들의 비율이 급감하는 양상을 보였습니다. 이 시기의 사회조사 결과에 의하면, 1997년 초반에는 63%가 스스로 중산층이라고 인식했는데 1999년 후반에는 그 비율이 38%로 급감했습니다. 한편, 같은 시기에 자신이 하류층이라고 생각하는 사람들의 비율은 33.7%에서 61.3%로 급증했습니다. 외환위기를 극복하면서 주관적 중산층의 비중은 차츰 증가하고 있습니다. 통계청 조사에 따르면 2009년에는 스스로를 중산층이라 인식한 사람의 비율이 58.8%였고 이후 2021년까지 비슷한 수준을 유지하다가 2023년 조사에서는 조금 늘어난 61.6%가 중산층으로 인식했습니다. 외환위기를 겪으면서 지니계수도 악화했습니다. 외환위기 전 1996년의 지니계수가 0.298이던 것이 2000년에는 0.358로 나빠져 소득 불평등 현상이 더 나빠진 것을 알 수 있습니다. 지니계수 역시 외환위기 극복 이후 차츰 개선되는 양상을 보입니다. 통계청 자료를 보면 2017년 지니계수가 0.354였던 것이 2020년에 0.331로 개선되었다가, 2021년에는 0.333으로 다소 나빠졌습니다. 소득이 아닌 토지 소유를 기준으로 조사한 토지 지니계수는 더 심각한 불평등 현상을 보입니다. 국토교통부 자료에 따르면 2012년의 개인 토지 소유 지니계수는 0.8204이었고, 2020년에는 0.8114로 더 나빠졌습니다. 최저 생계비보다 적은 소득으로 생활하는 빈곤율도 1996년 12.7%에서 2000년 17%로 급증했습니다. 한국의 빈곤율은 여전히 높습니다. 한국보건사회연구원 자료에 따르면 시장소득 기준 빈곤율은 2016년 20.7%였고 2020년에는 21.5%로 증가했습니다. 가처분 소득을 기준으로 하면 2016년 17.6%이던 것이 2020년에 15.3%로 다소 개선되었습니다. 노인 빈곤율은 더 심각합니다. 2020년 한국의 노인 빈곤율은 40.4%로 OECD 국가 가운데 가장 높았습니다. 미국의 노인 빈곤율은 23%, 일본 20%, 영국 15.5%, 독일 9.1%, 프랑스는 4.4%입니다. 고졸 임금(=100) 대비 대졸 이상 평균임금도 1997년 145.5에서 2001년 152.3으로 상승하여 임금 격차는 더 벌어졌습니다. 학력에 따른 임금 격차는 최근까지 계속되고 있습니다. 통계청 자료에 따르면 대졸 임금을 100으로 놓았을 때 고졸 임금은 2010년 63.5%였고, 2020년 63.3%로 전혀 개선되지 않고 있습니다.

2) 계층상승 사다리의 붕괴

절대 빈곤보다 소득 불평등으로 인한 상대적 박탈감이 계층 갈등을 불러일으킨다 했습니다. 상대적 박탈감보다 더 심각한 문제는 계층상승의 기회가 줄어드는데 있습니다. 경제적 하층 집단이 중산층이나 상류계급으로 상승할 수 있는 사회이동(social mobility)의 가능성이 점차 줄어드는 것이 문제입니다. 미래에 대한 희망이 없어지는 것입니다. 비록 지금은 빈곤의 고통을 겪고 있으나 미래에는 더 잘 살 수 있다는 희망이 있다면 좌절하지 않고 열심히 노력할 것입니다. 미래에 대한 전망이 암울할 경우 계층갈등은 더 심하게 표출될 수밖에 없습니다. 우리 사회 계층갈등이 심각한 문제로 자리 잡은 이유는 하층에서 중산층 혹은 상층으로 이동할 수 있는 사회 이동성이 매우 낮다고 인식하기 때문입니다. 사회이동은 세대 내 사회이동과 세대 간 사회이동으로 구분할 수 있는데, 나는 비록 가난하지만 내 자식 세대는 잘 살 수 있을 것이라는 세대 간 사회이동의 가능성이 낮을 때 계층갈등은 더욱 심각하게 나타날 것입니다.

사회이동에 대한 기대는 시간이 갈수록 낮아지고 있습니다. 통계청 자료에 따르면 본인 세대의 사회이동 가능성에 대해 1988년 높다가 53.6%이고 낮다가 12.1%였는데, 2009년에는 33.4%만이 높다고 했고 48.1%는 사회이동 가능성이 낮다고 했습니다. 사회이동성에 대한 기대는 2010년 이후 급속히 하락하는 양상을 보입니다. 2011년에 본인 세대 계층이동 가능성이 높다는 응답이 28.8%로 줄었고 2023년 조사에서는 26.4%까지 하락했습니다. 세대 간 사회이동에 대한 기대 역시 낮아지고 있습니다. 1988년에는 64%가 다음 세대에는 계층이 상승할 것이라고 응답하였지만 2009년에는 48.4%로 줄었습니다. 반면에 내 자식 세대가 나보다 더 잘 살 것이라는 가능성이 낮다고 응답한 집단이 1988년에는 5.3%에 불과했지만, 2009년에는 30.8%로 급증했습니다. 다음 세대 계층이동에 대한 기대감 역시 시간이 갈수록 줄어들고 있습니다. 자식 세대가 더 잘 살 것이라는 응답이 2011년 41.7%였던 것이 2023년에는 29.1%로 떨어졌습니다. 더 심각한 문제는 소득수준이 높은 집단에서는 세대 내 사회이동 가능성뿐 아니라 세대 간 사회이동 가능성도 높다고 보지만 소득수준이 낮은 집단에서 사회이동 가능성이 낮다고 생각한다는 것입니다. 저소득 집단에서 사회이동에 대한 기대가 낮으면 계층갈등은 더욱 심해질 수밖에 없습니다.

계층갈등을 줄일 수 있는 가장 좋은 방법은 세대 간 계층이동 가능성을 높이는 것입니다. 그동안 한국 사회에서 세대 간 사회이동이 높았던 이유는 크게 두 가지를 들 수 있습니다. 하나는 급속한 경제발전으로 인해 더 많은 일자리가 생기면서 전반적인 소득수준이 높아졌기 때문입니다. 하지만 후기산업사회에 들어오면서 경제성장이 일자리 창출로 연결되지 않는 문제를 겪고 있습니다. 높은 사회이동의 또 다른 이유는 높은 교육열에 있었습니다. 계층을 초월한 높은 교육열로 인해 저소득층 부모들도 자녀 교육만큼은 아낌없이 투자하여 좋은 대학에 보낼 수 있었습니다. "개천에서 용 난다"는 말이 있을 정도로 가난한 집 자식들이 열심히 공부해서 좋은 대학에 가고 좋은 직장에 취업하는 것을 흔히 볼 수 있었습니다.

〈표 13〉 사회이동에 대한 태도 (단위: %)

	본인세대 계층이동				다음세대 계층이동			
	높다	보통	낮다	모름	높다	보통	낮다	모름
1988년	53.6	34.3	12.1	-	64.0	30.2	5.3	-
1991년	43.9	38.0	18.1	-	60.7	31.7	7.6	-
1994년	45.8	42.7	11.5	-	60.3	34.6	5.1	-
1999년	21.7	42.0	25.6	10.8	41.2	36.6	11.2	11.
2003년	33.1	27.9	29.3	9.6	45.5	17.9	19.8	16.8
2006년	27.5	-	46.7	25.7	39.9	-	29.0	31.2
2009년	35.7	-	48.1	16.2	48.4	-	30.8	20.9
2011년	28.8	-	58.7	12.5	41.7	-	42.9	15.4
2013년	28.2	-	57.9	13.9	39.9	-	43.7	16.4
2015년	21.8	-	62.2	15.9	31.0	-	50.5	18.5
2017년	22.7	-	65.0	12.3	29.5	-	55.0	15.5
2019년	22.7	-	64.9	12.4	28.9	-	55.5	15.6
2021년	25.2	-	60.6	14.2	29.3	-	53.8	16.9
2023년	26.4	-	59.6	14.0	29.1	-	54.0	17.0

출처: 통계청, 각 년도 『한국의 사회지표』 및 『사회조사보고서』.

그렇지만 최근에는 부모의 학력과 소득 수준이 자녀에게 대물림되는 현상이 뚜렷이 나타나고 있습니다. 더이상 교육이 계층상승의 사다리 역할을 하지 못하고 있는 것입니다. 2020년 부모 소득과 자식의 학력 간의 관계를 분석한 한국직업능력연구원 보고서에 따르면 부모 소득수준이 높을수록 자녀의 교육 수준이 높은 것으로 나타났습니다. 부모 소득 1분위 집단의 자녀의 경우 35%가 고졸 학력이고, 전문대생은 23%, 일반 대학생은 41%였습니다. 부모 소득이 4분위 층인 자녀는 68%가 대학에 진학했고 15%만이 고등학교 졸업 학력을 가졌습니다. 4년제 대학 졸업자가 전문대 혹은 고졸자에 비해 상대적으로 높은 임금을 받는 현실을 고려할 때 부모의 소득수준이 자녀의 소득수준으로 세습될 가능성이 클 것입니다.

[그림 10] 부모 소득 분위에 따른 자녀의 고등교육 수준

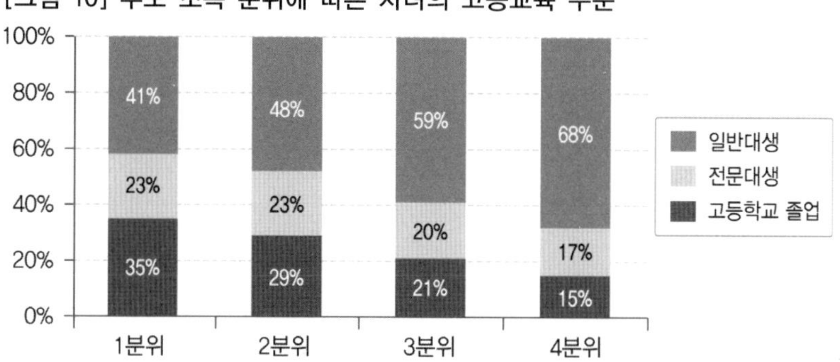

출처: 최수현. 2022. 『부모의 소득 수준이 자녀의 고등교육에 미치는 영향』. 한국직업능력연구원

3) 계층투표

서구와 비교해 볼 때, 우리사회의 투표 행태에 나타나는 가장 중요한 특성 가운데 하나는 계층이나 계급 투표가 거의 나타나지 않는다는 점입니다. 우리사회 투표행태를 분석해 보면, 계층이나 계급을 구성하는 요인

에 해당하는 소득수준, 직업, 교육 수준 등은 정당 및 후보자 지지에 거의 영향을 미치지 못하고 있습니다. 계층투표 현상이 거의 나타나지 않을 뿐 아니라, 심지어 계층 요인이 거꾸로 영향을 주는 경우도 있습니다. 이념성향에 있어서도 직업이나 소득에 따라 차이가 없거나, 차이가 있어도 일관된 방향으로 나타나지 않습니다. 소득이 낮은 노동자 계층이 진보적 이념성향을 보이면서 진보정당을 지지하게 되고, 소득이 높을수록 보수정당을 지지하는 것이 일반적인 현상입니다. 그렇지만 우리의 경우 15대선 때 경제적 하층 가운데 50.93%가 진보 성향의 김대중 후보를 지지한 것을 제외하고는, 민주화 이후 대선에서는 경제적 하층이 보수정당의 김영삼, 이회창, 이명박 후보를 더 많이 지지한 것으로 나타났습니다. 한편 상위층은 15대 대선 이후 일관적으로 진보 성향 후보에게 더 많은 표를 주었습니다. 직업별 대선 후보 투표율 역시 소득수준과 비슷한 양상을 보입니다. 블루칼라는 15대 대선 이후 보수정당의 이회창, 이명박 후보를 더 많이 지지하였고, 화이트칼라는 진보정당의 노무현, 정동영 후보를 더 많이 지지하는 모습을 보였습니다.

[그림 11] 소득수준별 대선 후보 투표율

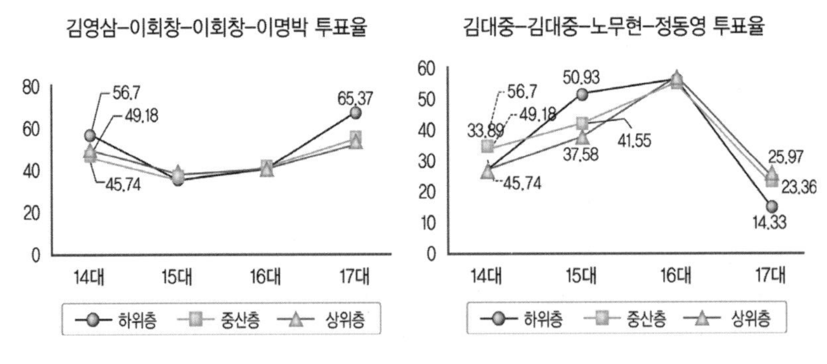

한편 최근에는 소득이 아닌 자산 즉 주택 가격과 투표 행태 간의 상관관계를 분석하는 연구들이 진행되고 있습니다. 김수인과 강원택의 2022년 연구에 따르면 2018년 지방선거, 2020년 국회의원 선거, 2021년 서울시장 보궐선거 모두에서 주택 가격과 정당 지지 간에 높은 상관관계가 있었습니다. 2024년 국회의원 선거에서 나타난 주택 가격과 투표 선택 간의 관계를 분석한 김수인의 연구 역시 자산 상위 집단이 보수정당인 국민의힘을 지지할 가능성이 높다는 사실을 확인했습니다. 아래 <표 14>에서 보듯이 자산 하위 집단의 경우 더불어민주당 지지자가 46.39%로 가장 많았고 국민의힘에 투표한 유권자는 41.24%였습니다. 한편 자산 상위 집단의 경우 국민의힘이 61.26%로 압도적 지지를 받았고 더불어민주당 지지자는 23.42%에 그쳤습니다.

〈표 14〉 자산 기준 집단별 지지 정당

(단위: %)

	더불어민주당	국민의힘	조국혁신당	개혁신당	기타	N
하위	46.39	41.24	4.12	2.06	6.19	97
중하위	44.74	38.16	5.26	3.95	7.89	76
중위	48.72	38.46	3.85	5.13	3.85	78
중상위	40.35	40.35	14.04	0.88	4.39	114
상위	23.42	61.26	4.50	2.70	8.11	111
N	289	213	32	13	29	476

출처: 김수인. 2024. "2024년 총선에서의 자산 투표: 수도권 유권자를 중심으로." 동아시아연구원 <22대 총선 연구 시리즈>

제 3 장
뉴미디어 시대의 한국정치

| 개요 |

1990년대 중반 인터넷의 확산과 함께 한국정치도 새로운 국면을 맞게 됩니다. 2002년 대선에서는 세계 최초의 온라인 정치인 팬클럽 '노사모'가 탄생했습니다. 노사모는 노무현의 후보의 민주당 경선과 대선 승리에 결정적인 역할을 했습니다. 2008년 광우병 촛불시위는 여중생과 유모차 부대와 같은 비정치적 집단들에 의해 촉발되었습니다. 과거 별다른 정치적 영향력을 갖지 못했던 개인들이 디지털 네트워크로 연결되면서 정치 엘리트들이 독점하였던 정치권력에 도전하는 세력으로 부상했습니다.

1. 뉴미디어와 정치 환경의 변화

1) 뉴미디어의 확산과 정치변화

기술이 사회변화에 미치는 영향에 대해서는 사회구성론과 기술결정론 두 가지 주장이 있습니다. 사회구성론은 사용자의 의지와 이해관계가 기술의 사회적 영향을 결정짓는다고 주장합니다. 동일한 기술이라 하여도 누가 어떤 목적으로 사용하느냐에 따라 기술의 결과는 달리 나타난다는 것입니다. 반면 기술결정론자들은 기술의 내재적 원리가 정치사회의 변화를 추동한다고 봅니다. 기술 자체가 가진 특성으로 인해 사용자 개인뿐 아니라 사회 전체의 의식과 행동방식이 바뀌게 된다는 것입니다. 오늘날 디지털 세대들의 정치의식과 정치참여 방식이 과거 386세대와 전혀 다른 특성을 보이는 것은 네트워크, 개방, 공유와 같은 디지털 기술의 속성에서 비롯된 것입니다. 2002년 대선에서 노무현 후보의 승리는 한국 최초의 정치인 팬클럽인 노사모가 있었기에 가능했고, 노사모는 인터넷을 기반으로 만들어졌습니다. 최근 이외수, 김제동, 김여진과 같은 소셜테이너(socialtainer)[1]들이 사회여론에 상당한 영향력을 행사하는 것 역시 SNS(Social Network Service)의 확산으로 인해 가능해진 것입니다.

그동안 뉴미디어 기술은 인터넷 기술을 근간으로 하면서도 웹1.0과 웹2.0 그리고 소셜 미디어 단계를 거치면서 발전해 왔습니다. 웹1.0 기술은 인터넷 웹사이트를 중심으로 이용되었습니다. 인터넷 홈페이지를 통해 정보를 제공하고 공유하는 방식입니다. 인터넷 기술이 갖는 속도와 비용의

---

1) 사회를 뜻하는 소사이어티(society)와 연예인을 뜻하는 엔터테이너(entertainer)가 합쳐진 신조어입니다. 트위터나 페이스북과 같은 소셜미디어(SNS)를 이용하여 사회이슈에 대한 자신의 생각을 적극적으로 전파하면서 여론형성에 상당한 영향력을 행사합니다.

효율성을 이용하여 과거보다 훨씬 많은 정보를 생산하고 공유하는 것이 가능하게 되었습니다. 그렇지만 많은 사람들이 접속하는 웹사이트는 노사모와 같은 유명 홈페이지로 제한되었고, 그 안에서도 소수의 사람들이 중심이 되어 정보를 생산하고 공급하는 역할을 했습니다. 온라인 공간상에 중심 허브(hub)가 있어 이들을 중심으로 정보의 생산과 공유가 이루지는 일방적 전달체계 방식입니다. 온라인 공간의 허브 역할은 주로 현실공간에서 권력과 자원을 소유한 개인이나 집단이 하게 됩니다.

한편 웹2.0시대에는 온라인 공간에서의 정보생산자가 소수로 한정되지 않고 다수의 이용자가 직접 정보를 생산하고 제공하는 양상이 나타납니다. 일반 이용자들이 만든 개인 미디어가 확산되면서 특정 몇 개의 허브가 아닌 다수의 노드(nod)가 정보 생산과 전달 기능을 공유하게 된 것입니다. 이에 따라 인터넷 이용행태도 주요 기관의 홈페이지를 방문하는 것에서 다수의 일반 이용자들이 직접 운영하는 블로그, 카페, 미니홈피 등을 접속하는 방식으로 바뀌게 됩니다. 웹1.0 기술의 경우 정보생산과 공유를 주도하는 권력이 소수의 허브 웹사이트에 집중되었던 반면 개방성과 상호작용성을 특징으로 하는 웹2.0 기술에서는 이러한 권력이 다수의 노드, 즉 일반 이용자에게로 분산되는 모습이 나타납니다. 여중고생과 유모차 부대와 같은 비정치 집단이 2008년 촛불시위를 주도할 수 있었던 것은 개인 미디어 형태의 온라인 커뮤니티가 활발하게 활동하고 있었기 때문입니다.

한편 트위터나 페이스북과 같은 소셜 미디어의 경우 개방성과 상호작용성을 기반으로 한다는 점에서는 웹2.0 기술과 동일하나 개별 노드 사이의 연결성이 훨씬 강화되는 특성이 있습니다. 개인 트위터와 페이스 북 페이지가 촘촘하게 연결되어 있어 개인이 올린 정보가 순식간에 전파되는 모습을 쉽게 볼 수 있습니다. SNS의 전파력은 기존 언론을 능가하고 있습니다. 2005년 런던에서 지하철 폭탄 테러가 발생했을 때, 테러 발생 6

시간 만에 천여 건의 사진과 20건의 동영상, 4천 건의 텍스트 메시지, 2만 건의 이메일이 BBC 국제뉴스전략팀에 접수되었습니다. 2009년 미국에서는 뉴욕 허드슨 강에 여객기가 불시착한 사건이 발생하였을 때 일반 뉴스보다 트위터에서 훨씬 빠르게 퍼져 나갔습니다. 한 청년은 트위터를 통해 이를 생생히 알렸고, 덕분에 승객과 승무원 2백여 명이 구출될 수 있었습니다. 중국 쓰촨성 대지진 때에도 트위터가 미국 지질조사국보다 먼저 지진 발생사실을 알렸습니다. 한국의 경우 2010년 지방선거부터 나타난 투표 인증샷 캠페인은 트위터의 전파력과 이로 인한 투표행태의 변화를 잘 보여주고 있습니다. 소셜테이너를 중심으로 한 투표 인증 샷 캠페인이 젊은 유권자들로부터 많은 호응을 얻었고, 실제 2030세대의 투표율이 5060세대에 비해 훨씬 큰 폭으로 상승했습니다.

웹1.0, 웹2.0 그리고 소셜 네트워크 서비스 모두 동일한 인터넷 기술에 기반을 두고 있으나 상호작용성, 개방성, 그리고 연결성에 있어서는 뚜렷한 차이를 보이고 있습니다. 소셜 네트워크 서비스는 이미 우리사회에 폭넓게 확산되어 있습니다. 각종 언론에서 'SNS 혁명', '트위터 혁명'으로 이야기 하는 현상도 이제 더 이상 새로운 것이 아닙니다. 선거운동은 물론이고, 반정부시위와 민주화운동에 이르기까지 SNS는 널리 활용되고 있습니다. SNS가 이러한 역할을 할 수 있는 것은 현장 정보가 실시간으로 빠르게 전달되고, 다시 즉각적인 반응을 이끌어내는 기술적 특성 때문입니다. 물론 SNS 자체가 민주화와 선거에서의 승리를 가져온다고 단정할 수는 없습니다. 그렇지만 SNS가 특정한 정치적 맥락과 맞물리게 되면, 그 파장은 매우 큽니다. 이것이 우리가 SNS 확산이 가져오는 정치변화에 주목하는 이유입니다.

2) 온라인 정치의 진화

뉴미디어 확산에 따른 정치변화를 이해하기 위해서는 온라인 공간의 형성 및 확산 과정과 여론형성 방식에 대해 살펴볼 필요가 있습니다. 온라인 정치가 어떻게 시작되었고, 누가 온라인 정치를 주도하였고, 온라인 공간의 권력구조는 어떻게 변해 왔는지, 그리고 온라인 공간에서의 커뮤니케이션 방식은 어떤 양상으로 변해왔는지 살펴보아야 합니다. 온라인 공간의 특성과 변화를 보는 가장 근본적 이유는 뉴미디어가 만들어 내는 수평적이고 분산된 네트워크 구조는 '대표' 중심의 위계적 권력구조를 기반으로 하는 대의민주주의와 충돌할 여지가 많기 때문입니다.

수평적 네트워크상에서 형성되는 온라인 공간은 활동주체, 구조 그리고 커뮤니케이션 방식에 있어 수직적 권력구조를 기반으로 하는 오프라인의 정치과정과 많은 차이를 보이고 있습니다. 우선 여론형성 측면에서 온라인 공간은 [그림 1]에서 보는 바와 같이 크게 4단계, 즉 PC통신시대, 웹진시대, 포털 및 커뮤니티시대, 그리고 현재의 개인 미디어시대로 진화해 왔습니다. 온라인 공간의 행위자와 구조의 측면에서 보자면 두 가지 모두 초집중화에서 탈집중화를 거쳐 현재 분산화 단계로 변화하고 있습니다.

1990년대 후반까지의 PC통신 시대에서는 인터넷 이용자가 매우 적었기 때문에 온라인 여론이 우리사회에 미치는 영향은 매우 제한적이었습니다. 그러던 것이 1990년대 후반부터 딴지일보, 대자보, 오마이뉴스 등과 같은 인터넷 웹진이 네티즌들의 관심을 받으면서 우리사회 여론형성에도 일정한 영향력을 행사하게 되었습니다. 인터넷 웹진시대에서 몇몇 논객들은 온라인 여론형성에 절대적인 영향을 미쳤습니다. 이들은 주요한 사회이슈에 대해 진지하고 논리적인 주장을 펼쳐 많은 네티즌들의 공감을 얻었습니다. 인터넷 논객들이 과거 정치엘리트와 주요 언론이 독점하던 의제설정 기능과 여론 형성의 영향력을 갖게 된 것입니다. 그렇지만 온라인 공간 내부만을 볼 때 온라인 여론권력은 소수의 논객들에게 초중집화 되어 있었습니다.

2004년을 전후하여 인터넷 포털이 확산되면서 온라인 공간의 지형도 변화를 보였습니다. 온라인 여론형성의 주체가 소수의 논객들에서 포털과 블로그로 이동하는 양상을 보였습니다. 특히 다음 아고라는 온라인 여론 형성에 있어 주도적인 역할을 하였습니다. 포털들은 자체 서비스인 블로그를 통해 온라인 여론에 상당한 영향력을 행사할 수 있었습니다. 포털 사이트와 블로그의 확산으로 인해 과거 소수의 논객들에게 집중되었던 의제설정 기능과 여론형성의 주도권은 다수의 네티즌으로 분산되는 양상이 나타났습니다. 또한 정치 영역뿐 아니라 경제, 사회, 문화, 예술 등 다양한 주제에 걸쳐 각자의 영향력을 행사하는 파워 블로거들이 속속 등장하기 시작하였습니다. 논객과 파워 블로거만 보면 소수가 온라인 여론을 주도한다고 볼 수 있습니다. 하지만 하루에도 수만, 수십만 명이 접속하는 포털에서는 소수의 개인이나 집단이 여론을 주도하는 것은 불가능하게 되었습니다. 비록 특정 집단이 여론형성을 주도한다 하더라도 그 영향력이 오래 지속될 수는 없었고, 이슈에 따라 여론 주도세력은 쉽게 바뀔 수밖에 없습니다. 더 이상 특정 개인이나 집단이 온라인 권력을 독점할 수 없게 된 것입니다. 2008년 촛불시위 정국에서는 82Cook, MLB Park, 쭉빵, 마이클럽, 엽혹진 등과 같은 비정치적 커뮤니티가 온라인 여론을 주도하였고, 2009년 노무현 전 대통령 서거 국면에서는 쌍코, 소울드레서, 화장빨로 구성된 삼국 카페가 주도적인 역할을 하였습니다.

[그림 1] 온라인 여론형성 지형의 변화

2009년 이후 각종 소셜 네트워크 서비스가 등장하면서 네트워크 개인(networked individuals)이 온라인 여론형성의 주도세력으로 등장하게 됩니다. 온라인 공간의 주도세력이 소수의 논객들, 소수의 포털사이트와 파워 블로거를 거쳐 이제 다수의 개인으로 바뀌면서 탈집중화 되고 분산화 되는 양상을 보이는 것입니다. 여론형성의 주도세력이 점차 다양화되고 세분화되었습니다. 웹진시대는 물론이고 포털과 블로그 시대까지만 하더라도 온라인 여론형성의 중심 역할을 하는 허브(hub) 사이트가 존재했습니다. 특정 사이트에 다수의 네티즌들이 접속하면서 자연스레 온라인 여론의 중심지 역할을 하게 되는 것입니다. 그렇지만 소셜 네트워크 시대에서는 무수히 많은 노드(nod)만이 있을 뿐 중심부 역할을 하는 허브는 존재하지 않게 됩니다. 설사 있다하더라도 그 지속성은 매우 짧아 과거 유명 웹진 사이트나 포털과 같은 영향력을 갖기는 어렵게 되었습니다.

[그림 2] 온라인 여론 네트워크의 변화

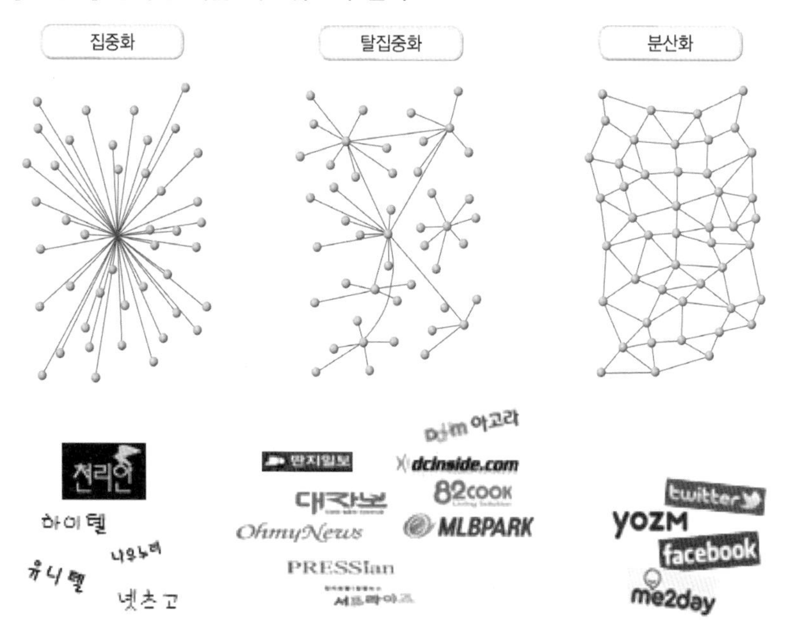

온라인 공간의 커뮤니케이션 양식 또한 많은 변화를 겪었습니다. 웹진 시대에는 정치적 이슈들이 온라인 토론의 주요 주제가 되었고, 논리적 주장과 설득이 강조되는 이성적 공론의 장을 구축하고자 하였습니다. 그러나 탈집중화 시기를 거치면서 소통과 전달의 방식이 이성과 논리보다는 감성과 재미를 강조하는 양상으로 변모하였고, 주제 역시 정치이슈에 집중되었던 것이 일상생활의 주제로까지 다양화되고 세분화되는 양상을 보였습니다. 온라인 여론형성의 주체가 분산되면서 자연스럽게 커뮤니케이션 방식과 이슈의 성격까지 바뀌게 된 것입니다.

[그림 3] 온라인 커뮤니케이션 양식의 변화

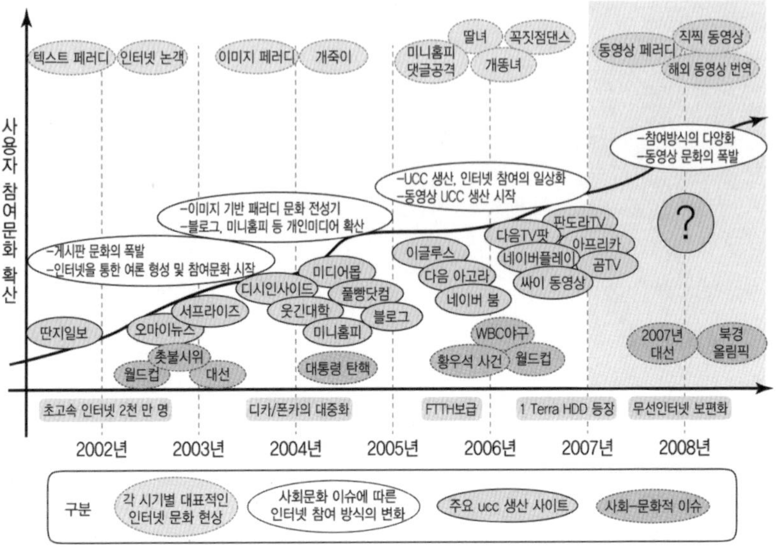

출처: 마케팅사관학교, 김영한(2007, 29).

3) 뉴미디어와 시민의 변화

우리가 뉴미디어 시대의 한국정치를 따로 논의하는 이유는 뉴미디어 정치가 과거 산업사회의 정치와는 다른 양상을 보이기 때문입니다. 뉴미디어 정치가 과거 정치와 다른 특성을 갖는다고 판단하는 이유는 시민의 변화 때문입니다. 시민은 정치의 주체이자 주 대상입니다. 그리고 과거 문자발명, 출판기술의 발달, 매스미디어확산의 역사에서 볼 수 있듯이 매체발달과 커뮤니케이션양식 변화는 개인의 일상생활뿐 아니라 정치에 대한 인식과 행동에 많은 변화를 가져왔습니다. 따라서 뉴미디어의 확산 또한 개인의 인식과 행동에 많은 변화를 가져올 것이며, 그렇다면 뉴미디어 시대의 정치는 산업사회와는 다른 양상을 보일 것입니다.

달톤(Dalton)은 미국의 시민의식과 정치참여 행태를 분석하면서 시민성의 특성이 의무적 시민(dutiful citizen)에서 관여적 시민(engaged citizen)으로 변하고 있다고 주장합니다. 의무적 시민은 '투표하기', '세금 내기', '군복무 충실히 하기', '법을 준수하기'와 같은 의무를 충실히 수행하는 것을 중시합니다. 반면, 관여적 시민은 '결사체에 적극적으로 참여하기', '자원봉사에 참여하기', '불쌍한 사람들을 돕기', '자기의 의견을 형성하기', '정치에 적극적으로 참여하기'와 같은 자기 표현적 가치를 중시하는 특성을 갖습니다. 기술결정론자들은 디지털 네트워크의 확산이 위와 같은 시민성의 변화를 가져왔다고 주장합니다. 사용하는 기술의 차이가 단순히 도구적 차이에 그치지 않고 개인의 가치관, 태도, 인식을 바꾸게 된다는 주장입니다. 탭스콧(Tapscott)은 인터넷과 함께 성장한 디지털 세대(digital native)는 아날로그 세대와 다른 가치관과 생활양식을 선호한다고 밝혔습니다. 그에 따르면 디지털세대는 사회적 권위에 도전하는 가치관을 갖고 있으며, 정치적인 자기조직화를 통해 권력을 감시하고자 하는 욕구가 강한 것으로 나타났습니다.

디지털 세대의 8가지 특성(탭스콧. 2009. 〈디지털 네이티브〉)

1. 최고의 가치는 선택의 자유이다.
   일할 장소와 시간을 스스로 선택. 필요한 정보, 상품을 스스로 선택. 다양한 선택지
2. 내 개성에 맞게 맞춤 제작한다.
   입맛대로 제품을 변형, 업무방식도 원하는 대로 구성
3. 철저하게 조사, 분석한다.
   정보검색 능력. 사실과 거짓 사이를 구분
4. 약속을 지키고 성실함을 중시한다.
   자기중심적 세대가 아님. 적극적 사회봉사 활동

5. 협업에 익숙하다.
   관계를 맺는 세대(채팅 방, 멀티 유저 게임, 이메일 등), 프로슈머, 집단지성
6. 일도 놀이처럼 즐거워야 한다.
   생계유지를 위한 일도 즐거워야 함. 일하면서 감정적 성취감을 얻고자 함.
7. 매사에 스피드를 추구한다.
   즉각적 피드백, 빠른 속도의 발전
8. 혁신을 사랑한다.
   발명의 문화 속에서 성장. 혁신은 전통적 명령과 통제의 위계질서를 거부

한국사회에서도 민주화, 세계화, 정보화의 영향으로 시민들의 의식이 바뀌고 새로운 정치참여 행태가 확산되고 있습니다. 송호근(2003)은 민주화로 인해 새롭게 형성된 한국의 정치 문화가 세계화 및 정보기술의 발달과 맞물리면서 시민 참여의 증가로 연결되었다고 주장합니다. 그가 말하는 새로운 문화는 구체적으로 비전문화, 감성문화, 개방문화, 참여문화, 권리문화 등 다섯 가지 입니다. ① 비전문화는 권위주의의 청산과 민주주의의 구축이 한국 사회의 미래를 설계하려는 자발적 의지를 촉발하게 됩니다. ② 감성문화는 자아실현과 정서적 욕구를 중시하는 경향이며, 이는 정치적 변화를 유발합니다. 감성, 자아실현, 환경과 평화 등을 강조하는 탈물질구의 가치관이 확산되면서 다양한 맥락에서 실현될 수 있는 '뉴 폴리틱스'(new politics)[2]시대가 등장하게 됩니다. 이것은 기든스(Giddens)의 생활 정치(life politics)[3], 혹은 벡(Beck)이 말하는 하위 정치(sub pol-

2) "뉴 폴리틱스(New Politics)"는 탈물질적 가치지향을 지닌 시민들이 추구하는 참여지향적 정치 패러다임을 말합니다(Dalton 1996).
3) 생활정치는 일차적으로 일상적 삶의 영역에서 작동한다는 점에서 '생활세계'를 그 기반으로 합니다. 반면 제도정치는 정치권력이 매개하는 정치행정영역과 화폐가 매개하는 시장영역에 기반하고 있습니다. 생활정치는 체계정치의 거대 질서 내에서 작동

itics)[4]와 일맥상통하는 것으로, 제도적 정치 환경에 초점을 맞추어 왔던 기존 시각에 대한 변화를 요구합니다. ③ 개방문화의 등장으로 다면적 가치와 상대주의를 인정하는 분위기가 확산되고 있습니다. ④ 참여문화의 확산으로 서민과 하층민의 대변 기제가 늘어나고, 다양한 형태의 자발적 결사체가 계층적, 집단적 이익을 주장하게 됩니다. ⑤ 시민들이 사적 이익과 권리 의식에 관심을 갖는 권리문화가 등장합니다. 이와 같은 변화는 결국 시민들이 정치적 관심을 의회 시스템 밖에서 표출하는 계기를 제공합니다.

그간의 연구를 보면 디지털 세대는 과거 세대와 다른 시민적 특성을 갖고 있다고 주장합니다. 디지털 세대의 시민적 특성은 탈물질적 가치를 지닌 시민, 정치적인 것(the political)[5]을 실천하는 시민, 자기 조직적 시민, 사회적이면서 개인적인 시민, 감성적 모니터 시민 등으로 정리할 수 있습니다.

첫째, 탈물질적 가치를 지닌 시민입니다. 시민의 변화와 관련하여 잉글하트(Inglehart)는 자율적인 개인, 생태적 이슈와 관련한 가치들을 수용하는 개인이 증가하는 현상에 주목합니다. 잉글하트의 이러한 가정은 매슬로우(Maslow)의 동기 이론(motivational theory)에 근거합니다. 이에 따르면 개인의 욕구 체계는 피라미드 구조 형태를 띠고 있는데, 개인은 음식, 물, 공기 등과 같은 생리적이며, 물질적인 욕구에서 벗어나 점차 외부

하는 운동정치나 하위정치로 간주됩니다(조대엽 2014).

4) 울리히 벡은 통치행위가 엘리트 중심의 전통적 정치행위와는 달리, 아래로부터 시민들의 개인적이고 집단적인 참여를 통해 이뤄지는 '하위정치' 영역으로 옮겨가고 있다고 주장합니다. 기든스(2014)는 하위정치를 의회정치와 차별화하면서, 시민사회가 단일 쟁점에 대하여 활발하게 토론하고 공익활동에 참여하는 것이라 설명합니다(울리히 벡 1996; 앤소니 기든스 2014).

5) 칼 슈미트(Carl Schmitt)에 따르면, 정치(politics)는 매일의 의사 결정과 이데올로기적인 당파성을 띠는 반면 '정치적인 것(the political)'은 행위·사건 및 다른 현상들이 제일의 위상을 얻는 준거 틀을 말합니다. 요컨대, 전자는 경제·문화·종교·사회 등과 함께 범주화되는 제도적 영역으로서 정치를, 후자는 정치의 영역에서 배제된 자들의 주체화로 인해 발생하는 특정한 분야와 양식을 의미하는 것입니다(무페 2007).

적인 인식 혹은 자기 성취와 같은 상징적이고 가치지향적인 목표를 추구합니다. 이러한 탈물질적 가치를 추구하는 개인은 더 많은 식견을 가지고 정치에 더 많은 흥미를 느끼게 됩니다. 또한 탈물질적 가치는 선거 참여를 자극하는 직접적인 요소는 아니지만, 시민 참여에 대한 동기는 부여합니다. 탈물질적 가치를 지닌 시민은 민주적인 과정을 강하게 지지하고, 다른 사람들과 높은 수준의 신뢰를 보여줍니다. 따라서 정치참여의 수준이 높아질 뿐만 아니라, 그 방법 또한 엘리트 중심의 정치가 아닌 엘리트에 도전하는 정치를 선호합니다.

둘째, '정치적인 것'을 실천하는 시민입니다. 정치적인 것은 갈등이나 권력게임과 같은 정치적인 일상의 세계를 의미합니다. 정치적인 것은 합리적으로 제도화된 경쟁의 공간을 뜻하는 정치보다 더 폭넓은 개념입니다. 즉 제도화된 영역만이 아니라 제도화되지 않은 영역에서, 그리고 전통적으로 자유주의가 사적인 영역으로 규정하는 공간에서도 정치적인 것이 실천될 수 있습니다. 정치적인 것은 이성만을 강조하는 정치관을 비판하면서, 이성과 합리성의 개념 속에 숨겨진 의미를 찾고자 합니다.

셋째, '자기 조직적' 시민입니다. 이는 자기 삶을 스스로 결정하는 것을 의미하며, 시민 개개인이 스스로를 인식하는 과정입니다. 과거에는 가족이나 공동체 문화와 가치체계에 의해 개인의 사회적 위치가 결정되는 측면이 강했습니다. 그러나 정치사회가 고도로 복잡해지고, 다양한 쟁점들이 얽혀 있는 지금의 상황에서 자신의 삶을 규정하고, 위치 짓는 문제에 대한 기회와 부담이 점점 개인 각자에게로 전이됩니다. 결국 시민 개개인이 모든 것을 결정하고 규정해야 하는 환경이 조성되었습니다. 그렇다고 해서 자기 삶을 스스로 결정하는 자기 조직적 시민이 자기 이익만 챙기면서 사회갈등을 유발한다는 것은 아닙니다.

넷째, '사회적이면서 개인적인' 시민입니다. 자기를 위해 사는 것이 곧 사회적으로 사는 것을 의미하며, 협동적 혹은 이타적 개인주의라 할 수 있습니다. 기존의 개인주의는 자기중심주의, 원자화 혹은 고립된 개인과 같이 부정적인 의미가 강했습니다. 산업화 시대의 가치 체계는 개인을 항상 집단 혹은 조직에 종속시켰기 때문입니다. 그러나 디지털 시대의 가치는 의무감보다는 자발성을 특징으로 하는 새로운 형태의 연대성을 중시합니다. 이러한 연대성은 소속감을 부여하는 동시에 삶의 의미를 창조하는 사회적 네트워크를 만드는 역할을 합니다.

다섯째, 뉴미디어 시대 시민의 특성으로 모니터 시민(monitor citizen)과 감성시민의 결합을 들 수 있습니다. 슛슨(Schudson)은 미국 시민사회를 4개의 시대로 구분하고 각각의 이상적 시민모델을 설명합니다. 18세기부터 19세기 초까지는 정치 엘리트의 리더십에 대해 존경심을 갖는 경외적인 시민(deferential citizen)을, 19세기 초기 이후에는 정당을 통한 참여에 적극적인 당파적 시민(partisan citizen)을, 19세기 후반부터 1950년대 까지는 합리적 사고를 갖고 정책결정과정에 직접 참여하고자 하는 식견 있는 시민(informed citizen)을, 그리고 이후에는 개인의 시민적 권리를 중시하는 권리-의식적 시민(right bearing citizen)을 이상적 시민으로 여겼습니다. 슛슨은 디지털 사회에서는 위 4가지 시민모델이 현실적으로 유지되기 불가능하다고 주장하면서, 그 대안으로 모니터 시민(monitor citizen)을 제안합니다. 모니터 시민은 정치적 이슈에 대해 완벽한 정보와 지속적인 관심을 갖도록 요구하지 않습니다. 일상 상황에서는 자신들의 공동체에 대한 주요 위협을 감지할 정도로만 정치적 장면에 주목하다가, 주요한 위협이 감지될 때 비로소 관심을 갖고 관련 정보를 찾게 됩니다. 9.11 테러 이후 미국 시민의 정치에 대한 관심이 급증한 것처럼, 모니터 시민의 정치참여는 위기상황에서 극대화됩니다. 2008년 촛불시위 시기에 그간 비정치적 집단으로 구분되었던 여학생과 유모차 부대 그리고 비정치적 동호회인 MLB Park, 소울 드레서, 82 Cook 등이 촛불시위에 적극 참여하였던 것은 이들이 모니터 시민의 특성을 갖고 있기 때문입니다.

모니터 시민에게 있어 '감성(emotion)의 정치'는 '이성(reason)의 정치' 못지않게 중요하며, 이는 정치참여를 촉발하는 주요한 기제로 작동하게 됩니다. 일반적으로 민주주의는 이성적 경쟁을 의미하고, 감성은 성숙하고 균형 잡힌 정치 참여에 도움이 되지 않는 것으로 알려졌습니다. 그러나 감성과 이성은 상호보완적인 관계를 갖고 있습니다. 굿윈(Goodwin)은 민주주의에서 정치는 합리적임과 동시에 감성적이어야 한다고 주장합니다. 효율적인 해결책도 중요하지만 귀 기울일 수 있는 능력, 정의감, 관심, 신뢰, 정체성 그리고 갈등 또한 중요하다는 것입니다. 뉴미디어 시대의 정치는 서로 다른 이해관계를 가진 개인과 집단들이 다양한 의견을 표출하는 복합적 정체(mixed polity)의 모습을 띠고 있습니다. 이때 감성은 사적 감정뿐 아니라 공적인 감정을 모두 담고 있어, 이성적 대화를 방해하는 것이 아니라 이를 더욱 용이하게 하는 역할을 합니다.

〈표 1〉 디지털 시민의식의 순기능과 역기능

변화되는 디지털 시민의식	긍정적 기능	부정적 기능
정치 참여 의식의 고양	시민사회의 활성화 민주적 의사 결집 가능 정치적 효능감 증진 정치적 무관심층 참여 확대	'과다 참여'의 문제 '대의제'의 훼손 가능성 '포퓰리즘'의 문제 '참여의 질' 문제
	<사례> 건전한 시민단체 사이트. 대의기구와의 소통 사이트. 투입기능: 네티즌 청원 등.	<사례> 정치의 희화화: 저질 패러디와 리플 놀이. 선동 사이트, 과격한 시위
개인 권리 의식의 강화	소비자 주권 추구 부정·부패에 대한 감시 및 고발 맹목적 권위주의 파괴	권리 만능 의식의 확산 타인 권리에 대한 무관심 집단 이기주의의 확산

		공권력 및 정당한 권위의 훼손 각종 소송의 남발
	<사례> 부정 감시·고발 사이트. UCC 열풍, 프로슈머 등장. 가격 비교 사이트.	<사례> 기성 권위 파괴 사이트. 타인 명예훼손 및 비방 댓글. 2008년 조중동 불매운동 및 광고주 협박.
사고의 다원화와 공동체 의식의 약화	창의적 사고의 확산 문화적 다양성의 확산 소수자에 대한 배려 확대	공유된 이해의 감소에 따른 사회적 갈등 확대 일탈적 가치의식 등장
	<사례> 인터넷 소설 등장, 하이브리드·퓨전 현상. 창의적 아이디어 개진. 2005년 BRIC 사이트.	<사례> 비윤리적 팬픽 및 팬덤의 확산, 외계어 유행. 자살·스와핑 등을 비롯한 일탈 조장 사이트. 각종 갈등 조장 사이트.
감성적인 판단 및 사고	국민적 일체감 부여 및 동원력 증대 국난 극복의 의지 고양	성급한 의사결정 부정확한 정보에 대한 맹신 군중 행동에의 몰입
	<사례> 2002년 월드컵 및 2008년 올림픽 집단 응원.	<사례> 2005년 '개똥녀 사건' 2008년 '미네르바 논쟁'

출처: 정보통신정책연구원(2009).

뉴미디어의 확산과 함께 나타나는 새로운 시민의식은 긍정적 측면과 부정적 측면 양면을 모두 갖고 있습니다. 정치 참여의 측면에서 뉴미디어는 국회나 정당과 같은 대의제도와 소통하는 수단으로 활용되며, 시민청원의 창구로도 활용될 수 있습니다. 이러한 온라인 시민참여는 개인의 정치효능감을 높일 뿐 아니라 정치 무관심층의 참여를 촉진시키고 시민사회를 활성화시키는 긍정적 결과를 낳습니다. 한편으로는 뉴미디어가 정치적 선동과 폭력적 참여의 수단으로 악용되는 경우도 있습니다. 또한 저질 패러디 리플 놀이는 정치를 희화화하는 부작용을 가져 옵니다. 이러한 잘못된 온라인 참여로 인해 대의민주주의를 훼손하고 포퓰리즘을 확산하는 부작용이 생기기도 합니다. 개인의 권리의식 강화의 측면에서 보자면, 뉴미디어가 정부 관료의 부정부패를 감시하고 대기업의 횡포를 고발하는 수단으로 활용될 수 있습니다. 이러한 온라인 활동은 시민들의 정치 권리와 소비자 주권을 강화하는 효과를 가져 옵니다. 그렇지만 뉴미디어가 기성 권위를 파괴하거나 부당한 불매운동의 수단으로 활용되면서 공권력의 약화와 집단 이기주의의 확산을 불러일으키는 역기능이 생겨날 수도 있습니다. 사고의 다원화와 공동체 의식 측면에서는 뉴미디어가 창의적 사고를 확산하고 문화적 다양성을 증진하는 효과를 가져 올 수 있는 반면 일탈적 가치를 조장하고 사회갈등을 심화하는 문제를 양산할 수도 있습니다.

2. 뉴미디어 시대의 정당과 선거

1) 뉴미디어 시대의 정당

(1) 뉴미디어와 정당의 위기

1987년 민주화 이후 오랜 시간이 흘렀지만 정당에 대한 시민들의 불신은 더욱 높아지고 있습니다. 정당 본연의 기능인 이익대표와 이익표출 그리고 정부정책에 대한 감시와 비판의 역할은 점차 약해지고 선거를 통한 권력 쟁취와 이를 위한 정치적 동원에만 몰두하고 있기 때문입니다. 한편 시민들은 SNS와 같은 뉴미디어를 이용해 정치적 의사를 표출하고, 다른 시민들과 소통하면서 시위와 같은 직접적인 정치참여를 조직하고 있습니다. 제도정치에 대한 불신 속에 뉴미디어 정치참여가 확산되면서 정당의 위기는 더욱 고조되고 있습니다.

민주화 이후 지난 수십 년간 정치개혁 방안을 논의할 때마다 정당은 매번 주요 개혁 대상 가운데 하나였습니다. 정당은 '민주주의 창출자'이자 '민주주의를 작동하게 할 수 있는' 핵심적인 제도적 장치이기 때문입니다. 그간 정당개혁에 관한 논의는 공식적인 제도변화에 초점을 두었습니다.

2003년 국회 내에 설치된 '범국민정치개혁협의회'가 제시한 개혁안을 보면 혼합형 선거제도 확대, 지구당 조직 금지, 정치자금법 개혁 등 공식적인 제도개혁에 주안을 두었습니다. 이러한 제도개혁의 노력에도 불구하고 정당과 정치권에 대한 국민의 불신은 날로 더해가고 있습니다. 국민들은 정당이 자신들의 이익을 제대로 대표하지 못한다고 판단하기 때문입니다. 사회 내 균열구조를 대표하면서 이익을 표출하고 정책적 합의안을 만들어내는 매개집단으로서의 역할을 제대로 수행하지 못하기 때문입니다. 애초 한국의 정당이 서구국가처럼 부르주아 계급과 노동자 집단 간의 계급균열에 바탕을 두고 형성된 것이 아니라 유명 정치인을 중심으로 한 인물중심 정당의 형태를 띠었기에 일반 국민과 일체감이 매우 약한 모습을 보였습니다. 그러다보니 정부와 일반 국민을 연결해야 하는 정당의 매개기능이 제대로 수행될 수 없었습니다.

이러한 정당의 매개기능 약화는 뉴미디어 발달과 함께 더욱 심각해지고 있습니다. 새로운 정보기술을 이용하는 뉴미디어 정치가 확산되면서 시민들의 정치의식과 정치참여 행태가 변화하고 있기 때문입니다. 굳이 정당이라는 정치적 대의제도를 통하지 않고서도 뉴미디어를 이용해 다양한 방식으로 정치적 의사를 표출할 수 있게 되면서 대의제도에 대한 국민들의 신뢰는 더욱 떨어지고 있습니다. 그 결과 정당이나 선거와 같이 참여의 효능감이 낮은 대의제도를 통한 참여는 더욱 감소하는 현상이 나타납니다. 그럼에도 불구하고 시민들의 정치에 대한 관심이 낮다고 볼 수 없는 것은 최근 직접적인 시민 참여가 점차 증가하는 양상을 보이기 때문입니다. 더욱이 정보통신기술의 발달로 인한 디지털 환경의 보편화는 온라인 공간을 이용한 다양한 형태의 정치참여를 양산하고 있습니다. 이제 네티즌이 의제를 설정하고, 여론을 확산하여 정치적 행동에 옮기는 '네티즌 정치'의 모습은 일상화되었습니다. 한편으로 여론을 수렴하고 대표함으로써 국민과 정부를 연결하는 매개집단으로서의 정당의 기능은 점차 약화되고 있습니다.

보울러(Bowler)는 시민의 정치참여 욕구는 제도정치에 대한 불신과 이를 감시해야 한다는 책임감으로부터 발생한다고 말합니다. 따라서 시민의 의사를 대표하는 정치제도들은 무엇이 시민으로 하여금 대의민주주의에 등을 돌리고 길거리로 나서게 만들었는지에 대해 우선 고민하여야 합니다. 정당은 전통적으로 의제설정, 이해집약, 중개, 동원, 정치 엘리트의 양성 등의 기능을 수행해왔으며, 극심한 정당 위기와 퇴조에도 불구하고 이러한 고유 기능으로 인해 정당은 존속할 수 있었습니다. 그러나 네트워크 환경에서는 이러한 기능을 수행하려는 대체집단들이 속속 등장하고 있기 때문에 정당의 독점적 지위가 향후에도 계속 보장되리라 보기는 어렵습니다. 그 이유는 무엇보다도 네트워크의 속성이 개방적이고 분산적이라는 점에서 기인합니다. 디지털 시대가 만들어낸 네트워크 환경으로 인해 부문 간 경계가 약화되면서 이질적 요소들이 모이고, 섞이고, 바뀌고, 나뉘고, 거듭나거나, 새로운 것으로 변화하고 있습니다. 그리고 이러한 재구성은 네트워크를 통해 이루어집니다. 그 결과 정치과정에 있어 중심과 주변의 구분이 모호해집니다. 정부, 국회, 정당, 주요 이익집단, 거대 시민단체와 같은 과거의 중심 집단이 정치과정을 일방적으로 주도하는 것은 더 이상 불가능합니다. 정치의 롱테일 현상으로 인해 과거의 주변 세력들, 즉 개인, 소외집단, 비참여 세력들은 더 이상 정치에 아무런 영향을 줄 수 없는 주변집단이 아닙니다. 이들은 네트워크를 통해 모이고, 섞이면서 새로운 정치세력으로 등장하고 있습니다.

디지털 환경으로 인해 조직과 개인의 구분 역시 무의미해지고 있습니다. 소수의 정치엘리트들이 정치과정을 주도하면서 다수의 대중을 지배할 수 있었던 것은 조직의 힘 때문이었습니다. 거꾸로 대중은 수적 다수를 점하고 있으나 분산되고 고립되어 존재함으로써 조직으로의 권력을 행사할 수 없었습니다. 그러나 이제 네트워크는 흩어져 고립되어 있던 대중을 모으고 섞으면서 하나의 정치집단으로 바꾸어 놓았습니다. 그렇다고 위계적 지휘체계를 갖춘 경직화된 조직은 아닙니다. 이들은 주체적 개인들이 수평적으로 연결된 느슨한 조직체계를 유지하고, 조직의 권력은 소수 엘리트가 아니라 네트워크로 연결된 개인들(networked individuals)이 만들어 냅니다.

디지털 시대 시민은 정치과정의 결과물을 소비하는 수동적인 존재에 그치는 것이 아니라 정치적 쟁점의 형성과 여론의 향배 등을 적극적으로 주도하는 등 정치과정 자체에 영향력을 투사하는 적극적인 생산자로서 역할을 합니다. 산업사회에서의 대의의 방식이 공급자 중심의 모델이었다고 한다면, 디지털사회에서의 대의의 방식은 "수요자 중심 참여모델"이라고 할 수 있습니다. 디지털 시대의 정치참여 역시 기존의 정치참여와는 전혀 다른 양상으로 전개되고 있습니다. 즉, 선거 등의 제도적인 영역을 우회하여 비제도적인 영역을 중심으로 네트워크 운동이 펼쳐지면서 대의민주주의의 대표체제와 이해표출을 완전히 허물어뜨리는 방식으로 나타나기도 합니다. 그렇다고 정당과 선거 등의 제도정치의 영역이 소멸되지는 않을 것입니다. 여전히 시민을 정치적으로 매개하는 정당의 기능은 중요하고 앞으로도 그러할 것입니다. 단, 정당제도가 지속되기 위해서는 정당이 매개 혹은 "대의"해야 하는 대상으로서의 시민이 변화하고 있다는 점과 함께 '무엇을' '어떻게' 대의할 것인가의 문제, 즉 "대의"의 대상과 내용 그리고 방식이 변화하고 있다는 점을 명심하여야 합니다. 새로운 비제도적 통로가 나타나고 있고, 그 중요성이 증가하고 있으며, 이 부분에 대한 정당의 적극적 대응이 필요합니다. 정당은 이러한 변화를 정확히 파악하여 새로운 시대에 맞는 방식으로 거듭나야 정치매개집단으로서의 역할을 원활히 수행할 수 있을 것입니다.

(2) 뉴미디어와 정당의 변화

정당은 대의민주주의의 근간이 되는 제도입니다. 정당의 위기는 곧 대의민주주의의 위기라 할 수 있습니다. 정당이 이익결집과 이익표출의 과정을 통해 국민의 정치적 의사를 잘 대의할 때 비로소 건강한 대의민주주의가 유지될 수 있습니다. 또한 정당은 선거를 통해 국민의 선택을 받고 통치의 정통성을 부여받게 됩니다. 뉴미디어 확산이 이러한 정당의 기능에 어떤 영향을 미칠지에 대해서는 정당강화론과 정당쇠퇴론이라는 두 가지 상반된 주장이 논쟁 중에 있습니다.

정당강화론은 디지털 네트워크 환경에서 정당의 대의기능은 더욱 강화될 것이라고 주장합니다. 이러한 주장은 디지털 네트워크 기술이 대의민주주의를 제도적으로 보완하고 질적으로 향상시킬 것이라는 가설을 전제로 합니다. 이들은 디지털 네트워크 기술이 일반 시민들의 정치적 참여를 활성화하고 나아가 직접민주주의를 실현할 수 있을 것이라는 기술결정론적 시각을 비판합니다. 비록 기술적으로는 직접민주주의가 가능할지 모르나 규범적으로 바람직하지도 않을뿐더러 현실적으로도 실현되기 어려울 것이라고 주장합니다. 이들은 시민들의 정치적 판단 능력과 참여 의지에 대해 회의적인 입장입니다. 무엇보다 시민들이 정치과정에 부분적으로 참여할 수는 있으나 직업정치인의 역할을 완전히 대체할 수는 없다고 봅니다. 사회가 발달하고 다변화되고 복잡해짐에 따라 개인이 관심을 갖고, 이해하고, 합리적으로 판단할 수 있는 분야는 제한적일 수밖에 없습니다. 비록 디지털 네트워크를 이용해 손쉽게 필요한 정보를 습득할 수 있지만, 현실적으로 대부분의 시민들은 자신과 직접 관련이 없는 사회쟁점에 대해서는 관심을 기울이지 않을 것입니다. 국가의 주요한 의사결정을 대표자들에게 위임하지 않고 시민들이 함께 참여하여 논의하고 결정하게 되면 대표들의 권력남용을 방지하고 시민의 책임성을 높일 수 있습니다. 그렇지만 이는 한편으로는 그 동안 정치적 대표들이 가졌던 부담과 책임을 국민들에게 전가하는 문제를 낳을 수도 있게 됩니다. 일반 시민들은 자신의 이해에 관련된 사안을 스스로 결정하기를 원하기도 하나 대부분의 사안에 대해서는 정치적 책임을 지는 대표자들이 자신들을 대신하여 판단하고 결정해주기를 원합니다. 이러한 점에서 정당의 역할은 여전히 중요합니다.

정당강화론자들은 20세기의 대중정당(mass party)이 새로운 사회 환경에 직면하여 포괄정당(catch-all party)[6] 혹은 카르텔 정당(cartel party)[7]으로 변화해 왔듯이, 뉴미디어 시대에는 근대적 간부정당(modern cadre party)의 모습으로 새로운 환경에 적응할 것이라고 전망합니다. 디지털 네트워크 기술이 확산되면서 정당은 새로운 방식의 의사결정 과정을 도입하게 됩니다. 디지털 네트워크 기술을 이용하면 당원과 일반시민들의 정당 활동 참여가 더욱 활성화될 수 있습니다. 가령 온라인 투표 기술을 활용하면 정당의 의사결정 권한을 당원과 일반시민에게 개방하는 것이 가능하게 됩니다. 온라인 투표를 통해 당원과 일반시민들이 정당의 공천과정뿐 아니라 정당정책과 선거공약을 결정하는 과정에도 참여하여 자신들의 의사를 표명할 수 있습니다. 당원과 일반시민의 참여는 지방정당 조직의 영향력을 감소시키면서 오히려 중앙당의 영향력을 강화하는 역설적인 결과를 가져오게 됩니다. 디지털 네트워크 기술을 활용하여 정당과

---

6) 각 계급을 대표하는 정당의 극심한 대립, 경제사회적 변화에 따른 이념적 정체성 약화 등으로 정당정치가 적절하게 기능하지 못하는 상황을 극복하기 위해 등장한 정당 형태입니다. 포괄정당은 이념적 변신, 지지기반 확충을 넘어 정당의 조직적 특성이 근본적으로 변화한 것을 의미합니다(강원택 2009).

7) 서구 민주주의에서 1970년대 등장한 정당 형태로 카츠와 메이어(Katz, Mair 1995)가 처음 주장했습니다. 카르텔 정당은 당원의 감소, 충성심 약화, 정치자금 기부자의 감소 등 정당의 사회적 기반이 약화된 상황에서 이에 대해 대응하며 형성되었습니다. 이 같은 정당은 국가에 대한 의존도를 높이고 신당의 진입을 막고자 정치경쟁 구조를 폐쇄적으로 이끌어 가기 때문에 정부와는 가깝지만 국민과는 멀어진 특징을 보입니다(강원택 2009).

유권자 간의 소통이 활발해지면서 정당의 자율성이 더욱 강화될 가능성도 있습니다. 정당이 유권자와 직접 소통하면서 언론에 대한 의존도가 줄어들기 때문입니다. 언론이라는 중간 매개체를 우회함으로써 정당은 의제설정, 프레임형성, 전달대상 설정에 독립적이고 자율적인 권한을 행사할 수 있게 됩니다. 또한 정당은 자신의 정책적 입장을 결정하는데 디지털 네트워크 기술을 활용할 수 있습니다. 뉴미디어 기술은 정당으로 하여금 유권자들의 생각을 용이하게 파악할 수 있게 합니다. 온라인 여론조사를 통해 유권자가 선호하는 후보, 정책, 정당 이미지를 파악할 수 있습니다. 디지털 네트워크 기술을 활용함으로써 유권자 맞춤형 정당으로 거듭난다면 정당의 미래는 더욱 탄탄해질 것입니다.

한편 일부에서는 뉴미디어 시대에 들어오면서 정당의 기능은 약화되고 쇠퇴할 것이라 전망합니다. 정당쇠퇴론에 따르면 디지털 네트워크의 확산과 함께 그간 정당이 수행해왔던 매개, 이익집약, 의제설정, 동원, 충원과 같은 기능이 약화될 것이라 봅니다. 무엇보다 디지털 네트워크가 정부와 시민, 그리고 시민과 시민 간의 연결을 강화시키면서 그간 정당이 해온 매개집단(intermediary organization) 기능은 위축될 수밖에 없습니다. 정부는 효율적인 국정운영을 위해 끊임없이 국민의 목소리에 귀를 기울이게 됩니다. 디지털 네트워크를 이용해 행정서비스를 처리할 뿐 아니라, 주요 정책을 결정함에 있어 시민들이 참여할 수 있는 채널을 점차 확대하고 있습니다. 수시로 온라인 여론조사를 실시해 시민들의 요구사항을 파악하기도 합니다. 정부가 디지털 네트워크를 통해 시민들과 직접 접촉하게 되면 자연히 정당의 이익집약, 이익표출 기능은 약해지고, 정부는 의회와 정당을 우회하면서 국정을 운영하게 됩니다. 또한 일반 시민과 이익집단들이 디지털 네트워크를 이용하여 자신들의 의제를 설정하고 지지집단을 동원할 수 있게 된다면 굳이 정당과 같은 매개집단에 의존할 필요성을 느끼지 못하게 됩니다. 시민들은 자신의 정치적 결정권을 더 이상 정치 대리인에게 위임하려 하지 않을 것이며, 결국 정당은 디지털 네트워크에 이익대표 기능을 내줄 수밖에 없는 상황이 됩니다.

정당의 기능약화는 선거에서도 나타나게 됩니다. 이미 근대시기부터 선거에 있어 정당조직의 역할은 급속히 축소되고 있습니다. 뉴미디어 선거가 자리 잡은 탈근대시기에는 정당의 역할이 더욱 약화되고 있습니다. 후보공천뿐 아니라 선거공약 수립과 선거운동 과정에서 정당은 주도적 역할을 할 수 없게 되었고 후보자와 유권자들에게 자신의 권한을 이양할 수밖에 없게 됩니다. 미국을 비롯한 많은 민주국가에서 정당은 후보공천 권한을 당원과 일반 유권자에게 주고 있습니다. 당원이나 국민경선을 통해 공천을 받은 후보들은 자신들의 디지털 네트워크를 활용하여 유권자와 직접 접촉하고 지지를 호소합니다. 또한 지지자들의 여론을 수렴하면서 선거공약을 만들고 선거 전략을 짜고 있습니다. 디지털 네트워크로 인해 후보자들은 정당의 도움 없이도 얼마든지 선거를 치를 수 있게 되었습니다.

뉴미디어의 확산은 정당의 의사소통 권력구조에도 변화를 가져옵니다. 과거 정당은 집단적으로 공유된 다수의 이해관계를 대표했기 때문에 위계적이고 중앙집중적인 의사소통 방식을 통해 지지자들을 조직화하였습니다. 더욱이 우리 정당의 경우 3김 시대 이후에도 여전히 정당의 리더가 당 조직을 장악하고 있었고 당원보다도 소수 엘리트에 권력이 집중되었습니다. 이러한 위계적 조직으로는 뉴미디어를 이용한 수평적 정치참여에 적절히 대응할 수 없습니다. 디지털 환경 하에서의 정치적 소통 방식은 수평적이고 자율적인 네트워크 형태를 띠게 됩니다. 정치적 이슈 역시 사소하고 일상적인 이슈들로 확산됩니다. 과거처럼 지역주의, 민주 대 반민주, 대북 문제와 같은 경성 이슈에 익숙한 정당 정치는 생활 중심의 연성 이슈에 관심을 보이는 다양한 시민의 선호를 대표하기 힘듭니다. 정당이 여전히 경직성을 지니고 이념 지향적이어서는 새로운 이슈와 환경 변화에 제대로 적응할 수 없습니다. 또한 일부 정치 엘리트나 전문가들을 중심으로 정당을 운영한다면 수평적인 네트워크 권력구조 위에서 참여하는 유권자와 충돌을 빚게 됩니다. 뉴미디어 시대에는 탈집중과 탈권위의 시민참여가 일상화되기 때문입니다. 따라서 기존 정당의 거대담론을 중심으로 한 중앙집중적인 정치적 소통 방식에서 벗어나 정당의 권력구조가 분산되는 모습을 보여야 합니다.

정당의 주요한 기능이 유권자의 다양한 선호를 집약하는 것이라고 할 때 디지털 환경의 대두에 따른 이슈의 다층적 분산으로 인해 정당들이 대표 기능을 수행하기가 매우 어렵게 됩니다. 정당이 유권자가 선택할 수 있는 다양한 선택지들을 마련해 주지 못한다면, 정당이 존재하는 근거는 매우 취약해질 것입니다. 더욱이 지금의 정치 환경에서 일상적인 생활 이슈가 풍부해 지면서 사회적 파장이 큰 이슈가 무엇이 될지 예측하기가 어렵게 되었습니다. 이러한 상황에서 정당이 유권자의 선호 영역에 더욱 친밀하게 다가가기 위해서는 생활정치 기구로서 새롭게 자리매김해야 합니다. 정당정치의 활성화를 위해서는 디지털 시대의 개별 시민들이 자발적으로 참여하고, 정보 공유를 통해 새로운 정치적 정체성을 만들어 갈 수 있는 유연하고 수평적인 공간을 정당 스스로가 마련하는 노력이 필요합니다. 이를 위해서는 과거와 같이 강한 정치적 일체감의 유시, 위계적인 조직, 중앙집권적인 당 운영과 같은 정당운영방식에서 탈피하여야 합니다. 오히려 지역 단위의 풀뿌리 정당기구가 가능한 넓은 범위의 네트워크를 창출하는데 중요한 역할을 할 수 있습니다. 이러한 측면에서 볼 때 지구당 부활에 대해 다시 고민해 볼 필요가 있습니다. 2004년 3월 개정된 정당법의 주요한 골자는 '지구당의 폐지'였습니다. 그 이후 정당들은 지구당 폐지에 대한 대안으로 '당원협의회'를 구성하여 지역조직으로 활용해 왔습니다. 고비용

저효율의 정당구조를 개선하기 위한 목적으로 지구당을 폐지하였으나 최근에는 이를 다시 부활해야 한다는 주장이 대두되고 있습니다. 지구당은 정당 조직의 하부단위로서 유권자와 직접 대화할 수 있는 통로이기 때문입니다. 현재 운영되고 있는 당원협의회는 사실상 과거 지구당과 별반 차이가 없습니다. 과거 지구당 위원들이 사실상 당원협의회 운영책임을 맡고 있고, 지역 사설 조직과 사무소가 여전히 운영되고 있습니다. 과거 지구당이 불법 정치자금을 조달하고, 금권선거를 부추기며, 정당리더와 국회의원에 종속되어 비민주적으로 운영되어 온 문제는 분명히 있습니다. 그렇지만 정당정치의 비민주적 요소를 법적으로 규제하는 것도 중요하지만, 이러한 규제 장치가 시민들의 다양한 참여 욕구를 저지하면서 정당과 유권자 간의 거리를 더 멀게 만드는 문제를 낳을 수 있습니다.

(3) 뉴미디어와 정당개혁

정당의 위기는 대부분의 민주주의 국가들이 공통적으로 겪고 있는 문제입니다. 서구 정당들 또한 정당 일체감의 약화, 정치적 무관심 증가, 그리고 교육수준 향상과 정보습득 강화에 따른 개인의 인지적 동원능력(cognitive mobilization)[8]의 향상 등과 같은 이유로 인해 정당 조직의 위기를 겪고 있습니다. 뉴미디어의 확산은 이러한 위기를 더욱 가속시키고 있습니다. SNS를 비롯한 뉴미디어를 이용한 정치적 소통의 증가는 한국 정당에도 위기 요인으로 작용하고 있습니다. 뉴미디어 확산은 두 가지 측면에서 정당을 위협하고 있습니다. 첫째는 지역주의라는 집단적 정체성에서 벗어나 뉴미디어를 활용한 개인화된 정치 참여가 확대되는 현실에 어

8) 교육 수준이 높아짐에 따라 인식능력의 신장과 정치적 정보획득이 용이해져 일반 시민들이 독자적으로 정치적 판단을 내리고 선택을 할 수 있는 상태를 의미합니다(정진민 2004).

떻게 적응해 갈 것인가의 문제입니다. 둘째로는, 네트워크로 연결된 개인이 여론형성의 주도적인 역할을 하게 된다면 정책 생산이나 사회적 네트워크에 취약한 정당은 어떻게 재조직화해야 하는가의 문제입니다. 이러한 위기의식이 팽배한 이유는 한국의 정당 조직이 여전히 자발적 참여보다 정치적 동원을 위한 도구적 속성을 강하게 지니고 있기 때문입니다.

정치적 동원을 위한 도구적 속성은 몇 차례의 정치개혁을 경험하고도 여전히 탈피하지 못한 한국 정당의 가장 큰 병폐라고 할 수 있습니다. 물론 정당의 주요한 목적이 정권 획득을 목적으로 한 정치적 동원이지만, 그동안 한국의 정당은 민주정치의 이상을 실현하기보다는 특정 정치지도자나 정파의 권력 유지와 사리사욕을 위해, 시민을 동원의 수단으로 간주하는 경향이 강했습니다. 1987년 6.29 민주화 선언 이후 정당정치의 경우 과거 권위주의시대의 집권당과 야당을 이어받은 정당들의 독무대였습니다. 새로운 정당의 진입은 봉쇄되었고, 정치지도자들의 개인적 카리스마에 의존하는 지역주의가 강하게 작용하여 시민과 정당의 연계구조는 매우 약했습니다. 물론 2002~2004년을 거치면서 폐쇄적인 정당조직을 유연한 체제로 탈바꿈하는 새로운 정치 환경이 형성되기도 했습니다. 주요 정당을 이끌어온 정치 리더들이 퇴장하고, 혼합형 선거제의 본격화와 정치관계법 등의 변화로 신생정당들의 진입이 훨씬 쉬워져 2004년 총선에서는 민주노동당이 역사상 처음으로 원내정당으로 진입하였습니다. 또한 지역주의보다도 정책 혹은 공약이 정당정치에 영향을 미치는 새로운 변수로 등장하게 되어 정당과 시민 사이의 관계에 있어서 유동성과 다양성이 크게 증가하였습니다. 그러나 한국 정당정치의 이합집산은 여전하였습니다. 새로운 정치 리더와 정당이 등장한다고 해도 대부분 그 뿌리는 지역주의에 두고 있었습니다. 또한 제3당 역시 기존 정당에 대한 효과적인 자극제 역할을 하지 못하면서 정당정치에 대한 시민의 불만은 좀처럼 가라앉지 않았습니다.

학계, 시민단체, 그리고 정치인들은 한국 정당정치의 선진화를 위해 새로운 정당정치 방안들을 제시하고, 실제로 실천에 옮기기도 하였습니다. 무엇보다 정보통신기술을 활용하여 유권자 지지 기반의 정당으로 변화하고자 하는 시도들이 여기저기서 나타났습니다. 전자투표방안에 대해 고민하고, 홈페이지, 모바일을 통해 입당 및 탈당을 하고, 온라인으로 당비를 납부하고, 당원정보시스템이나 인트라넷을 통해 의사결정을 할 수 있는 시스템 마련 등에 물적 인적 자원을 투자했습니다. 2002년 새천년민주당은 대통령후보를 선출하는 과정에서 전자투표를 이용한 제한적 국민참여경선제를 처음으로 도입하였습니다. 2008년 통합민주당은 일부 지역구에서 실시한 모바일 투표 결과를 일정 비율 공천에 반영하거나, 인터넷을 통해 총선공천심사위원회 자문기구인 시민심사위원단을 공모하여 10명을 위촉하기도 하였습니다.

그렇지만 이러한 정당개혁의 노력들이 순조로이 진행되지는 않았습니다. 국민참여경선제의 경우 선거인단의 표심을 잡기 위해 오히려 과거보다 조직적인 흑색선전과 폭로전이 난무하였습니다. 국민참여당과 시민주권 모임의 경우 '정권 재창출에 실패한 열린우리당 구성원들의 마지막 몸부림', '노 전 대통령 정치 유산 계승을 둘러싼 민주당과 국민참여당 간의 적자 논쟁' 등과 같이 정치적 갈등을 불러일으켰다는 평가를 받았습니다.

한국의 정당정치가 국민 참여 공간을 넓히는 방향으로 정치개혁을 추진해 왔지만, 근본적인 문제 해결은 쉽지 않아 보입니다. 정당이 뉴미디어의 확산과 함께 시민이 어떻게 변하였고, 정당에 대해 무엇을 원하는지 고민하기보다는 선거 때 유권자를 현혹하거나 동원하는 수단 정도로만 뉴미디어를 활용하려고 하기 때문입니다. 지금의 한국 정당은 유권자들이 정당에 매력을 느껴 자발적으로 동원되도록 유도하기보다는 표심을 얻기 위해 유권자의 겉모습을 쫓아가기에 바쁜 형상을 띠고 있습니다. 이처럼 한국의 정당은 새로운 환경 속에서 스스로를 재조직해내지 못하고 있으며, 그로 인해 현실 정치적으로도 중요한 이슈에서 소외되어 가고 있습니다. 이는 정당의 정치적 책임성 확보와 민주주의의 발전에 상당한 위협 요소로 작용할 수 있습니다. 따라서 정당과 같은 기존의 대의제 기구가 디지털 환경 속에서 부각된 다양한 정치적 행위자들과 상생하고, 자기 영역의 독자성을 확보할 수 있는 방안을 모색할 필요가 있습니다.

2) 뉴미디어 시대의 선거

(1) 뉴미디어와 선거의 변화

미디어 변화와 선거

정치적 대표를 선출하는 선거는 대의민주주의의 근간을 이루는 핵심 제도입니다. 선거는 국민을 대표하여 통치하는 대표를 선출하고 이들에게 정치적 권한을 부여하는 기능을 합니다. 대표를 통한 통치의 정통성이 선거를 통해 확보되는 것입니다. 선거는 국민을 대표하여 통치하는 정치적 대리인을 선출할 뿐 아니라 통치에 대한 책임을 묻는 과정이기도 합니다. 집권 세력이 혹은 대표 개개인이 국민의 뜻을 제대로 대표하였는지 평가하고 그에 합당한 책임을 묻게 됩니다. 선거는 또한 국민의 뜻을 어떻게 대표할 것인지에 대한 방향과 내용을 확인하는 과정이기도 합니다. 선거에서 정당과 후보자들은 선거공약을 통해 자신들이 어떤 가치와 정책을 대표할지 밝히고 유권자들의 선택을 받습니다. 선거공약을 밝히고 유권자들의 지지를 호소하는 노력이 선거운동이며, 이 과정에서 나타나는 정당 및 후보자와 유권자 간의 정보전달이 정치커뮤니케이션입니다. 따라서 정치커뮤니케이션의 수단이 되는 매체의 변화는 선거운동 방식뿐 아니라 운동주체의 변화를 가져오고, 이는 권력구조의 변화를 초래합니다.

새로운 매체의 등장이 선거와 같은 정치제도에 변화를 가져올 것이라는 주장은 기술결정론적 시각에 근거합니다. 기술결정론자들의 논리에 따르면 디지털 네트워크를 기반으로 하는 뉴미디어의 확산이 선거운동의 주체와 나아가 권력구조의 변화를 가져옵니다. 디지털 네트워크 기술이 확산되면서 산업사회의 엘리트 중심의 위계적 권력구조가 흔들리는 상황이 발생합니다. 네트워크란 개인과 개인, 개인과 집단 그리고 집단과 집단 간의 관계를 구성하는 요인입니다. 뉴미디어 등장 이전에도 정당과 국회, 그리고 유권자 간의 관계를 구성하는 정치적 네트워크는 존재해왔습니다. 다만 디지털이라는 새로운 매체기술이 등장하면서 네트워크의 속성과 영향력이 달라지는 것입니다. 카스텔(Castells)은 네트워크를 '상호 연결된 노드(node)의 집합체(set)'라고 정의하면서, 네트워크 사회는 과거의 관료제나 위계적 조직체계와 달리 동일한 가치를 추구하는 수많은 노드가 수평적으로 연결되는 구조를 갖는다고 설명합니다. 위계적 권력구조에서는 소수의 엘리트 집단에 권력이 집중되고 이들의 의도대로 조직이 운영되었으나, 디지털 네트워크 구조에서는 다수의 행위자 간 상호작용을 통해 집합의사가 결정됩니다. 따라서 네트워크 속에서의 권력은 다수의 참여자들이 동의하고 인정할 때 비로소 행사될 수 있는 것입니다.

매체발전에 따른 선거의 변화는 TV가 주요 매체로 등장한 시기에도 나타났습니다. TV 등장 이전까지만 하더라도 선거운동의 주체는 정당조직이었습니다. 이전까지 당원과 지지자 조직이 선거운동을 주도하다가, TV의 등장으로 선거운동의 주체는 정당에서 후보자 개인으로 옮겨갔습니다. 굳이 대규모 조직을 동원하지 않더라도 TV를 통해 다수의 유권자에게 쉽게 다가갈 수 있었기 때문입니다. 선거운동 과정에서 정당조직에 대한 의존도가 줄어들고 후보자 개인의 능력과 이미지가 더욱 중요하게 되면서, 권력의 축이 정당지도부에서 후보자 개인으로 이동하는 변화를 가져온 것입니다. 한편 수평적 네트워크가 기반하고 있는 뉴미디어가 발달하면서 정당 내외부의 권력구조가 다시 한번 바뀌는 모습이 나타납니다. 정당 내부적으로는 일반 당원들의 참여와 영향력이 높아지고, 정당 간 권력구조에 있어서는 소수 정당들이 경쟁력을 가질 수 있는 기회가 주어집니다. 무엇보다 뉴미디어 시대에는 국민들의 정치효능감과 참여 능력이 향상되면서 선거가 갖는 중요성이 약해지고 시위와 같은 비제도적 참여가 증가하는 현상이 나타납니다.

기술결정론 시각에서 보았을 때 뉴미디어 확산에 따른 선거의 변화는 크게 두 가지 차원에서 진행될 수 있습니다. 첫째는 앞서 설명한 TV의 등장과 같은 차원에서 선거 주체, 선거운동 방식 그리고 권력구조에서 변화가 나타날 것입니다. TV가 불특정 다수를 대상으로 하는 단방향 커뮤니케이션 매체라면 뉴미디어는 특정 집단을 대상으로 쌍방향 커뮤니케이션이 가능한 매체입니다. 이러한 매체 특성의 변화는 유권자들의 참여를 용이하게 하면서 선거 주체와 선거운동 방식에 변화를 가져옵니다. 둘째로, 뉴미디어의 등장은 단순히 선거운동 주체와 선거운동 방식의 변화를 넘어서 선거제도 자체가 갖는 의미와 역할을 바꾸고 있습니다. 선거는 선출된 대표에게 통치권한을 부여하는 대의민주주의 제도의 핵심기제입니다. 유권자의 뜻을 정확히 대의해야 한다는 전제가 있기는 하나 사실상 선거에서 선출된 대표들은 합법적 권한을 위임받으면서 스스로의 판단 하에 통치행위를 하게 됩니다. 현실 정치를 들여다보더라도 후보자들이 각종 공약을 약속하지만 당선 후 제대로 지켜지는 경우는 드문 것이 사실입니다. 그렇지만 뉴미디어의 등장은 유권자들을 단순히 선거운동의 대상이 아니라 참여자로 바꿔 놓았습니다. 유권자들은 후보선출에만 참여하는 것이 아니라 후보들의 선거공약 수립과 당선 후 공약의 실천과정까지 깊숙이 관여할 수 있게 되었습니다. TV와 같은 매스 미디어의 등장이 권력의 축을 정당에서 후보자로 옮겨 놓았다면, 뉴미디어는 후보자에서 유권자로의 권력이동을 가져왔습니다.

이러한 권력이동은 선거제도가 갖는 기능과 의미를 바꾸고 있습니다. 과거 선거가 유권자가 대표에게 권력을 위임하는 제도적 절차였다면, 뉴미디어 시대의 선거는 대표와 시민들 간에 권력을 공유하는 과정입니다. 유권자들이 선거를 통해 대표자를 선출하였으나 이들에게 결코 모든 통치권한을 위임하지는 않습니다. 선거는 누가 무엇을 어떻게 대표하고 통치할 것인지 세세한 내용을 합의하고 결정하는 절차가 되었습니다. 당선 후에도 대표자들은 유권자들과 끊임없이 협의하고 협력하면서 통치행위를 수행하게 됩니다. 선거가 더 이상 권력위임의 절차가 아닌 것입니다. 산업사회의 정치사회적 환경에서 만들어진 대의민주주의 제도가 정보사회에서는 적실성을 갖지 못하고 시민들이 주도하는 참여민주주의가 확산되는 양상이 나타날 것입니다. 즉 민주주의 모델이 변화하면서 이에 따라 선거제도가 갖는 의미도 바뀌게 된다는 뜻입니다.

기술에 내재된 특성이 사회변화의 방향을 결정한다는 기술결정론 시각과 달리 사회구성론자들은 기술의 가치중립성을 주장하면서 사회문화적 특성, 제도, 역사 등 기술 이외의 요소들이 사회변동을 추동한다고 주장합니다. 사회구성론 시각에 근거하자면 뉴미디어의 확산이 선거에 미치는 영향은 선거가 치러지는 사회의 특성에 따라 다르게 나타날 것입니다. 뉴미디어는 다음과 같은 세 가지 방향으로 선거에 변화를 가져올 수 있습니다. 첫째는 기존 선거운동 방식에 뉴미디어를 활용하는 형태입니다. 여기에서 나타나는 매체변화의 영향력은 레즈닉(Resnick)이 말하는 일상의 정치(politics as usual)와 맥을 같이 합니다. 이는 새로운 매체가 정치과정에 활용되지만 기존의 정치행태를 변화시키기보다는 보완 혹은 강화시키는 결과를 가져온다는 주장입니다. 즉 정당들이 선거운동의 효과를 높이기 위해 뉴미디어를 적극 활용하기는 하지만 선거운동의 주도권을 잃으려 하지는 않으며, 따라서 유권자들의 참여는 정당의 통제 하에 제한적으로 나타나게 됩니다. 기존 정당 조직과 후보자가 주도적으로 선거운동의 전략을 짜고 공약을 만들고 지지자들을 동원하며, 이 과정에서 유권자들은 동원의 대상에 머물게 됩니다. 정당 및 후보자와 유권자 간에는 과거 매스미디어 시대처럼 위계적 권력관계가 유지되며, 정치엘리트가 중심이 되는 대의민주주의 모델이 더욱 강화되는 결과로 이어집니다.

뉴미디어 확산에 따른 선거 변화의 두 번째 가능성은 유권자 집단의 적극적 참여가 활발해지는 것입니다. 여기에서 유권자들은 뉴미디어의 쌍방향 특성을 활용하여 선거공약 선정과 홍보, 지지자 동원을 비롯한 선거운동 전 과정에 적극적으로 참여하게 됩니다. 선거공약을 만드는 과정에서 유권자들은 정당과 후보들이 제시한 공약에 대해 토론하고 의견을 제시할 뿐 아니라 자신들의 공약도 제안할 수 있습니다. 정당과 후보의 입장에서도 유권자와 함께 공약을 만들면서 공약내용을 더욱 풍부하게 하고 유권자들의 요구를 좀 더 정확하게 반영하는 이점이 있습니다. 유권자들이 단순히 고객 입장에 머무는 것이 아니라 선거운동 과정에 보다 적극적으로 개입함으로써 정당일체감이 높아지고 정당의 지지기반이 더욱 확대되는 효과도 기대할 수 있습니다. 정당과 후보가 주도하는 일방적 선거운동이 유권자와 함께 하는 쌍방향 캠페인으로 전환되면서 권력의 축이 엘리트에서 일반 시민으로 일부 이전되는 측면이 있기는 하나, 선거운동의 주도권은 여전히 정당과 후보에게 남아있습니다. 유권자 참여 범위를 얼마나 확대할지, 그리고 이들의 의견을 선거운동 전략에 얼마나 반영할지는 정당과 후보의 판단에 달려있습니다. 따라서 이러한 방식의 뉴미디어 선거가 확산된다면 참여적 대의민주주의 모델이 정착될 가능성이 높습니다. 정치 엘리트의 대표 기능은 여전히 인정하면서도 그 역할은 자신의 판단에 따라 활동하는 수탁자(trustee)가 아닌 유권자의 요구를 성실히 대변하는 파견인(delegate)에 중점을 두게 됩니다. 앞서 살펴 본 '일상의 정치' 시나리오의 경우 뉴미디어 선거가 확산되더라도 의원은 유권자의 요구보다는 자신들의 판단력과 재량권에 근거하여 대표 기능을 수행하게 되는 반면, 유권자 집단이 뉴미디어를 이용해 적극적으로 참여하는 선거에서 의원들은 자신을 선출해 준 유권자의 뜻을 그대로 전달하고 봉사하는 파견인 역할에 충실하게 됩니다.

뉴미디어 선거가 가져올 변화의 세 번째 가능성은 전복(jamming) 시나리오입니다. 뉴미디어가 갖는 연결성과 전파성의 특성에 힘입어 유권자들이 자체적으로 선거 메시지를 생산하고 전파하면서 선거 담론을 주도하는 것이 가능해집니다. 정당이나 후보가 제시한 공약과 상관없이 유권자들이 제시하는 특정 이슈가 공론의 장을 장악하게 되는 것입니다. 정당과 선거의 본래적 기능이 전복되는 결과를 낳게 됩니다. 유권자들이 더 이상 정치적 소비자의 위치에 머무르지 않고 정치의제를 생산하고 전파하는 생산자적 역할을 하게 됩니다. 선거가 정당과 후보의 공약과 능력에 대한 평가가 되지 못하고 자칫 사적 집단들의 이익 다툼의 장이 될 가능성도 있습니다. 정당의 선거공약이 공적 차원에서 사회전체의 이익을 고려하면서 만들어지는 반면, 사적 집단의 경우 그렇지 않기 때문입니다. 이 경우 이익결집과 대표라는 정당의 본래적 기능이 급격히 약화될 뿐 아니라 대표선출이라는 선거의 의미 또한 변질될 수밖에 없습니다. 대의민주주의의 근간이 되는 선거제도의 변질은 민주주의 제도 자체에 대한 변화를 가져올 것입니다. 유권자 집단에 의한 정당 전복현상이 발생하면 대의민주주의는 더 이상 유지되기 힘들 것이고 직접민주주의 성격이 강한 참여민주주의가 대신할 가능성이 높습니다.

뉴미디어와 선거운동의 변화

네그린(Negrine)은 매체발전에 따른 선거운동 방식의 변화를 전근대(pre-modern), 근대(modern), 그리고 탈근대(post-modern) 세 시기로 구분하여 설명합니다. 1950년대까지의 전근대 시기에는 당원과 자원봉사자가 선거운동을 주도하였습니다. 정당일체감이 강한 당원과 자원봉사자를 중심으로 각 선거구별 운동조직이 만들어졌고, 당 소식지와 공약 포스터를 가지고 유권자들을 개별적으로 접촉하면서 지지를 호소하였습니다. 근대 시기에는 TV가 등장하면서 선거운동의 양상이 완전히 바뀌게 됩니다. 각 지역에서 당원중심으로 전개되던 선거운동이 전국화, 집중화, 전문화되는 양상이 나타납니다. 지역보다는 전국적 이슈가 주목을 받았고, 당원조직보다는 선거전략 전문가에 대한 의존도가 높아졌고, 자연히 선거운동의 주체도 정당에서 후보자 개인으로 옮겨갔습니다. 1990년대 디지털 미디어의 등장과 함께 탈근대 시기 선거운동이 시작되었습니다. 쌍방향성과 협송 전달(narrow casting)이 가능한 디지털 매체의 특성에 힘입어 정당 및 후보자와 유권자 사이의 직접 대화 채널이 확대되었습니다. 불특정 다수를 대상으로 TV를 통해 일방적으로 지지를 호소하였던 근대시기 선거운동과 달리 탈근대 시기에는 선거운동에 대한 유권자의 반응을 항시적으로 들을 수 있었고, 특정 집단을 대상으로 하는 맞춤형 선거공약을 제시하는 것도 가능하게 되었습니다. 자연히 유권자들이 선거운동 과정에 활발하게 개입하게 됩니다. 정당이나 후보자의 선거운동 조직과 별도로 지지자들이 자발적으로 네트워크를 만들어 선거운동에 참여합니다. 선거공약을 만드는 과정에도 유권자들의 의견이 적극 반영됩니다. 정당과 후보자는 이메일과 온라인 토론방, SNS를 이용하여 유권자 의견을 청취하면서 선거공약을 완성해갑니다. 결과적으로 정당과 후보자가 선거운동 과정을 관리하고 주도할 수 있는 여지는 상당히 축소되었고, 유권자와의 협업은 피할 수 없는 과정이 되었습니다.

디지털 네트워크를 활용하는 탈근대 선거운동은 네트워크 기술의 발달에 따라 세 단계를 거치면서 변화해왔습니다. 첫 번째 단계는 1991년 이후 홈페이지 선거운동 시기입니다. 웹 사용이 보편화되면서 정당과 후보자가 자신들의 홈페이지를 선거운동에 적극 활용하였습니다. 정당과 후보자가 일방적으로 선거공약을 만들고 전달하였으며, 선거운동 과정을 주도한다는 점에서 근대 시기의 선거운동과 별 차이는 없습니다. 디지털 네트워크 선거운동의 두 번째 단계는 2000년 이후 나타난 블로그 선거운동 시기입니다. 2000년 이후 블로그와 UCC가 확산되면서 유권자가 참여하는 새로운 선거운동 양상이 나타나기 시작합니다. 무엇보다 후보자의 일거수일투족이 유권자들의 감시의 대상이 되었습니다. 2006년 미국 중간선거에서 공화당 후보였던 조지 앨런(George Allen)의원이 유세 도중 민주당 제임스 웹(James Web) 후보를 지지하는 인도계 청년을 '마카카'(Macaca, 원숭이)라고 비난한 장면이 '유튜브닷컴(YouTube.com)에 올려졌고 앨런의원은 인종차별 발언의 논란에 휩싸이게 되었습니다. 우리

정동영 의장 사죄 현장 (2004)

나라에서도 2004년 총선 당시 열린우리당 정동영 의장의 “노인 폄훼 발언” 동영상이 인터넷에 유포되면서 정의장은 비례대표 후보 자리와 의장직을 내려놓아야 했습니다.

디지털 네트워크 선거운동 세 번째 단계는 2008년 이후 SNS 선거운동 시기입니다. 페이스북, 마이스페이스, 트위터 등과 같은 소셜 네트워크 서비스가 후보자와 유권자, 그리고 유권자와 유권자를 연결하는 플랫폼으로 활용되면서 유권자들의 자발적이고 독립적인 선거운동이 활성화되기 시작하였습니다. 이제 유권자들은 정당이나 언론과 같은 기존의 정치적 매개집단을 통하지 않고서도 자신들의 이슈를 선거쟁점으로 만들 수 있게 되었을 뿐 아니라 디지털 네트워크를 통해 지지자를 결집할 수 있게 되었습니다. 이러한 네트워크 개인의 확산은 정당과 후보자에게 상당한 위협요소가 되었습니다. 정당과 후보자가 일방적으로 주도하는 선거운동이 더 이상 가능하지 않게 된 것입니다. 항상 유권자의 감시를 받게 되었고, 선거공약을 만들고 전략을 짜는 과정에서 유권자의 목소리가 더욱 커지게 되었습니다.

뉴미디어를 활용한 유권자 네트워크의 힘은 투표율 증가의 효과로도 연결되었습니다. 국내에서는 2010년 지방선거부터 뉴미디어 선거운동이 적극적으로 활용되었습니다. 당시 투표율이 54.5%로 15년 만에 최고를 기록하면서 트위터를 이용한 투표 인증 샷의 효과가 주목받았습니다. 선거 당일 올라온 투표참여를 독려하는 트윗 글은 전체 트윗 글의 24.2%를 차지했습니다. 당시 투표율이 2010년 지

작가 이외수 씨 부부 6·2 지방선거 투표 인증사진

방선거에 비해 3.9% 상승하였는데, 60대 유권자의 투표율은 소폭 하락하였고 20대는 7.2% 상승하였습니다. 많은 연구들이 20대 투표율의 상승을 트위터 효과에 기인하였다고 해석하였습니다. 2011년 서울시장 재보궐 선거에서 뉴미디어의 영향력을 분석한 연구에서도 SNS를 이용해 선거관련 정보를 얻은 이용자들이 투표에 참여할 확률이 더 높다고 밝히고 있습니다. 세월호 사건의 여파로 비교적 조용한 분위기에서 진행되었던 2014년 지방선거에서도 사전 선거일이었던 5월 30-31일과 선거 당일인 6월 4일에 올라온 선거 관련 게시글이 세월호 관련 게시글보다 더 많았습니다. 선거 당일 투표 인증 게시글이 낮 12시에 최고치를 기록했는데, 실제 투표율 또한 낮 12시 23.3%에서 오후 1시 38.8%로 가장 많이 상승하였습니다.

이와 같은 유권자 네트워크의 힘은 이른바 '롱테일 정치(long-tail politics)' 개념으로 설명할 수 있습니다. 본래 롱테일 현상(long-tail effect)은 디지털 경제에서 나타나는 다품종 소량판매의 중요성을 설명하기 위해 만들어진 개념입니다. 과거 산업사회 경제에서는 전체 상품 가운데 가장 인기 있는 20%의 상품이 전체 매출의 80%를 차지한다는 80대 20

[그림 4] 롱테일(long-tail) 정치

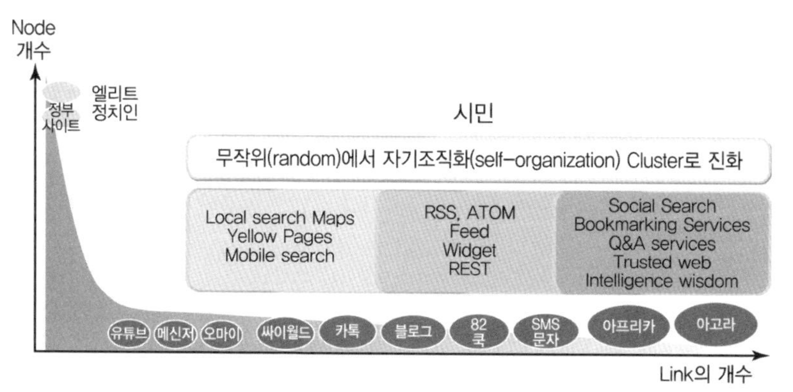

의 파레토 법칙이 적용되었습니다. 그렇지만 정보유통 비용이 거의 들지 않는 디지털 경제에서는 80%의 소량 판매 상품이 전체 매출에서 차지하는 비중이 더욱 높아지게 됩니다. 롱테일 현상은 선거 영역에서도 그대로 나타납니다. 롱테일 선거를 가능하게 한 것은 디지털 네트워크의 힘입니다. 과거에는 뿔뿔이 흩어져 있는 유권자들이 디지털 네트워크를 통해 모이고 섞이고 합쳐지면서 조직화된 힘을 발휘할 수 있게 되었습니다.

뉴미디어와 선거제도의 위기

뉴미디어의 확산이 정치참여 방식에 변화를 가져오고 이는 선거제도의 위기로 연결될 수 있습니다. 정치참여 방식은 제도적 참여와 비제도적 참여로 구분됩니다. 제도적 참여는 투표를 비롯하여 각종 선거운동 참여, 정당 가입, 서명 운동 그리고 정치인 접촉 등과 같은 행동을 포함합니다. 이에 반해 비제도적 참여는 시위, 파업, 농성 등과 같은 항의성 참여를 의미합니다. 과거 정치발전론에서는 비제도적 참여는 민주주의가 제대로 정착되지 못한 신생국에서 나타나는 정치적 불안정 현상으로 설명하였습니다. 정당이나 선거와 같은 참여제도가 제대로 갖춰지지 않아 시민들의 참여욕구를 수용하지 못하면서 시위와 같은 비제도적 참여가 나타난다는 것입니다. 정치발전론의 시각에서 볼 때 투표율 하락과 당원 숫자 감소는 시민들의 정치적 무관심의 증가로 해석됩니다. 그러나 미국, 영국, 독일, 그리고 프랑스 등의 정치참여 행태를 분석한 달톤(Dalton)은 제도적 정치참여가 감소하는 원인이 정치적 무관심 때문이 아니라 정치참여 행태가 비제도적 방식으로 바뀌었기 때문이라고 주장합니다. 그의 연구에 따르면 시위정치가 선진 민주주의 국가에서 일상적인 정치참여 방식으로 자리 잡았고, 시위참여자 또한 사회적 소외계층이 아니라 소득과 교육수준이 높은 중산층 계급이 주를 이루고 있습니다. 미국, 영국, 독일 등 서구 8개국의 시위정치 현황을 분석한 노리스(Norris) 역시 1970년대 중반부터 시위, 서명, 파업, 점거, 소비자 운동과 같은 비제도적 참여가 꾸준히 증가하고 있음을 밝혔습니다. 이처럼 젊은 층의 투표율이 나날이 떨어지고 있지만 이들의 정치관심도가 낮다고 해석하기는 어렵습니다. 젊은 층이 투표는 하지 않지만 다른 방식으로 정치적 의사를 표현하고 있는 것입니다. 뉴미디어 세대는 제도가 아닌 다른 채널을 통해 정치적 의사를 표출하고 있는 것입니다. 2008년 광우병 시위가 청소년들에 의해 주도되었다는 사실 또한 뉴미디어 세대가 정치적으로 무관심한 것이 아니라 정치참여 방식이 바뀌고 있음을 말해 줍니다. 실제 2008년 광우병시위 참여 청소년들을 대상으로 측정한 정치관심도가 5.2점(7점 만점)으로 2008년 4월 총선 이후 성인 유권자를 대상으로 조사한 4.3점보다 더 높게 나왔습니다.

뉴미디어의 확산은 비제도적 정치참여를 더욱 부추기고 있습니다. 앞서 살펴본바와 같이 디지털 네트워크 기술을 기반으로 하는 롱테일 정치가 확산되면서 일반 시민들의 정치세력화가 훨씬 용이해졌습니다. 굳이 정당이라는 제도를 통하지 않더라도 네트워크를 이용해 자신들의 정치의제를 설정하고 지지자를 동원하고 집합적인 정치적 요구를 표출하는 것이 가능해진 것입니다. 산업사회에서는 선거만이 일반시민들이 정치적 의사를 표현할 수 있는 거의 유일한 기회였습니다. 그럼에도 불구하고 선거를 통해 선출된 대표들은 시민들의 정치적 요구를 제대로 대표하지 않습니다. 따라서 시민들이 선거를 통해 얻을 수 있는 정치적 효능감은 매우 낮을 수밖에 없습니다. 반면 디지털 네트워크를 통해서 일반시민들은 스스로 의제를 설정하고, 지지자를 동원하고, 정치세력을 만들면서 선거보다 훨씬 높은 정치적 효능감을 얻을 수 있습니다.

대의민주주의를 지탱하는 핵심제도라 할 수 있는 선거에서 권력이동 현상이 뚜렷이 나타나고 있으며, 이는 새로운 매체환경에 의해 추동되고 있습니다. 뉴미디어의 등장은 선거운동 방식을 바꾸었을 뿐 아니라 선거 자체가 갖는 의미와 기능도 바꾸고 있습니다. 선거과정에서 유권자 중심의 롱테일 정치의 영향력이 커지면서 선거운동의 주체가 정당과 후보자에서 유권자로 점차 이동하는 현상이 나타나고 있습니다. 정당의 후보선출, 선거공약 수립 그리고 후보자 홍보 등 모든 선거과정에서 유권자의 목소리가 점차 커지고 있습니다. 디지털 네트워크로 연결된 시민들은 더 이상 침묵하는 다수가 아닙니다. 비록 선거가 갖는 의미가 여전히 개인의 정치적 권한을 위임하는 대표를 선출하는 제도이기는 하나, 유권자들이 공천, 선거공약, 선거운동 과정에 깊이 관여하면서 누가, 무엇을, 어떻게 대표할 것인가를 결정하는 권한이 시민들에게로 넘어가고 있습니다. 뉴미디어 확산으로 인한 선거방식의 변화는 정당의 기능에도 변화를 가져오고 있습니다. 정당이 더 이상 선거의 주도세력이 되지 못할 뿐더러 본래의 매개기능 또한 약화되고 있습니다. 디지털 네트워크를 이용한 정부와 시민들의 직접 소통이 확대되면서 이들을 연결하는 정당의 필요성은 점차 줄어들고 있습니다. 개인과 이익집단이 정당을 통하지 않고 스스로 이익을 표출하고 결집하면서 정당의 매개기능 또한 약화되고 있습니다. 결국 정당이 생존할 수 있는 방법은 철저하게 시민들의 정치적 요구에 대응하는 유권자 맞춤 정당으로 거듭나는 길 밖에 없게 되었습니다.

뉴미디어의 확산은 선거 자체의 상징적 의미도 바꾸고 있습니다. 대의 민주주의 하에서 선거는 권력위임의 절차였으며, 통치의 정당성을 확보하는 수단이었습니다. 민주적 선거를 통해 선출된 대표들은 수탁자(trustee)의 권한으로 국민을 통치할 수 있었습니다. 그렇지만 뉴미디어 시대의 선거는 유권자의 요구를 충실히 대의할 대리인(delegate)을 선출할 뿐입니다. 선거에서 선출된 대표가 무엇을 어떻게 대표할 것인가는 유권자와 끊임없이 협의하면서 판단하게 됩니다. 이러한 선거운동 방식의 변화, 권력구조의 변화 그리고 선거의 의미 변화는 궁극적으로 민주주의 모델의 변화를 가져오게 됩니다. 선거뿐 아니라 모든 정치과정에 스스로 참여하고자 하는 관여적 시민이 확산되면서 시민의 역할이 구경꾼에서 발언자로 바뀌어 가고, 이에 따라 민주주의 모델 또한 대의민주주의에서 참여민주주의로 변화하게 됩니다.

물론 뉴미디어 확산으로 인한 선거와 민주주의의 변화 양상은 국가별로 상이하게 진행될 것입니다. 사회구성론의 입장에서 보면 기술이 추동하는 사회변화의 모습은 기술이 아니라 사회 구성원의 의지와 목적에 따라 다르게 나타납니다. 또한 기술이 적용되는 사회의 특성에 따라 그 영향력도 다르게 나타납니다. 뉴미디어로 인한 선거의 변화가 얼마나 빠르게 진행될지는 두 가지 요소에 의해 결정될 것입니다. 우선은 뉴미디어 확산의 정도와 활용 행태가 중요합니다. 우리나라와 같이 뉴미디어 확산 속도가 매우 빠르고 정치적 목적의 활용이 활발할 경우 선거의 변화는 매우 빠르게 진행될 가능성이 높습니다. 또 다른 요소는 현재 운영되고 있는 대의민주주의에 대한 만족도입니다. 현재의 정당과 선거에 대한 국민들의 만족도가 비교적 높고, 정당이 뉴미디어를 활용하여 본래 기능을 더욱 충실하게 수행한다면 대의제도의 쇠퇴는 더디게 진행될 것입니다.

(2) 뉴미디어와 대통령 선거

최초의 온라인 정치인 팬클럽 노사모

2003년 2월 영국의 가디언지(The Guardian)는 "인터넷의 강점을 완전히 이해하는 새로운 지도자가 대통령에 취임함으로 인해 한국은 이제 지구상에서 가장 발달된 온라인 민주주의를 실현할 수 있을 것이다"라고 보도하였습니다. 이 신문은 또한 인터넷 기술의 발달로 인해 한국은 세계

다른 어떤 나라에서도 경험하지 못한 정치적 변화를 겪었으며, 웹 민주주의(webocracy)의 등장은 역동적이고 예측할 수 없는 변화를 가져왔다고 보도하였습니다. 이 신문은 한국에서의 온라인 민주주의 성장 요인을 '초고속정보통신망'과 온라인 활동의 확산에서 찾았습니다.

"영국은 겨우 5%의 가정만이 광대역(broadband) 정보통신망에 연결되어 있는데 반해 한국은 약 70%의 가정이 초고속 정보통신망에 연결되어 있다. 영국에 비해 훨씬 많은 초고속망 사용으로 인해 한국에서는 온라인 쇼핑, 전자상거래, 온라인 채팅 등 다양한 온라인 활동이 확산되어 있다. 한국인들은 한 달에 1천 340분을 온라인 활동에 사용하고, 경제활동의 10%가 IT와 관련되어 있으며 이는 세계에서 가장 높은 수준이다"(The Guardian 03/02/24)

2003년 3월 6일 미국의 뉴욕타임즈(The New York Times)지 역시 대선 이후 한국의 변화를 보도하면서 한국이 하루아침에 보수에서 자유로, 노인지배에서 젊은 문화로, 견고한 친미에서 요동하는 우방정도로 변해 버렸으며, 이 변화의 동인은 인터넷에 있다고 분석하였습니다. 지난 수십 년간 유권자들이 후보자들을 접할 수 있는 기회는 점점 언론매체, 특히 TV로 제한되었으나, 2000년을 전후하여 인터넷이 후보자와 유권자를 직접 연결하는 새로운 매체로 등장하였습니다. 인터넷이 선거결과에 미치는 영향과는 별도로 인터넷은 이제 주요한 선거캠페인 도구로 자리 잡았고, 후보자 홈페이지와 온라인 선거 전략이 없는 선거운동은 더 이상 상상하기 힘든 상황에 이르렀습니다.

2002년 서울 월드컵 기간 동안 수백 만 명이 참여한 길거리 응원과 촛불시위 집회 모두 인터넷을 통해 시발되고 조직화된 사실에서 볼 수 있듯이 이 시기 한국사회에서 인터넷은 정치적 혹은 비정치적 집회를 조직화하는 주요한 동원기제로 이용되었습니다. 2002년 한국 대선에 있어서도 인터넷이 주요한 선거운동의 수단으로 활용되었음은 부인할 수 없는 사실입니다. 잘 알려진 대로 노무현 후보에 대한 네티즌들의 지지는 온라인 팬클럽인 노사모(노무현을 사랑하는 사람들의 모임)에서 출발하였습니다. 2000년 4·13 총선에서 지역구도 타파를 외치며 부산의 지역구에 출마한 노무현 후보가 낙선하자 그의 정치적 신념과 개혁적 성향을 지지하는 네티즌들이 그의 홈페이지(www.knowhow.or.kr)에 모여 '노무현 팬클럽'을 결성한 것이 시발점이 되었습니다. 2000년 5월 17일 노사모 홈페이지가 정식으로 구축되었고 인터넷 뉴스매체인 '오마이뉴스'는 2000년 6월 6일 대전에서 열린 노사모 창립총회의 전 과정을 인터넷으로 생중계하였습니다. 이처럼 노무현 후보에 대한 젊은 층의 지지운동은 인터넷을 통해 형성되고 확산되어 갔습니다. 노무현 후보의 온라인 지지기반인 노사모 회원수는 2002년 대선 직전 7만 명에 이르렀으며 대선 직후에는 8만 명을 넘어섰습니다. 이들은 활동영역을 온라인 공간에 국한시키지 않고 현실공간

노사모 모임 (2002)

으로까지 확대하여 민주당 예비선거와 대선기간 동안 '노풍'을 만들어내는 근원지가 되었습니다.

노무현 후보가 온라인 선거운동을 압도하였으나 여타 다른 후보들에 있어서도 인터넷은 무시할 수 없는 선거운동의 도구로 활용되었습니다. 대선을 약 9개월 앞둔 2002년 3월까지만 하더라도 노무현의 지지도는 이회창에 비해 상당히 뒤져있었습니다. 조선일보 3월 5일자에 보도된 설문조사에 따르면 노무현 후보의 지지도는 25.2%로 이회창 후보의 39.7%에 비해 약 15% 가까이 낮았습니다. 그러나 네티즌 사이의 노무현 후보에 대한 지지도는 이 당시에도 이회창 후보를 앞지르고 있는 것으로 나타났습니다. 사이버 공간에서는 이미 2월 중순경부터 이회창 후보에서 노무현 후보로의 지지이동이 나타나고 있었습니다. 인터넷 신문 가운데 하나인 디지털 타임즈는 2월 19일자 보도에서 노무현 후보의 인기도가 상승국면에 있으며 이회창 후보의 이미지는 점차 실추하고 있다고 분석했습니다. 디지털 타임스의 분석은 주요 대선후보자의 인기도를 네티즌들이 평가하여 주가의 형태로 보여주는 포스닥 사이트(www.posdaq.co.kr)에 나타난 주요 후보자의 주가에 근거하였습니다. 2월 18일자 포스닥 주가를 보면 노무현 2만2천원, 김근태 1만3천원, 정동영 9천500원 그리고 이회창 8천200원으로 노무현후보가 예상 출마자 가운데 1위를 기록하고 있었습니다.

노무현 후보에 대한 네티즌들의 지지는 선거운동 기간 중에도 뜨겁게 나타났습니다. 온라인 선거운동에 있어 두 후보 모두 기존의 텍스트 정보제공이나 게시판을 이용한 유권자와의 상호접촉 방식뿐만 아니라 인터넷 TV와 인터넷 라디오를 운영하는 등 인터넷의 멀티미디어 특성을 최대한 활용하였습니다. 그러나 온라인 선거전략에 있어 노무현 후보는 이회창 후보를 압도하였습니다. 노무현 캠프는 젊은 층의 인기를 얻고 있는 영화배우나 가수 등을 인터넷 TV와 라디오 운영자로 활용하여 재미를 더함으로써 네티즌들을 홈페이지로 유인하는데 성공하였습니다. 선거운동 홈페이지에서 아무리 많고 유익한 정보를 제공한다 할지라도 온라인 선거운동 성공을 결정짓는 일차적인 관건은 우선 얼마나 많은 네티즌들을 흡입할 수 있는가에 달려 있습니다. 노무현 선거운동 홈페이지는 일단 다양한 볼거리를 통해 네티즌들을 홈페이지로 유인함으로써 이들을 대상으로 후보홍보, 유세일정, 선거자금 모금 등의 지지 동원 활동을 할 수 있었습니다. 공식 선거운동기간 동안 매일 30만 명 이상의 네티즌들이 노무현 선거운동 홈페이지에 접속하였고, 특히 정몽준의 노무현 지지철회 발언의 여파로 19일 선거당일에는 86만 명이 넘는 기록적인 접속수를 기록하였습니다. 노무현 후보의 온라인 선거운동은 선거자금 모금에서도 상당한 성공을 거두었습니다. 노무현 후보는 기존의 소수 다액 모금이라는 전통적 방식에서 탈피하여 인터넷을 이용한 다수 소액 모금방식을 도입하였습니다. 노무현 후보 홈페이지에서는 신용카드, 휴대폰, ARS, 온라인 송금, 희망돼지 저금통 등 다양한 선거자금 기부방식을 제공하였고, 그 결과 20만 명이 넘는 개인 지지자로부터 70억 원 이상을 모금할 수 있었습니다.

〈표 2〉 노무현 후보의 인터넷을 이용한 선거자금 모금

	기부자 수(단위: 명)	기부액(단위: 원)
신용카드	31,899	1,329,876,426
휴대폰	20,165	347,045,283
ARS	21,188	211,880,000
온라인 송금	101,635	4,320,699,711
'희망돼지'	22,042	759,633,678
'희망티켓'	6,835	309,000,000
전 체	203,764	7,278,135,098

출처: 새천년민주당(2003, 208).

그렇다면 2002년 대선에서 노무현 후보의 성공적인 온라인 선거운동과 젊은 네티즌 층의 지지가 그에게 승리를 가져다주었을까요? 이 물음에는 긍정과 부정의 대답이 동시에 가능할 것으로 보입니다. 우선 노무현 후보의 온라인 선거 전략은 젊은 유권자 층들을 투표소로 이끄는 데는 별반 성공하지 못하였습니다. 2002년 대선의 전체 투표율이 70.8%인데 반해 20대는 47.5%만이 투표에 참가하였습니다. 더욱이 전체 투표율과 20대 투표율 사이의 차이는 1997년 대선의 12.5%보다 거의 배가 늘어난 23.3%로 나타났습니다. 68.8%라는 30대의 투표율 역시 20대 보다는 높았지만 전체 투표율보다 2% 낮았습니다. 지난 1997년 대선에서 30대 투표율은 82.6%로 전체 투표율보다 1.9% 높게 나타났습니다. 이같이 낮은 2,30대 투표율이 의미하는 바는 비록 젊은 네티즌들이 후보자 홈페이지에 접속하여 선거관련 정보를 얻고 다른 네티즌들과 정치적 견해를 교환하기는 하나 이 같은 온라인 정치활동이 현실세계에서의 정치참여로 연결되지는 않는다는 점입니다.

〈표 3〉 15대 및 16대 대선 세대별 투표율(전국투표율과의 차이, %)

	20대	30대	40대	50대 이상	전 체
16대 대선	47.5(-23.3)	68.8(-2)	85.5(15)	81.0(10.2)	70.8
15대 대선	68.2(-12.5)	82.6(1.9)	87.5(6.8)	89.9(9.2)	80.7

그렇다면 2002년 대선에서 인터넷은 노무현 후보의 승리에 아무런 영향을 미치지 못하였을까요? 노무현 후보는 2,30대 유권자 층에서, 4,50대에서는 이회창 후보가 승리한 것으로 나타나 세대 간 지지후보가 뚜렷이 구분되었음을 알 수 있습니다. 노무현 후보는 2,30대 유권자 층에 있어 이회창 후보를 압도하였습니다. 특히 20대의 지지도를 보면 노무현 후보가 62.1%를 얻은 반면 이회창 후보는 31.7%에 그쳐 무려 30.4%의 지지도

차이를 보였습니다. 반면 이회창 후보는 50대 이상 유권자에 대해 노무현 후보보다 18.5% 높은 지지를 얻었습니다.

〈표 4〉 세대별 후보 지지도 (%)

	20대	30대	40대	50대 이상
노무현	62.1	59.3	47.4	39.8
이회창	31.7	33.9	48.7	58.3
기타 후보	6.2	6.8	3.9	1.9
차이*	30.4	25.4	-1.3	-18.5

* 노-이 지지율 차이, 미디어리서치 출구조사.

비록 노무현 후보의 승리와 인터넷의 영향 사이에 직접적인 관계를 보여줄 만한 증거자료는 없었다고 하나, 노무현 후보가 사이버 공간을 통해 젊은 유권자들의 지지를 결집할 수 있었으며 이로 인해 선거운동 과정에 있어 주도권을 선점할 수 있었다는 사실은 충분히 짐작할 수 있습니다. 노무현 캠프의 선거 전략은 '노무현의 눈물' '기타 치는 대통령' 등에서 드러나듯이 유권자의 이성보다는 감성에 호소하는 방식을 택하였으며, 이러한 전략은 인터넷을 통해 훌륭히 수행되었습니다. 노무현 후보의 감성적 선거 광고 비디오는 인터넷 홈페이지를 통해 재방영되어 전체 4십 5만 5천 60번의 다운로드를 기록할 만큼 네티즌 사이에 커다란 반향을 불러일으켰습니다. 노무현 캠프의 온라인 선거 전략은 젊은 유권자들로 하여금 대선 구도를 '개혁주의자' 대 '보수주의자', '서민' 대 '귀족', 그리고 '평화주의자' 대 '냉전주의자' 간의 대결로 인식하게끔 만드는데 상당한 기여를 하였습니다. 노무현 후보의 온라인 선거 전략은 젊은 유권자 층의 문화와 정서에 부응하였으며 결국 이들의 지지를 얻는 밑바탕이 되었습니다.

2007년 17대 대선

2007년 전반기까지만 하더라도 17대 대선의 향방은 UCC(User Created Contents)가 결정할 것이라는 전망이 지배적이었습니다. 2002년 대선이 인터넷 선거였다면 2007년 대선은 UCC선거가 될 것이라는 분석이 언론을 통해 확산되었습니다. 특히 2007년 대선부터 선거권이 만 19세까지 확대되면서 UCC는 젊은 유권자 층에게 강하게 어필할 수 있는 미디어 전략으로 주목을 받았습니다. 만 19세 유권자는 약 60만 명(전체 유권자의 1.7%)이나, 1997년 대선이 39만여 표, 2002년에는 57만여 표 차이로 승패가 갈린 것을 고려하면, 그 영향력이 결코 작지 않다는 것을 알 수 있습니다. 이러한 전망에도 불구하고 2007년 대선에서 나타난 UCC의 역할은 지극히 제한적이었으며, 우려한 네가티브 선거UCC 양상도 나타나지 않았습니다.

2002년 대선에서 보여준 온라인 선거캠페인의 위력을 전혀 찾을 수 없었고, 2007년 전반까지 많은 기대를 받았던 UCC선거의 위세도 전혀 나타나지 않은 이유는 무엇일까요? 2007년 대선에서 온라인 선거캠페인의 부진은 인터넷 정치 자체의 한계에서 비롯되었다기보다는 유권자들의 관심을 끌지 못한 선거환경의 문제, 그리고 웹 2.0 방식의 온라인 선거캠페인 전략의 부재에서 비롯된 현상이라 볼 수 있습니다. 2007년 대선후보들은 2002년의 노무현 후보가 제기한 지역주의 타파나 정치개혁과 같이 네티즌들의 공감을 얻고 이들을 동원할 수 있는 선거이슈를 만들어 내지 못했습니다. 이와 함께 웹 2.0 방식의 새로운 온라인 환경에 적응하지 못한 채 2002년 대선의 웹 1.0 방식의 온라인 선거캠페인을 그대로 답습함으로써 네티즌들의 참여를 이끌어내는데 실패하였습니다.

2007년 대선 때의 온라인 선거캠페인 환경은 지난 2002년과 비교할 수 없을 정도로 좋아졌습니다. 2002년 12월 44.7%이었던 인터넷 이용률이 2007년 12월에는 79.5%로 증가하였습니다. 연령별 인터넷 이용률을 보더라도 40대 이상의 인터넷 사용자 비율이 대폭 증가하였습니다. 2002년 대선 당시 인터넷은 20대와 30대의 전유물이었다 해도 과언이 아니었습니다. 20대 89.9%와 30대의 69.4%가 인터넷 이용자였던 반면 40대 인터넷 이용자는 39.3%, 50대 이상은 3.9%에 불과하였습니다. 한편 2007년 12월 당시 연령별 인터넷 이용률을 보면 40대가 79.2%로 크게 증가하였고, 50대와 60대 이상도 각각 46.5%와 17.6%의 이용률을 보였습니다. 2002년에 비해 정치적 관심도가 높은 40대 이상 유권자의 인터넷 이용률이 크게 증가하였다는 것은 그만큼 온라인 정치참여가 활성화될 수 있는 유리한 환경이 조성되었다고 할 수 있습니다.

〈표 5〉 유권자 연령별 인터넷 이용률 변화(%)

연령 / 시기	20대	30대	40대	50대	60대 이상
2002. 12	89.9	69.4	39.3	9.3	
2007. 12	99.3	96.5	79.2	46.5	17.6

인터넷 사용인구의 증가 및 다층화와 함께 온라인 공간의 정치적 지형 역시 2002년 대선과 비교해 커다란 변화를 보였는데, 이념집단 간 세력균형 양상이 나타난 것입니다. 2002년 대선 이후 2004년 탄핵정국에 이르기까지 온라인 공간은 진보진영의 독점적 활동공간이나 다름없었습니다. 2002년 대선에서 노사모, 서프라이즈, 오마이뉴스 등은 의제설정, 여론형성과 확산, 그리고 정치동원의 근간이 되면서 인터넷의 정치적 영향력을 극대화하였습니다. 2002년 대선의 인터넷 키워드는 노사모, 오마이뉴스, 서프라이즈 같은 진보 매체와 팬클럽 일색이었습니다. 이들은 노무현이라

는 정치적 기반이 보잘 것 없었던 비주류 후보를 일약 대권의 반열에 올려놓은 일등공신이었습니다. 2004년 탄핵반대 운동에 있어서도 온라인 공간은 절대적인 역할을 하였습니다. 네트워크화된 개인들(networked individuals)의 자발적 참여와 결집은 온라인 탄핵반대운동의 가장 두드러진 특징이었습니다. 탄핵이 발의되자 포털의 검색 서비스에서는 탄핵이 최고 검색어로 떠올랐습니다. 포털사이트 지식검색에서는 '국회의원 탄핵 방법'에 대한 각종 질문들과 엄청난 수의 댓글이 등장하였습니다. 탄핵안 가결 직후 네이버와 다음에서 실시한 네티즌 여론조사에는 3월 16일까지 각각 32만 명과 25만 명이 참여하여 삽시간에 압도적인 탄핵반대 여론을 확산시켰습니다. 포털 게시판에는 탄핵 찬성 의원들의 이름, 사진, 연락처, 이메일 주소 등을 담은 정보들이 급속히 확산되었습니다. 탄핵 주도 야당들과 의원들 홈페이지에도 항의 글과 메일이 폭주하여 이들은 게시판 글쓰기와 회원 로그인을 폐쇄하기도 했습니다. 또한 포털과 인터넷 신문의 정치토론방에는 탄핵을 찬성하는 보수언론에 대한 성토와 함께 탄핵 찬성 게시 글에 대한 집중적인 공격이 가해지기도 했습니다.

2002년 노사모 돌풍과 2004년 탄핵 역풍은 보수에게 큰 위기의식과 동시에 학습효과를 심어주었습니다. 탄핵사태 이후 보수진영은 온라인 공간의 중요성을 뼈저리게 느끼면서 온라인 공간으로의 진출을 시작하였습니다. 온라인 공간에서 '보수고부터이 반격'이 시작된 것입니다. 인터넷 곳곳의 토론장과 게시판에는 보수 논객들이 포진하였고, 그동안 진보는 친노-반노-비노로 급속히 분열하며 구심점을 잃어갔습니다. 여기에 네티즌의 보수화 현상도 온라인 공간의 보수화 현상을 부추겼습니다. 그 결과 2007년 인터넷 대선 시점에서는 '인터넷은 곧 진보'라는 공식이 더 이상 성립하지 않게 되었습니다. 정당홈페이지에서는 한나라당이 점유율 1위를 차지하였고, 대선후보 팬클럽 홈페이지도 창사랑과 MB연대와 같은 보수후보들의 사이트가 우위를 보였습니다. 진보세력의 여론형성과 지지 동원의 기반이 되었던 정치웹진에서는 서프라이즈가 여전히 점유율 1위를 차지하고 있으나, 보수성향의 웹진도 약진하는 모습을 보였습니다. NGO 부문에서는 뉴라이트 전국연합을 비롯한 보수성향의 웹사이트가 사이버 공간의 강자로 등장하였습니다.

〈표 6〉 주요 분야별 웹사이트 순위 및 점유율 (2007년 11월 18일-11월 24일)

순위	정당	정치인	팬클럽	정치웹진	인터넷신문	NGO
1	*한나라당 (29.5%)	**문국현 (45.0%)	*창사랑 (22.3%)	**서프라이즈 (42.5%)	**오마이뉴스 (19.6%)	*뉴라이트 전국연합 (21.0%)
2	**민노당 (26.9%)	*이명박 (23.3%)	*MB연대 (19.7%)	*조갑제의 세계 (11.6%)	마이데일리 (11.6%)	*자유주의 연대 (14.0%)
3	**대통합신당 (13.4%)	**정동영 (7.9%)	*명박사랑 (14.3%)	*뉴라이트 폴리젠 (10.7%)	**데일리 서프라이즈 (8.5%)	*바른사회 시민회의 (12.3%)

출처: 랭키닷컴(www.rankey.com)
자료: *는 '보수 사이트'를, **는 '진보 사이트'를 의미함; 괄호 안의 %는 '분야별 점유율'을 의미함.

2002년 대선 이후 나타난 인터넷 커뮤니케이션 방식의 가장 두드러진 변화는 웹 2.0 기술의 등장입니다. 웹 1.0이 정보생산자와 공급자 중심이었고 텍스트 콘텐츠가 주를 이루었다면, 웹 2.0은 "이용자가 적극적으로 참여하여 정보와 지식을 생산·공유·소비하는 열린 인터넷"을 의미합니다. 웹 2.0의 핵심은 '열린 공간'과 '이용자 참여'에 있으며, 개방성(openness), 연결성(connectivity) 그리고 상호작용성(interactivity)의 특징을 보입니다.

웹 2.0시대에는 정보의 대량생산과 대량소비를 특징으로 하는 매스미디어방식에서 벗어나 이용자가 직접 정보를 생산하고, 배포하고, 관리하는 개인 미디어가 주를 이루게 됩니다. 이에 따라 블로그, 카페, 미니홈피 등과 같이 이용자들이 직접 참여하는 인터넷 서비스가 확산되었습니다. 17대 대선 전 2년간 블로그 수는 16배, 월별 게시물 수는 10배 증가하였으며, 동영상 공유 사이트 유튜브에는 2년 만에 1억 개가 넘는 동영상이 게시되었습니다. 국내 인터넷 이용현황을 보더라도 개인미디어가 점차 확산되고 있음을 알 수 있습니다. 한국인터넷진흥원의 인터넷 이용행태 조사에 따르면, 인터넷 초기에는 정보검색(80.4%)과 이메일(80.9%)이 주요 이용 목적이었으나, 2006년에는 블로그/미니홈피(85.5%)와 커뮤니티(77.8%) 등 개인미디어 이용이 크게 증가하였습니다. 인터넷 이용자의 91.6%가 카페/커뮤니티, 블로그/미니홈피, 댓글달기, 퍼나르기 등의 이용자 참여 서비스를 적어도 하나 이상 이용하고 있었습니다.

인터넷 사용인구의 증가, 네티즌의 자발적 참여를 증가시킨 웹2.0의 등장 그리고 이에 따른 네티즌 참여문화의 확산 등 인터넷 선거운동을 둘러싼 주변 환경은 상당히 개선되었지만 2007년 대선에서 나타난 온라인 선거운동의 양상은 2002년 대선에 비해 현저히 저조한 모습을 보였습니다. 그렇지만 선거정보 제공자로서 인터넷의 역할은 16대 대선에 비해 17대 대선에서 더 높아진 것으로 나타났습니다. 한국정치학회와 사회과학데이터센터의 대선 후 설문조사에 따르면 16대 대선에서는 후보자에 관한 정보를 가장 많이 얻은 출처로 '인터넷/전화 선거운동'이라 응답한 비율이 2.9%에 불과하였으나 17대 대선에서는 응답자의 9.0%가 인터넷을 가장 많이 이용한 정보출처로 꼽았습니다. '인터넷을 통해 얻은 정보가 지지후보를 결정하는데 얼마나 영향을 주었는가' 라는 질문에 '매우 영향을 주었다'가 5.1%, '대체로 영향을 준 편이다'가 31.4%, '별로 영향을 주지 않았다'는 40.2% 그리고 '전혀 영향을 주지 않았다'는 응답이 20.2%로 나타났다. 응답자의 36.5%가 지지후보를 결정하는 데 인터넷에서 얻은 정보의 영향을 받았다는 결과는 인터넷의 영향력이 결코 적지 않았음을 보여줍니다. 한편 대선과 관련된 정보를 많이 이용한 사이트는 인터넷 신문(각 신문사 사이트 포함)이 42.2%, 포털 사이트가 27.6%로 후보자 홈페이지 5.7%와 정당홈페이지 2.9%에 비해 훨씬 높게 나타났습니다. 이러한 설문결과는 인터넷이 선거와 관련된 정보 제공처로서 일정한 역할을 하였으며, 지지후보 결정에도 적지 않은 영향을 미쳤으나, 후보자 혹은 정당과 유권자를 연결하는 역할은 미흡하였다는 것을 말하고 있습니다.

17대 대선의 온라인 선거운동 환경은 인터넷 기반과 네티즌의 참여문화 측면 모두에서 2002년 대선과 비교하여 훨씬 나아졌습니다. 그럼에도 불구하고 온라인 선거캠페인이 왜 부진을 면치 못하였을까요? 17대 대선에서 온라인 선거운동이 부진한 이유는 무엇보다 유권자들의 선거에 대한 관심이 낮았다는 점에서 찾을 수 있습니다. 선거운동이 무르익어야 할 시점에 신정아 사건과 남북정상회담과 같은 선거 외적 요소들이 유권자들의 관심을 빼앗아 가면서 선거 국면으로의 진입이 늦어졌습니다. 또한 각 당 후보경선 시기가 늦어지면서 본격적 선거운동이 제대로 시작되지 못한 원인도 큽니다. 당내 경선과 후보단일화 과정이 지루하게 진행되면서 정당 간의 본격적 선거경쟁이 지연되고 유권자들의 관심도 후보경쟁에 몰리지 못하게 되었습니다.

17대 대선 직후 한국정치학회와 한국사회과학데이터센터가 공동으로 조사한 설문결과에 따르면 이번 대선에 관심이 매우 많았다고 응답한 유권자는 32.5%에 그쳤습니다. 16대 대선의 경우 17대 대선보다 11%가 많은 43.5%가 선거에 관심이 매우 많았다고 응답하였습니다. 선거에 전혀 혹은 별로 관심이 없었다는 유권자 비율은 16대 대선 당시 각각 1.8%와 13.7%였던 것이 17대 대선에서는 4.8%와 16.3%로 늘어났습니다. 선거무관심층은 젊은 유권자를 중심으로 증가하였습니다. 16대 대선에서는

20대 유권자의 16.8%가 "이번 대통령선거에 전혀 관심이 없었다."라고 응답하였으나 17대 대선에서는 27.3%로 증가하였습니다. 선거무관심층이 50대와 60대보다 네티즌의 다수를 구성하는 젊은 유권자층에 집중된 점도 17대 대선에서 온라인 선거가 퇴조한 요인으로 작용했을 것입니다.

네티즌들의 관심과 호응을 끌 수 있는 정치적 메시지와 이를 대변하는 후보가 없었다는 점도 온라인 선거운동이 저조한 원인으로 지적될 수 있습니다. 16대 대선에서 노사모가 활약할 수 있었던 것은 지역주의 타파와 정치개혁이라는 분명한 정치적 메시지를 제시하였고 네티즌들이 이에 적극 호응하였기 때문입니다. 네티즌들의 정치참여는 조직이 아닌 개인 중심의 특성을 보입니다. 즉 네트워크화된 개인이 온라인 정치참여의 중심이 되며 이들은 조직에 의해 동원되기보다는 자발적 참여의 특성을 보입니다. 네티즌들의 자발적 참여를 이끌어내기 위해서는 이들을 유인할 수 있는 요소가 있어야 합니다. 네티즌들이 공감할 수 있는 정치적 메시지를 제시하거나 후보자의 개인적 매력이 필요합니다. 2002년 대선에서는 지역주의 타파와 정치개혁이라는 메시지를 제시하였을 뿐 아니라 노무현 후보의 격식을 파괴하는 자유주의적 스타일과 감성적 선거캠페인 전략도 네티즌들을 유입하는 중요한 요소로 작용하였습니다. 반면에 17대 대선의 경우 정치적 메시지도 없었을 뿐더러 네티즌들의 공감을 끌어낼 수 있는 매력을 지닌 후보도 없었습니다.

17대 대선이 네티즌들의 관심을 끌지 못한 것은 선거판도가 일찌감치 결정된 이유도 있습니다. 후보자 간 경쟁의 정도는 유권자의 선거관심도와 투표참여에 적지 않은 영향을 줍니다. 후보자들의 경쟁이 치열하여 그 결과를 예측하기 힘든 경우 유권자들은 선거결과에 흥미를 느낄 것이고, 이는 선거관심도를 높이고 투표참여 동기를 강화하는 기능을 합니다. 한편 후보자들 간의 우열이 확연하여 선거결과가 확실하게 예측되는 경우 유권자들의 선거관심도는 떨어지게 됩니다. 17대 대선에서 이명박 후보의 독주양상은 선거 1년 전부터 시작하여 투표일까지 변하지 않았습니다. 1위와 2위 후보사이의 지지율 격차가 30%이상 유지되는 상황에서 네티즌들의 선거관심도와 온라인 정치참여는 현저히 떨어질 수밖에 없을 것입니다. 2002년 대선의 경우 지지율 1위를 두고 노무현 후보와 이회창 후보 간에 엎치락뒤치락하는 양상을 보였으며, 특히 노무현-정몽준 단일화 이후 양 후보 간의 경쟁은 더욱 치열해졌습니다.

2012년 18대 대선

18대 대선은 박빙의 승부를 보였습니다. 17대 대선의 경우 한나라당 이명박 후보가 일찌감치 승기를 잡았고 최종 선거에서도 대통합민주신당 정동영 후보에게 20% 이상 앞선 손쉬운 승리를 거두었습니다. 이에 비해 18대 대선에서는 박근혜가 후보가 51.6%를 득표하여 48%를 얻은 문재인 후보를 누르고 당선되었지만, 선거 직전까지도 결과를 예상하기 힘든 치열한 승부였습니다. 18대 대선은 스마트폰과 SNS가 대중화된 상황에서 치러지는 첫 번째 대선이었습니다. 대선 당시 SNS 이용자를 보면 카카오톡이 3천만 명, 페이스북 1천만 명, 트위터 7백만 명으로 SNS 선거운동의 영향력이 만만치 않았음을 알 수 있습니다. 특히 17대 대선과 달리 선거결과를 쉽게 예측할 수 없는 박빙의 선거전이 펼쳐졌기에 SNS 선거운동이 선거 결과에 영향을 미칠 가능성이 상당히 높았습니다.

SNS 선거운동이 치열할 수 있었던 또 다른 이유는 과거와 달리 SNS가 더 이상 진보세력과 젊은 층만이 사용하는 매체가 아니었다는 점입니다. SNS를 적극적으로 사용하는 집단 중 이념적 중도의 비중이 높았고, SNS 여론도 진보세력과 젊은 층이 일방적으로 주도하는 형태가 아니었습니다. 50-60대의 SNS 사용이 보편화되면서 12월 19일 하루 동안 스마트폰, 태블릿PC 등의 뉴스 콘텐츠 클릭 수는 2억여 건으로 PC의 6천만 건을 훨씬 앞섰습니다. 50-60대는 과거 휴대전화로 문자를 보낼 때는 키패드를 신속하게 누르는 젊은 '엄지족'을 따라갈 수 없었지만 터치스크린의 스마트폰을 쓰게 되면서 검지만으로 쉽게 트위터와 카카오톡에 메시지를 올릴 수 있게 되었습니다. 스마트폰과 SNS로 무장한 중장년 '검지족'은 선거 기간에 적극적으로 의견을 공유하고 확산하였고 선거 당일에는 실시간 투표율을 확인하면서 장년층의 투표를 독려하였습니다.

SNS 선거운동의 중요성을 깊이 인식한 새누리당은 18대 대선을 앞두고 SNS 선거운동을 위해 2개의 본부장급 기구를 설치하였습니다. 중앙선대위 산하에 독자적인 SNS본부를 설치하였고 선거운동 캠프 내에도 SNS 소통자문위원회를 설치하었습니다. SNS본부는 시스템 관리와 SNS에 실어 나를 콘텐츠 제작 등 내부관리를 담당하였고, SNS 소통자문위는 외연을 확대하는 임무를 맡았습니다. 또한 지지자들을 동원하기 위하여 '빨간 마우스'로 명명된 SNS 서포터즈로 박근혜 후보 지지자들을 공개모집하여 SNS 활동 전반에 활용하는 시스템을 구축하였습니다. '빨간 마우스' 내에는 사회 고위층 인사들로 이루어진 '자문단', 온라인 보수논객들로 이루어진 '논객단', 청년들로 이루어진 '울림단', 문화계 인사로 이루어진 '소셜 멘토단'을 구성하였습니다. 페이스북 계정도 공약 발표 등 공적인 소통 공간인 '신근혜'와 일반 지지자들의 놀이 공간인 '그네가 있는 놀이터'로 양분해 효과적으로 운용하였습니다. SNS를 이용하여 통해 박 후보만의 인간미 넘치는 '콘텐츠'를 제공하였는데, 이는 많은 사람들의 흥미를 끌었습니다. 카카오톡을 통해 '박근혜, 이런 모습 처음이야'라는 사진첩을 공개해 박후보의 인간적 측면을 부각하였습니다. 12월 7일 박 후보가 녹음실에서 로고송 '행복을 주는 사람'을 직접 부르는 영상을 카카오톡을 통해 공개하는 등 '인간 박근혜'의 모습을 홍보하는데 주력하였습니다.

한편 민주당 문재인 후보에게 있어 절대적으로 불리한 언론 환경을 극복하기 위해서 SNS 선거운동 전략은 매우 중요하였습니다. 문재인 후보는 SNS를 통한 소통과 정보 확산을 통해 불리한 언론 환경을 극복하고자 하였습니다. 문 후보는 진보·개혁적 여론이 다수를 차지하는 페이스북이나 트위터 등 SNS를 적극적으로 활용하는 선거 전략을 수립하였습니다. 우선 대선 승부가 투표율에 달렸다는 판단 하에 정책공약 발표와 유세현장을 생중계하는 '문재인TV'를 활용하여 투표율을 높이는데 많은 노력을 기울였습니다. '문재인 TV'는 SNS를 비롯해 아프리카, 유튜브, 유스트림을 기반으로 문 후보의 각종 활동사항을 유권자들에게 실시간으로 홍보하였습니다. 2012년 대선 당시 SNS 이용자 현황을 보면 "카톡(3천만명), 페이스북(1천만 명), 트위터(7백만 명) 순으로 가입자가 많았습니다. 이에 문재인 후보는 SNS 선거운동 전략을 카카오톡의 '카', 페이스북의 '페', 트위터의 '트' 등 앞 글자를 따 '카페트 전략'이라 하였습니다. SNS 전략의 지휘본부를 민주 캠프나 선대위 내 조직이 아닌 시민캠프의 'SNS 지원단'에 두었는데, 지원단 내에 모니터링팀, 콘텐츠제작팀, 그리고 파워트위터리안으로 구성된 외부 지지그룹을 구성하였습니다. 외곽의 시민캠프 산하 기구라는 점에서 '조직력' 측면에서 약점이 지적되었지만, 문 후보는 SNS는 결국 주체적 판단과 자기 공감을 통해 확산되며, 위에서 아무리 지시를 내리고 지침사항을 전달해서 확산되는 것이 아니고, 자율성을 통한 공감대를 확산시키는 게 더 중요하다고 판단하였습니다.

문재인 후보는 무엇보다 전통적으로 낮은 투표율을 보이고 있는 20~30대 청년층의 투표율을 높이고자 활발한 투표참여 캠페인을 전개하였습니다. 특히 18대 대선부터 SNS를 통한 투표 독려가 허용됨에 따라 20~40대를 중심으로 네티즌들은 너도나도 인증샷을 찍어 유권자들의 투표를 독려하였습니다. SNS상에서 전국의 투표장 상황이 실시간 생중계되었고,

유명인들은 투표율이 일정 수준이상으로 올라가면 재미있는 퍼포먼스를 진행한다는 약속을 하면서 SNS 선거 인증 놀이가 널리 확산되었습니다. 그 결과 실제로 젊은 층의 투표율이 과거에 비해 상당히 높아졌습니다. 물론 기본적으로 선거 경쟁도가 매우 치열했기에 전체 투표율이 높아지고 이에 따라 젊은 층의 투표율이 높아진 것은 사실입니다. 그렇지만 17대 대선 투표율과 비교해 볼 때 전체 투표율이 13% 정도 올라간 것에 비해, 20대 투표율은 19%, 30대는 15% 상승하여 평균 상승률보다 더 많이 올랐습니다.

〈표 7〉 17대, 18대 대선 연령별 투표율 비교

	20대	30대	40대	50대	60대 이상	전체
17대	49.4%	54.9%	66.3%	76.6%	76.3%	62.9%
18대	68.5%	70.0%	74.0%	82.0%	80.9%	75.8%

박근혜 후보와 문재인 후보의 SNS 선거운동 규모를 비교해 보면 문 후보의 트위터 팔로워 수는 31만2천명으로 박 후보의 24만3천여 명보다 많았고, 페이스북 소식을 받아보는 사람 숫자도 문 후보는 8만 여명으로 박 후보의 2만4천여 명 보다 3배 이상 많았습니다. 한편 박 후보는 스마트폰 메신저인 '카카오톡' 플러스 메시지를 받아보는 사람이 49만6천명으로, 문 후보의 36만3천여 명 보다 훨씬 많았습니다. 한편 진보진영의 경우 조국, 진중권, 공지영 등과 같은 거물급 소셜테이너(social entertainer)들이 활동하고 있었지만 보수진영은 그에 맞설 인물이 부족하여 SNS 여론에 있어 문재인 후보가 보다 유리한 상황이었습니다. 그렇지만 박근혜 후보의 경우 SNS 선거운동의 중요성을 직시하여 SNS 선거운동 본부를 구성하였고, 트위터와 페이스북, 싸이월드 미니홈피 등 모든 SNS를 적극 활용하였습니다. 박근혜 후보는 트위터를 통해 자신의 글을 받아보는 유권

자들을 특성별로 묶어주는 '리스트' 기능을 이용해 다른 대선 주자들보다 훨씬 체계적으로 지지자들을 관리하였습니다. 선거 네트워크 분석에 따르면 선거 관련 트윗 숫자가 2012년 4월 총선에 비해 3배 가까이 증가하였고, 선거 막판 트위터 점유율은 박근혜 후보가 문재인 후보를 앞서는 것으로 나타났습니다. 트위터 내용을 분석했을 때 박근혜 후보를 언급한 트위터의 경우 긍정적 내용이 다수였던 반면 문재인 후보를 언급한 트위터는 부정적 내용이 절대 다수를 차지하고 있어 트위터 선거운동에서 박근혜 후보가 우위를 점한 것으로 나타났습니다. 카카오톡 선거운동을 보더라도 12월 18일 밤 12시를 기준으로 카카오톡의 '플러스친구' 숫자가 박근혜

[그림 5] 18대 대선 트위터 선거운동 양상

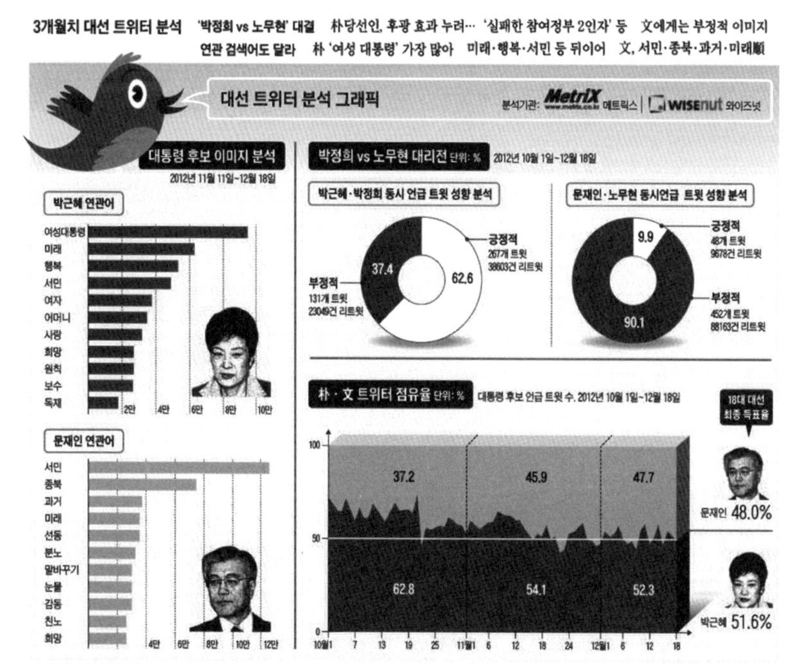

출처: 조선일보. 2012년 12월 21일.

후보가 68만 9천 599명으로 문 후보의 54만 1천 306명을 14만 명 이상 앞선 것으로 나타났습니다.

18대 대선에서 나타난 SNS 선거운동은 우리 선거문화에 상당한 영향을 미쳤습니다. 16대와 17대 대선과 비교할 때 인터넷 사용 양상이 폐쇄적인 커뮤니티에서 개방성에 바탕을 둔 SNS로 옮겨가면서 선거정보가 매우 신속하고 광범위하게 전파되면서 후보에 관한 여론을 형성하는데 커다란 역할을 하였습니다. 온라인 모바일 선거운동이 본격화되면서 모든 후보가 SNS 민심을 잡기 위해 전력을 다하면서 가히 SNS 전쟁이라 할 만한 치열한 선거전이 펼쳐졌습니다. 새누리당은 본격적인 선거 운동에 앞서 페이스북과 트위터를 연동한 스마트폰용 새누리북과 싸이월드 등을 활용한 SNS 선거운동을 펼쳤고, 인터넷 홈페이지 박근혜미디어를 열어 유권자로부터 선거 콘텐츠를 기부 받았습니다. 콘텐츠 기부는 선거기간 동안 박근혜 후보에 관한 좋은 글 등을 SNS에서 공유하거나 리트윗하는 형태로 진행되었습니다. 이에 맞서 민주당 역시 온라인 소통창구를 개설하여 운용하였고, SNS 외에도 아프리카TV에 문재인TV 채널을 열어 유권자들과 정책에 대한 의견을 교환하였습니다.

그렇지만 SNS 선거운동 열풍과 달리 그 내용과 질은 그다지 만족스럽지 못하였습니다. 각 후보 진영이 SNS를 이용해 엄청난 양의 홍보물을 제작하고 전파하였지만, 후보들의 SNS는 보좌관들이 올리는 글의 내용을 정하는 경우가 많아 읽는 사람이 진정성을 느끼기가 어려웠습니다. 무엇보다 허위정보와 비방 글이 무차별적으로 확산되면서 공약과 정책이 선거의 쟁점이 되지 못하고 네거티브 선거운동이 판치게 되는 부작용이 심각하게 나타났습니다. 민주당은 국가정보원 여직원의 '비방 댓글' 의혹 및 박근혜 후보 아이패드 커닝 의혹을 끊임없이 퍼트렸고, 새누리당은 고 노무현 전 대통령의 '북방한계선(NLL) 포기 발언' 논란과 문 후보 아들 호화 유학

[그림 6] 18대 대선에서 나타난 SNS 선거 비방

SNS에서 유포되는 허위 괴담

박근혜 후보에 대한 흑색 선전
"박근혜가 TV토론 때 아이패드로 커닝했다"
"박근혜 당선되면 초등생도 밤 10시까지 학교 남는다"
"박근혜 숨겨놓은 사생아 전격 공개!"
"朴 당선되면 여론조사회사 사장에게 5억 주기로 했다"

문재인 후보에 대한 흑색 선전
"문재인이 기부금품법 위반으로 검찰 출두한다"
"문재인의'사람이 먼저다'출처는 북한 주체사상집"
"문재인, 청와대의 80%를 주사파로 채웠었다"
"문재인 아버지는 북한 인민군 출신이다"

생활 의혹 등을 제기하면서 비방선거전을 펼쳐갔습니다.

(3) 뉴미디어와 국회의원 선거

16대 총선

1999년 조사에 따르면 7세 이상의 국민 중에서 943만 명이 한 달에 한 번 이상 인터넷을 이용하였고, 인구 1천 명당 인터넷 이용자 수는 224명으로 우리나라 인구의 1/5 이상이 인터넷을 이용하는 것으로 나타났습니다. 16대 총선은 인터넷이 본격적으로 선거운동에 활용되었다는 점에서, 그리고 일부 지역의 경우 사이버 공간상의 선거전이 상당히 치열하게 전개되었다는 점에서, 과거 선거운동과는 확연히 다른 양상을 보였습니다. 공식적인 선거운동기간이 시작되기 수개월 전부터, 일부 네티즌과 출마희망자들이 PC통신이나 인터넷을 통한 사전 선거운동을 감행하는 현상이 목격되었고, 적지 않은 현역 국회의원들이 자신의 홈페이지를 선거를 대비해 새롭게 단장하기 시작하였으며, 그 가운데 일부 의원들은 홈페이지 관리를 위해 인터넷 전문비서관을 채용하는 현상도 나타났습니다. 비슷한 시기에 낙천·낙선운동을 주도하고 있는 시민운동 단체들의 홈페이지에는 유권자들의 접속이 쇄도하였고, 각종 정치전문 웹사이트들은 출마 예상자들의 신상 정보를 앞 다투어 제공하는 양상을 보였습니다. 총선이 본격적으로 시작될 무렵 각 정당들은 다양한 동영상과 그래픽을 동원한 선거운동용 홈페이지를 개설하여 자당의 선거 홍보에 주력하였고, 후보 등록이 시작된 3월 28일 이후 중앙선거관리위원회의 홈페이지는 한 때 접속 병목현상을 빚을 정도로 유권자들의 접속이 폭증하기도 하였습니다.

16대 총선 지역구 출마자 총 1천 38명 가운데 50.3%인 514명이 인터넷 홈페이지를 개설하였고, 그 중 선거기간 동안 실제로 운영되었던 홈페이지는 506개로 49.5%의 작동율을 보였습니다. 16대 총선에서 후보자들의 인터넷 활용 및 네티즌들의 홈페이지 참여 실태는 결코 무시 못 할 정도의 수준이었습니다. 총선 직후, 전국 네티즌을 대상으로 실시된 한 설문조사에 의하면, 비록 네티즌의 21.9%만이 지역구 후보자 홈페이지를 방문하였으나, 홈페이지 방문자의 71.5%가 그들의 지지후보의 선택에 영향을 받은 것으로 나타났습니다.

당시 인터넷 이용 현황을 보면, 정치 분야에 있어 인터넷의 활용은 매우 낮은 수준이었습니다. 정치관련 정보제공자로서의 역할도 기존 언론매체인 TV나 신문에 비해 상당히 미약하였으며, 정치관련 사이트에 정기적으로 접속하는 네티즌의 숫자도 적은 편이었습니다. 또한 인터넷의 쌍방향성을 이용한 네티즌들의 정책결정 참여 역시 매우 저조하였습니다. 많은 응답자들이 연예/오락(26.7%) 혹은 주식정보 수집 및 투자(26.3%)를 1순위로 응답하였으며, 정치관련 정보습득을 주요목적으로 인터넷을 사용하는 네티즌은 상대적으로 적은 숫자(8.7%)를 보였습니다. 연예/오락 및 주식정보 습득을 인터넷 사용의 주요목적으로 응답한 네티즌이 다수를 이루는 것은 20~30대가 네티즌의 대다수를 구성하고 있으며, 다른 한편으로 인터넷 주식거래가 활성화되었기 때문입니다. 비록 정치관련 정보습득을 1순위로 응답한 네티즌의 수는 적으나, 2순위까지 고려하면 누적된 전체 응답자의 약 14.8%가 정치관련 정보를 얻기 위해 인터넷을 사용하는 것으로 나타나 연예/오락 및 주식정보 목적과는 5% 미만의 차이를 보여 인터넷의 정치적 활용도가 결코 적지 않음을 알 수 있습니다.

한편 정치관련 정보획득에 있어 네티즌들의 인터넷 활용도를 살펴보면, 절대다수의 네티즌이 신문(44.9%)과 TV(35.4%)를 1순위 정보제공자로 응답한 반면, 인터넷은 2.2%로 최하위를 기록하였습니다. 이러한 경향은 2순위까지 고려할 경우에도 마찬가지였습니다. 이는 인터넷보다 전통적인 언론매체가 정치관련 정보의 전달 및 여론형성에 주도적인 역할을 수행하고 있음을 보여주고 있습니다.

〈표 8〉 정치관련 정보습득 출처 순위

목적 / 순위	신문	TV	잡지	대화	인터넷	합계
1순위	494 (44.9%)	390 (35.4%)	139 (12.6%)	54 (4.9%)	24 (2.2%)	1101 (100%)
2순위	440 (39.5%)	448 (40.2%)	154 (13.8%)	49 (4.4%)	24 (2.1%)	1115 (100%)
누계	934 (42.2%)	838 (37.8%)	293 (13.2%)	103 (4.6%)	48 (2.2%)	2216 (100%)
3순위	12 (1.1%)	45 (4.2%)	218 (20.5%)	304 (28.6%)	486 (45.6%)	1065 (100%)
누계	946 (28.8%)	883 (26.9%)	511 (15.6%)	407 (12.4%)	534 (16.3%)	3281 (100%)

이처럼 인터넷이 정치정보제공자로서 제대로 인식되지 못하였던 것은 두 가지 요인으로 설명할 수 있습니다. 먼저, 인터넷상의 주요 정치관련

정보제공 사이트가 대부분 기존의 언론매체에 의해 운영되고 있어 인터넷을 통해 얻는 정보의 내용이 신문이나 TV를 통해 얻는 그것과 별다른 차이를 보이지 않았기 때문입니다. 또한 정부·정당·국회 등 정치정보 생산자들이 자신의 홈페이지를 운영하고 있었으나, 이들이 제공하는 정보는 각 기관의 홍보수준에 머물렀고 국민들이 알고자 하는 중요한 정보는 제공하지 않았습니다.

인터넷의 특징인 정보의 실시간 유통과 쌍방향성(interactivity)은 그간 정치적 청중에 머물렀던 일반 대중이 적극적인 정치참여자로 전환할 수 있는 기회를 제공하였습니다. 16대 총선 과정은 이러한 인터넷의 정치적 잠재력을 충분히 보여주었습니다. 그러나 인터넷의 정치적 활용 수준은 아직 걸음마 단계에 불과하였습니다. 인터넷의 급속한 확산에도 불구하고, 신문이나 TV 등의 구 매체가 여전히 정치정보의 생산과 소비의 주요 채널로서 그 역할을 수행하였습니다. 또한, 많은 네티즌들이 인터넷을 정치관련 정보습득이나 정치참여의 수단으로 활용하기보다는 오락이나 주식투자 등의 목적으로 더 많이 이용하고 있었습니다. 네티즌 가운데 절반에도 못 미치는 47%만이 정치관련 사이트를 방문한 경험이 있었으며, 불과 21.9%만이 총선 후보자가 개설한 홈페이지에 접속하였습니다. 조사대상 네티즌들의 대부분이 매일 인터넷에 접속하는 적극적인 인터넷 사용자임을 고려할 때, 이 같은 정치관련 사이트 접속률은 비교적 낮은 편이었습니다. 또한 인터넷이 가지는 가장 중요한 특성인 쌍방향성을 이용하여 정책토론이나 정부당국자와의 대화를 경험한 네티즌이 극소수에 불과하였습니다.

한편, 인터넷상의 정치적 활동이 결코 현실정치와 분리되어 있지 않았습니다. 인터넷의 정치적 활용도 조사에서 보듯이, 정치적 관심이 높은 네티즌일수록 정치관련 사이트나 후보자 홈페이지를 방문한 경험이 많은 것으로 나타났습니다. 또한 선거기간 중 후보 홈페이지를 방문하지 않은 네티즌들의 대부분이 그 이유를 현실 정치에 관심이 없기 때문이라고 했습니다. 여기서 우리가 한 가지 명심하여야 할 사실은 인터넷이 대의민주주의가 갖는 문제점을 개선하고 민주주의 발전에 기여하기 위해서는 반드시 오프라인 상에서의 노력이 동반되어야 한다는 점입니다. 이를 위해서 무엇보다도 중요한 것은 정부, 정당, 정치인 등 현실정치 담당자들의 태도와 노력입니다. 모든 중앙행정기관과 정당들은 자체 홈페이지를 운영하고 있습니다. 그러나 홈페이지 개설 숫자보다 더욱 중요한 문제는 홈페이지를 통해 제공되는 정보의 양과 질입니다. 상대적으로 충실하게 운영되는 중앙행정기관의 경우도 대부분 기관 안내 수준에 머무르고 있으며, 홈페이지를 통해 제공되는 정책 및 통계자료 등은 매우 적으며, 그나마 자료의 시의성과 다양성은 매우 뒤떨어지고 있습니다. 또한 일부 홈페이지에서 토론방을 운영하기도 하나, 대부분이 국민과 정책담당자간의 쌍방향 토의가 이루어지지 않은 채 시민들의 일방적인 의견제시에 그치고 있습니다. 현실정치 담당자들이 인터넷을 통해 보다 충실히 정보를 공개하고 국민과의 대화에 적극적으로 응할 때, 네티즌의 정치관심도는 꾸준히 향상될 것이며 동시에 인터넷은 정치참여의 중요한 수단으로 인식될 수 있을 것입니다.

17대 총선

17대 총선에서는 합동연설회와 정당연설회 등 대규모 오프라인 집회가 없어졌기 때문에 인터넷에 대한 의존도가 상대적으로 높아졌습니다. 대부분의 포털사이트들이 총선과 관련된 각종 코너를 마련하고 있었으며, 선거운동 기간 중에 하루 수백만 명의 네티즌들이 인터넷에 마련된 각종 총선 코너를 방문하였습니다. 다음의 총선 코너(vote.media.daum.net)에서는 지역구별로 '우리 선거구 게시판'을 마련하여 지역 현안과 총선 이슈에 대해 네티즌이 의견을 제시할 수 있도록 하였습니다. 야후 코리아의 총선 코너(kr.news.yahoo.com/election)에서도 지역구별 토론 게시판이 운영되었습니다. 특히 각 포털사이트는 총선과 관련된 사진이나 만화, 패러디 등을 제공하여 많은 네티즌들의 호응을 얻었습니다. 다음(Daum)은 각종 총선 관련 패러디를 모은 '디씨 IN 총선'과 풍자만화로 구성된 '재미있는 만화 속 세상'을 운영하였고, 네이버(Naver)는 광고 · 영화 포스터 등을 패러디한 '네티즌 포토갤러리'를 마련하였습니다.

4 · 15 총선 기간 중 포털사이트 다음에는 총선과 관련된 카페가 4백여 개 운영되었습니다. 이들 카페는 총선관련 카페, 탄핵관련 카페, 특정 정당이나 후보자 지지 또는 안티 카페 등으로 분류할 수 있습니다. 총선과 관련된 카페는 26개가 운영되었는데, 이 가운데 "국민을 협박하지마라"(189단계)는 무려 10만여 명의 회원이 있었습니다. 탄핵 카페는 "탄핵에 반대하는 네티즌 모임 다모여", "탄핵! 충격! 노무현대통령" 등 6곳이 있었습니다. 총선에 출마한 후보자를 지지하는 팬 카페는 모두 38개가 운영되었는데 세부적으로 보면 열린우리당 12개, 한나라당 10개, 민주당 6개, 민주노동당 5개, 자민련 1개, 무소속 4개가 있었습니다. 안티카페는 정몽준, 국회, 한나라당, 총선연대 등 7개가 운영되었습니다.

10만 명이 넘는 회원 수를 보유한 '국민을 협박하지 말라'는 탄핵을 반대하고 수구 보수 정치인을 몰아내기 위해 이번 선거에서 국민의 힘을 보여주자는 취지로 2004년 3월 6일 개설되었습니다 'sunshine~*' '둥이아빠' '신밧드' 등의 ID를 사용하는 13명의 운영진이 카페를 관리하였습니다. 회원 수 10만 명에 걸맞게 네티즌 토론방에는 하루 평균 3천여 건이 넘는 글이 올라왔습니다. 선거가 가까워질수록 게재되는 글의 수는 늘어나 12일에는 5천 267건, 13일에는 5천 987건의 글이 업로드 되었습니다. 각 글에 대한 조회 수도 만만치 않아 쟁점이 되는 글과 정보를 제공하는 글의 경우 조회수가 100회가 넘었습니다. 이 카페에 올라오는 글의 내용은 그 제목에서도 알 수 있듯이 대체로 탄핵을 지지한 한나라당을 비판하고 열린우리당과 민주노동당을 지지하는 글들이 대부분을 차지하였습니다. '딴나라당이 의석을 100석 이상 차지하는 것은 두고 볼 수 없다.' '지금 우리가 이렇게 분열되는 것을 딴나라는 좋아하고 있을 것이다.' 등에서 보듯이 많은 글들이 '3-3'(후보와 정당 모두 열린우리당 투표) 혹은 '3-12'(후보는 열린우리당, 정당은 민주노동당 투표)로 투표할 것을 독려하였습니다. 이곳에서 한나라당을 지지하는 발언을 하거나 리플을 달게 되면 '알바'로 취급되어 극렬한 공격을 받았습니다.

2002년 대선과 달리 17대 총선에서는 하루 수백만 명이 접속하는 포털사이트를 중심으로 네티즌들의 투표참여 운동이 활발하게 이루어졌습니다. 다음의 탄핵반대 카페와 각종 취미, 커뮤니티 사이트 등을 중심으로 '투표로 정치권을 심판하자'는 '투표부대'의 활동이 전개되었습니다. 투표부대 포스터 등 투표참여를 촉구하는 패러디 사진과 '투표부대가' 등이 각 사이트로 퍼 날라졌습니다. 다음 카페의 운영자들 사이에는 투표참여를 독려하는 사진을 메인화면에 올리는 '대문교체사업'이 전개되기도 하였습니다. 또한 투표 당일인 15일에는 이동통신 3사의 통화량이 평소 휴일보다 11-15% 가량 증가하여 투표참여를 독려하는 휴대전화 통화와 문자메시지 전송이 상당수가 되었을 것으로 추정되었습니다.

그렇지만 온라인 선거운동의 활성화와 함께 정보격차(digital divide)로 인한 문제도 제기되었습니다. 인터넷 접속은 부와 교육이 가져오는 부가적 혜택 가운데 하나의 문제에 그치지 않습니다. 즉, 인터넷 접속은 단순히 고급 승용차나 수영장 딸린 정원과 같이 부가 가져오는 사치적 혜택에 그치지 않고 또 다른 부와 교육을 창출하는 수단으로 작용합니다. 17대 총선에서도 온라인 선거운동이 자리 잡으면서 그 이면에 '선거 소외계층'이 생겨났습니다. 17대 총선에서는 후보자들을 한꺼번에 보고 비교할 수 있었던 합동연설회가 금지되면서 후보자에 대한 정보가 상당히 제한되었습니다. 선관위가 주관한 TV 토론회가 있었으나 유력 후보자들이 막판 말실수를 우려해 토론회를 거부하는 사례가 속출하면서 전국 243곳의 지역구 중 92곳에서만 TV 토론이 성사되었습니다. 또한 방송시간도 유권자들이 제대로 볼 수 없는 낮 시간이나 심야 시간대에 편성되어 후보자간의 토론을 통해 자질을 평가하고 비교한다는 본래의 취지가 제대로 달성되지 못하였습니다. 온라인 선거운동이 대세를 이루면서 선거비용이 대폭 줄어드는 긍정적인 측면도 있지만 인터넷을 접하기 어려운 노년층이나 시골의 유권자들은 후보자에 대한 정보를 제대로 얻을 수 없었습니다. 2003년 12월 현재 인터넷 이용률을 보면 20대의 94.5%가 인터넷에 접속하는데 반해 50대는 22.8%, 60대 이상은 5.2%만이 인터넷에 접근할 수 있었습니다. 40대 이상 유권자의 수가 절반을 넘고 있지만 이들 가운데 다수가 인터넷을 통해 선거관련 정보를 얻는데 문제를 갖고 있었습니다.

〈표 9〉 연령별 인터넷 이용률 차이

	20대	30대	40대	50대	60대 이상
유권자 비율	22.1%	24.9%	22.8%	13.2%	16.9%
인터넷 이용률	94.5%	80.7%	51.6%	22.8%	5.2%

17대 총선에서 드러난 또 다른 문제는 정책이나 인물로 선택받기보다는 유권자의 감성에 호소하는 이미지선거가 각 당의 주된 선거전략이 되었다는 점입니다. 이러한 이미지 선거양상은 온라인 공간에서도 그대로 나타났습니다. 총선에서 각 당은 홈페이지를 유권자들의 감성에 호소하는 수단으로 활용하였습니다. 인터넷이 가지는 심층적 정보전달의 장점에도 불구하고 각 당의 선거공약이나 정책은 구색 갖추기 정도로 나열되어 있을 뿐이었으며, 팝업 창과 동영상을 이용한 감성자극에 주력하였습니다. 특히

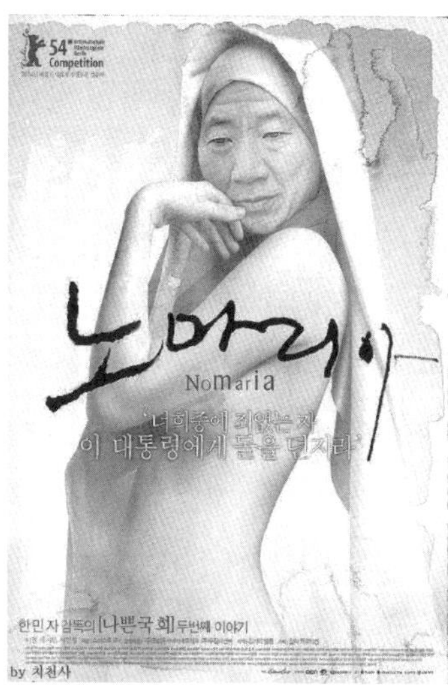

노무현 대통령 탄핵반대 패러디

17대 총선 기간 중 유행한 패러디물은 선거가 정책보다는 이미지 경쟁 위주로 흘러가는데 일조하였습니다.

중앙선거관리위원회의 홈페이지는 정책선거를 위한 다양한 메뉴를 제공하였습니다. 특히 '정책비교' 난을 마련하여 각 정당의 정책을 유권자의 관심영역과 분야에 따라 열람할 수 있도록 하였습니다. 각 당의 정책을 정치행정역역, 경제과학영역, 통일안보영역, 교육사회영역 등으로 구분하여 소개하였으며, 각 분야에 대한 정당의 정책을 비교할 수 있도록 하였습니다. 또한 '10대 공약' '시 · 도별 공약' '후보자 공약' 등으로 구분하여 유권자들이 필요한 정보를 쉽게 접근할 수 있도록 하였습니다. 그러나 중앙선관위의 이러한 노력에도 불구하고 네티즌들의 참여도는 크게 높지 않았습니다. 정당의 정책공약에 대해 자유롭게 토론할 수 있는 공간인 토론마당을 보면 선거운동 기간 동안 불과 150여개의 글이 올라왔습니다.

중앙선관위 홈페이지의 '커뮤니티'는 후보자와 유권자 사이의 대화뿐만 아니라 후보자 간의 비교를 할 수 있는 공간으로 만들어졌습니다. 선거공약과 쟁점에 대해 후보자 간의 토론 그리고 후보자와 유권자 간의 토론을 통해 후보자의 성향과 자질을 검증하고 유권자들의 합리적 선택을 유도한다는 목적이었습니다. 그러나 이러한 목적은 후보자와 유권자의 외면으로 공허한 노력이 되어버렸습니다. '후보자 커뮤니티'에는 상당수의 후보자들이 "후보자 공약"에 자신의 공약을 입력하지 않았고, 많은 네티즌들이 후보자들의 공약을 찾기 힘들다고 불평했습니다. 또한 '선거구 커뮤니티'는 후보자와 후보자간, 후보자와 유권자간 토론을 할 수 있는 커뮤니티 게시판이나 실제 토론은 찾아볼 수 없었습니다. 정치 1번지라 하는 종로구의 경우에도 선거운동기간 중 5개의 글만이 올라왔고, 조회수도 20회 내외에 그쳤습니다. 강남 갑과 을 선거구는 각각 2개와 3개의 글만이 게재되었습니다.

이 같은 네티즌의 참여도는 포털사이트의 총선 사이트나 카페에 비교해 보면 매우 대조적입니다. 17대 총선 기간 중 온라인 공간에서의 선거운동 열기가 매우 뜨거웠음에도 불구하고 정책토론을 위한 사이트에 대한 반응은 매우 낮았다는 점에 주목할 필요가 있습니다. 수만 명의 네티즌들이 참여하는 카페의 경우 대체로 특정 정당이나 후보자를 지지하는 성격을 갖고 있습니다. 비슷한 정치적 성향을 지닌 네티즌들이 모여 서로 정보를 교환하고 자신들의 생각을 강화해 나갑니다. 이는 과거 대선의 '노사모'나 '창사랑' 홈페이지에서 나타난 현상과 동일한 모습입니다. 선거전략 차원에서 볼 때 이러한 유사성향을 지닌 네티즌들의 모임은 분명 기존 지지자들의 응집성을 강화하고 나아가 지지 기반을 확산시키는 분명한 효과가 있습니다. 그러나 정치발전의 측면에서는 온전히 바람직한 현상으로만 해석하기에는 우려되는 부분이 있습니다. 비슷한 정치적 입장을 지니고 동일한 후보를 지지하는 네티즌들 사이에 이루어지는 토론은 사실상 토론이라기보다는 생각의 '자기강화'(self reinforcement)적 성격이 강합니다. 서로 다른 생각을 가진 사람들이 모여 자신들의 주장을 펼치는 동시에 타인의 의견을 청취하면서 서로 간에 합의점을 찾아가는데 토론의 진정한 의미가 있습니다. 온라인 공간이 동원에 의한 '우매한' 군중이 아닌 토론과 숙의를 통한 '영리한 군중'(smart mob)을 만들어 가는데 더 많은 노력이 필요하다는 것을 알 수 있습니다.

18대 총선

노무현대통령 탄핵국면과 맞물려 온라인 선거운동 열기가 상당히 뜨거웠던 17대 총선과 달리 18대 총선의 경우 온라인 선거는 별다른 주목을 받지 못했습니다. 그렇지만 선거관련 정보출처로서 인터넷 활용도는 과거보다 훨씬 높았습니다. 18대 총선에서 "선거관련 정보를 얻는데 가장 도움이 되었던 것은 무엇인가?"라는 질문에 응답자의 36%가 TV를 지목하였고, 다음으로 인터넷이 18.6%를 차지하여 9.8%의 신문보다 높았습니다. 2순위까지 합한 응답에서도 인터넷은 40.3%를 차지하여 TV(54.8%)보다는 낮으나 24.8%의 신문보다는 높게 나왔습니다. 지난 16대 총선의 경우 선거정보 출처로 인터넷을 지목한 1,2 순위 응답 누계가 4.3%에 불과한 것에 비교하면 선거정보를 얻기 위한 인터넷 이용이 대폭 증가한 것을 알 수 있습니다.

〈표 10〉 선거관련 정보출처(%)

	TV	신문	인터넷	라디오	거리연설	홍보물	대화	기타
1 순위	36.0	9.8	18.6	.6	6.3	17.4	10.9	.4
2 순위	16.8	15.0	21.7	1.9	8.5	18.9	16.9	.3
합계	54.8	24.8	40.3	2.5	14.8	36.3	27.8	.7

한편 선거관련 인터넷 사이트의 방문경험에 대해서는 응답자의 48.5%가 선거관련 정보를 얻기 위해 인터넷 사이트를 가끔 혹은 자주 방문하였다고 응답하였으나, 정당 홈페이지는 21.5%가 그리고 후보홈페이지는 17.7%만이 가끔 혹은 자주 방문했다고 응답하였습니다. 앞서 선거정보 출처에 관한 응답과 함께 볼 때 정보제공자로서 인터넷의 역할은 비교적 높은 편이었으나 유권자와 정당 혹은 후보를 연결하는 데는 한계를 보였습니다. 네티즌의 온라인 정치활동과 관련하여 주목을 끄는 현상은 '선거정보 사이트 방문'과 '후보자 홈페이지 방문'은 투표참여에 긍정적인 영향을 미친 반면, '정당 홈페이지 방문'은 투표참여에 영향을 미치지 않는 것으로 나타났다는 점입니다. 특히 '후보 홈페이지 방문'은 '선거관련 사이트 방문'보다 투표율을 높이는데 더 많은 영향을 미치는 것으로 나타났습니다. 이러한 결과가 나타난 이유는 사이트가 갖는 성격 때문인 것으로 추론해 볼 수 있습니다. 선거관련 정보 사이트와 정당 홈페이지에서는 선거에 관한 일반적 정보를 습득할 수 있는 반면, 후보 홈페이지는 특정 후보에 대한 정보만 한정적으로 제공하고 있습니다. 따라서 특정 후보 홈페이지에 접속하는 것은 가장 높은 수준의 자발성을 요구하며, 이는 투표참여를 염두에 둔 행위일 가능성이 높습니다. 다만 총선에 대한 관심이 매우 낮은 상황에서 소수의(17.8%) 네티즌만이 후보 홈페이지를 방문하였기 때문에 실제 총선 결과에 미친 영향은 그다지 높지 않을 수 있습니다.

한편 네티즌들의 온라인 정치활동에 영향을 주는 변인들을 분석한 결과 사회통계 변인 중 연령과 성별은 유의미한 영향을 주었으나 소득과 학력은 별다른 영향을 미치지 않는 것으로 나타났습니다. 특히 연령이 높을수록 온라인 정치활동이 활발한 것으로 나타났으며, 이념성향에 따른 차이는 나타나지 않아 젊고 진보적인 네티즌들의 온라인 정치참여가 활발하였던 2002년 대선 때와는 다른 양상을 보였습니다. 온라인 활동수준에 따라 비교해 볼 때 온라인을 적극적으로 활용하는 집단이 그렇지 않은 집단에 비해 정치관심도, 언론노출도, 정당지지도, 그리고 투표참여율이 높은 것으로 나타났습니다. 이는 온라인 정치활동 참여양상이 오프라인 정치참여와 밀접한 상관관계를 갖고 있으며 별도로 작동하는 것이 아니라는 사실을 보여줍니다. 즉 인터넷이 선거에 관심이 없는 사람들을 투표에 참여하도록 하는 효과는 찾기 어렵지만, 정치와 선거에 관심이 높은 사람들이 인터넷을 통해 관련 정보를 많이 얻고, 이를 바탕으로 더 적극적으로 정치에 참여하는 '참여의 선순환' 효과가 있는 것을 알 수 있습니다.

정당들의 인터넷 선거운동 또한 별다른 성과를 얻지 못하였습니다. 18대 총선에서 모두 17개 정당이 참여하여 역대 선거사상 최다 정당이 참여하였으나 지역구 후보자를 추천한 정당은 13개였으며, 모든 정당이 홈페이지를 개설·운영하였습니다. 각 정당 모두 홈페이지를 통해 선거공약, 후보자 정보, 선거관련 뉴스를 제공하였고, 정당들이 각 분야별 핵심공약을 제시하고는 있으나, 대부분이 '~을 하겠다', '~을 추진하겠다'는 정도에 그치고 구체적인 실행방안을 제시하지 못했습니다. 정책제안방이나 토론방 형식으로 네티즌들의 참여를 유도하였으나 형식적인 운영에 그쳤고 별다른 성과를 얻지 못했습니다. 정당들의 인터넷 선거운동에 있어 네티즌들의 참여는 많았지만 운영자의 참여는 거의 보이지 않았습니다. 모든 정당의 홈페이지에서 네티즌들의 글에 대한 반응이나 질문에 대한 답 글은 찾아보기 어려웠습니다. 네티즌들의 글 내용을 보더라도 일방적 발언이 대부분이고 쌍방향 대화나 토론은 거의 이루어지지 않았습니다. 정당이나 후보자에 대한 지지 혹은 타 정당에 대한 비방의 내용이 글의 대부분을 차지하였고, 각 정당의 정책이나 공약에 대한 토론은 찾기 어려웠습니다. 모든 정당의 홈페이지에서 공통적으로 나타나는 특성은 네티즌들의 시선을 끌기 위해 인터넷 게임, 만화, 패러디 등 오락적 요소를 다양하게 갖추고 있다는 점입니다. 거의 모든 후보자 홈페이지에서는 후보자를 선전·홍보하는 소개메뉴가 있었습니다. 그러나 지역구 현안이나 공약에 관한 주 메뉴는 거의 없고 네티즌과의 의사교환도 활발하지 않았습니다. 또한 공약이나 주요 이슈에 대한 토론보다는 단순히 보여주기 위한 자료게시가 다수를 차지했습니다. 이처럼 홈페이지의 내용이 새로운 이슈 창출이나 네티즌과의 공감대 형성보다는 일방적으로 전달하는 홍보성 글로 채워질 경우 홈페이지의 효용성은 낮아질 수밖에 없습니다.

18대 국회의원선거와 관련하여 중앙선거관리위원회는 PC통신 등 사이버 공간을 이용한 선거법 위반행위를 효과적으로 차단하기 위해 중앙 및 각 시·도 선거관리위원회에 사이버 선거부정감시단을 편성·운영하고 사이버 자동검색시스템을 운영하였습니다. 18대 국회의원선거에서 인터넷상 선거법 위반행위에 대해 중앙선거관리위원회는 총 1만 623건을 적발해 고발 3건, 수사의뢰 6건, 주의·경고 30건, 이첩 3건, 삭제요청 1만 581건을 조치하였으며, 이는 지난 17대 총선의 조치실적 1만 3천 209건보다 2천 586건이 감소한 것이며, 삭제요청을 제외한 위법행위 조치 실적만 보면 종전 선거의 303건보다 86.1%가 감소한 42건이었습니다. 온라인 선거운동 문화가 점차 개선되고 있음을 알 수 있습니다.

19대 총선

19대 총선에서 새누리당은 152석을 획득한 반면 민주통합당은 127석에 그쳤습니다. 선거 전까지만 해도 다들 새누리당의 몰락과 민주통합당의 승리를 예견하였으나, 그 결과는 예상을 완전히 빗나갔습니다. 4·11 총선은 '최초의 SNS선거'로 불릴 만큼 SNS가 투표결과에 미칠 영향에 대해서 많은 관심을 기울였습니다. 특히 SNS와 인터넷을 통한 선거운동이 전면 허용되면서 그 기대는 더욱 컸습니다. 닐슨코리아가 실시한 여론조사에 따르면 응답자 중 85.1%가 SNS가 후보선택에 영향을 미친다고 응답하였습니다. 또한 응답자의 39.4%가 SNS를 통해 정치활동에 참여한 경험이 있다고 답하였습니다. 지난 몇 차례의 선거에서와 마찬가지로 19대 총선에서도 트위터 여론은 야당이 우세하였습니다. 트위터 영향력 지표 가운데 하나인 버즈량(언급횟수)을 분석한 결과에 따르면 민주통합당이 54%, 새누리당이 37%, 통합진보당이 9%로 야권이 절대적으로 우세하였습니다. 미디컴이 제공한 후보별 SNS 영향력 분석을 보면 상위 10명 가운데 야권 후보가 9명이나 차지했습니다. 그렇지만 선거결과는 트위터 여론지형과는 사뭇 다르게 나타났습니다. 트위터가 투표참여에 비친 영향 역시 기대에 못 미쳤습니다. 선거운동 기간 동안 많은 '파워 트위터리안'들이 '투표율 70%' 공약을 내걸며 투표 독려 트윗을 올렸습니다. 선거 당일인 11일에는 총6만 여건의 '투표 인증샷'이 올라왔습니다. 하지만 총선 투표율은 54.3%에 그쳤습니다. 46.1%를 기록한 18대 총선보다는 높지만, 17대 총선의 60.6%와 비교하면 6.3%나 낮은 투표율입니다.

19대 총선에서 트위터의 영향력이 뚜렷이 나타나지 않은데 대해 여러 가지 해석이 있습니다. 총선의 경우 지역별로 이슈가 다양하기 때문에 여론을 집중하기가 쉽지 않습니다. 이에 비해 대선의 경우 단일 프레임이 형성되기 쉽기 때문에 트위터의 영향력이 더욱 뚜렷이 나타날 수 있습니다. 트위터의 속성에 따른 근본적 한계를 지적하는 설명도 있습니다. 트위터의 경우 유사한 생각을 가진 사람들끼리 연결되는 '끼리 집단'(like-minded people) 현상이 강하기 때문에 지지자를 결속시키는 효과는 있으나 지지세를 확대하는 데는 본질적 한계가 있다는 것입니다. 한편 트위터 이용자 수와 분포에 따른 한계를 지적하기도 합니다. 총선 당시 국내 트위터 이용자가 650만 명에 머물렀고, 특히 이용자의 45.2%가 서울에, 그리고 70%가 수도권에 집중되어 있는 까닭에 선거에서의 영향력이 제한적일 수밖에 없었다는 설명입니다.

선거과정의 첫 단계인 캠페인 도구로서 SNS가 본격적으로 주목을 받기 시작한 것은 2010년 지방선거부터이었습니다. 당시 투표율이 54.5%로 15년 만에 최고를 기록하면서 트위터 효과가 주목을 받았습니다. 2002년 대통령선거에서 인터넷과 문자 메시지가 결정적인 역할을 했다면, 2010년에는 트위터가 선거 분위기를 바꿔 놓는데 상당한 영향을 미쳤습니다. 트위터의 역할을 평가할 만한 몇 가지 징후도 있었습니다. 많은 문화예술인들이 트위터를 통해 젊은 층의 투표참여를 독려했습니다. 소설가 이외수는 자신의 트위터에 투표 인증샷을 올리면 소설책을 선물 하겠다 약속했고, 한 화가는 투표한 20대 1천명에게 본인의 판화를 주겠다고 했습니다. 소녀시대, 노홍철, 2PM 등 인기 연예인들도 투표 인증샷 대열에 동참했습니다. "투표 포기는 주권을 포기하는 것", "선투표 후욕설", "88만원세대 88% 기록하자"와 같은 투표를 독려하는 트윗 글도 활발하게 퍼져 나갔습니다. 오후 5시 이후 투표 참가자가 몰린 것을 트위터 효과로 보는 분석도 있습니다. 연령대별 투표율 조사에 있어서도 60대 투표율의 경우 2006년 지방선거 70.9%에서 2010년에는 69.3%로 소폭 하락하였으나, 20대의 경우 2006년 33.9%에서 2010년에는 41.1%로 7.2%나 상승하였습니다. 이는 전체 투표율 상승 3.9%보다 높은 것이어서, 트위터를 이용한 투표독려운동이 20대 투표참여에 영향을 미쳤다는 해석도 가능합니다.

2011년 4·27 재보선에서는 트위터와 페이스북의 선거 관련 글이 늘어나고, 그동안 적극적으로 활용되지 않았던 유튜브의 동영상이 많이 늘어나는 등 SNS 선거운동이 훨씬 더 활발해졌습니다. 후보자들은 기존 신문과 방송에 보도되지 않은 주장을 SNS를 통해 전달하는 등 새로운 대안미디어로서 SNS의 기능을 최대한 활용했습니다. 선거 전 1주일 동안 트위터 상에는 '독려'(5천688건), '참여'(3423건), '투표참여'(1천178건), '인증 샷'(1천171건), '투표용지'(820건) 등 선거와 관련된 글이 무려 3만 7천 605건이나 올라왔습니다. 이들까지 포함하면 투표독려와 관련된 트윗은 8만 6천 988건이나 됩니다.

2012년 19대 총선의 경우 선거기간 동안 약 676만 건의 선거 관련 트윗이 올라왔고, 4월 10일 하루에만 97만 여건이 올라왔습니다. 투표독려 트윗은 약 80만 건으로 전체 선거 트윗의 12%를 차지하였습니다. 조사방법에 따라 수치의 차이가 날수는 있으나, 지난 지방선거 그리고 재보궐선거와 비교해 볼 때 19대 총선에서의 트윗 글이 급격하게 증가한 것은 분명한 사실입니다. 선거 트윗과 투표율 증가 사이의 직접적인 인과관계를 보여줄 수는 없지만 19대 총선에서 젊은 층의 투표율이 대폭 상승한 것으로 나타났습니다. 18대 총선 투표율과 비교해 19대 총선 전체 투표율이 8.2% 상승한데 비해 20대 전반은 12.5%, 20대 후반은 13.7% 상승하였습니다. 지방선거와 총선에서 20대 투표율이 평균 이상 상승한 것은 인터넷과 SNS와 같은 뉴미디어를 이용한 선거운동이 상당한 역할을 한 것으로 추론할 수 있습니다.

〈표 11〉 젊은 유권자의 투표율 증가

지방선거	전체	20대	60대
4회(2006.5)	51.6%	33.9%	70.9%
5회(2010.6)	54.5%(+2.9)	41.1%(+7.2)	69.3%(-1.6)

총 선	전체	19세	20대 전반	20대 후반
18대(2008.4)	46.1%	33.2%	32.9%	24.2%
19대(2012.4)	54.3%(+8.2)	47.2%(+14)	45.4%(+12.5)	37.9%(+13.7)

한편 19대 총선에서 트위터를 포함한 SNS가 지지후보를 결정하는데 미친 영향은 TV보다는 낮은 것으로 나타났습니다. 설문조사 결과를 보면

지지후보와 정당을 결정하는데 가장 영향을 많이 미친 매체로는 TV(41.7%)가 가장 높았으며, 다음으로 포털, 블로그 등 인터넷 사이트(33.6%), 신문(12.3%), SNS(11%) 등의 순서로 나타났다. 1,2순위 합계를 보더라도 TV가 65.2%로 가장 높았고, 인터넷 사이트가 59.9%로 두 번째를 차지하였습니다. 선거정보 전달 매체로서 인터넷 사이트가 차지하는 비중은 상당히 증가하였으나, 여전히 TV와 신문 같은 전통 미디어의 영향력이 뉴미디어를 앞서고 있었습니다. 그렇지만 인터넷과 SNS를 합칠 경우 지지후보 결정에 미친 영향이 44.6%로 TV보다 높았습니다. 한편 SNS 가운데서는 카카오톡(62.8%) 이용률이 가장 높았으며, 다음으로 싸이월드(53.6%), 페이스북(47.5%), 블로그(44.2%), 트위터(31.1%) 등으로 나타났습니다.

선거에서 미디어 이용행태는 연령과 학력에 따라 차이가 나타났으며, 성별과 소득에 따른 차이는 없었습니다. 즉 연령이 어릴수록 그리고 학력이 높을수록 전통미디어 보다는 뉴미디어를 활용하는 경향이 높게 나타났습니다. 20대의 경우 56.3%가 지지정당을 결정하는데 가장 많은 영향을 미친 미디어가 인터넷 및 SNS와 같은 뉴미디어라고 응답한 반면 60대 이상은 26.2%에 그쳤습니다. 학력에 있어서는 대졸자의 50.5%가 지지후보 결정을 위해 뉴미디어 정보를 주로 이용한 반면 고졸은 29.9%, 중졸은 10.3%에 머물렀습니다.

선거관련 트위터가 활발히 유통되었지만 후보자와 유권자 사이의 소통의 도구가 되기에는 한계가 있었습니다. 선거기간 중 선거와 관련된 트윗을 읽어 본 적이 있느냐는 질문에서는 트위터 사용자의 90% 이상이 선거 트윗을 읽은 적이 있다고 응답하였습니다. 약 절반 정도가 10개 미만의 트윗을 읽었고, 31개 이상의 트윗을 읽었다는 응답도 20.8%를 차지하여, 선거 트윗이 비교적 활발하게 유통되었습니다. 그렇지만 절반이 조금 넘는 트위터 이용자들만이 후보자로부터 트윗을 받은 적이 있다고 응답하여, 후보자와 유권자 간의 트위터 소통은 상대적으로 활발하지 않았음을 알 수 있습니다. 이외수, 조국, 김제동 등 파워 트위터리안을 팔로잉하고 있느냐는 질문에는 약 57%가 이들과 팔로잉 관계를 맺고 있다 하였습니다. 이를 통해 볼 때 트위터가 유권자들 사이의 선거정보 공유에는 적극적으로 활용되었으나, 후보자와 유권자 간의 소통의 도구로 자리 잡지는 못했음을 알 수 있습니다.

공론장으로서의 트위터의 역할에도 분명한 한계가 나타났습니다. 자신의 정치적 성향과 다른 트윗을 더 많이 읽은 이용자는 전체 트위터 이용자의 17.4%에 불과하였고, 약 60%의 트위터 이용자들은 자신과 정치적 성향이 일치하는 트윗을 더 많이 읽은 것으로 나타났습니다. 이는 인터넷의 끼리 집단현상에 대한 우려와 일치하는 결과입니다. 즉 인터넷의 선택적 정보습득의 특성으로 인해 자신의 정치적 성향과 유사한 정보에 선택적으로 노출될 가능성이 높으며, 이러한 끼리 현상은 결국 사회파편화 혹은 사회양극화의 문제를 낳게 된다는 지적이 19대 총선에서의 트위터 이용에서도 그대로 나타났습니다.

3. 뉴미디어 시대의 정치참여

1) 노대통령 탄핵반대운동

2004년 3월 12일 한나라당과 민주당 등 주요 야당들은 경제파탄, 공직자비리, 선거중립위반을 사유로 노대통령을 탄핵하였습니다. 17대 총선을 앞두고 노대통령이 여당 지지 발언을 한 것에 대한 야당의 사과 요구와 노대통령이 거부한 것이 본질적인 이유였습니다. 대통령 탄핵은 한국 헌정사상 전례 없는 일이었으며, 헌법재판소의 탄핵심판 결정이 나오기까지 고건 국무총리가 대통령 권한을 대행하였습니다. 한편 탄핵 가결 당일 여론조사 결과 네티즌들의 83% 이상 그리고 국민들의 75% 이상이 노대통령 탄핵에 반대하는 것으로 나타났으며, 범국민적 탄핵반대운동에 힘입어 47석에 불과했던 여당은 4월 15일 17대 총선에서 299석 중 152석을 차지하는 압승을 거두었습니다. 민주화 이후 한국의 여당이 과반수 의석을 점한 것은 17대 국회가 처음이었습니다. 노대통령의 직무 집행 정지 기간 동안 시민들의 대규모 촛불시위가 지속되었으며, 특히 젊은 네티즌들은 사이버공간에서 탄핵반대운동을 광범하게 벌였습니다. 5월 14일 헌법재판소가 국회의 탄핵심판을 기각함으로써 대통령 탄핵사태는 종결되었습니다.

네트워크화된 개인들(networked individuals)의 자발적 참여와 결집은 온라인 탄핵반대운동의 가장 두드러진 특징이었습니다. 이 운동은 노대통령에 대한 지지가 아닌 탄핵 자체의 부당성에 대한 네티즌들의 폭발적인 공분의 표출에서 비롯되었습니다. 따라서 이 운동에서 일반 네티즌들이 운동의 중심을 이루었으며 전통적인 시민사회단체들이나 노대통령 지지 커뮤니티는 주변부의 존재에 불과하였습니다. 실제로 탄핵 당시 노대통령에 대한 지지도는 30%대에 불과하였으며, 야당은 노대통령에 대한 이러한 낮은 지지율을 믿고 탄핵안을 가결시켰다가 거센 역풍을 맞았습니다.

노무현 대통령 탄핵 가결 현장 (2004)

탄핵이 발의되자 포털의 검색 서비스에서는 탄핵이 최고 검색어로 떠오르기 시작했습니다. 포털사이트 지식검색에서는 '국회의원 탄핵

노무현 대통령 탄핵 후 반대 촛불집회 (2004)

방법'에 대한 각종 질문들과 엄청난 수의 댓글이 등장하였습니다. 탄핵안 가결 직후 네이버와 다음에서 실시한 네티즌 여론조사에는 3월 16일까지 각각 32만 명과 25만 명이 참여하여 삽시간에 압도적인 탄핵반대 여론을 확산시켰습니다. 포털 게시판에는 탄핵 찬성 의원들의 이름, 사진, 연락처, 이메일 주소 등을 담은 정보들이 급속히 확산되었습니다. 탄핵 주도 야당들과 의원들 홈페이지에도 항의 글과 메일이 폭주하여 이들은 게시판 글쓰기와 회원 로그인을 폐쇄하기도 했습니다. 또한 포털과 인터넷신문의 정치토론방에는 탄핵을 찬성하는 보수언론에 대한 성토와 함께 탄핵 찬성 게시 글에 대한 집중적인 공격이 가해지기도 하였습니다.

포털사이트 다음(Daum)에 설치된 '국민을 협박하지 말라'(국협) 카페는 온라인 탄핵반대운동의 중심지로 떠올랐습니다. 국협은 시민사회단체도 노대통령 지지 커뮤니티도 아닌 일반 네티즌들의 자발적 결사체였습니다. 3월 6일 개설된 국협의 회원 수는 열흘 만에 9만 명을 넘겼고, 총선 캠페인 기간에는 10만여 명의 회원 수를 기록했습니다. 국협 게시판에는 정치개혁, 투표참여, 온라인 촛불시위 등의 제안들이 하루 수천 건씩 올라와 개설 16일 만에 15만 6천여 건의 글이 게시되었고, 페이지뷰는 일일 평균 200-300만 건을 기록함으로써 카페 사상 최고 기록을 보였습니다. 국협의 '헌재의 빠른 결정을 바라는 1천만 명 서명운동'과 '국회의원 직무정지 가처분 신청을 위한 서명운동'에는 5만여 명의 회원들이 동참했습니다. 그리고 회원들은 다른 카페들로 탄핵반대 릴레이투표와 국회탄핵 이모티콘 및 항의메일 전송 캠페인, 의원소환제 입법 운동을 확산시켰습니다. 이 같은 온라인상에서의 역동적인 쌍방향 커뮤니케이션과 여론 확산은 탄핵을 지지하는 주류언론의 의제설정을 압도하였습니다.

온라인 탄핵반대운동은 새로운 정치참여 양상을 보였습니다. 첫째는 온라인과 오프라인의 연계현상입니다. 국협을 비롯한 탄핵반대운동 웹사이트들은 상호 연계하며 운동을 오프라인으로 확장하였습니다. 국협은 탄핵안 가결 당일 게시판에 곧바로 촛불시위를 제안하여 국회의사당 근처에서 1만15천명이 참여하는 촛불시위를 벌였습니다. 이후 '탄핵반대범국민행동'과 합세하여 수차례에 걸쳐 총 백여만 명이 참여하는 대규모 촛불시위를 벌였습니다. 이밖에 국회의사당 앞 1인 시위와 지하철역 플래시 몹(flash mob) 등의 이벤트도 지속되었습니다. 이러한 시위는 게시판에 공지되어 사이버공간으로 확산되었고, 시위 뒤에는 집회 참관기와 향후 투쟁 방향에 대한 글이 다양하게 게시되었습니다.

둘째, 카페, 블로그, 인스턴트 메신저 등 소규모 또는 1인 미디어가 정치참여의 새로운 도구로 떠올랐습니다. 노대통령 탄핵 초기에만 다음에서 '탄핵'이라는 검색어로 찾을 수 있는 카페는 453개에 달하였습니다. 이밖에 다른 포털사이트에서도 적어도 수백 개의 카페와 클럽이 활동했던 것으로 추정됩니다. 이 중에는 '노무현탄핵적극찬성' 같은 카페가 활동하기도

했지만 극소수에 불과하여 탄핵반대 여론을 움직이기에는 역부족이었습니다. 오프라인 촛불시위 날에는 온라인에서도 동시에 카페 회원들을 주축으로 사이버 시위가 벌어졌는데, 3월 21일만 하더라도 약 45만 명의 네티즌들이 참여한 것으로 집계되었습니다.

블로그는 탄핵정국에서 '1인 미디어'의 새로운 총아로 떠올랐습니다. 네이버의 경우 노대통령 탄핵 열흘 만에 2천 137명의 블로거가 '탄핵반대'를 블로그 제목에 달았고, 탄핵 관련 게시물도 모두 2만 2천 238건에 이르렀습니다. 블로거들의 칼럼이나 게시 글은 특히 탄핵 찬성을 주장하는 보수언론들을 겨냥하였습니다. 또한 블로그를 매개하여 동영상과 플래시 애니메이션도 실시간으로 전파되었습니다. 블로거들 사이에서는 '트랙백 파도타기'를 통하여 탄핵반대에 대한 거대한 링크가 형성되어나갔는데, 이를 통하여 온라인 공간에서 의제설정 네트워크의 새로운 축이 구축될 수 있었습니다. 일반 네티즌들의 경우 인스턴트 메신저를 이용하여 상시적으로 근조리본(▶◀), 탄핵무효 배너, 투표참여(☮) 독려 로고 달기를 확산시켰습니다. 이들은 탄핵반대 로고송을 휴대전화 통화음으로 연결하여 항의를 표출하거나, 투표일에 임박해서는 SMS를 통해 투표 참여를 독려하는 다양한 이모티콘들을 대규모로 전송하기도 했습니다. 휴대전화 문자메시지 등으로 참여가 활성화된 결과, 투표일 당일 이동통신 3사의 통화량이 평소 휴일보다 11-15% 증가한 것으로 나타났습니다. 총선 투표율은 60.6%로 16대 때보다 3.4% 높아지고 특히 서울은 7.9%나 오른 62.2%를 기록했습니다. 투표율은 1985년 12대 총선에서 84.6%의 높은 투표율을 기록한 이래 지속적으로 하락되어오다가 17대 총선에서 처음으로 상승세로 반전되었습니다.

셋째, 온라인 탄핵반대운동은 '유희적 참여'(playful participation)라는 독특한 네티즌 정치문화에 의해 촉진되었습니다. 즉 패러디를 비롯하여 탄핵을 비난하는 플래시, 카툰, 풍자만화, 동영상 등이 봇물을 이루면서, 사이버공간은 풍자와 정치와 놀이가 함께 하는 참여광장으로 조성되었습니다. 포털과 정치사이트 게시판들에는 유명 영화나 드라마 장면을 합성한 탄핵 비판 패러디가 급속히 확산되었습니다. 특히 "디시인사이드", "라이브이즈닷컴", "미디어몹", "딴지일보", "풀빵닷컴" 등의 전문사이트들은 패러디와 동영상의 집산지로 각광을 받았습니다. "레떼닷컴"에서는 플래시물들이 양산되었고, 만화작가들은 자신의 블로그나 정치 사이트에 릴레이식으로 카툰을 연재하기도 했습니다. 게임 사이트에서는 수백명의 게임 캐릭터가 '탄핵반대', '국회해산' 등을 외치며 사이버시위를 벌이기도 했으며, 국회의원들을 기생충에 비유해 총으로 쏘아 잡는 '국회기생충 박멸게임'이 등장하기도 했습니다. 경매 사이트 옥션에서는 네티즌들 간에 탄핵찬성 국회의원들의 이름을 붙인 물건들을 헐값에 판매하기도 했습니다.

이러한 행태는 기존의 엄숙하고 관례적인 정치참여방식과는 사뭇 다른 것이었습니다. 패러디, 플래시, 카툰 등은 풍자적으로 정치적 비판을 전달함으로써 재미와 카타르시스를 제공했습니다. 이처럼 네티즌들은 놀이의 방식으로 정치에 접근했으며, 이러한 문화는 정치참여의 심리적 부담감을 덜어주었을 뿐만 아니라, 정치에 냉소적이거나 무관심한 네티즌들의 참여를 촉진하였습니다. 이 때문에 패러디 사이트들은 노대통령 탄핵 기간 동안 종래의 정치 사이트들보다 훨씬 높은 접속률을 기록하며 선풍적인 인기를 끌었습니다. 특히 '우리는 무적의 투표부대' 패러디 시리즈는 가장 높은 조회 수를 기록하며 투표참여 독려 캠페인의 소재로 활용되었습니다. 이밖에 '탄핵의 제왕', '탄핵의 추억', '탄핵 대장금', '실망도', '망국기 휘날리며', '뱃지의 제왕' 등의 패러디들이 큰 인기를 누렸습니다.

2) 황우석 사태

2005년 한국의 언론들은 예외 없이 황우석 교수의 줄기세포 조작사건을 최고의 핫뉴스로 선정하였습니다. 줄기세포 조작사건은 황교수의 연구가 희대의 사기극으로 밝혀지면서 일어난 사회적 충격을 말합니다. 2004년과 2005년 황우석의 복제 배아줄기세포 배양에 대한 연구논문들이 연이어 사이언스에 게재되면서 그는 세계적인 주목을 받기 시작했습니다. 2004년 사이언스는 올해의 획기적 10대 연구 성과에 그의 논문을 선정했고, 국내 언론들도 "세계 언론의 주목", "국내 최초의 과학 분야 노벨상 후보" 등과 같은 찬사를 남발하며 그를 올해의 인물로 선정했고, 정부는 그에게 '제1호 최고과학자'의 영예를 주었습니다. 그렇지만 2005년 11월 22일 MBC가 PD수첩을 통해 항간의 황우석의 연구윤리 위반 의혹이 사실이라고 방송하면서 황우석 신드롬은 금이 가기 시작했습니다. 이어 그의 연구윤리 위반 의혹은 논문조작 의혹으로 확대되었습니다. 그리고 2006년 1월 서울대 조사위원회와 검찰의 조사 결과 그의 논문들이 완전히 조작되었으며 줄기세포와 그것을 구현할 수 있는 원천기술이 존재하지 않는다는 충격적인 사실이 밝혀짐으로써 황우석 신화는 막을 내렸습니다. 그렇지만 이 과정에서 인터넷과 언론을 중심으로 가히 공황에 가까운 논쟁('국익론' 대 '진실론')이 벌어지며 여론이 극심하게 분열되었습니다. 그리고 마침내 이성적 네티즌들의 노력에 의해 진실이 규명되고 정부의 생명과학정책은 재검토되고 변화되기 시작했습니다.

황우석을 신격화하는 사회적 분위기는 사이버공간에서 먼저 극심하게 고조되었습니다. PD수첩이 배아줄기세포 연구에 불법 거래된 난자와 연구원의 난자가 사용되었다는 의혹을 제기하자, 각 포털사이트 게시판에는 PD수첩을 비난하고 황우석을 지지하는 글들이 폭주하였으며, 황우석의 팬클럽 "아이러브 황우석"(cafe.daum.net/ilovenews) 회원도 폭발적으로 증가하였습니다. 이성적으로 보자면 황우석의 연구윤리 의혹이 불거진 시점부터 그에 대한 지지는 가라앉아야 했지만, 국익론이 기승을 부리며 회원 수가 오히려 급증하는 역설적인 현상이 벌어졌습니다. 1만 여명 정도였던 아이러브 회원 수는 PD수첩 방영을 계기로 6만 명을 넘었고, 2006년 1월 서울대가 황우석을 징계위원회에 회부할 무렵에는 약 12만 명에 달했습니다. PD수첩 방영 당일 MBC 홈페이지에는 4천 개의 비난 글들이 게시되었습니다. 이후에도 매일 수만 건의 비난 글이 게시되며 네티즌들의 공분을 불러일으켰습니다. PD수첩에 쏟아진 비난의 근거는 국익이었습니다. 즉 세계무대에서 한국 과학의 위상을 드높이고 생명과학 발전을 통해 엄청난 국부를 창출할 수 있는 황우석의 연구를 방해해 외국의 경쟁적 연구자들에게 좋은 일만 시켜주었다는 논리였습니다. 보수신문들도 네티즌 여론에 가세하여 PD수첩의 보도 내용을 문제 삼으며 국익론을 확산시켰습니다. 이 결과 12개 기업들이 MBC광고를 철회하고, PD수첩 프로그램 자체가 폐지되기에 이르렀습니다.

이러한 사태는 한국사회의 네티즌 여론이 안고 있는 빛과 그림자의 양면을 극명하게 보여 줬습니다. 과학기술 윤리와 언론 본연의 사회적 역할 그리고 정부와 정당의 합리적 생명공학 정책을 요구하였던 소수의 네티즌들은 국익론 앞에서 매국노로 내몰렸습니다. 집단 광기를 연상케 하는 네티즌 포퓰리즘이 사이버공간을 휩쓸면서 합리적이고 이성적인 토론이 발붙일 곳은 없었습니다. 그렇지만 소장 생명과학자들의 웹사이트인 BRIC (bric.postech.ac.kr)을 중심으로 예기치 못한 반전이 일어나기 시작했습니다. 'anonymous'라는 과학자는 2005년 12월 5일 BRIC의 게시판 가운데 하나인 소리마당에 '쇼는 계속되어야 한다'는 글을 통하여 줄기세포 사진 중복 의혹을 처음 제기했습니다. 소리마당은 석박사 과정의 연구자들이 학술정보를 교류하고 구인구직 정보를 공유하던 게시판이었습니다. 이 글은 12월 25일에 3만 건이 넘는 조회 수를 기록 했습니다. 이 글은 삽시간에 다른 사이버 공간으로 전파되었고, BRIC 서버는 접속 과부하로 일시 중단되기도 했습니다. 박사과정생으로 자신을 소개한 '아릉~'도 12월 6일 'DNA 데이터 살펴보기'라는 글을 통하여 줄기세포 사진 중복 의혹을 거듭 제기했습니다. 두 글들에 대하여 소장 생명과학자들은 10여 일간 소리마당에서 과학적 근거와 진실을 바탕으로 수준 높은 토론을 이어갔습니다. 또한 연구윤리 제도를 외면하고 스타 과학자들에 대해 편중된 지원을 하였던 정부와 정당의 형평성 잃은 정책에 대해서도 심도 있는 비판을 제기하였습니다. 이 과정에서 황우석 지지자들의 의도적인 토론 방해가 벌어지자, BRIC 운영진은 소리마당에 대한 접근과 이용을 통제하였습니다. 즉 소리마당 시스템을 회원제로 전환하여 비회원 글쓰기를 막고, 논점을 벗어난 비방, 추측성 글, 정치적 글들을 과감하게 삭제했습니다.

BRIC의 검증 과정은 Linux의 개발과정과 유사한 양상을 보였습니다. 즉 자신이 개발한 소프트웨어의 소스를 공개하여 다른 프로그래머들이 이를 수정하거나 보완할 수 있게 함으로써 완성도를 높여나가는 Linux 개발 모델이 BRIC의 젊은 과학자들 사이에서 자연스럽게 구현되었습니다. 누군가 의혹을 제기하면 또 다른 누군가는 그 의혹을 입증할 수 있는 자료를 찾아 제시하고, 그러면 다시 이를 과학적으로 논증하는 글이 올라오고, 잘못된 주장이 제기될 경우 곧 다른 이들의 반론이 게시되었습니다. 이러한 합리적 피드백을 통해 이들은 그동안 저명 학술지 사이언스도 미처 찾아내지 못했던 논문조작의 실체를 규명할 수 있었습니다.

BRIC과 함께 디시인사이드(dcinside.com)의 게시판들 중의 하나인 '과학 갤러리'에서도 논문에 대한 검증이 벌어졌습니다. 디시인사이드는 디지털 카메라와 사진합성 패러디에 대환 관심을 공유하고 있는 네티즌들의 사이트입니다. 과학 갤러리에는 이미 2005년 6월에 줄기세포 사진에 대한 합성 의혹이 제기되었습니다. 이 주장은 당시에는 별다른 관심을 끌지 못했지만, BRIC의 검증이 본격화되면서 네티즌들도 큰 관심을 갖게 되었습니다. 디시인사이드의 네티즌들은 상당한 수준의 합성사진 판독능력을 가지고 있었기 때문에, 줄기세포 사진의 조작 과정을 판명해낼 수 있었습니다. 그리고 이들은 합성사진을 보기 쉬운 이미지로 표현하여 논문조작의 실체를 사이버공간에 널리 알렸습니다.

기성 언론들이 의혹의 실체를 외면하고 국익론에 매달리는 동안 BRIC과 디시인사이드는 구체적인 자료와 사진을 제시하면서 논문조작을 규명하고 여론을 결정적으로 전환시켰습니다. 특히 BRIC에서 제기된 의혹과 토론의 결과는 국내 언론은 물론, 사이언스와 해외 언론에 통보되어 큰 반향을 불러일으켰습니다. 뉴욕타임스는 "이번 사태는 한국 과학계에는 타격이겠지만, 황 교수의 연구 활동에 대한 오류를 속속 지적한 젊은 과학도들에게는 일종의 승리로 보인다. 그리고 황 교수를 실질적으로 쓰러뜨린 거의 모든 비판은 젊은 과학도들이 이용하고 있는 BRIC에서 먼저 나왔다"고 보도했습니다. 그리고 이는 마침내 이듬해 "2005년 논문의 근거가 된 줄기세포는 현재 없다"는 황우석의 기자회견을 이끌어냈습니다.

황우석 사태는 기득권을 가진 지식인을 우상화한 네티즌 포퓰리즘을 공공 토론(public deliberation)을 통해 교정하는 집단지성(collective intelligence)의 잠재력을 보여주었습니다. 또 하나의 주목할 점은 BRIC과 디시인사이드의 이성적 토론이 한국의 생명과학정책의 변화를 가져왔다는 점입니다. 노무현 정부는 생명과학 분야에서 새로운 국가성장 동력을 모색하고 있었습니다. 이를 위해 정부와 정당들은 연구 집단의 저변을 확대하기보다는 황우석과 같은 소수의 스타 과학자들을 집중 지원하는 포상과 제도들을 양산했습니다. 그리고 전문가들과 시민사회단체들의 강한 반대에도 불구하고 신설 생명윤리법에서 인간배아복제의 범위를 폭넓게 허용했습니다. 또한 연구용 난자의 불법 채취와 거래도 사실상 묵인했습니다. 사실 황우석 사태는 정부와 정당의 이러한 성장일변도 정책이 부추긴 측면이 적지 않습니다. 그렇지만 BRIC과 디시인사이드는 정부로 하여금 소수 과학자들의 독점적 연구와 비윤리적 난자 거래를 철폐하고 인간배아복제의 범위도 엄격히 제한하는 결정적인 정책 변화를 가져왔습니다.

황우석 교수와 복제개 스너피
(2005)

3) 2008년 광우병 사태

2008년 5월부터 7월까지 전국적으로 수십 만 명의 시민들이 미국산 쇠고기 수입에 반대하는 촛불시위에 참여하였습니다. 5월 2일 '미친 소 수입을 반대하는 촛불문화제'에 약 1만 명이 참여하면서 시작한 촛불시위는 7월까지 세 달 가까이 지속되었고 시위 참여자도 국내뿐 아니라 해외로까지 확산되었습니다. 이명박 정부는 촛불시위의 기세에 눌려 두 차례에 걸쳐 대국민 사과를 했습니다. 길거리 시위가 정부를 굴복시키고 정국을 뒤흔든 것이 한국정치에 있어 결코 낯선 모습은 아닙니다. 1987년 6월 항쟁은 전두환 정권을 굴복시키고 직선제 개헌과 민주화 전환을 쟁취했습니다. 그 후에도 2002년 효순·미선 추모 촛불시위와 2004년 노무현 대통령 탄핵반대 촛불시위가 정국을 뒤흔들었습니다.

과거 시위에 비해 2008년 광우병 촛불시위는 한국정치의 새로운 지평을 연 사건으로 기록될 만합니다. 2008년 촛불시위는 행위자, 참여기제, 동원구조, 그리고 운동의 지속성에 있어 기존 촛불과는 전혀 다른 양상을 보였습니다. 우선 과거 두 차례 촛불집회의 경우 대학생과 386 세대를 중심으로 하는 진보세력이 중심이었던 것과 비교할 때 2008년 촛불시위는 참여계층에 있어 전혀 다른 양상을 보였습니다. 시위 참여 계층이 중고생과 주부로 확산되었을 뿐 아니라 여중고생에 의해 촛불시위가 발화되는 새로운 양상을 보였습니다. 1987년 6월 항쟁뿐 아니라 이전의 촛불시위에서는 주로 대학생과 야당 그리고 정치적 색채가 강한 시민단체들이 주도적 역할을 했습니다. 그간 여중고생과 주부들은 정치적으로 무관심하고 소극적인 집단으로 취급되었다는 점에서 2008년 촛불시위는 매우 특이한 양상을 보였습니다. 2008년 촛불시위에 적극 참여하였던 온라인 커뮤니티 또한 82Cook, MLB Park, 엽혹진 등과 같은 정치와는 거리가 먼 취미나 연예 정보와 관련된 동호회들이었습니다. '82Cook'은 30-40대 주부들이 주 회원들이고 살림과 요리에 관한 정보를 공유하는 온라인 동호회입니다. 'MLB Park'는 미국 메이저리그 야구에 관심 있는 사람들이 모여 만든 온라인 동호회입니다. '엽혹진'은 연예인의 과거사진, 연예 신문기사, 엽기, 유머, 연재소설 등에 관심이 있는 10대들이 중심이 되어 만든 온라인 동호회입니다.

둘째로 참여의 구조 측면에서 보면 시위참여자들은 기존의 정치 및 사회 조직을 통하지 않고 분산적이고 탈 중심적인 네트워크를 통해 참여하였습니다. 2008년 촛불시위는 조직이나 특정 정치세력이 주도하는 동원된 참여가 아닌 개인 단위의 자발적 참여가 주를 이루었습니다. 집단과 조직에 대한 거부의 대상

촛불시위에 나선 유모차 부대 (2008)

은 진보와 보수, 제도권과 비제도권 정치 할 것 없이 공통적으로 적용되었습니다. 이러한 집단과 조직에 대한 거부현상은 정당, 언론, 그리고 시민단체와 같은 매개집단의 약화 내지는 무력화를 초래하였고, 대의민주주의의 적실성에 대한 의문을 제기하기도 했습니다.

미국산 소고기 수입반대 촛불집회에 참석한 시민 행렬 (2008)

2008년 촛불시위가 보여 준 세 번째 특성은 동원구조의 변화에서 찾을 수 있습니다. 과거 촛불집회가 뚜렷한 이념과 정파적 성향을 보인데 반해 2008년 촛불집회는 철저히 탈이념의 모습을 보였습니다. 진보단체가 주도하는 청계천 집회를 거부하고 여의도광장에서 촛불집회를 분리 개최하였고, 민주노동당의 '다함께'가 촛불의 선도에 서는 것을 거부하였을 뿐 아니라, 80년대 운동가요와 운동구호 조차도 선뜻 받아들이지 않았습니다. 2008년 촛불시위가 보여준 마지막 특성은 운동의 지속성에서 찾을 수 있습니다. 5월 2일 '미친 소 수입을 반대하는 촛불문화제'에 약 1만 명이 참여하면서 시작한 촛불시위는 7월까지 세 달 이상 지속되었으며 시위 참여자도 전국 각지뿐만 아니라 해외까지로 확산되는 양상을 보였습니다.

참여계층의 다변화

2008년 촛불시위의 특징은 전통적 비정치참여 집단으로 분류되었던 청소년과 주부들이 주축을 이루었으며, 개인들의 참여도 정치집단이 아닌 MLB Park, Soul Dresser, 82Cook 등과 같은 비정치적 동호회를 중심으로 나타났다는 점입니다. 그 가운데서도 2008년 촛불시위에서 보여준 청소년 정치참여는 대단히 이례적인 현상이었습니다. 서구와는 달리 우리나라는 전통적으로 청소년의 정치사회화에 대한 사회적 인식이나 노력이 소극적이었습니다. 장기간의 유교문화와 권위주의 통치는 청소년의 정치적 탈 동원(political demobilization)을 조장해왔습니다. 민주화 이후 더욱 과도해진 교육열과 입시경쟁 환경 또한 청소년을 탈정치집단으로 머물도록 하였습니다. 과거 4·19혁명과 유신철폐운동, 1987년 민주화운동 과정에서 중고생의 참여가 간헐적으로 있긴 했습니다. 그렇지만 그것은 거대한 정치변동이라는 국면적 특수성에 따른 것이었으며, 그 규모 또한 중고생 일부가 후방집단으로 참여하는 정도였습니다. 이에 비하면 2008년 촛불시위에서의 청소년들의 대규모 참여는 매우 이례적인 현상입니다. 특히 촛불시위는 청소년들의 문제제기와 선도적 참여가 핵심적인 촉발요인이었습니다. 언론보도와 경찰의 추산을 종합해보면 5월 촛불시위의 경우 전체 참여자의 50-60%가 청소년들일 정도로 매우 폭발적이었습니다.

2008년 촛불시위의 발화자는 안단테라는 인터넷 필명을 쓰는 고등학생이었습니다. 2002년 촛불시위에서도 네티즌의 제안에 의해 대규모 촛불시위가 촉발되었지만, 2008년의 경우 그 주체가 청소년이라는 점은 매우 놀랍습니다. 더욱이 인터넷 공론장을 활용하여 대통령 탄핵이라는 고강도의 정치적 목표를 제시하고 139만 여명의 온라인청원을 동원한 것은 정치주체로서의 청소년의 위상을 새롭게 인식하지 않을 수 없게끔 만들었습니다. 이미 촛불시위에 앞서 이명박 정부의 교육정책에 대한 광범한 반대의식이 청소년들 사이에 광범하게 형성되어 있었습니다. 이명박 정부의 교육정책 기조를 드러낸 4·15 교육자율화 대책이 발표되자 청소년들은 나흘 뒤에 직접적인 반대집회를 조직했습니다. 이러한 가운데 수입 쇠고기 문제는 촛불시위 참여의 명분이자 기폭제가 되었습니다. 청소년들이 과거와 달리 선도적으로 문제를 제기하고 주체적으로 참여하는 집단으로 등장했다는 것은 기존의 정치사회화 방식이 크게 바뀌었다는 것을 의미합니다. 우리나라는 정치사회화 과정에서 전통적으로 가부장적 질서에 바탕 한 가족의 역할이 지배적이었습니다. 이는 기성 정치질서에 순응적인 태도 내지는 탈정치화를 부추겼습니다. 정치적 민주화(탈권위주의)와 문화적 다원화(탈유교주의)는 새로운 방식의 정치사회화 경험을 적지 않게 축적시켜왔습니다. 특히 논술세대로 지목되는 현재의 청소년들은 주요 사회정치적 의제에 대하여 상당한 관심과 비판의식을 제도적으로 학습해왔습니다. 안단테도 대통령 탄핵 제안 사유에 대하여 영어몰입교육, 대운하, 의료보험 민영화, 경제위기, 무원칙한 외교를 총체적으로 제시했습니다. 이러한 배경에서 참정권이 제약된 이들로서는 촛불시위 참여가 매우 자연스러운 정치적 선택이었다고 할 수 있습니다.

동원구조의 변화

2008년 촛불시위에 나타난 또 다른 특성은 최근 10년 간 한국사회 갈등의 중심축이었던 '이념'이 더 이상 동원의 기제로 작동하지 못하였다는 점입니다. 과거 촛불시위가 뚜렷한 이념과 정파적 성향을 보인데 반해 2008년 촛불은 운동정치 뿐만 아니라 제도정치를 모두 거부하는 양상을 보였습니다. 진보단체가 주도하는 청계천 집회를 거부하고 여의도광장에서 촛불시위를 분리 개최하였고, '다함께'가 촛불의 선도에 서는 것에도 강한 거부감을 보였습니다. 또한 이들은 촛불집회가 특정 정파에 대한 지지로 연결되는 것도 거부하였습니다. 반 한나라당 목소리를 낸 것은 분명하나 이것이 민주당에 대한 지지로 연결되지는 않았습니다.

그렇다면 이 같은 이념에 대한 거부현상을 탈물질주의 사회로의 전환으로 해석할 수 있을까요? 2008년 촛불시위의 핵심쟁점이 먹거리 문제였으나 이를 탈물질주의 가치로의 전환으로 해석하는 것은 지나친 비약입니다. 이념에 대한 거부는 과거 진보정권 특히 노무현 정권 하에서 나타난 사회갈등에 대한 불만이 여전히 팽배한 것으로 해석할 수 있습니다. 촛불시위의 자발적 참가자들은 자신들의 정치참여가 과거와 같은 이념갈등으로 변질되는 것을 거부하였습니다. 2008년 촛불시위의 동원의 기제는 이념이 아닌 이명박 정부에 대한 직접적 불만이 작동한 것으로 보아야 할 것입니다. 이명박 정부에 대한 총체적 불만이 쌓이고 쌓여 분출한 것입니다. 촛불의 폭발력을 탈물질주의적 이슈에서 찾기보다는 이명박 정부의 존재 이유인 경제 살리기가 지지부진한데 대한 시민의 분노로 설명할 수 있습니다. 경제 살리기는 여전히 우리사회의 핵심 가치로 자리 잡고 있었고, 2007년 대선과 2008년 총선에서 새누리당이 압승을 거둔 것은 오히려 물질주의 가치의 재강화로 해석할 수 있습니다.

2008년 촛불시위의 또 다른 동원기제는 '모니터 시민(monitor citizen)'과 '감성 시민'의 결합으로 설명할 수 있습니다. 모니터 시민은 정치적 이슈에 대해 완벽한 정보와 지속적 관심을 갖도록 요구받지 않습니다. 일상 상황에서는 자신들의 공동체에 대한 주요 위협을 감지할 정도로만 정치적 장면에 주목하다가, 주요한 위협이 감지될 경우 관련 정보를 적극적으로 찾게 됩니다. 2001년 9.11 테러 이후 미국 시민의 정치에 대한 관심이 급증한 것처럼 모니터 시민의 정치참여는 위기상황에서 극대화됩니다. 이러한 '위기상황'에 대한 인식은 '차가운 인지(cool cognition)'라기보다는 '뜨거운 인지(hot cognition)' 즉 '감정이 배어있는 인지'와 밀접한 관련이 있습니다. 감정은 참여행위를 이끄는 동기로서, 집단에 대한 결속감, 정체성과 헌신을 강화하는 기제로서 시민활동에 영향을 미칩니다. 리처드(Richards)는 감정이 합리적 담론을 배격하는 것이 아니라 오히려 이를 촉진한다고 주장합니다. 그의 주장에 따르면 인간은 감정 없이 존재할 수 없으며, 감정은 인간 행위의 핵심적 동기가 됩니다. 감정은 행위에 대한 자극이며, '자기 동일시'(self-identification)를 위해 필수적인 요소일 뿐 아니라, 집단, 사회, 또는 국가를 구성하게 하는 사회적 결속을 가능하게 하며, 사람들의 정치적 행동의 이유를 설명하는 핵심적 변인이라는 것입니다.

따라서 모니터 시민에게 있어 '감성의 정치'가 '이성의 정치'에 못지않게 중요하며, 이는 정치참여를 동원하는 주요한 기제로 작동하게 됩니다. 이는 최근 네티즌들의 정치참여를 정치문화화 현상으로 설명하는 주장들과 일맥상통합니다. 류석진은 인터넷을 적극적으로 활용하는 젊은 네티즌들을 '탈정치화된 문화세대'로 규정하기보다는 '정치를 문화적으로 수용하는 세대'라고 볼 필요가 있다고 주장합니다. 또한 젊은 세대 집단에서 나타나는 '정치의 문화화'현상은 정치가 더 이상 국가의 영역에 국한되거나 의회나 정당의 전유물이 될 수 없는 방향으로 정치변동을 추동할 가능성이 있다고 주장합니다.

탈 중심

2008년 촛불시위에서는 정치참여의 중심이 집단이나 조직이 아닌 네트워크화된 개인(networked individuals)으로 나타났습니다. 네트워크는 중심세력이 존재하지 않으며 참여자 개개인이 연결되면서 역량을 발휘하게 됩니다. 네트워크는 근본 원리상 행위자 자신이 중심적 지위를 차지하고 싶어도 의도대로 되지 않습니다. 즉 네트워크의 형성 자체 또는 네트워크에서의 구조적 지위의 결정은 행위자의 의도대로 만들어지는 것이 아니라, 일련의 행위자 간 상호작용을 거쳐 임의적으로 생성됩니다. 네트워크가 강력한 소수에 대항할 수 있는 권력을 얻을 수 있는 것은 공유 과정 속에서의 자발적 상호작용을 통해 각자가 갖고 있는 것들의 단순 합 이상의 생성적 잉여를 창출할 수 있기 때문입니다. 이것을 바탕으로 네트워크는 강력한 소수집단의 권력에 대항할 수 있는 것입니다.

네트워크 정치의 출현은 웹2.0 기술을 근간으로 합니다. 웹1.0의 사이버공간이 정보생산자와 공급자 중심이고, 외부와의 연결이 제한된 폐쇄적 공간이었다면, 웹2.0은 개방성과 연결성 그리고 상호작용성을 특징으로 합니다. 웹2.0은 연결된 모든 컴퓨터 기기를 포괄하는 플랫폼으로서의 네트워크이며, 참여 아키텍처(architecture of participation)를 이용해 네트워크 효과를 창출합니다. 웹2.0의 강점은 공동체내의 개인과 조직을 연결하는 네트워크 구축 능력이 탁월하다는 점에 있습니다. 웹2.0 기반의 네트워크를 통해 개인과 조직은 협동적으로 정보를 만들고, 수정하고, 공유하게 됩니다. 웹2.0은 폐쇄적 창고형 웹에서 개방적 생태계형 웹으로의 진화를 의미합니다. 웹의 주요구성요소는 정보와 사람인데, 창고형 웹은 정보위주의 웹으로 정보를 창고에 쌓아 놓고 필요할 때 창고를 뒤져 정보를 찾아가는 방식입니다. 반면에 생태계형 웹에서는 사람의 중요성이 강조되어, 개인의 상황과 맥락, 관심에 따라 필요한 정보를 전달하게 됩니다. 이러한 웹2.0 환경에서는 정보와 사람이 마이크로콘텐츠(micro-contents)와 개인으로 분화되고 이들 간의 상호연결을 단순한 집합으로 볼 수 없는 새로운 가치를 창출하게 됩니다.

네트워크 정치의 결과로 나타난 시민사회 정치참여의 변화양상은 롱테일 정치(long-tail politics)의 등장으로 설명할 수 있습니다. 이전에 정치적으로 대표되지 않았거나 무시되었던 소수의 정치적 요구가 인터넷의 정치적 활용과 함께 여론의 주도층으로 부상하였습니다. 이와 같은 롱테일 정치를 가능하게 한 것은 인터넷의 네트워크 혹은 링크의 힘입니다. 인터넷을 통해 정보를 공유하고 여론을 확산하고 지지자를 동원하는 것이 매우 쉬워졌기 때문입니다. 이전까지 별다른 정치적 힘을 갖지 못했던 여학생, 주부, 비정치 동호회가 2008년 촛불시위에서 주도적 역할을 할 수 있었던 것도 이러한 롱테일 정치 때문입니다.

4) 박근혜 대통령 탄핵과 광장정치

"피청구인 대통령 박근혜를 파면한다." 2017년 3월 10일 헌법재판소는 전원일치 판결로 대통령 탄핵을 인용했습니다. 대한민국 헌정사상 최초의 대통령 탄핵입니다. 박근혜 대통령이 탄핵된 것을 두고 일부에서는 역사에 남을 민주주의의 승리로 기록될 것이라고 평가합니다. 그렇지만 대통령 탄핵을 마냥 민주주의의 승리로만 평가할 수 있는 것은 아닙니다. 민주주의 공고화(democratic consolidation) 측면에서 보자면 헌법에 명시한 대통령의 의무와 책임을 제대로 지키지 않은 대통령을 탄핵한 것은 분명 민주주의의 승리입니다. 민주주의 공고화는 권위주의 체제로 퇴행할 가능성이 없는 상태를 말합니다. 따라서 민주주의 원칙을 위반한 대통령을 권좌에서 끌어내린 것은 그만큼 한국의 민주주의가 공고화되었음을 반증합니다.

한편 민주주의의 심화(democratic deepening) 혹은 성숙(maturation)의 관점에서 보자면 한국 민주주의는 분명 퇴보했습니다. 1987년 민주화 이후 30년이 지났지만 대통령 탄핵을 겪어야 할 만큼 민주주의가 제대로 자리 잡지 못한 것입니다. 민주주의가 심화되기 위해서는 선거, 의회, 정당 등과 같은 절차적 민주주의가 제도화되어야 할 뿐 아니라, 권력의 책임성(accountability), 반응성(responsiveness), 수행능력(performance) 또한 확립되어야 합니다. 정치권력에 대한 신뢰, 시민참여의 보장, 시민문화(civic culture)의 확산 또한 민주주의 심화를 위한 필수요건들입니다. 한마디로 민주적 절차뿐만 아니라 민주주의의 내용과 질(quality)이 일정 수준 이상이 되어야 비로소 성숙한 민주주의라 할 수 있습니다. 이런 점에서 볼 때 박근혜 대통령에 대한 탄핵은 비민주적인 권력이 한국사회에서 더 이상 용인될 수 없음을 입증하였지만, 그것이 곧 성숙한 민주주의를 성취하였음을 뜻하지는 않습니다.

2016년 발생한 박근혜 정부의 최순실 등 민간인에 의한 국정농단 의혹 사건(이하 '최순실 국정농단' 사건)은 우리 정치에 큰 혼란을 초래했습니다. 시민은 분노했고 이러한 분노는 곧 촛불집회로 표출되었습니다. 2016년 10월 29일 1차 촛불집회를 시작으로 매주 토요일 광화문 광장은 시민들로 가득 찼습니다. 무엇보다 놀라운 현상은 촛불집회의 규모였습니다. 11월 12일 광화문 광장에서 열린 3차 촛불집회는 100만 명(주최 측 추산)의 시민들이 참여했는데, 이렇게 대규모 시민이 광장에 모인 것은 1987년 6월 항쟁 이후 처음입니다. 또한 11월 29일 박근혜 대통령의 3차 대국민 담화 이후 열린 6차 촛불집회(12월 3일)는 전국에서 232만 여명(주최 측 추산)의 시민들이 모였습니다. 촛불집회의 열기는 박근혜 전 대통령의 탄핵 인용을 계기로 막을 내렸습니다. 그러나 그 규모와 확산은 전 세계적인 이목을 끌기에 충분했습니다. 매 주말 수십만 명이 넘는 분노한 시민들이 촛불을 들고 거리에 나섰지만 폭력사태는 없었습니다. 시민들의 평화적 시위가 결국 대통령 탄핵을 이끌어냈습니다.

제도정치의 위기

박근혜 대통령 탄핵 사건의 핵심은 비선정치와 권력의 사인화(privatization) 현상에 있습니다. 헌법재판소 판결문에 따르면 박대통령은 수십 년간 사적 친분관계를 유지해 온 최순실에게 공무상 비밀을 누설하고 최순실과 그녀와 친분이 있는 주변인들이 국가정책과 고위 공직 인사에 관여하게 했습니다. 또한 대통령 권력을 남용하여 사기업들로 하여금 수백억 원을 각출해 최순실 등에게 특혜를 주도록 강요하는 등 국가권력을 사익 추구의 도구로 활용했습니다. 국정을 비선 조직에 따른 인치주의로 운영하여 헌법과 법치국가원칙을 파괴한 것입니다.

헌법재판소의 판결문에 박 전 대통령과 최순실과 그 주변인 등에 의한 권력남용을 명시하고 있으나, 보다 더 주목해야 할 내용은 비선 조직을 이용해 국정을 운영하였다는 부분입니다. 즉 민주주의 심화를 위해서는 관련 행위자를 처벌하는 데서 나아가 제도와 시스템이 중심이 되는 국정운영 구조를 만들어야 합니다. 문제는 비선정치의 뿌리가 매우 깊다는 것입니다.

해방 후 한국정치는 인물정치, 파벌정치, 그리고 비선정치로 일관되었습니다. 정치제도와 시스템이 제대로 작동하지 못했기 때문입니다. 최장집은 조숙한 민주주의에서 그 원인을 찾습니다. 해방 후 한국의 민주주의가 국내 정치세력에 의해 주도적으로 만들어진 것이 아니라 냉전체제 속에서 외부로부터 일시적으로 도입되었기에 근본적인 한계가 있었다는 뜻입니다. 적어도 백여 년에 걸쳐 사회변동 과정을 반영하면서 차근차근 자리 잡아 온 서구의 민주주의 제도와 달리 한국의 민주주의는 한꺼번에 도입되었습니다. 그러다 보니 대의민주주의의 핵심제도라 할 수 있는 정당부터 정상적인 모습을 갖추지 못했습니다. 정당의 본질적 기능은 사회균열에 근거한 이익대표에 있습니다. 부르조아 대 노동자라는 사회균열에 기반해 형성되고 발전해 온 서구 정당과 달리 한국의 정당은 사회균열의 기반 없이 이승만, 김구, 여운형, 김성수 등과 같은 독립운동 지도자들을 중심으로 만들어졌습니다. 당연히 특정한 계급이나 이념 혹은 가치를 대표하는 정당이 아니었습니다. 인물중심 정당이다 보니 보스가 이끄는 파벌을 중심으로 빈번한 이합집산이 있었습니다.

인물 중심의 정치는 1987년 민주화 이후에도 변하지 않았습니다. 오히려 김영삼, 김대중 정부를 거치면서 파벌과 측근정치는 더 심해졌습니다. 김영삼 정부에서는 상도동계가 그리고 김대중 정부에서는 동교동계가 권력의 중심에 있었습니다. 여기에 덧붙여 대통령 아들과 친인척을 중심으로 형성된 비선조직이 각종 인사와 이권에 개입하는 문제가 발생했습니다. 노무현 정부에서는 친노 그룹이 이명박 정부에서는 친MB 파벌이 비선정치의 전통을 이어갔습니다.

정치가 제도와 시스템이 아닌 인물과 비선을 중심으로 작동하다 보니 정치제도에 대한 국민의 불신은 높을 수밖에 없습니다. 1987년 민주화 이후 삼십년이 지났지만 정치제도에 대한 불신은 여전히 높습니다. 대의민주주의를 이끌어 가는 대표적인 제도인 국회와 정당에 대한 불만은 90%에 가깝고, 행정부에 대한 불만 역시 70%를 넘나들고 있습니다.

광장정치

박근혜 대통령 탄핵은 사실상 광장정치가 만들어 낸 것이라 할 수 있습니다. 광장정치라는 용어가 언제부터 사용되었는지 정확하지는 않으나 지금처럼 일상적으로 회자된 것은 최근의 일입니다. 이전에는 민주화운동, 사회운동, 시민운동, 시위, 집회 등이 일반적으로 사용된 용어들입니다. 최근의 광장정치가 민주화운동 혹은 시민운동에 뿌리를 두고 있는 것은 분명하나 추구하는 가치, 주도세력, 전개방식과 과정 등에 있어서 전혀 다른 양상을 보입니다. 우선 가치의 측면에서 볼 때 광장의 요구와 목소리는 민주화와 이념의 영역을 넘어 매우 다양하게 표출되고 있습니다. 2008년 광우병 촛불시위에서는 안전한 먹거리, 입시제도 개선 등이 주요 이슈였고,

2016년 탄핵시위에서도 대통령 하야뿐 아니라 세월호 진상규명, 국정교과서 철폐, 이석기 석방, 노동권 보장 등 다양한 이슈들이 등장했습니다. 주도세력에 있어서도 광장정치는 과거 사회운동과는 전혀 다른 양상을 보입니다. 과거 운동정치가 운동조직과 시민단체 혹은 열성적 지지자를 중심으로 동원과 참여가 이뤄진 반면 광장정치는 일반 시민이 주도하며 운동조직과 정치집단은 주변부 역할을 할 뿐입니다. 동원의 기제 또한 조직과 단체 중심에서 디지털 네트워크로 바뀌었습니다. 소셜 미디어를 비롯한 정보통신기술로 무장한 일반시민들이 광장정치를 주도하고 있는 것입니다. 엘리트 이론에 따르면 소수의 엘리트가 다수의 대중을 지배할 수 있었던 것은 소수의 내부집단이 정보를 독점할 수 있었기 때문입니다. 디지털 네트워크 확산으로 인해 엘리트의 정보 독점구조는 깨졌습니다. 디지털 네트워크로 연결된 시민들은 더 이상 고립된 개인이 아닙니다. 네트워크 개인들(networked individuals)이 광장정치를 주도하며 정치과정의 주요 행위자로 자리 잡았습니다.

디지털 기술을 기반으로 한 광장정치는 기존 정치참여와는 다른 특성을 보이고 있습니다. 가장 큰 변화는 정치참여의 단위가 집단에서 개인으로 바뀌고 있다는 점입니다. 과거 개인이 정치참여를 한다면 정당이나 시민단체 혹은 이익집단을 통해 자신들의 정치적 견해와 주장을 표출하는 것이 일반적이었다면, 이제는 디지털 네트워크 속에서 자신들의 정치적 견해와 요구를 표현하고 있습니다. 집단행동을 하는 방식도 기존 정치제도나 단체를 통하기보다는 디지털 공간 속에서 모이고 섞이면서 세력을 형성하여 참여하는 모습입니다. 개인 단위의 참여가 본격화된 것은 2008년 광우병 촛불시위부터였습니다. 2002년 효순・미선 추모 촛불집회는 '여중생범대위'(미국장갑차 고 신효순・심미선 살인사건 범국민대책위)라는 기구가 주관했습니다. 2003년 이라크 파병 반대 촛불시위는 351개 시민단체 연대기구인 ‘이라크 파병 반대 비상국민행동’이 주최했습니다. 2003년 노무현 대통령 탄핵반대 촛불시위는 각종 시민단체가 참여한 ‘탄핵무효 범국민행동’이 주도했습니다. 한편 2008년 촛불시위는 조직이나 특정 정치세력이 주도하는 동원된 참여가 아닌 개인 단위의 자발적 참여가 주를 이루었습니다. 집단과 조직에 대한 거부의 대상은 진보와 보수, 제도권과 비제도권 정치 할 것 없이 공통적으로 적용되었습니다. 이러한 집단과 조직에 대한 거부현상은 정당, 언론, 그리고 시민단체와 같은 매개집단의 약화 내지는 무력화를 초래했고 대의민주주의의 적실성에 대한 의문을 제기하기도 했습니다.

2008년 촛불시위의 주도세력은 네트워크 개인(networked individuals)이었습니다. 특정 집단이 촛불시위를 조직하고 지휘한 것이 아니라 광우병의 위험과 정부의 대응방식에 대해 문제를 공감하는 개인들이 온라인 공간에서 모이고 연결되면서 시위세력이 만들어진 것입니다. 2016년 박근혜 탄핵 촛불시위에서는 소셜 미디어가 적극 활용되면서 개인 단위의 참여가 더욱 두드러졌습니다. 2008년의 경우 네트워크 개인들과 함께 각종 온라인 커뮤니티가 시위를 주도했는데 2016년 시위에서는 온라인 커뮤니티의 활약은 크게 눈에 띄지 않았습니다. 소셜 미디어와 모바일이 확산되면서 온라인 공간의 커뮤니케이션 구조는 집단에서 개인 중심으로 변화하는 양상을 보였습니다. 개인이 이슈를 생산하고 유통할 수 있는 힘을 얻게 되면서 개인 단위의 참여가 획기적으로 증가할 수 있었습니다.

2016 촛불시위가 인터넷이 아닌 종합편성채널 JTBC의 최순실 태블릿 PC 보도로 촉발된 것은 사실이나, 소셜 미디어 공간에서 최순실 국정농단에 대한 여론이 다양한 형태로 확산되었습니다. 대표적으로 ‘#그런데_최순실은’이나 ‘#나와라_최순실’ 해시태그 달기 운동을 꼽을 수 있습니다. 해시태그(#)는 인터넷 상에서 분류와 검색을 용이하게 하는 기호입니다.

해시태그를 이용하면 소셜 미디어 공간에서 손쉽게 관련 콘텐츠를 검색할 수 있습니다. 또한 개인 미디어 이용자들 간의 연결망을 강화시키는 효과가 있습니다. 많은 네티즌들이 소셜 미디어에 글을 쓸 때 글의 내용과 상관없이 '#그런데 최순실은'(혹은 '#나와라_최순실')이란 해시태그를 달았습니다. 이는 최순실 국정농단에 분노한 개인들을 결집시키는 데 커다란 역할을 했습니다. 트위터 또한 여론을 결집하는 데 중요한 역할을 했습니다. 트위터리안 아바리스(@abaris)는 최순실과 정윤회가 재산을 은닉하기 위해 독일에 유벨(Jubel)이라는 회사를 설립한 사실을 밝혔습니다. 아바리스(@abaris)가 독일에 살고 있는 40대의 평범한 교민임에도 불구하고 이러한 활약이 가능했던 것은 트위터 덕분입니다. 그가 트위터를 통해 최순실 국정농단 관련 정보를 공유하면서 많은 네티즌들의 관련 제보가 이어졌습니다.

2016년 대통령 탄핵 촛불시위 역시 개인 단위의 참여가 주를 이뤘고 정치조직은 주변적 역할을 하는 데 그쳤습니다. 5차 집회가 열렸던 2016년 11월 26일 촛불집회 참여자들을 대상으로 한 설문조사에 따르면 참가자 가운데 40.7%가 친구와 함께 시위현장에 나왔고, 30%는 가족과 함께, 15.1%는 혼자 참여하였고 6.4%는 직장동료와 함께 참여했습니다. 한편 단체회원으로 참여하였다는 응답자는 조사대상자 1230명 가운데 48명(3.9%)에 불과했습니다.

유희적 참여 양상은 2016년 대통령 탄핵 촛불시위에서도 이어졌습니다. 2016년 11월 12일 제3차 촛불시위에서 나타난 '장수풍뎅이' 깃발은 2016 촛불집회에서 현 정치상황을 풍자하는 이색적인 깃발부대들의 등장을 촉발시켰습니다. 이는 실제 장수풍뎅이를 연구하는 단체는 아닙니다. 평범한 시민들이 최순실 국정농단 사건을 재치와 해학으로 표현하기 위해 직접 깃발을 만들어 집회에 참여하면서 생겨난 일시적인 조직입니다. 그야

말로 자기 조직의 집합체(self-organized collectives)인 것입니다. 장수풍뎅이 깃발에 이어 고산병연구회, 하야하그라, 전국게으름뱅이연합, 전국 메탈리스터연맹, 민주묘총, 범깡총연대, 혼자온사람들, 전국고양이노동조합, 한국곰국학회 등과 같은 깃발부대가 광장에 등장했습니다. 깃발부대는 최순실 국정농단 사건에서 새로운 이슈가 드러날 때마다 더욱 다양해지는 양상을 보였습니다. 깃발부대들은 소셜 미디어를 통해 시민의 집회 참여를 독려하고 집회에 필요한 각종 스티커와 양초 등 시위물품을 제공했습니다. 이들의 집회 일정은 지도부에 의해 미리 정해지는 것이 아니라 당일 상황에 따라 유동적으로 진행되었습니다.

"하지만 바르지 못한 것들은 그 바르지 못함을 금지함으로써 해결할 수 있는 것이 아니라 바름을 세움으로써 경계할 수 있도다."(김탁환, 「방각본 살인사건 (하)」, p. 253).

조선 정조 때를 배경으로 한 역사소설에 나오는 한 대목입니다. 당시 한 신하가 시중에 미풍양속을 해치는 음서가 떠돌고 있으니 이를 모두 수거해 불태워야 한다고 했을 때 정조가 한 말입니다. 그러면서 정조는 백성들이 재미있게 읽을 수 있는 양서를 많이 보급하라고 지시했습니다. 한국의 민주주의도 마찬가지입니다. 성숙한 민주주의를 실현하기 위해서는 잘못된 대통령을 처벌하는 것에서 한 단계 더 나아가 올바른 민주주의를 정립하는 노력이 필요합니다. 그러자면 가장 시급한 과제는 제도정치의 확립 그리고 대통령 탄핵을 끌어낸 광장정치를 제도정치 안으로 융합하는 것입니다.

5) 뉴미디어 정치참여의 명암

뉴미디어의 확산, 특히 미디어 다양화가 정치참여에 미친 영향에 대해서는 정치참여 확산, 정치회피 증가, 그리고 사회양극화라는 세 가지 서로 다른 주장이 제기되고 있습니다. 첫 번째 정치참여 확산이론은 미디어와 정치발전의 선순환 관계를 주장하는데, 미디어 발전이 정치정보를 확산시키고 시민들의 정치의식을 향상시켜 민주주의 발전을 가져온다는 정치발전론과 맥을 같이 하고 있습니다. 이러한 입장은 인터넷 정치참여 연구에서는 동원가설(mobilization hypotheses)로 나타납니다. 동원가설에 따르면 인터넷 매체가 가진 정보전달과 공유의 능력으로 인해 과거에 비해 더 많은 유권자들이 선거정보를 접하게 될 것이며 결과적으로 투표율이 높아지고 정치참여가 증가하게 됩니다. TV나 신문 등 기존 매체 연구에서도 정치 정보의 확산이 정치참여의 증가를 가져온다는 사실을 입증하고 있습니다. 언론매체를 통해 많은 정치 정보를 얻은 유권자들의 정치적 효능감이 높고 이는 결국 정치참여의 증가를 가져온다는 것이 지금까지의 연구결과입니다. 인터넷은 정보전달의 양과 속도 면에서 기존 매체를 훨씬 앞서고 있어 정치참여 증가 효과 또한 더욱 뚜렷하게 나타날 것이라는 것이 동원가설의 주장입니다.

뉴미디어 확산으로 인한 정치변화를 긍정적으로 보는 시각은 기존의 권력관계가 수평적 권력구조로 바뀌어 간다는 점을 강조합니다. 새로운 권력주체들의 자발적 참여가 증가하고, 이를 통해 새로운 정치문화가 형성될 것으로 기대합니다. 즉 뉴미디어 커뮤니케이션이 다원화된 시민들의 참여를 유도하고, 무엇보다 참여의 능동성을 부여했다는 점을 긍정적으로 평가합니다. 참여의 능동성은 소셜 네트워크 서비스가 '풀 미디어'(pull media)로 기능하는 것과 관련이 있습니다. 풀 미디어는 특정 주제에 대한 정보를 찾는 것에 능동적인 관심을 가지고 있는 사람들을 위한 미디어입니다. 이에 반해 텔레비전은 공중이 원하건 원하지 않건 그들에게 메시지를 전달하는 '푸시 미디어'(push media)입니다. 이러한 미디어 특성의 변화는 정치적 과정에서의 공중의 역할 변화를 야기합니다. 푸시 미디어가 교양있는 개인주의적 시민을 양성하였다면, 풀 미디어는 시민의 특성을 집합적이며 감시자의 역할로 변화시킵니다. 이러한 시민은 정치를 자신의 일상생활 영역으로 끌어들이며, 권력에 단순히 순응하기보다는 필요에 따라서는 스스로 통치하고자 집단지성을 동원하는 모습을 보입니다.

매체변화와 정치참여 간의 관계를 설명하는 두 번째 주장으로 정치회피 가설이 있습니다. 뉴미디어의 확산으로 다양한 매체 환경이 조성되면서 정치관련 정보가 급격히 증가하지만 비정치적 정보 또한 함께 증가하기 마련이어서 정보의 상대적 양을 비교해보면 개인이 정치정보에 접할 가능성이 오히려 줄어들게 되고 따라서 정치정보의 소비량이 결코 증가한다고 할 수 없다는 주장입니다. 결국 정치에 관한 관심이 높을 경우에만 정치정보에 접근하게 되며, 정치적 무관심이 만연한 현실을 고려할 때 매체 다양성이 정치참여 증가를 가져올 가능성은 매우 낮다는 것입니다. 프라이어(Prior)에 따르면 다양한 미디어 환경은 개인의 미디어 '선택'의 폭을 넓게 하면서 정치정보의 소비 또한 선택의 경쟁을 치르게 됩니다. 그런데 정치에 대한 무관심과 혐오가 확산된 현실에서 대부분의 시민들은 정치뉴스보다 엔터테인먼트 정보를 더 선호하게 됩니다. 결국 미디어 다양화는 정치관심 집단과 무관심 집단 간 정치참여의 격차만 벌리면서 선거 양극화 현상을 초래하게 됩니다. 프라이어의 이러한 주장은 인터넷 정치참여의 "선순환"(virtuous circle) 효과를 주장한 노리스(Norris)의 연구와 맥을 같이 합니다. 1990년대 후반 미국과 유럽 국가들의 인터넷 선거 효과를 분석한 노리스의 연구에 따르면 인터넷이 정치관심층의 참여를 높이는 선순환 효과는 있으나 정치무관심층을 정치참여로 이끄는 역할은 하지 못한 것으로 나타났습니다.

셋째로, 많은 연구들이 뉴미디어의 확산이 사회 양극화라는 부정적인 결과를 낳고 있다고 주장합니다. 앞서 다양한 미디어 환경에서 개인들은 정치정보와 엔터테인먼트 정보 사이에서 '선택'하게 된다고 하였는데, 정치정보를 소비함에 있어서도 특정 채널에 선택적으로 노출되는 현상이 발생합니다. 개인은 일반적으로 자신의 신념 및 가치와 유사한 내용을 전달하는 채널을 선택하는 성향이 강한 반면, 자신의 생각과 다른 성향을 지닌 미디어는 회피하게 됩니다. 정보에 대한 선택적 노출이 행해지는 이유는 일반적으로 사람들은 자신들의 신념을 뒷받침할 수 있는 정보를 효과적으로 찾고, 인지적 일관성(cognitive consistency)을 유지하고자 하는 심리적 성향을 갖고 있기 때문입니다. 이러한 선택적 노출은 정치적 성향이 강한 사람일수록 더욱 뚜렷하게 나타납니다. 우리사회에서 보수적 성향의 사람들이 주로 보수 성향의 신문을 구독하고 진보 성향의 사람들은 진보 신문을 구독하는 비율이 높은 것도 미디어에 대한 선택적 노출을 보여줍니다. 이러한 미디어에 대한 선택적 노출은 개인의 생각과 태도에 대한 강화 효과(reinforcement effect)로 연결되어 사회 양극화 혹은 파편화를 심화시키는 문제를 야기합니다. 미디어에 많이 노출될수록 개인은 자신의 생각과 유사한 정치정보에 노출될 가능성이 높고, 자신의 기존 생각에 대한 확신은 더욱 강해지면서 다른 의견을 이해하고 수용하기는 더욱 힘들어집니다. 비슷한 생각을 가진 사람들을 찾기가 용이한 뉴미디어 환경에서는 끼리 집단(like-minded people) 현상이 더욱 뚜렷하게 나타납니다.

소셜 네트워크 서비스가 정치참여의 확산에 긍정적 영향을 미쳤다는 평가가 있는 반면, 풀 미디어로서의 특성이 사용자들을 분할하고 차별화하는 부작용이 심각하다는 지적도 있습니다. 소셜네트워크 서비스 상의 정보는 대중 수신자에게 제한된 정보를 보내는 전통적인 매스미디어와는 다른 성격을 갖고 있습니다. 정보 출처의 다중성이 수신자로 하여금 메시지를 선택할 수 있게 합니다. 그렇기 때문에 분할이 심화되고, 정보 발송자와 수신자 사이의 개별적인 관계는 더욱 강화됩니다. 이러한 소셜 네트워크 서비스의 강한 내적 연계성이 장기화될 경우, 참여자 간의 자기강화 효과가 발생할 가능성은 더욱 커집니다. 이러한 이유 때문에 소셜 네트워크 서비스의 활용이 실제로는 정치적 분절화와 정치참여의 위축을 초래할 것이고, 나아가 대중사회에서 분할된 사회로 바꿀 것이라고 우려를 표합니다. 즉 사회구성원들이 함께 공유하는 부분이 줄어들면서 '우리 의식'이 약해질 뿐 아니라, 이데올로기, 가치, 취미, 라이프스타일에 따라 사회가 분할되는 양상이 심화되는 문제가 나타날 것입니다.

[그림 7] 2040세대의 오프라인 여론과 트위터 여론 비교

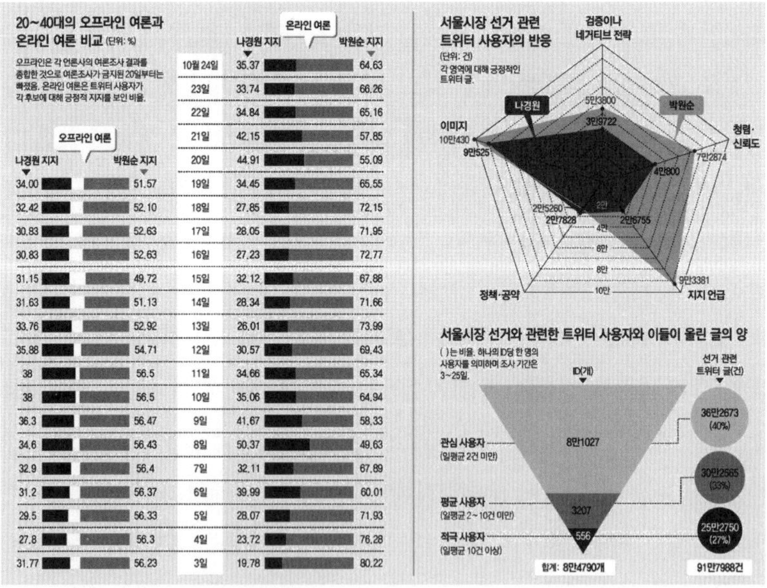

20~40대의 오프라인 여론과 온라인 여론 비교 (단위: %)

오프라인은 각 언론사의 여론조사 결과를 종합한 것으로 여론조사가 금지된 20일부터는 빠졌음. 온라인 여론은 트위터 사용자가 각 후보에 대해 긍정적 지지를 보인 비율.

오프라인 여론 나경원 지지	오프라인 여론 박원순 지지		온라인 여론 나경원 지지	온라인 여론 박원순 지지
		10월 24일	35.37	64.63
		23일	33.74	66.26
		22일	34.84	65.16
		21일	42.15	57.85
		20일	44.91	55.09
34.00	51.57	19일	34.45	65.55
32.42	52.10	18일	27.85	72.15
30.83	52.63	17일	28.05	71.95
30.83	52.63	16일	27.23	72.77
31.15	49.72	15일	32.12	67.88
31.63	51.13	14일	28.34	71.66
33.76	52.92	13일	26.01	73.99
35.88	54.71	12일	30.57	69.43
38	56.5	11일	34.66	65.34
38	56.5	10일	35.06	64.94
36.3	56.47	9일	41.67	58.33
34.6	56.43	8일	50.37	49.63
32.9	56.4	7일	32.11	67.89
31.2	56.37	6일	39.99	60.01
29.5	56.33	5일	28.07	71.93
27.8	56.3	4일	23.72	76.28
31.77	56.23	3일	19.78	80.22

서울시장 선거 관련 트위터 사용자의 반응
(단위: 건)
각 영역에 대해 긍정적인 트위터 글.
검증이나 네거티브 전략
나경원
박원순
5만3800
3만9722
이미지
10만430
9만525
청렴·신뢰도
7만2874
4만800
2만5260
2만7828
2만6755
2만
4만
6만
8만
10만
9만3381
정책·공약
지지 언급

서울시장 선거와 관련한 트위터 사용자와 이들이 올린 글의 양
( )는 비율. 하나의 ID당 한 명의 사용자를 의미하며 조사 기간은 3~25일.
ID(개)
선거 관련 트위터 글(건)
관심 사용자 (일평균 2건 미만)
8만1027
36만2673 (40%)
평균 사용자 (일평균 2~10건 미만)
3207
30만2565 (33%)
적극 사용자 (일평균 10건 이상)
556
25만2750 (27%)
합계: 8만4790개
91만7988건

출처: 동아일보. 2011년 10월 27일.

트위터 공간에서의 여론 극단화 현상은 지난 2011년 서울시장 재보선 선거에도 뚜렷이 나타났습니다. 무엇보다 오프라인과 트위터 공간의 여론 불일치 현상이 심각했는데, 오프라인 여론에서는 2040세대의 박원순 후보 대 나경원 후보 지지율이 6:4의 비율을 넘지 않았던 반면 트위터 여론은 양 후보 간에 평균 36.2%, 최대 60.4%의 지지율 격차를 보였습니다.

뉴미디어 정치가 지닌 또 다른 문제는 소셜 네트워크 서비스 상에서는 일방적이고 극단적인 주장이 주목받기 쉽고, 적극적으로 발언하고 활동하는 이들이 과대 대표되기 쉽다는 점입니다. 실제 트위터의 경우, 다른 사용자들과 깊은 공감대를 형성하면서 영향력을 행사하는 '파워 트위터리안'을 중심으로 커뮤니티가 형성됩니다. 장덕진의 연구에 따르면 10.26 서울시장 보궐선거에서 상위 30대 파워 트위터리안 중 여권 후보 자신을 제외한 나머지 29명은 모두 야권 후보를 지지하는 파워 트위터리안이었으며, 이들이 보유한 커뮤니티 규모는 3만 9천 827명으로 여권 후보의 것에 비해 5배가 넘었습니다. 이와 같은 트위터 여론의 권력구조는 1대 9대 90의 법칙으로 설명됩니다. 이 법칙은 최초로 글을 올리는 콘텐츠 생산자는 전체 온라인 이용자의 1%에 불과하지만 9%가 여기에 댓글을 올리거나 편집을 해서 유포시키고, 90%는 이 글들을 구독한다는 것이다. 1%라는 적극 활동자의 영향력이 막대하며 그 파급 효과가 기하급수적으로 확산됨을 말해 줍니다. 이처럼 새로운 유형의 오피니언 리더들이 특정 계층이나 이념, 지역 등에 편중되어 있다면 온라인 공론장은 다양하고, 객관적이면서 공정한 정보의 장으로서 기능할 수 없을 것입니다.

또한 정보격차(digital divide) 문제도 간과할 수 없습니다. 이를 관심 있게 바라보는 학자들은 정보격차(digital divide)가 계층 간 권력배분에 장애를 초래한다고 주장합니다. 세대 간에 나타나는 정보격차는 기성세대와 젊은 세대 간의 참여문화의 차이를 가져옵니다. 젊은 세대는 뉴미디어를 이용하여 기성세대보다 더욱 적극적인 참여문화를 만들고 있습니다. 최근 정당과 같은 제도정치는 이러한 젊은 세대들의 도전에 직면하여, 선거제도와 정치참여 방식에 있어서 획기적인 변화를 시도하고 있습니다. 젊은 층들을 유인하기 위하여 각 정당은 소셜 네트워크서비스를 기반으로 한 시민 참여 방식을 확대하고, 모바일 투표방식을 도입하기도 했습니다. 그런데, 이러한 시도들이 오히려 일부 세대의 소외를 초래하거나, 표심을 왜곡할 수 있다는 우려를 낳기도 합니다. 2012년 1월 민주통합당이 최고위원 선출에 모바일 투표방식을 도입함으로써 큰 반향을 불러일으켰습니다. 국민선거인단 모집에 예상을 훨씬 넘는 64만여 명이 신청했고, 이 가운데 90%가 모바일 방식을 이용했습니다. 정당의 최고위원 선출에 이처럼 많은 국민들이 관심을 보인 적이 없었습니다. 투표율이 향상되고 특히 그간 정치 무관심층으로 분류되었던 젊은 층의 정치참여는 선거의 대표성을 높인다는 점에서 매우 고무적인 현상이었습니다. 그동안 정당 당원 연령분포는 50대 이상은 과잉 대표되고, 30대 이하는 과소 대표되는 문제가 있었는데, 모바일 투표 신청자 중 30대 이하가 44.4%를 차지하여 이들의 의사를 충분히 반영할 수 있게 된 것입니다. 그런데 문제는 모바일투표 도입으로 중장년층과 농어촌 유권자들의 의사가 과소대표 되는 문제가 발생하였다는 점입니다. 투표 결과 모바일 투표에는 총 59만 8천여 명 중 49만6천여 명이 참여해 82.9%의 높은 투표율을 기록하였으나, 당비 당원과 모바일 투표를 신청하지 않은 일반 시민 선거인단이 참가한 현장 투표는 유권자 16만 7천 명 중 3만 4천 829명만 참가해 20.8%의 낮은 투표율을 보였습니다.

뉴미디어의 특성으로 인한 정보에 대한 선택적 노출(selective exposure)은 정치 양극화 현상을 강화할 우려가 있습니다. 뉴미디어 시대가 도래하면서 사람들이 과거보다 더 많은 정치적 정보를 습득할 것이라는 기대가 있습니다. 정보습득과 소비 비용은 과거보다 훨씬 감소했습니다. 인터넷 기반 미디어 채널이 확산하면서 사람들은 온라인 신문, 블로그, 포털, 소셜 미디어 등과 같은 새로운 미디어 플랫폼을 통해 언제 어디서나 뉴스에 접근할 수 있게 되었습니다. 뉴미디어 환경은 정보 접근의 불평등을 해소하는 데 도움이 됩니다. 한편, 뉴미디어 환경은 사람들이 정치적 정보를 선택적으로 습득하게 합니다. 정보의 홍수 속에서 사람들은 정보를 취사선택하게 되며 본능적으로 자신과 성향과 유사한 정보를 우선 습득하게 됩니다.

인터넷이 가진 기술적 특성은 분명히 자신과 다른 정치적 견해를 가진 다양한 집단들을 쉽게 접하는 기회를 제공합니다. 그러나 경험적 연구에 따르면 시민들은 정치적 갈등을 회피하기 위하여 대체로 유사한 시각과 입장을 가진 사람들과의 정치적 대화를 선호하는 경향이 있습니다. 인터넷이 사회 파편화 혹은 끼리 집단현상을 강화한다는 사실은 여러 경험적 연구에서 입증되고 있습니다. 정보의 편향적 습득으로 인한 사회 파편화 현상은 비단 인터넷 미디어만의 문제는 아닙니다. 인간은 본능적으로 자신의 본래 입장을 뒷받침하는 정보에 끌리게 되어 있습니다. 사람들은 정보습득이 필요할 때 인지적 일관성(cognitive consistency)을 유지하고 정보처리의 효율성을 높이기 위해 자기 입장을 지지하는 정보를 찾는 경향이 높기 때문입니다.

정보에 대한 선택적 노출은 사회갈등을 심화시키는 문제를 일으킵니다. 인터넷 공간에서는 사람들이 자기 생각과 비슷한 정보와 주장만을 찾게 되고, 자기의 입장과 다른 정보를 회피하면서 양극화 현상이 심화할 것입니다. 온라인 공간에서의 정치 토론이 확대되고 정치적 영향력이 강화되면서 정치 세력들이 자신들만의 인터넷 미디어를 운영하는 현상이 나타났고, 이로 인해 정파 갈등이 더욱 극심해지면서 진영정치 틀이 사회 전반을 지배하는 결과를 가져왔습니다. 온라인 공간의 파편화 현상은 정치적 이슈에 대한 논쟁이 있을 때 더욱 뚜렷하게 나타납니다. 온라인 공간에서 서로 다른 정치적 입장을 가진 사람들이 함께 모여 토론하는 상황은 비정치적 온라인 커뮤니티에서 우연히 정치 이슈를 토론할 때는 간혹 나타나기는 하지만, 애초 정치 이슈를 다루는 공간에서 이질적인 사람들이 모여서 합리적인 토론을 하기는 거의 불가능합니다.

공론장의 이원화 문제와는 상관없이 인터넷 공론장이 성립되기 위해서는 무엇보다 서로 다른 주장과 의견이 한 공간에서 부딪히고 경쟁할 수 있는 환경이 우선 조성되어야 합니다. 일반적 관심을 매개하는(general interest intermediaries) 매스 미디어 시대에는 개인의 취향 혹은 선택과 상관없이 '우연히 만드는 건축물'(architecture of serendipity)과 자주 맞닥뜨리게 됩니다. 다양한 주제와 주장을 우연히 접하게 되는 상황이 빈번히 발생한다는 것입니다. 인터넷 공간이 공론장의 기능을 하려면 다양한 의견을 접할 수 있는 기회가 제공되어야 합니다. 사회적 쟁점에 대한 다양한 입장을 접하기 위해서는 우선 현재 우리 사회의 문제가 무엇이고 사회 구성원들의 합의가 필요가 사안이 무엇인지 알고 있어야 합니다. 다음으로는 쟁점 사안에 대한 정확한 사실이 무엇이며, 이를 둘러싸고 어떤 입장과 주장들이 대립하고 있는지 알게 될 때 비로소 사회 구성원들이 쟁점에 대한 이해와 인식을 공유하고 일체감(identity)을 형성할 수 있습니다. 사회 쟁점에 대한 정보를 공유하고 함께 고민할 때 개인들은 서로를 함께 살아가는 동료로 인식하면서 사회적 일체감을 만들어 가게 됩니다. 이러한 상황이 조성될 때 비로소 다양한 입장을 가진 개인들이 공동의 사회적 목표를 갖고 미래에 대한 희망을 공유할 수 있습니다.

사회 쟁점에 대한 뉴스를 전달할 미디어 숫자가 제한된 상황에서는 많은 사람이 같은 TV 뉴스를 시청하고 같은 신문을 읽을 가능성이 높고,

결과적으로 사회 구성원들은 지식과 경험을 공유하게 됩니다. 그렇지만 뉴미디어 시대에 접어들면서 뉴스를 접할 수 있는 정보 채널이 급속히 증가하고 다양한 선택권을 갖게 되면서 사회 구성원들이 지식과 경험을 공유할 가능성은 낮습니다. 다양성의 사회에서도 사회적으로 수용될 수 있는 가치와 규범을 판단하는 기준과 사회적 문제와 쟁점을 인지하는 사회적 경험은 공유되어야 합니다. 개인이 자신만의 커뮤니케이션 환경을 설계할 수 있는 뉴미디어 환경은 사회적 공감의 기회를 방해하고 결과적으로 공동체 유지를 어렵게 합니다. 이는 비단 온라인 공간을 통해 잘못된 정보나 유언비어가 유통될 위험이 있기 때문만은 아닙니다. 개인화되고 파편화된 미디어 환경으로 인해 사회적으로 공유해야 할 정보와 경험을 충분히 확산하지 못하는 것이 훨씬 심각한 문제입니다. 외집단과의 소통은 없이 정체성과 성향을 공유하는 집단 내의 소통만이 가능한 '고립된 숙의'(enclave deliberation)를 경계해야 합니다.

6) 감정과 정치참여

그동안 감정은 정치학 분야의 주요한 관심 대상이 아니었습니다. 감정은 시민의 이성적이고 합리적인 정치적 선택을 방해하는 요인으로 인식되었습니다. 정치적 성숙도(political sophistication)가 낮은 사람이 감정에 휩싸이기 쉽고, 사적 감정을 표출하는 집단은 공중이 아닌 군중이라 비판받았습니다.

그간 학계에서는 감정과 같은 정서적 반응(affective reaction)을 인지적 과정(cognitive process)과 대립하는 개념으로 다뤘습니다. 인지(cognition)는 사유(thinking)와 동일시되었고 감정 혹은 정서(affect)는 느낌(feeling)과 같은 맥락으로 이해했습니다. 이에 인지는 숙의적 사고와 합리적 타협에 도움을 주지만 감정은 부정적이거나 파괴적인 결과를 가져온다고 했습니다. 감정은 비합리성과 동일시되었고 공공 문제 혹은 정치참여 영역에서 배제되어야 할 요소이었던 것입니다.

최근에는 개인의 정치활동에 감정이 미치는 영향을 새롭게 이해하고자 하는 시도들이 증가하고 있습니다. 이들은 감정과 인지 과정의 상호작용에 주목하는데 무엇보다 감정이 세상에 대한 주관적 평가에서부터 기인한다고 봅니다. 즉, 감정의 표출은 어떤 대상에 대한 인지적 평가의 산물이라고 보는 것입니다. 예컨대, 우리가 숲속에서 곰을 마주했을 때 갖는 두려움은 무조건적 반응이 아니라 곰이라는 실체에 대한 지각과 동시에 "자신의 안전을 위협할 수 있다"는 인지적 판단을 거친 후 형성되는 감정이라는 것입니다. 이를 정치 영역에 빗대어 보면, 특정 정치인에 대한 분노, 희망, 긍지의 감정은 개인이 갖는 정치이념을 비롯해 기존 정치체제와 정치과정에 대한 평가, 정치지식과 같은 인지 평가 요소에 근거해 만들어지는 것입니다.

개인이 갖는 분노와 불안의 감정은 정치참여 행태와 밀접한 관계가 있습니다. 분노와 불안이 부정적 감정으로 동일시됨에도 불구하고 각각 다른 맥락의 동기 요인으로 인해 특정 감정이 정치참여를 자극하기도 하고 이와 반대로 억제하기도 합니다. 분노는 위협이 특정한 외부환경의 탓이라고 여길 때, 그리고 자신이 그 상황을 통제할 수 있을 때 발생합니다. 반면, 불안은 위협의 원인에 대한 확신이 덜하고 본인이 그 상황을 통제할 수 없다고 느낄 때 생깁니다. 상황 통제가 가능하다는 것은 분노를 표출하는 개인이 장애물을 극복할 수 있다는 심리적 혹은 사회적 자원을 가진 것을 의미합니다. 정치 영역에서는 정치지식 수준, 정치관심도, 정당 지지, 정치 효능감 등이 이러한 자원에 해당합니다. 특히, 정치 효능감이 높다는 것은 특정 문제에 대해 대처할 능력을 갖췄다는 것을 의미합니다. 따라서 정치 효능감이 높은 사람이 분노의 감정을 가질 때 정치에 참여할 가능성이 높습니다. 정치효능감 중에서도 내적 효능감(internal efficacy)은 정치적 상황에 대한 분노의 감정을 촉진하고 정치참여를 더욱 촉진하는 요인으로 작동합니다. 내적 효능감은 나의 참여가 정치 현실을 바꿀 수 있다는 자신감을 말합니다.

분노의 감정을 느끼는 사람은 참여로 인해 생길 수 있는 위험을 감내할 의지를 갖고 있습니다. 이는 위험 추구 행위(risk-seeking behavior)와 문제 중심의 처리(problem-focused coping)를 촉진합니다. 분노를 느끼는 사람은 인지적 정보처리 과정이 단순해지고, 외부 정보에 의존하는 정도가 낮습니다. 최소한의 정보를 갖고 상황을 판단하려는 인지적 구두쇠(cognitive miser) 성향을 보입니다. 이 경우 분노를 유발한 정치적 대상에 대해 저항하기 위해 길거리 시위에 참여할 가능성이 높습니다. 분노의 감정과 달리 불안 감정은 위험 회피(risk avoidance)와 감정 중심의 처리(emotion focused coping)를 증진합니다. 불안을 느끼는 사람은 문제에 직접적으로 맞서기보다 이를 회피함으로써 자신의 불안을 간접적으로 처리하려고 합니다. 따라서 불안의 감정은 위협 상황을 지속적으로 관찰하는 인지적 행동 성향을 유발합니다. 불안이라는 불확실성의 감정 때문에 관련된 정치정보를 더 많이 찾고 최종 판단은 유보하는 경향이 있습니다. 그 결과 직접 행동하기를 주저하고 어려운 정치참여(costly political action)에 필요한 만큼의 동기부여를 확보하는 데 실패할 가능성이 큽니다. 정치 영역에서 불안의 감정은 이를 유발한 정치적 대상에 대한 정치적 관심(attention)이나 정치적 학습(political learning)으로 이어지거나, 비용이 적게 드는 표현주의적 행동들을 자극하는 경향을 보입니다. 길거리 시위에 나가지 않고 자신과 같은 생각의 사람을 찾거나 가족 혹은 친구 등과 불안의 감정을 공유하는 수준의 참여를 합니다.

민희 · 윤성이(2016)의 연구에 따르면 분노와 불안과 같은 부정 감정과 내적 효능감이 강할수록 촛불시위, 집회 등과 같은 항의성 참여를 많이 합니다. 특히 내적 효능감이 높은 사람이 분노의 감정을 갖게 되면 길거리 시위에 참여하게 되고 온라인 공간에서도 적극적인 참여 활동을 합니다. 또한 특정 정당에 대한 지지 성향이 강한 사람들이 분노의 감정을 가지면 더 적극적으로 정치참여 활동을 합니다. 2016/17년 대통령 탄핵 시위에 개인의 참여를 유인한 최종 변수는 분노의 감정이었습니다. 그간 정치참여에 관한 연구는 정치참여를 추동하는 변인을 설명하는 이론으로 자원모델(Basic Resource Model, BRM)과 시민 자발성 모델(Civic Voluntarism Model, CVM)이 있었습니다. 자원모델은 교육, 소득, 나이 등과 같은 사회경제적 요인에 주목합니다. 교육과 소득수준이 높은 사람일수록 더 적극적으로 정치에 참여한다고 설명합니다. 시민 자발성 모델은 자원모델의 이론적 취약성을 지적하면서 자원(resource), 관여(engagement), 동원의 네트워크(networks of recruitment) 등을 정치참여의 주요 변수로 다룹니다. 그렇지만 최근 감정 변수를 도입한 최근 연구들은 인지 혹은 자원 요인보다 분노의 감정이 정치참여에 더 직접적인 영향을 준다고 주장합니다.

제 4 장
어떤 민주주의를 할 것인가?

| 개요 |

한국뿐 아니라 대부분의 서구국가들도 대의민주주의의 한계에 직면하고 있습니다. 정부뿐 아니라 국회, 정당 같은 대의제도에 대한 국민 신뢰는 나날이 떨어지고 있습니다. 대의제도가 제대로 작동하지 못하는 원인도 있겠지만, 그 보다는 엘리트 중심의 대의민주주의 자체가 뉴미디어 사회에 적합하지 못하기 때문입니다. 인터넷을 비롯한 뉴미디어의 확산은 개인의 정치의식과 참여행태에 많은 변화를 가져왔습니다. 뉴미디어 시대 개인들은 정치엘리트들의 결정에 복종하고 순응하기보다는 스스로 참여하고 행동하고자 합니다. 정치는 사람을 대상으로 합니다. 디지털 세대는 과거 산업사회 개인들과는 전혀 다른 특성을 갖고 있습니다. 사람이 바뀌었으면 정치제도 또한 여기에 맞춰 변해야 할 것입니다.

1. 대의민주주의의 한계

1) 대의제도의 한계

대의민주주의 제도에 대한 불신이 날로 높아져 가고 있습니다. 대통령 직속 사회통합위원회의 2012년 연례보고서에 따르면 국민의 72.8%가 국회를 신뢰하지 않는다고 하였고 신뢰한다고 답한 비율은 5.6%에 그쳤습니다. 2012년의 한 여론조사에 따르면 응답자의 40.5%가 지지하는 정당이 없는 것으로 나타났습니다. 특히 20대의 57.1% 그리고 30대의 48.8%가 지지하는 정당이 없다고 하였습니다. 대의민주주의의 위기라 할 만합니다.

대의민주주의 제도에 대한 불신이 날로 높아져가고 있는 데는 몇 가지 이유가 있습니다. 우선 정치제도의 기능이 제대로 작동하지 않는 것이 큰 이유입니다. 그 가운데서도 정당과 국회의 기능이 원활하지 못하니 시민들의 불신이 높을 수밖에 없습니다. 정당과 국회 모두 대의민주주의를 유지하고 작동시키는 핵심적인 제도들입니다. 이들의 핵심 기능은 국민들의 정치적 의사를 대의하는 것입니다. 그런데 정당과 국회 모두 국민의 정치적 의사를 대의하기보다는 자신들의 기득권을 유지하는 것이 우선이다 보니 국민의 불만은 높을 수밖에 없습니다. 매 선거 때마다 모든 후보들이 국회의원의 정치적 특권을 내려놓겠다고 공약을 합니다. 물론 매번 말뿐이고 한 번도 제대로 지킨 적도 없지만 의원들이 정치적 특권을 포기한다고 해서 정당과 국회가 제대로 돌아가는 것은 아닙니다. 정당의 대표적 기능은 이익결집과 이익표출[1]에 있습니다. 국민들의 서로 다른 이익과 선호를 결

1) 이익결집은 알몬드(Almond)의 '7가지 기능에 의한 정치체계 분석'의 4가지의 투입(input) 기능 중 하나로서, 표출된 이익을 정치적으로 집약해 정책으로 전환시키거나 이 같은 정책을 지지하는 사람들을 선출하는 것을 의미합니다. 이익결집은 정치적 충원 기능과 밀접한 연관이 있으며, 이를 담당하는 가장 중요한 기구로는 정당을 들 수 있습니다. 알몬드가 명시한 투입의 기능 중 하나인 이익표출은 정치적 의견이나 경제적 이익 등 다양한 요구를 명확하게 하는 기능을 의미합니다. 이 같은 기능은 단체,

집하여 법과 정책으로 표출할 때 비로소 대의기관으로서 역할을 제대로 할 수 있습니다.

정당과 국회가 대의기관으로 제대로 기능할 수 있을 것인가를 따져보기 위해서는 두 가지 문제를 고려해봐야 합니다. 우선 정당들이 현대사회의 복잡한 이해관계를 제대로 대표할 수 있을지 따져 보아야 합니다. 지금의 대의민주주의 제도, 특히 대중정당[2] 제도는 산업혁명의 결과물이라 할 수 있습니다. 산업혁명과 함께 노동자 계급이 양산되면서 이들의 정치경제적 이익을 대변하기 위해 노동당 혹은 사회당 계열의 정당이 등장하였고, 부르주아 계급을 대표하는 보수정당들과 경쟁하는 정당체제가 자리 잡았습니다. 좌파와 우파 정당이라는 이념정당 혹은 대중정당이 산업화 이후 기본적인 정당체제로 형성되어 수백 년을 이어온 것입니다. 당시의 사회균열구조가 계급, 특히 부르주아 계급과 노동자 계급의 대립을 근간으로 하였기에 좌우 정당체제와 사회균열 구조는 높은 친화성을 보였습니다. 또한 좌우 정당들이 이익결집과 이익표출 과정을 통해 정치사회적 갈등을 조정하고 합의점을 찾을 수 있었습니다. 적어도 서구 민주주의 국가들에 있어 국민들의 정당일체감은 상당히 높은 수준이었고, 유권자들의 투표행태를 분석하는데 있어 정당일체감[3]은 매우 중요한 변수입니다. 그렇지만 20세기 중반 이후 사회 다양화 및 복잡화와 함께 좌우 정당체제의 적실성은 점차 떨어졌고 국민들의 정당일체감 역시 지속적으로 약화되는 양상을 보

관료, 군대 등의 그룹이나 데모, 폭동 등과 같은 행동을 통해 수행됩니다.

2) 노동자 · 농민 · 중산층을 포함한 대중의 이익 대표로서 이익표출과 이익집약의 기능을 가장 우선시 합니다. 또한 분업화·전문화를 바탕으로 조직체계를 강화하고 이념적 정체성을 확립하고자 합니다. 대중정당은 선거에서의 후보선출, 의사결정 과정, 재정적 책임을 일반 당원들이 담당하도록 하며 전당대회와 당원을 중시합니다.

3) 1960년대 미시건 학파가 유권자들에 대한 심리학적 연구를 발전시키면서 정립한 개념으로, 18세 이전의 사회화 과정을 통해 형성되는 특정 정당에 대한 심리적 소속감을 의미합니다. 한 번 특정 정당을 지지하면 성인이 된 후에도 지지정당이 변화하기보다는 더욱 공고화 됩니다. 미시건 학파는 이 같은 정당일체감이 유권자가 투표를 하는데 있어서 가장 중요한 요소로 작용된다고 주장합니다.

입니다. 우선 사회균열 구조가 과기처럼 부르주아 계급 대 노동자 계급으로 단순화하기에는 자본주의와 시장경제는 매우 복잡하게 전개되고 있습니다. 계급 분화현상이 급속히 진행되면서 부르주아 계급뿐 아니라 노동자 계급 내에서도 차이가 발생하고, 계급 내부의 이익충돌 현상도 빈번하게 발생합니다. 또한 계급 이외에도 환경, 인권, 여성 등 다양한 이슈들이 사회갈등의 중심축으로 자리 잡고 있습니다. 결국 좌파와 우파 정당체제로 복잡다단한 현대사회의 이해관계를 대표하고 갈등을 조정하기에는 근본적인 한계가 있는 것입니다. 결국 정당일체감이 낮아지고 정당에 대한 국민 불신이 높아지는 것은 현재 정당들이 자신들의 역할을 제대로 수행하지 못하는 기능적인 부분뿐 아니라, 구조적으로 이익결집과 표출의 기능을 제대로 수행할 수 없는 사회균열의 다원화에서 비롯된 것이라는 점을 인식할 필요가 있습니다.

대의민주주의의 한계를 논의하는데 있어 고려해야 할 두 번째 문제는 '대의'의 적실성의 문제입니다. 대의민주주의는 우리가 잘 아는 바와 같이 유권자들이 선거를 통해 자신들의 정치적 권리를 대표들에게 위임하고, 권한을 위임받은 대표들이 국민들을 대신하여 정치적 결정을 하게 되는 시스템입니다. 엘리트를 중심으로 하는 대의민주주의 타당성에 대해서 여러 가지 공방이 있지만 대체로 현실적 이유와 규범적 차원에서 필요성이 인정되었습니다. 우선 현실적으로 모든 시민들이 정책결정과정에 참여하는 것이 물리적으로 불가능하기 때문에 대표를 선출할 수밖에 없다는 것입니다. 규범적으로는 일반시민들에 비해 대표가 공공선의 관점에서 정치적 판단을 할 수 있는 자질과 전문성을 갖추고 있기 때문에 대의민주주의가 바람직하다고 주장합니다. 정보화 시대에는 이러한 대의민주주의의 타당성을 주장하는 두 가지 이유 모두 더 이상 설득력이 없습니다. 우선 디지털 기술의 발달로 일반시민들이 정책결정 과정에 직접 참여하는 것이 얼마든지

가능하게 되었습니다. 다음으로 디지털 정보의 확산으로 일반시민들이 정치사회적 이슈들에 대해 손쉽게 정보를 얻게 되고 상호간의 소통도 활발해지면서 정치적 대표들에 못지않게 높은 이해력과 판단력을 갖추게 되었습니다. 결과적으로 시민들이 자신들의 정치적 권한을 더 이상 대표들에게 위임하지 않고 스스로 행사하고자 하는 욕구를 갖게 되는 것입니다.

2) 뉴미디어와 정치과정의 변화

우리사회 여론 형성에 있어서도 대의제도와 매스미디어의 역할은 점차 약화되고 있습니다. 인터넷 여론이 우리사회 여론형성의 주도적 역할을 한지는 이미 오래 되었습니다. 모바일을 기반으로 한 SNS 매체가 확산되면서 인터넷 매체가 정치 전반에 미치는 영향은 더욱 확산되고 있습니다. SNS 정치참여는 기존 정치참여와는 전혀 다른 양상을 보이고 있습니다. 노리스(Norris)는 전통적인 산업사회 개념인 정치참여의 범위와 내용이 네트워크사회에서 재해석되어야 한다고 주장합니다. 즉 온라인 정치참여가 제도적 영역이 아닌 비제도적 영역을 중심으로 펼쳐지면서 대의민주주의의 대표체계와 이해표출체계를 완전히 허물어트리는 방식으로 나타나기도 합니다. 여기에서 시민은 정치과정의 소비자 역할에 그치지 않고 적극적 생산자로서 정치과정 자체를 주도하고자 합니다. 정치참여 수단의 변화에 초점을 둔 온라인 정치참여 양식을 공급자 중심 참여모델이라 한다면 정치참여의 내용과 범위 그리고 형태에 이르기까지 전혀 새로운 양상의 온라인 정치참여는 수요자 중심 참여모델이라 할 수 있습니다. 이는 레비(Levy)가 제안한 집단지성(collective intelligence)[4]에 의한 새로운 참여방식이며, 산업사회 시민의 이상형이 합리적인 "생각하는 시민"이었다면

4) 다수의 개인이 협력하거나 경쟁함으로써 얻을 수 있는 집단의 지적능력으로 개인이 갖고 있는 지적능력보다 더욱 강력한 힘을 갖고 있음을 의미합니다.

이제 네트워크사회의 시민은 "참여하는 시민"으로 변화하고 있습니다. 네트워크사회에서 시민 개인은 노드(node)단위별로 파편화되고 고립적인 형태의 동원 대상에서 약한 연대의 링크로 이루어진 네트워크의 독립적인 참여시민으로 재구성됩니다. 이들 네트워크 내에서는 스스로의 의견을 자유롭게 표현하고 제언하는 능동적인 시민참여가 일상화됩니다. 이러한 온라인 시민참여의 특성을 약한 연대(weak ties)의 참여시민 또는 네트워크 개인주의(network individualism)로 설명할 수 있습니다.

이처럼 SNS 정치의 확산으로 인해 정치과정 전반이 새로운 국면을 맞이하고 있습니다. 이러한 변화는 여론형성 주체의 다원화, 정치참여 주체 및 방식의 다양화, 정당을 비롯한 정치적 매개집단의 약화, 나아가 대의민주주의의 위기로 나타나고 있습니다. 이러한 SNS 정치의 영향은 세대효과와 맞물리면서 우리 사회와 정치 전반에 더욱 폭넓은 변화를 불러일으키고 있습니다. 이전부터 세대는 사회변동과 사회갈등의 주요 요인으로 다뤄져왔습니다. 즉 비록 같은 시기에 살고 있다고는 하나 서로 다른 세대들은 역사적 경험의 내용과 그에 대한 해석이 다르고 주변 상황에 대한 인식과 세상을 살아가는 방식에 있어 많은 차이를 보이기 때문이며, 이들은 동시대인이라 할지라도 동시대적이라 볼 수 없습니다. 이전 세대와 역사적·문화적 경험을 달리하는 새로운 세대는 그들 세대들만의 독특한 태도와 행위양식을 갖게 되며, 이는 결국 세대갈등을 야기하는 원천이 됩니다.

최근에는 기술세대에 대한 논의가 활발하게 진행되고 있습니다. 기술세대 는 '기술적 능력', '기술의 경험 방식', '기술평가'에서 동시대인의 비동시성을 살피기 위해 고안된 개념입니다. 기술세대 개념에 따르면 기술활용의 차이가 단순히 기술적인 측면에 그치지 않고 개인의 삶의 태도, 가치관, 스타일 등에 차이를 가져옵니다. 탭스콧(Tapscott)은 인터넷과 함께 성장한 젊은 세대를 N세대라 부르며, 이들은 기성세대와는 다른 가치관과 생활양식을 지니고 있다고 밝혔습니다. 탭스콧의 분석에 따르면 N세대는 기존의 권위에 대항하는 새로운 가치관을 가지고 있으며 민주주의에 대한 인식 역시 이전 세대와 달라, 정치적인 자기조직화를 통해 새로운 권력의 감시자 역할을 하게 됩니다. 김용섭은 디지털 기술에 대한 적응 여부를 기준으로 디지털 세대를 디지털 원주민(digital natives)과 디지털 이주자(digital immigrants)로 구분 합니다. 전자는 디지털 시대에 태어나 자연스럽게 디지털에 적응한 세대이고, 후자는 아날로그 시대에 태어나 의식적으로 디지털화에 적응하고자 노력하는 세대를 말 합니다. 즉 어떤 기술을 사용하느냐에 따라 개인이 갖는 의식, 가치관 그리고 행태가 달리 나타난다는 것입니다.

이처럼 새로운 기술의 등장은 시민의 의식과 행동 방식을 바꾸고 있습니다. 기술발달에 따라 사회가 바뀌고 시민 또한 변하였다면 정치제도 역시 이러한 변화에 발맞춰 변화할 필요가 있습니다. 결국 대의민주주의의 위기를 해소할 정치개혁의 방향은 대의제도의 기능개선에 그치지 않고 대의민주주의 제도 자체에 대한 고민으로 확대될 필요가 있습니다. 200여 년 전 산업혁명과 함께 등장하기 시작한 대의민주주의제도가 현재의 디지털 시대에도 여전히 유효한 정치시스템인가에 대한 근본적으로 되짚어 보자는 뜻입니다. 디지털 기술의 발달과 더불어 시민들은 더 이상 대의에 만족하지 않을 뿐 아니라 스스로 참여하고 결정할 수 있는 능력을 갖추었다고 자신하고 있습니다. 모든 정치제도가 각각의 장단점을 지니고 있습니다. 결국 정치제도의 유용성 혹은 적실성은 제도와 환경 그리고 시민 간의 친화성에 의해 결정될 수밖에 없습니다. 정치 환경과 사회구성원의 특성과 요구를 반영하고 수용하는 정치제도만이 안정적으로 기능할 수 있을 것입니다. 따라서 정당정치와 대의민주주의의 개혁은 이러한 변모한 사회구조와 시민의 특성을 수용하는 방향으로 진행되어야 합니다.

2. 뉴미디어와 민주주의

1) 뉴미디어 정치의 특성

2008년 촛불시위가 석 달 넘도록 지속된 것은 촛불의 목소리를 수용하고 정책적으로 반영할 수 있는 정치제도가 제대로 작동하지 못하였기 때문입니다. 2008년 촛불시위를 통해 얻을 수 있는 교훈은 정치참여에 관한 인식이 바뀌어야 한다는 것이며, 또한 새로운 정치참여를 수용할 수 있는 정치제도가 필요하다는 것입니다. 2008년 촛불시위 정국 이후 한국사회 내에서 민주주의 모델에 관한 논쟁이 뜨겁게 진행되었습니다. 최장집은 촛불시위의 촉발 배경을 이해하면서도 그 해결 방안으로 '대표'에 의한 참여 체제의 강화를 이야기 하고, 그동안 참여로부터 배제된 세력의 대표성을 확대할 것을 주장했습니다. 김수진 역시 수용자 중심의 참여민주주의가 지금의 대의민주주의를 대체할 수 없다고 지적했습니다. 그는 국가와 시민사회의 소통 회복을 위해서는 사회적 파장이 큰 법률, 정책을 추진하려 할 때 시민과 협의, 타협, 이해와 지지를 구하는 절차를 제도화할 필요가 있다고 주장합니다. 반면 하승우는 촛불시위를 제도정치의 오작동의 결과로 보고, 제도정치 자체에 대한 새로운 고민의 필요성을 강조했습니다. 그는 수용자가 원할 때 자신의 의사를 자유롭게 표출할 수 있는 참여 방식에서 비로소 인민주권의 원리가 실현된다고 본 것입니다. 이처럼 민주주의 발전에 대한 논쟁은 대의제 기능을 보완하고 개선해야 한다는 입장과 새로운 민주주의 모델에 대해 고민할 시점이 되었다는 주장으로 갈립니다. 문제는 민주화와 정보화라는 정치환경의 변화에 대의민주주의 모델이 제대로 적응할 수 있을 것인가에 달려 있습니다.

디지털 기술의 진화와 네트워크 정치는 동전의 양면과 같이 서로 맞물려 정치영역의 변화를 추동하고 있습니다. 디지털 네트워크 환경으로 인해 부문 간 경계가 약화되면서 이질적 요소들이 모이고, 섞이고, 바뀌고, 나뉘고, 거듭나거나, 새로운 것으로 변화하고 있습니다. 그 결과 정치과정에 있어 중심과 주변의 구분이 모호해졌습니다. 정부, 국회, 정당, 주요 이익집단, 거대 시민단체와 같은 과거의 중심 집단이 정치과정을 일방적으로 주도하는 것은 더 이상 불가능합니다. 정치의 롱테일 현상으로 인해 과거의 주변 세력들, 즉 개인, 소외집단, 비참여 세력들은 더 이상 정치에 아무런 영향을 줄 수 없는 주변집단이 아닙니다. 이들은 네트워크를 통해 모이고, 섞이면서 새로운 정치세력으로 거듭납니다. 디지털 네트워크 환경으로 인해 조직과 개인의 구분 역시 무의미해지고 있습니다. 소수의 정치엘리트들이 정치과정을 주도하면서 다수의 대중을 지배할 수 있었던 힘은 조직에서 나왔습니다. 거꾸로 대중은 수적 다수를 점하고 있으나 분산되고 고립되어 있었기 때문에 조직으로의 권력을 행사할 수 없었습니다. 네트워크는 흩어지고 고립되어 있던 대중을 모으고 섞으면서 하나의 정치집단으로 바꾸어 놓았습니다. 그렇다고 위계적(hierarchical) 지휘체계를 갖춘 경직화된 조직은 아닙니다. 주체적 개인들이 수평적으로 연결된 느슨한 조직체계를 유지하고, 조직의 권력은 소수 엘리트가 아니라 네트워크로 연결된 개인들(networked individuals)이 만들어 냅니다. 정리하자면, 네트워크 정치 양상은 중심과 주변 그리고 조직과 개인의 뒤섞임에서 출발합니다.

이와 같은 네트워크 정치의 확산에 따라 뉴미디어 시대의 권력양상은 산업사회와는 전혀 다른 특성을 보입니다. 정부 중심의 통치가 더 이상 허용되지 않으며 시민과 함께하는 협치를 추구해야 합니다. 권력의 구조도 위계적 양상에서 아래로부터의 참여를 수용하는 혼합형 구조로 바뀌고, 권력실현 방식도 강요/복종이 아닌 설득/순응으로 변화합니다. 권력의 속성도 경성 정치권력보다 연성 문화권력이 중요시 됩니다. 권력의 소재 또한 더 이상 제도에 국한되지 않고 네트워크로 옮겨가는데, 이에 따라 권력의 흐름(flows of power)보다 흐름의 권력(power of flows)이 더 의미를 갖게 됩니다. 임혁백에 따르면 네트워크 시대에는 통치한다는 의미에서의 독점적, 배타적, 절대적 지위를 가진 대형국가, 복지국가가 더 이상 작동할 수 없으며 분산적인 협치를 바탕으로 하는 소형국가 혹은 상대적으로 적은 양의 정치적 지배가 이루어지는 작은 국가만이 가능합니다. 거대 조직의 정치, 포드주의적 조립라인 생산방식으로 표를 동원하고 조직하였던 산업화시대의 정치에서 경량화된 조직으로 온라인과 오프라인 상에서 개별적인 접속, 접촉, 소통을 통하여 표를 이끌어내는 유목형 정치로 바뀌고 있습니다.

[그림 1] 뉴미디어 시대의 정치

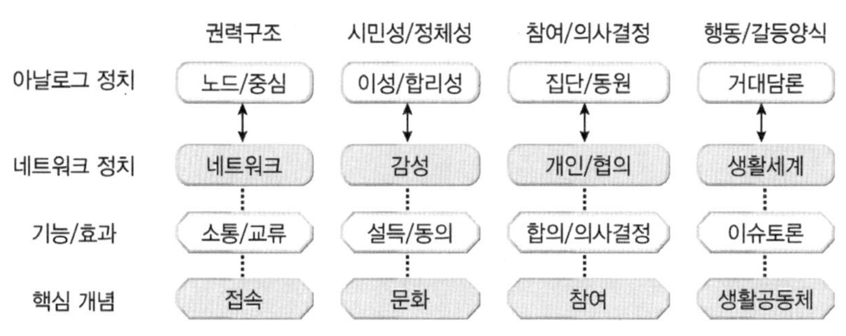

뉴미디어 사회에서는 시민참여의 행태도 거대담론 중심에서 생활이슈 중심의 생활정치 행태로 변하고 있습니다. 산업사회의 운동은 민주 대 반민주 구도에서 저항과 분노라는 거대담론이 주류였습니다. 이를 네트워크로 재해석한다면, 노드가 허브에 집중되며 중앙화된 형태로 거대담론을 중심으로 시민들이 동원되는 형태입니다. 그러나 디지털 네트워크로 인한 정보의 개방은 보다 다양한 이슈의 등장을 가능케 하고 새로운 시민성의 변

화를 유도하여 탈집중과 탈권위의 시민참여를 촉진합니다. 실제 우리사회에서 나타난 시민참여의 유형도 다양하게 변하고 있습니다. 온라인 시민참여는 사이버 공간에서의 토론과 소식전달, 정보공유, 디지털 동영상 제작, 패러디, 정치인 어록시리즈, 촛불시위, 사이트 공격, 항의메일, 릴레이 리플, 펌질 등 네트워크에서만 가능한 방식들이 위주가 되며, 이는 새로운 방식의 비제도화된 시민참여 방식을 보여줍니다. 또한 여중고생, 주부, 취미 동호회 등과 같은 비정치적 집단의 정치참여가 일상화되었습니다. 즉 네트워크사회에서의 시민참여방식은 제도적 참여에서 온라인 공간을 근간으로 하는 비제도적 참여로 전환되고 있으며, 참여의 행태도 거대담론 중심의 동원적 참여에서 생활이슈 중심의 자발적 참여로 변하고 있습니다.

뉴미디어의 확산과 함께 시민의 참여 기회가 증폭되면서 시민이 그동안 대표에게 위임하였던 정치적 권리를 직접 행사하고자 하는 경우가 빈번해졌습니다. 이제 시민은 더 이상 우중이 아닙니다. 정보통신기술을 매개로 한 정치 참여 채널이 다양해지고, 이를 통해 시민의 정치 정보 습득 및 정치의식 수준이 높아지면서 정치사회 곳곳에서 대표 혹은 엘리트의 권위에 도전하는 양상이 증가하고 있습니다. 정보통신기술의 발달이 시민의 참여를 더욱 용이하게 하는 환경을 조성하고 있습니다. 일반시민들이 기존의 권력과 권위에 대해 거부하게 되는 현상은 크게 세 가지 요인에 의해 발생합니다. 첫째, 시민들의 교육수준이 향상되고 인터넷 기술발달에 함께 정보습득 능력이 강화되면서 스스로 판단하는 인지적인 능력이 향상됩니다. 둘째, 민주주의 발달과 함께 참여 및 권리의식이 강화되면서 시민들의 가치관이 수동적이고 반응적인 대중에서 성찰적이고 능동적인 역할 수행자로 바뀌게 됩니다. 셋째, 정보통신 기술의 발달은 '영리한 대중'(smart mob)들이 스스로를 조직하고 행동할 수 있는 사회적이고 기술적인 환경을 제공합니다. 이와 같은 시민들의 인지능력의 향상, 가치관의 변화 그리고

〈표 1〉 온라인 정치참여와 정책의 변화

사 례	초기발화자	의제 파급경로	인터넷 미디어	전통적 미디어	결과 (정부정책 등)
2002년 SOFA 개정 촛불시위	네티즌 '앙마' (11.27)	『인터넷 한겨레』 토론방	『오마이뉴스』 (11.28)	공중파TV (11.30)	광화문 촛불시위에 10만명 참여 (11.30) 미대통령 부시 사과(12.14)
2004년 친일인명 사전 모금	네티즌 '참세상' (1.7 12:54)	『오마이뉴스』 독자의견	『오마이뉴스』 (1.7 15:00)	KBS (1.13)	모금개시 11일만에 5억원 모금
2005년 부실 도시락 파문	지역시민 단체 '탐라자치 연대'(1.18)	서귀포시 홈페이지 게시판, 다음, 네이버 등 포털 사이트	『연합뉴스』 포털 서비스 (1.10)	한라일보 (1.10) 공중파TV (1.11)	정부여당 도시락 단가 4,000원으로 인상(1.14)
2005년 간호 조무사 신생아 학대	무명의 네티즌 (5.1)	사이월드미니홈피, '임신과 출산 육아' 다음카페	주요 포털사이트 (5.6)	공중파TV (5.6)	관련자입건(5.6) 산부인과 병원내 CCTV설치
2005년 개×녀	무명의 네티즌 (6.5 23:00)	'루리웹' 사이트, '웃긴대학' '디시인사이드' 등	『쿠키뉴스』 (6.6 11:00)	공중파TV (6.7)	지하철공사 지하철 10대 에티켓 발표(6.11)
2005년 내무반 알몸 진급식	무명의 네티즌	'디시인사이드', '웃긴대학' 등 커뮤니티사이트	YTN 뉴스의 포털 서비스 (6.24)	YTN(6.24) 공중파TV (6.24)	정부여당 군 형법 개정안 마련(6.28)
2005년 황우석 논문 조작 사건	네티즌 'anonymos' (12.5)	'브릭' '디시인사이드 과학갤러리'	『프레시안』 (12.5)	공중파TV (12.5)	논문조작이 사실로 밝혀짐
2008년 촛불시위	네티즌 '안단테'	다음 아고라, 다수의 인터넷 카페	아프리카 TV(1인 미디어)	MBC '생방송오늘 아침'(4.28) PD수첩(4.29)	대통령 두 차례 사과성명 발표

출처: 김성태 외(2006) 재정리.

정보통신기술의 발달은 기존 권력 및 권위에 대한 시민들의 의존 혹은 신뢰를 약화시키고 참여의 기회비용을 낮추면서 시민 스스로 참여하고 행동하고자 하는 욕구를 증진시키게 됩니다. 이러한 행위자의 변화는 자연히 제도의 변화, 즉 민주주의 패러다임의 변화를 요구합니다.

2) 민주주의 모델의 재설계

(1) 민주주의 논쟁

민주주의라는 용어는 그리스어의 Demos(민중, 국민)와 Kratos(지배, 권력)가 결합되어 만들어진 것입니다. 용어의 어원에서 잘 나타나듯이 민주주의란 모든 국민들이 자유롭고 평등한 입장에서 정치에 참여하는 민중이 지배하는 통치체제를 의미합니다. 이는 한 사람이나 소수에게 권력이 집중된 군주정치나 귀족정치와는 구분됩니다. 한편 우리나라의 민주주의 형태를 표현하기 위해 사용하는 자유민주주의(liberal democracy)는 자유주의와 민주주의가 결합된 통치체제를 의미합니다. 자유주의는 인간이 추구하는 모든 목적 중 자유를 최고의 가치로 존중하고, 국가를 위한다는 명목으로 개인의 자유를 침해하지 못하도록 합니다. 자유주의는 어느 정도의 비능률은 자유를 위하여 지불해야할 대가로 생각하고, 진정한 자유를 희생하면서까지 물질적 풍요를 추구하지는 않습니다. 한편 민주주의는 다수에 의한 지배를 강조하는 통치형태입니다. 민주주의라는 개념에는 개인의 존엄성과 개인 자유, 법 앞의 평등, 의사결정과정 참여, 다수결원칙, 그리고 일인 일표 원칙을 담고 있습니다. 민주주의의 밑바탕에는 생명과 자유, 사유재산, 법 앞의 평등을 보장함으로써 개인의 존엄성을 중시하는 사상이 깔려 있습니다. 1688년 영국 명예혁명의 이론적 토대를 제공한 존 로크(John Locke)는 인간이 만든 법과 정부보다 상위에 있는 자연법

(natural law)에 따라 모든 개인은 생명, 자유, 재산에 관련하여 누구로부터 부여되지 않은 자연권을 갖고 있다고 했습니다. 로크가 말하는 자연의 상태는 모든 인간이 본질적으로 자유롭고, 평등하며, 독립적인 상태이며, 만약 정부가 이러한 자연권을 침해할 경우 국민은 정부와의 끈을 단절하고 자신들이 원하는 새 정부를 새울 권리가 있다고 했습니다. 민주주의는 평등의 가치를 강조하면서 모든 국민은 법에 의해 평등한 보호를 받아야 한다고 주장합니다. 오늘날 법 앞의 평등은 기회의 평등 개념으로 확장되어 이해됩니다. 민주주의는 또한 자신의 삶에 영향을 미치는 결정에 참여하는 것을 의미합니다. 왜냐하면 자신에 대한 선택을 할 수 없다는 것은 진정으로 자유로운 국민이 아니기 때문입니다. 즉 민주주의는 의사의 자율성, 행위의 자기결정성, 그리고 행위결과에 대한 자기책임성의 원칙을 전제로 하고 있습니다.

한 국가가 민주정치를 하고 있느냐를 판단하는 조건은 매우 다양하고 복잡합니다. 그렇지만 미국의 저명 정치학자 로버트 달(Robert Dahl)은 민주주의이기 위한 최소한의 조건으로 다음과 같은 사항들을 제시하고 있습니다. 첫째, 국민은 정당이나 이익집단을 비롯하여 독립적인 단체나 조직을 구성할 권리를 가져야 합니다. 둘째, 국민은 아무런 제한 없이 정치적 문제에 대해 의사를 표현할 권리를 지녀야 합니다. 셋째, 사실상 모든 성인이 투표권을 가져야 합니다. 넷째, 사실상 모든 성인은 정부 선출직에 입후보할 권리가 있어야 합니다. 다섯째, 정치지도자들은 국민의 지지를 얻기 위해 경쟁할 수 있는 권리가 보장되어야 합니다. 여섯째, 국민은 다양한 정보를 보유하여야 하며 이러한 정보를 얻을 수 있는 출처는 법으로 보장되어야 합니다. 일곱째, 자유롭고 공정한 선거가 있어야 합니다. 여덟째, 정부의 정책을 투표 및 국민의 선호에 의해 결정하는 제도가 있어야 합니다. 달이 말하는 민주주의 조건들은 정치적 민주주의의 주요한 세 가지 차원 즉 경쟁(competition), 참여(participation), 그리고 시민적・정치적 자유(civil and political liberties)를 망라하고 있습니다. 우선 경쟁의 측면에 있어서는 모든 정부권력의 요직을 차지하기 위해 폭력의 사용이 배제되어야 하며, 규칙적으로 치러지는 개인 혹은 집단 간의 경쟁이 있어야 합니다. 참여 차원에서는 정기적이고 공정한 선거를 통해 지도자와 정책을 선택할 수 있어야 하며, 이 선거에서는 사회 내 특정집단이 배제되지 않아야 합니다. 자유 차원에서는 정치적 경쟁과 참여가 완전하게 이루어질 수 있는 표현의 자유와 결사의 자유가 충분히 보장되어야 합니다.

지금까지 민주주의의 개념에 대해 살펴보았습니다. 그렇다면 구체적으로 민주주의는 어떻게 구현되고 실천될 수 있을까요? 디지털 기술의 확산과 함께 정치의 속성이 바뀌고 정치권력과 대표자에 대한 시민의식이 변화하면서 기존 대의민주주의 모델의 적실성에 대한 의문이 제기될 수밖에 없습니다. 여기서는 상호 대립하는 두 개의 민주주의 모델에 대해 살펴볼 것입니다. 민주주의를 통치방식 혹은 정치제도로 볼 것인지 아니면 개인의 삶의 방식에 관한 문제로 이해할 것인지에 따라 서로 다른 민주주의 모델이 대립하고 있습니다. 슘페터(Schumpeter)나 달(Dahl) 같은 학자들은 민주주의를 의사결정의 방식, 혹은 민주적 원칙이 내재된 일련의 정치제도로 이해합니다. 한편 아렌트(Arendt)와 푸트남(Putnam)은 윤리적 이상을 강조하면서 민주주의를 시민적 덕목(civic virtue), 삶의 방식(way of life) 혹은 전체 이익을 추구하는 개인 간 행위방식 등으로 이해합니다. 이와 같은 민주주의에 대한 상반된 시각은 '대의민주주의'와 '직접민주주의'를 중심으로 논쟁을 펼쳐 왔습니다. 대의민주주의는 민주주의를 '하나의 통치 방식'으로 이해하고, 이를 가장 효율적으로 실천할 수 있는 방법으로 '제도화'를 강조합니다. 반면 직접민주주의는 민주주의를 '인민 본연의 가치 실현'으로 보고, 인민의 직접 참여를 중요하게 여깁니다. 따라서 전자는 효율성, 책임성 등을 중시하면서 대표, 선거 등을 강조하는 한편 후자는 자치, 인민주권 등을 기반으로 한 구성원 상호간의 숙의와 참여를 강조합니다.

대의민주주의를 주장하는 슘페터나 샤츠슈나이더(Schattschneider)는 민주주의를 통치의 정당성을 획득하기 위한 수단으로 간주합니다. 따라서 민주주의는 자연스럽게 효율성, 책임성, 대표제 등에 초점을 맞추게 되며, 정치 지도자 즉, 대표가 정책결정 과정을 주도하는 것이 바람직하다고 봅니다. 샤츠슈나이더는 복잡한 현실세계에서는 대중이 통치에 관련된 충분한 지식을 갖추기 어렵기 때문에 대표가 필요하며, 따라서 인민의 자율적 참여보다는 대표의 선택이 더욱 중요하다고 말합니다. 슘페터 역시 대중은 자신의 일상과 관련된 일들에만 관심을 보이며, 정치적 사안을 다루어야 할 경우라도 그 행위능력이 현저하게 떨어지기 때문에 선출직 대표의 역할이 중요하다고 강조합니다.

이러한 이유로 인해 대의민주주의 시각에서 이상적인 민주주의는 정부 및 정당과 같은 정치제도와 이를 운영하는 선출직 대표를 통해 실현될 수 있습니다. 대의민주주의자들은 인민 대다수의 참여를 통해 주요 정책을 결정하는 것은 인민의 의지를 실행하는 것이 아니라 오히려 인민의 의지를 왜곡할 수 있다고 주장합니다. 따라서 이들은 직접민주주의자들이 주장하는 다수 인민의 참여에 의한 통치를 비현실적인 생각이라고 비판합니다. 결국 대의민주주의는 오랫동안 제도권을 중심으로 하는 공급자 혹은 엘리트 중심의 통치 방식을 주장해 왔으며, 수용자 중심의 자발적 참여는 점점 배제하게 되었습니다. 이에 반해 직접민주주의는 민주주의를 인간 본연의 삶의 양식으로 이해합니다. 직접민주주의는 근본적으로 치자와 피치자가 일치하는 '인민에 의한 지배'를 추구합니다. 따라서 직접민주주의 하의 개인은 공동체의 정책결정과정에 직접 참여할 수 있는 기회를 가지게 됩니다. 개인의 정책결정 참여는 공론장에서의 토론에서부터 출발하게 되는데, 생각이 다른 개인들이 숙의하고 논쟁을 벌이면서 상호관계를 맺게 되며 이러한 과정을 통해 정치적으로 평등한 시민으로서의 지위를 확인하게 됩니다.

바버(Barber)는 대의민주주의의 대표 기제가 오히려 통치의 정당성을 약화시킨다고 주장합니다. 대의민주주의 하에서 개인은 정치로부터 고립될 수밖에 없으며, 자신의 이익을 추구하는 사적 인간으로 간주되기 때문입니다. 따라서 그는 '대표'가 아닌 '참여'만이 정부를 통제할 수 있는 유일한 방법이라고 강조합니다. 개인의 직접 참여를 주장하는 학자들은 참여가 갖는 가치를 강조하고 있습니다. 참여는 자아실현뿐만 아니라 사회적 정체성 획득 그 자체이며, 실제 참여를 통해 참여자의 자기개발이 이루어진다고 주장합니다. 개인이 민주적인 의사결정 과정에 직접 참여하면서 사회적 일체감을 확대하고 공동체에 대한 충성심을 높이면서, 궁극적으로 정치체제의 정통성을 강화하는 효과를 가져 오게 됩니다. 이러한 점에서 볼 때 정부와 시민사이의 불신은 이들 상호간 의사소통의 수단이 되는 참여가 결여되어 있기 때문에 발생하게 됩니다.

블라우그(Blaug)는 대의민주주의와 직접민주주의 사이의 논쟁을 정치현실에 대한 점진적 진화의 노력과 급진적 변화에 대한 갈망 사이에 벌어지는 갈등으로 설명합니다. 대의민주주의자들은 현실정치를 개선하고 민주주의를 발전시키기 위해 정치적 대표들의 책임성을 높이는 방안을 찾고자 고민합니다. 반면, 직접민주주의자들은 시민의식을 고양하고 정치제도의 개혁을 강제할 수 있는 대중동원과 참여의 확산에 더 많은 열정을 쏟습니다. 이러한 대조적 시각을 블라우그는 현직자 민주주의(incumbent democracy)와 비판자 민주주의(critical democracy)로 구분하여 설명합니다. 현직자 민주주의는 대의제도를 중심으로 하며 유권자들의 지지에 의해 적자생존이 결정이 되는 시장 경제적 참여를 근간으로 합니다. 따라서 최근 민주주의 국가들이 겪고 있는 참여의 저하는 대표 중심의 의사결정의 질과 정통성을 훼손하는 문제를 낳는다고 합니다. 또한 이들은 참여의 부족을 해결하기 위해 국민들의 정치적 요구를 수렴하고, 단순화시키고, 합리화시킬 수 있는 정치제도를 개선하는데 고심하고 있습니다. 이들은 민주주의를 제도화되고 규칙의 지배를 받는 절차로 인식합니다. 여기서 참여는 투표행위를 말하며, 투표는 구성원들 간의 선호를 조정하고 이익 충돌을 해결하는 가장 근본적 제도입니다. 선출된 대표가 중심이 되어 통치를 하고 투표를 통해 공동체의 여론을 판단하는 현직자 민주주의는 정치과정의 효과성을 높이는 장점이 있습니다. 현직자 민주주의에서는 자원의 중앙집중적 통제가 가능하고, 강제적 법 적용을 통해 국민들에게 안정과 보호를 제공할 수 있으며, 이를 통해 경제성장의 열매를 맺게 한다는 논리전개가 가능합니다. 여기에서 민주주의의 심화 혹은 발전은 국민들의 이익이 제도를 통해 정확히 대표되는 것, 제도의 책임성을 강화는 것, 그리고 국민들이 생각하는 바를 정치적 대표가 보다 잘 이해하는 것을 의미합니다. 결과적으로 현직자 민주주의의 발전은 참여의 효과적 관리를 통해서 가능합니다.

한편 엘리트 지배에 저항하는 비판자 민주주의는 제도적 정치활동에서 배제된 약자집단의 참여와 권능(empowerment)을 강화하는데 주안점을 두고 있습니다. 현직자 민주주의에서 참여가 시장원리에 기초하고 있는데 반해 비판자 민주주의에서 참여는 광장(forum)을 기반으로 합니다. 광장에서의 참여는 협의적이고, 직접적이며, 발전적이고, 개인적인 참여를 전제로 합니다. 사회적 약자들의 목소리가 배제되거나 왜곡되지 않을 때 비로소 민주주의가 작동한다고 봅니다. 비판자 민주주의는 권위에 대해 회의적이며 시민 개개인의 지식과 합의능력을 높이 평가하고, 이를 통해 정치

체제의 정통성이 확보될 수 있다고 봅니다. 비판자 민주주의도 제도의 최소한의 필요성은 인정하지만 이는 참여자들에 의해 지배되고 통제되어야 한다고 믿습니다. 현직자 민주주의가 참여의 효과성은 제도를 통해서만 실현될 수 있다고 보는 반면, 비판자 민주주의는 구성원들이 공동의 관심사에 대해 집단적 지지를 보일 때 비로소 참여의 효과를 얻을 수 있다고 봅니다.

(2) 다양한 민주주의 모델

헨드릭스(Hendricks)는 현재 세계 각국에서 운용하고 있는 민주주의 방식은 크게 4개 모델, 즉 대의 민주주의 (representative democracy), 협의제 민주주의(consensus democracy), 유권자 민주주의(voter democracy), 그리고 참여/숙의 민주주의(participatory/deliberative democracy)로 구분하여 설명하고 있습니다.

이러한 민주주의 모델을 구분하는 기준은 두 가지입니다. 하나는 민주적 의사결정을 하는 방식이 집합적(aggregative)인가 아니면 통합적(integrative)인가의 차이입니다. 집합적 의사결정은 단순다수결 원칙에 의해 집합적 의사가 결정되는 방식입니다. 반면 통합적 의사결정은 단순히 다수의 의사를 집합의사로 결정하는 것이 아니라 구성원 간의 끊임없는 토의를 통해 최대한의 합의점을 찾아가는 방식을 의미합니다. 두 번째 기준은 의사결정의 권한을 누가 갖느냐에 따라 대표의 권한을 중시하는 간접 민주주의와 시민들의 직접적 결정을 선호하는 직접 민주주의로 구분됩니다. 이와 같이 의사결정의 방식과 의사결정의 주체에 따라 네 가지 민주주의 유형으로 구분할 수 있습니다.

〈표 2〉 민주주의 모델

의사결정방식 / 의사결정권한	집합적(aggregative) (단순다수제)	통합적(integrative) (합의적 의사결정)
간접(indirect) (대표 중심)	대의 민주주의 (representative democracy)	협의제 민주주의 (consensus democracy)
직접(direct) (시민 자치)	유권자 민주주의 (voter democracy)	참여/숙의 민주주의 (participatory/deliberative)

출처: Hendricks (2010, 27).

세계 각 국가들은 사회구조적 특성, 정치문화 그리고 정치제도에 따라 다른 민주주의 모델을 채택하고 있습니다. 민족과 언어 그리고 문화적 측면에서 사회적 동질성이 비교적 높은 영국과 미국의 경우 대의 민주주의 모델을 주로 채택하고 있습니다. 반면 언어와 민족의 이질성이 높은 벨기에와 네덜란드의 경우에는 의사결정에 있어 구성원들 간의 합의를 중요시하는 협의제 민주주의 모델을 채택하고 있습니다. 스위스와 미국 캘리포니아 주의 경우 시민들이 주요 정책 결정과정에 직접 참여하는 유권자 민주주의 모델을 자주 활용하고 있습니다. 한편 이스라엘의 생활공동체인 키부츠(Kibbutz)[5]와 브라질의 뽀르뚜 알레그레(Porto Alegre)[6]를 비롯한 여러 도시에서는 다양한 토의제도를 통해 시민들의 합의를 구현하는 참여/

5) 1909년 시오니즘 운동으로 시작된 이스라엘의 소규모 집단농업 공동체입니다. 키부츠의 구성원들은 사유재산을 갖지 않고 국유지에서 생산한 생산품을 공동으로 소유하고, 전체 수입 또한 키부츠 공동체에 귀속한 후 공평하게 나누어 생활한다는 점에서 사회주의적 특징을 지니고 있습니다. 가입·탈퇴가 자유로운 키부츠 공동체는 1970년 8만 5000명이 참가한 이후 230개의 부락을 형성하고 있습니다(박진근 2002, 574).

6) 스위스 다보스에서 개최되는 세계경제포럼(World Economic Forum)에 대항해 2001년 처음 세계사회포럼(World Social Forum)을 개최한 이래 여러 차례 회의를 개최하며 전 지구적 가치를 실현하고자 하는 대표적 도시로 발돋움 했습니다. 전 세계 각국의 다양한 전문가, 시민단체 등이 모여 아동인권, 환경보호, 경제적 불평등 해소 등을 주제로 세미나와 토론을 진행하고 대안을 모색하는 초국적 사회운동의 공간입니다(공석기 2007, 136-138).

숙의 민주주의 모델을 적극 활용하고 있습니다.

어떤 민주주의 모델을 선택할 것인가를 결정하기 위해서는 각 민주주의 모델과 시민들의 정치의식 사이의 친화성을 이해하는 것이 중요합니다. 앞서 지적한 바와 같이 각 민주주의 모델은 각기 다른 사회적 맥락과 정치문화에 근간을 두고 있습니다. 또한 각 민주주의 모델이 설정하고 있는 리더십의 유형과 시민의 역할 및 권한 역시 차이를 보입니다. 결국 한국사회에 적합한 민주주의 모델은 사회적 맥락, 정치문화, 그리고 시민의식에 의해 결정되어야 할 것입니다. 여기에서 주목할 사항은 리더십과 시민의 권리에 관한 시민들의 의식을 분석하고 그에 적합한 민주주의 모델이 무엇인가를 찾는 작업입니다. 집합적 민주주의 모델의 경우 시민들의 역할이 유권자(voter)에 맞춰져 있는 반면 통합적 모델에서는 시민들은 발언자(speaker)가 되기를 원합니다. 또한 간접 민주주의 모델에 적합한 시민의 역할은 구경꾼(spectator)인 반면 직접 민주주의에서는 시민들의 적극적 참여자(player)가 되기를 원합니다. 이를 뉴미디어 시대 시민의 특성과 연결해 살펴보면 '참여민주주의' 모델이 네트워크 사회에 적합한 민주주의 유형임을 알 수 있습니다. 디지털 네트워크의 확산과 함께 개인의 정치정보 습득 능력이 향상되고 정치효능감 또한 강화되면서 자기 표출적 욕구가 강해지게 됩니다. 시민성의 특성 역시 정치제도에 의존하는 의무적 시민보다는 정치적 의사를 적극적으로 표출하는 관여적 시민의 모습을 갖게 된다고 하였습니다. 결국 뉴미디어 사회의 시민은 제도에 의존하는 유권자이기보다는 스스로 표현하는 발언자가 되기를 원합니다. 또한 소셜 네트워크의 확산과 함께 제도 불신이 더 강해지면서 개인들은 정치제도에 의존하는 방관자이기보다는 적극적인 참여자가 되기를 원합니다. 따라서 뉴미디어 사회는 개인이 스스로 발언하고 참여하는 참여민주주의 모델과 높은 친화성을 갖고 있습니다.

〈표 3〉 시민성 유형

	유권자(voter)	발언자(speaker)
방관자(spectator)	유권자 / 방관자	방관자 / 발언자
참가자(player)	참가자 / 유권자	참가자 / 발언자

출처: Hendricks (2010, 33).

각 민주주의 모델마다 리더십의 유형 역시 달리 나타납니다. 대의민주주의 모델은 대표들이 직접 나서 문제를 해결해주는 검투사(gladiator)형 리더를 선호하는 반면, 협의제 민주주의에서의 리더의 역할은 상이한 집단과의 합의를 추구하면서 자신이 속한 집단을 이끌어 가는 섭정관(Regent)형 리더를 원합니다. 한편 유권자 민주주의 모델에서 리더는 타 집단과의 경쟁 속에서 자신이 속한 집단의 앞장 서 추구하는 주창자(advocate)로서의 역할을 해야 하며, 참여민주주의 모델에서는 구성원들 간의 의견의 차이를 조정하고 합의점을 찾도록 지원하는 지도자(coach)형의 리더를 선호합니다. 뉴미디어 사회의 시민은 대표에게 의존하기보다는 스스로 참여하고 발언하기를 원합니다. 따라서 리더십의 유형 또한 대표가 일방적으로 앞서가는 투사형보다는 구성원들과 함께하는 중재형이 바람직하며, 그 가운데서도 대표가 일방적으로 결정하는 주인공형 리더보다는 구성원들의 의견을 취합하고 조정하는데 주력하는 조력자형 리더가 더 적합하다 할 수 있습니다.

〈표 4〉 리더십 유형

	투사형(prizefighter)	중재형(bridge-builder)
주인공(protagonist)	검투사형(gladiator)	섭정관형(regent)
조력자(facilitator)	주창자형(advocate)	지도자형(coach)

출처: Hendricks (2010, 33).

3. 뉴미디어 시대의 민주주의

1) 거래비용과 순응비용

앞서 살펴본 바와 같이 뉴미디어 시대는 참여민주주의 모델과 높은 친화성을 갖고 있습니다. 뉴미디어 시대의 시민은 스스로 표현하는 발언자가 되기를 원하고 대표에게 의존하기보다는 스스로 참여하고 발언하고자 합니다. 뉴미디어 시대 시민들은 또한 일방적으로 앞서가는 투사형 리더보다는 구성원들과 함께하면서 자신들의 의견을 취합하고 조정하는 조력자형 리더를 선호합니다. 이러한 참여민주주의가 건강하게 작동하기 위해서는 정부부문에서는 정통성과 신뢰가 확보되어야 하고 시민부문에서는 사회자본이 축적되어야 합니다. 즉 정부의 정책결정에 대해 시민들이 그 정통성을 인정하여야 하며, 이를 통해 정치에 대한 신뢰를 쌓아 가야 합니다. 한편 시민사회에서 개인들 간의 상호호혜와 규범이 작동하는 사회자본이 구축될 때 민주주의가 건강하게 작동할 수 있습니다. 앞서 지적한 바와 같이 디지털 네트워크 진화에 따른 정치참여 환경의 변화로 인해 시민들의 참여욕구가 날로 증가하면서 대표 중심의 대의제적 의사결정 방식은 사회구성원들의 동의도 얻지 못 할뿐더러 정부의 정통성과 신뢰를 훼손하는 결과를 낳습니다.

민주주의 하에서 집합적 의사결정은 필연적으로 일정한 비용을 발생시키게 됩니다. 뷰캐넌(Buchanan)과 털럭(Tullock)은 집합적 의사결정 과정에서 소요되는 비용을 '거래비용'(transaction cost)과 '순응비용'(conformity cost)으로 구분하여 설명합니다. 거래비용은 집단 내에서 최종 의사결정을 도출하는 데까지 소요되는 비용을 의미하며, 순응비용은 최종적으로 결정된 정책에 대해 불만을 갖는 정치행위자들이 감수해야 하는 비용을 말합니다. 집합적 의사결정에서 거래비용을 최소화할 수 있는 방법은 다수결원칙에 입각하여 쟁점이 되고 있는 의제에 대한 토론 없이 단순 다수 또는 절대다수의 의사를 표결로 확인하는 것입니다. 이와는 반대로, 순응비용을 최소화할 수 있는 방법은 쟁점 의제에 대하여 만장일치의 합의가 이루어질 때까지 끊임없이 논의하는 것입니다. 하지만 이와 같이 거래비용과 순응비용을 최소화시키는 방법은 오늘날 민주주의 하에서는 생각하기 어려운 측면이 존재합니다. 첫째, 쟁점 안건에 대한 최소한의 토론도 없이 다수의 의사를 확인하는 것은 민주주의의 과정적 정의와 관련하여 심각한 문제가 제기될 수 있습니다. 왜냐하면 민주주의에서 다수결의 원칙이 편의적으로 사용될 경우 효율성은 향상될 수 있겠지만 다수의 횡포에 따른 민주성의 문제가 제기될 수 있기 때문입니다. 둘째, 쟁점 안건에 대해 만장일치의 합의가 이루어질 때까지 끊임없이 논의하는 것은 민주주의의 이상에 근접한 것이라고 생각할 수 있습니다. 만장일치 의사결정은 소수자의 권리를 최대한 보호함으로써 높은 수준의 민주적 대표성을 보장할 수 있기 때문입니다. 하지만 의사결정 참여자들 중 누구라도 끝까지 자신의 반대의사를 고수할 경우, 의사결정은 교착상태에 머물 수밖에 없기 때문에 효율성의 문제가 제기될 수 있습니다. 그리고 만장일치제는 의사결정에 있어서 다수의 의지가 소수의 의지에 의하여 발현되지 못하는 문제점을 양산할 수 있습니다. 따라서 현실에서의 집합적 의사결정은 거래비용과 순응비용에 대한 종합적인 고려 속에서 이루어지게 됩니다. 이때 집합적 의사결정은 거래비용과 순응비용의 조합 속에서 그 합계비용이 최소로 설정된 지점에서 이루어질 때 최적의 결과를 도출할 수 있습니다. 즉 집합적 의사결정은 거래비용을 최소화하려는 효율성의 논리와 순응비용을 최소화하려는 민주성의 논리가 적절히 조화를 구축하면서 집합적 합의를 이끌어낼 수 있을 때 이상적인 모습을 띠게 됩니다.

그렇다면 디지털 네트워크의 확산은 거래비용과 순응비용 사이의 조합을 찾는데 어떤 영향을 미칠까요? 소셜 네트워크 환경의 확산에 따라 시민의식은 의무적 시민에서 관여적 시민으로 변화하고 있습니다. 이러한 시민의식의 변화는 리더십에 대한 인식과 시민으로서의 역할과 권한에 대한 인식의 변화를 가져옵니다. 이미 우리 현실을 볼 때 정부의 일방적 요구와 명령에 의해 의제가 제기되고 정책이 결정되지 못할뿐더러 정부, 정치인, 언론 등 전통적인 중간매개자의 역할은 점차 약화되고 시민들 간의 직접적인 거래와 상호작용은 날로 증가하고 있습니다. 따라서 정부는 디지털 기술의 영향이 단순히 효율적인 정보전달과 정부서비스 개선에 그치지 않고, 시민 개개인의 행태, 지식 그리고 태도에까지 변화를 가져온다는 사실을 이해할 필요가 있습니다. 정부 주도의 일방적 통치를 억제하고 정책결정과정에 있어서 시민참여를 필수적으로 보장해야 합니다. 정책수행의 효율성 측면에서 볼 때도 정부의 일방적 의사결정은 오히려 비효율적 결과를 가져옵니다. 특히 정부와 정치에 대한 신뢰수준이 낮은 한국의 상황에서 일방적 통치는 기대한 성과를 거둘 수 없습니다. 정부와 시민은 이제 의사결정뿐만 아니라 의제설정에 있어서도 그 권한을 공유하여야 합니다. 특히 디지털 네트워크의 확산으로 인해 시민들의 참여욕구가 증가하면서 정부의 일방적 정책결정은 엄청난 순응비용을 초래하게 되었습니다.

2) 정치참여의 효과와 문제점

뉴미디어 시대의 시민은 대표에게 의존하기보다는 스스로 참여하고 발언하기를 원합니다. 그리고 무엇보다 민주주의 정치체제의 핵심은 '국민에 의한 통치'(government by the people)에 있습니다. 이를 위해서는 국민 개개인이 자유롭고 동등한 입장에서 정치과정에 참여하여 자신들의 의사를 표현할 수 있어야 합니다. 시민들의 정책결정 참여는 정책에 대한 이해를 높이고 정책을 둘러싼 사회 내 갈등을 완화하면서, 결과적으로 정책

집행의 효율성과 정부에 대한 지지를 높일 수 있는 긍정적 측면이 있습니다. 시민들이 정책결정 과정에 관여함으로써 정책에 대한 더 많은 정보를 접하고 합리적인 정책대안을 제시할 수 있으며, 정부 역시 다양한 의견을 수렴할 수 있는 기회를 갖게 됩니다. 또한 사회갈등을 야기할 소지가 높은 정책의 경우 결정과정의 전 단계부터 상반된 이해관계를 조정하고 합의점을 찾아가는 노력을 기울임으로써 정책결정의 정당성과 집행의 효율성을 높일 수도 있습니다.

시민참여에 의한 정책결정과정이 가져올 수 있는 효과로는 민주적 거버넌스 강화, 갈등해소와 사회통합, 정책의 질 향상, 그리고 사회역량의 강화 등으로 요약될 수 있습니다. 우선 공공정책 결정과정에 시민의 참여가 활성화됨으로써 정부의 민주성, 정통성 그리고 책임성의 강화를 가져올 수 있습니다. 둘째, 시민참여는 건강한 사회의 지표라 할 수 있는 사회자본(social capital)의 증진을 가져와 사회구성원 간의 신뢰와 협력을 높일 수 있습니다. 셋째, 시민들이 정책결정과정에 적극적으로 참여함으로 인해 시민들의 이익과 요구가 반영된 공공정책이 수립될 수 있으며, 이는 정책집행의 효율성을 높이고 정부역량을 강화하게 됩니다. 넷째, 시민참여의 과정을 통해 개인들의 정치의식과 정치사회화 수준이 높아지면서 공동체와 사회발전의 역량이 강화됩니다.

그렇지만 시민참여가 항상 긍정적인 측면만 있는 것은 아니며, 그에 따라 필수적으로 지불해야만 하는 비용도 존재합니다. 시민참여의 확대가 가져올 수 있는 부정적 영향 가운데 가장 많이 지적되는 부분은 정책결정의 효율성 저하입니다. 소수의 정부 관료와 전문가들만이 참여하는 정책결정 과정에 비해 다수의 시민들, 특히 다양한 이해관계를 가진 시민들이 합의하는 정책을 만들기 위해서는 참여자들의 시간과 노력이 요구됩니다. 이 경우 지루한 토의과정과 집단 간 갈등을 겪으면서도 사회적 합의를 이끌어내지 못하거나, 혹은 소수 엘리트에 의한 정책결정으로 결말지어질 수도 있습니다. 이러한 문제는 특히 대규모 공동체내 시민참여에서 발생될 가능성이 높습니다. 농촌의 부락과 소규모 공동체처럼 정책결정 참여자가 소수이고 동질적인 집단의 경우 구성원들이 참여하는 협력적 의사결정이 이루어질 가능성이 높으나, 대규모의 이질적 구성원을 가진 공동체에서는 상당 수준의 비용지불이 불가피합니다.

효율성의 저하와 함께 시민참여의 대표성 문제도 지적됩니다. 현실적으로 볼 때 시민들에게 정책결정 과정이 개방되어 있더라도 실질적으로 참여하는 시민은 극히 일부분에 불과합니다. 이 경우 참여자들이 전체 공동체의 이익을 정확하게 반영하기 어려운 대표성의 문제가 제기되며, 결과적으로 정책의 정당성이 훼손될 수 있습니다. 정책결정과정에 시민참여가 보장된다 하더라도 일상생활에 얽매여 있는 저소득집단의 경우 사실상 참여의 여유를 갖기 어렵습니다. 또한 시민참여가 공동체의 공익적 측면에서 진행되기보다는 정책내용과 직접적인 이해관계를 가진 특정 집단이 의사결정과정을 주도하게 되는 결과를 낳기 쉽습니다.

시민참여에 대한 또 다른 우려는 정부 정책결정의 정당성을 높이기 위한 수단으로 변질될 수 있다는 점입니다. 정부가 이미 결정을 내린 정책에 대해 의도적으로 제한된 정보만을 제공하면서 자신들이 의도한 방향으로 시민참여를 통제해 갈 가능성이 있습니다. 또한 정책의 결과에 대해 확신하기 어렵거나 사회적 저항을 유발할 수 있는 정책을 결정해야 할 때 정부가 책임을 회피하기 위한 수단으로 시민참여를 이용할 가능성도 있습니다. 이 경우 형식상으로는 시민들의 참여에 의한 민주적 정책결정이나 실상 시민들은 자신들의 요구는 전혀 실현하지 못한 채 정부 정책의 정당성을 높이는 수단으로 이용되는 것입니다. 한편 정책결정에 있어 시민참여가 증가할 경우 정책결정자들이 정책대안을 선택하는데 있어 정책 본래의 목적이나 공공 이익의 차원에서 결정하지 못하고 시민들의 의견을 수용하는 방향으로 선택하는 위험도 있습니다. 특정 집단이나 단체에 의해 참여가 동원되고 따라서 시민여론이 조작되거나 왜곡될 가능성 역시 배제할 수는 없습니다. 이럴 경우 자칫 플레비시트(plebiscite) 민주주의[7] 혹은 포퓰리즘의 위험에 처할 수 있습니다.

이상에서 살펴본 바와 같이 시민참여에 의한 정책결정이 정치적 교착상태를 해결하고 사회적 합의를 이끌어 낼 수 있는 긍정적 측면이 있으나, 한편으로는 시민다수의 의견이 아닌 소수 엘리트의 의도나 특정집단의 이익만을 보장하는 이기적 정책결정에 이용당하거나, 거꾸로 포퓰리즘에 빠질 수 있는 위험성도 존재합니다. 따라서 시민참여가 '국민에 의한 통치'라는 민주주의 정치체제의 본질에 부합되기 위해서는 참여의 대표성과 공공이익의 추구를 보장할 수 있는 정교한 제도적 장치가 갖추어져야만 합니다.

3) 뉴미디어 시대의 민주주의 모델

뉴미디어 시대의 민주주의 모델은 이러한 점들을 종합적으로 고려하여 결정하여야 합니다. 앞서 살펴 본 4가지 민주주의 모델은 이론적 이상형(ideal type)을 보여주는 일종의 순수 민주주의 모델(pure democracy model)입니다. 현실에서의 민주주의는 4가지 모델 가운데 하나 만이 적용되는 것이 아니라 상이한 형태의 민주주의 모델이 복합적으로 운용되는 혼합적 민주주의(mixed democracy)의 모습으로 나타납니다. 어떤 민주주의 모델을 혼합적으로 활용할 것인가 하는 문제는 적용되는 집단의 맥락적 특성과 정책의 성격에 따라 달리 결정될 것입니다. 즉 특정 이슈에

---

7) 플레비시트 민주주의는 국민이 국가의 의사결정에 직접적으로 참여하는 직접민주주의의 한 형태입니다. 헌법상 제도화 되어 있지 않기 때문에 법적 효과가 발생하지 않고 집권자들에 대한 국민의 의사를 듣거나 자문하는 성격을 가지고 있습니다. 예를 들어, 집권자에 대한 신임을 확인하는 국민투표가 이에 해당합니다(황도수 2010).

대한 사회적 합의를 찾을 필요가 있을 때, 그 정책이 적용되는 범위와 해당 정책의 성격에 따라 의사결정 방식이 달리 적용되어야 할 것이며, 그에 따라 정책결정과정에 참여하는 대표와 시민의 역할 및 권한도 다르게 나타날 것입니다.

사회 집단 내 혹은 집단 간 합의도출 및 의사결정 방식과 절차를 거버넌스라 정의한다면, 결국 뉴미디어 사회, 특히 소셜 네트워크 사회가 요구하는 사회적 합의방식은 단일 민주주의 모델 혹은 거버넌스 유형으로는 불가능할 것이며, 맥락에 따라 그리고 대상에 따라 다른 합의제도가 적용되는 융합 거버넌스 구축이 필연적으로 요구됩니다. 대의민주주의 하에서 집합적 의사결정 방식은 거래비용의 최소화 즉 의사결정의 효율성을 최우선 가치로 전제합니다. 한편 직접민주주의의 의사결정 과정에서는 모든 구성원의 불만을 최소화하는 민주성의 가치를 우선시 합니다. 디지털 네트워크 시대에 적합한 집합적 의사결정 모델은 효율성과 민주성 사이의 균형점을 찾는 것에 우선적 가치를 두어야 할 것입니다. 즉, 거래비용과 순응비용의 접점에서 집합적 의사결정이 이뤄질 때 공적 가치(public value)가 실현될 가능성이 가장 높다고 보는 것입니다. 다만 뉴미디어 사회의 정치와 시민의 특성을 고려할 때 순응비용이 증가할 가능성이 매우 높으며, 따라서 다소 거래비용이 증가하더라도 의사결정 과정에 있어 시민들의 참여와 협의를 중시하는 참여민주주의 모델이 결과적으로 의사결정 비용을 줄이는 결과를 가져올 것입니다. 이는 또한 건강한 민주주의 발전을 위해 필연적으로 요구되는 정부의 정통성과 제도신뢰를 높이는 방안이기도 합니다.

뉴미디어의 확산은 필연적으로 정치적 의사결정 과정의 변화를 가져옵니다. 산업사회에서의 정치적 의사결정은 정부와 엘리트들이 주도하는 통치(government)의 형태를 띠었습니다. 수직적 정치제도를 통해 소수의 정치 엘리트들이 정치적 의사결정을 주도하고 시민들은 정치적 소비자로 머무는 모양새입니다. 소수의 엘리트가 정치적 의사결정을 주도하다보니 거래비용은 줄어들지만 여론수렴이 제대로 되지 않은 결정사안에 대해 시민들이 저항하게 되면 정책집행 과정에서 순응비용이 과도하게 발생할 가능성이 높습니다. 과거의 새만금 사업이나 천성산 터널 공사, 밀양 송전탑 건설과 같은 사례가 이에 해당한다 할 수 있습니다. 한편 정부 홈페이지를 통해 사회 이슈에 대해 정보를 제공하고 시민 여론을 탐색하던 웹 1.0시대에는 여전히 정부가 주도적으로 정치적 의사결정을 주도하면서 시민들의 협력적 참여가 가능했습니다. 정부 홈페이지를 통해 정보를 공개하고 여론을 수렴하면서 과거에 비해 국정 효율성과 투명성은 높아졌지만 엘리트 중심의 정치적 불평등 현상은 여전히 남아있었습니다. 웹 2.0 시대는 소셜 네트워크를 활용한 시민참여가 일상화되는 시기를 말합니다. 이 시기 정치적 의사결정은 효율성과 투명성을 넘어서 시민의 적극적 참여와 조화를 중요시 합니다. 정치적 의사결정의 주체가 정부중심에서 시민중심으로 바뀌고 정부와 시민의 협력적 파트너쉽이 강조됩니다. 시민이 중심이 되는 협업적 의사결정 방식이 주를 이루고 정부는 조정자(coordinator)로서 역할하게 됩니다. 이러한 시민 중심적 거버넌스의 경우 참여 시민들 간에 협력과 조화가 잘 이뤄지지 않으면 집단적 갈등으로 인해 거래비용이 증폭되는 문제가 발생하기도 합니다.

〈표 5〉 뉴미디어 확산에 따른 정치적 의사결정 과정의 변화

구 분	산업사회	web 1.0 시대	web 2.0 시대
거버넌스 지향	대의민주주의: 책임성 (accountability)과 반응성 (responsiveness)	대의민주주의의 보완: 정치제도 중심의 참여 확산, 탑다운(top-down) 민주주의	참여민주주의: 시민참여 중심의 바텀업(bottom-up) 민주주의

		사이버 공간을 통한 정부의 정보제공, 이슈에 대한 시민들의 피드백 가능.	시민들의 적극적 참여를 통한 정부-시민 파트너십 형성.
거버넌스 양식	통치(government)	정부 중심적 거버넌스	시민 중심적 거버넌스
가치적 지향	안정과 질서	효율성과 투명성	참여와 조화
의사결정의 주체	정부와 대중(mass): 의사결정자로서 정부, 공공서비스의 소비자로서 대중	정부와 공중(public): 의사결정자로서 정부, 협력적 참여자로서 공중	정부와 다중(multitude): 의사결정자로서 다중, 의사결정 조정자(coordinator)로서 정부
정책결정 과정	제도화된 소수의 중앙집권적 의사결정	공중의 협력적 의사결정참여	다중의 협업적 의사결정(집단지성의 창출)
의사결정 네트워크	수직적 조직 네트워크	단일 허브(mono-hub) 네트워크	다 허브(multi-hub) 네트워크
문제점	정치적 무관심, 권위주의, 순응비용의 증가	얇은 민주주의, 엘리티즘(elitism), 정치적 불평등의 지속	집단적 광기 및 집단적 갈등으로 인한 거래비용의 증폭

뉴미디어의 확산과 이에 따른 시민의 변화는 정치과정과 나아가 민주주의 모델의 변화를 동인하고 있습니다. 노리스(Norris 2002)는 전통적인 산업사회 개념인 시민참여의 범위와 내용이 네트워크사회에서는 재해석되어야 한다고 주장합니다. 네트워크 정치참여는 기존 정치참여와는 전혀 다른 양상으로 전개될 수도 있습니다. 즉 네트워크 정치참여가 제도적 영역이 아닌 네트워크를 기반으로 하는 비제도적 영역을 중심으로 펼쳐지면서 대의민주주의의 대표체계와 이해표출체계를 완전히 허물어트리는 방식으로 나타나기도 합니다. 여기에서 시민은 정치과정의 소비자 혹은 반응적 시민의 역할에 그치지 않고 적극적 생산자로서 정치과정 자체를 주도

하고자 합니다. 이는 레비(Levy)가 주장한 집단지성(collective in-telligence)에 의한 참여방식과 맥을 같이 합니다. 산업사회 시민의 이상형이 합리적인 "생각하는 시민"이었다면 이제 네트워크사회의 시민은 "참여하는 시민" 그리고 감성적 시민으로 변모하고 있습니다. 네트워크사회에서 시민 개인은 노드(node)단위별로 파편화되고 고립적인 형태의 동원 대상에서 약한 연대의 링크로 이루어진 네트워크의 독립적인 참여시민으로 재구성됩니다. 이들 네트워크 내에서는 스스로의 의견을 자유롭게 표현하고 제언하는 능동적인 시민참여가 일상화되었습니다. 이러한 네트워크 시민참여의 특성을 약한 연대(weak ties)의 참여시민 또는 네트워크 개인주의(network individualism)로 설명할 수 있습니다. 이에 민주주의 제도도 엘리트 중심의 대표하는 제도 혹은 매개하는 제도(mediated in-stitution)에서 시민이 참여하는 제도, 대표와 시민을 연결하는 제도, 그리고 대표와 시민이 소통하는 제도로 전환될 필요가 있습니다.

[그림 2] 뉴미디어의 확산과 민주주의 제도의 변화

	대의민주주의		네트워크민주주의
행위자	-반응적 시민 -이성적 시민	→	-참여 시민 -감성 시민
구 조	-조직(중심) -지역 이념 갈등	→	-네트워크(탈중심) -생활 이슈 경쟁
제 도	-대표(representative)제도 -매개(mediated)제도	→	-참여하는(participatory) 제도 -연결하는(networking) 제도 -소통하는(communicative) 제도

4) 전환시대와 민주주의 개혁

선거는 민주주의의 꽃이라는 표현이 무색하리만큼 선거를 치를수록 우리 민주주의는 퇴보하고 있습니다. 무엇을 위한 선거인지 따져보지 않을 수 없습니다. 대의민주주의에서 선거는 국민주권의 원칙을 실현하는 본질적 제도입니다. 선거를 통해 선출된 대표에게 일정 기간 정치적 권력과 책임을 위임하나 주권재민(主權在民)의 원칙은 확고합니다. 자유롭고(free), 공정한(fair) 선거를 주기적으로(regular) 해야 하는 것은 민주주의의 기본가치인 '민중(demos)의 지배(kratos)'를 온전히 실천하기 위함입니다. 선거가 본연의 기능을 할 때 건강하고 아름다운 민주주의를 만들 수 있습니다. 그런데 선거가 과연 민주주의의 꽃으로 재생할 수 있을지 의심스럽습니다. 정책선거를 실현하고 선거제도와 문화를 개선하면 선거 본래의 기능을 회복하여 위기에 빠진 민주주의를 구할 수 있을지 의문입니다. 최근 전 세계적으로 지속되는 민주주의 위기 현상을 볼 때 긍정적인 답을 하기는 어렵습니다.

매년 전 세계 민주주의를 평가하는 프리덤 하우스(Freedom House)의 연말 보고서를 보면 2007년 이후 최근까지 한 해도 빼놓지 않고 민주주의의 지구적 위기를 지적하고 있습니다. 대의민주주의의 근간이 되는 국회와 정당에 대한 국민 불신 또한 세계적 현상입니다. 어느 나라 할 것 없이 국회와 정당을 신뢰하지 않는다는 국민이 70~80%에 달합니다. 우리 국민의 제도 불신은 더 심합니다. 세계가치조사(World Value Survey) Wave7(2017~2020)에 따르면 정당과 국회를 거의 혹은 전혀 신뢰하지 않는다는 응답이 각각 75.5%와 79.3%로 나타났습니다. 이 수치는 한국 조사를 시작한 Wave3 (1995~1998) 이래 거의 비슷하게 유지되고 있습니다. 대의제도에 대한 불신이 높아지는 것과 함께 비제도적 참여의 한 형태인 시위는 선진국에서 더 많이 발생하는 역설적 현상이 나타납니다. 과거 헌팅톤(Samuel Huntington)을 비롯한 정치발전 이론가들은 시위는 정치제도가 제대로 발전하지 못한 후진국에서 나타나는 정치적 혼란 양상이라고 했습니다. 그런데 세계가치조사 자료에 따르면 1970년대 중반 이후부터 정치적으로 안정되고 국민소득이 높은 국가일수록 시위 발생 횟수가 제3세계 국가보다 더 높습니다.

현재 우리가 겪고 있는 민주주의 위기 현상을 극복하기 위해서는 선거제도 개선이라는 표면적 치료를 넘어서 민주주의 제도 자체를 바꾸는 외과적 치료가 필요합니다. 4차 산업혁명은 기술과 산업뿐 아니라 우리 민주주의에도 본질적 변화를 요구하고 있습니다. "위기란 옛것은 죽어가고 새로운 것은 태어나지 않는다는 것이다. 이 공백 기간에 매우 다양한 병적 징후가 나타난다." 20세기 초 이탈리아의 정치인이자 철학자 안토니오 그람시가 쓴 『옥중수고』에 나오는 말입니다. 그람시의 이 어록은 21세기 민주주의의 위기를 설명하면서 자주 인용되고 있습니다. 4차 산업혁명 사회에 조응하는 어떤 민주주의를 할 것인가에 대한 질문에 답이 필요한 시점입니다.

라스웰(Lasswell)은 정치를 "누가 무엇을, 언제, 어떻게 갖느냐(Who gets what, when and how)"라고 정의합니다. 이스턴(David Easton)은 정치를 "사회적 가치의 권위적 배분"이라 정의하면서 민주적으로 위임된 공적 권력에 의한 가치 배분을 강조합니다. 선거는 사회적 가치의 권위적 배분을 집행할 대표를 선출하는 제도입니다. 정당과 후보는 누구의 이익을, 어떤 가치를 대표하겠다고 공약하면서 유권자의 표를 구해야 합니다. 200여 년 전 산업혁명과 함께 출발한 대중정당은 계급정당으로 출발했습니다. 산업혁명의 결과 대규모 노동자 집단이 출현하면서 자본과 노동의 갈등이 핵심적인 사회균열 구조로 자리 잡았습니다. 이에 노동자 이익을 대표하는 노동당 혹은 사회당이 결성되면서 부르조아 계급의 이익을 대표하는 보수 정당과 경쟁했습니다. 20세기 후반 후기산업사회에 본격적으로 진입하면서 사회균열 구조는 더욱 다층화되고 복잡해졌습니다. 사회균열 구조를 자본 대 노동의 계급 갈등으로 단순화하는 것이 불가능해졌습니다. 계급이 다층화되고 환경, 평화, 인권과 같은 탈물질적 가치가 중시되면서 기존의 계급정당이 대표하지 못하는 다양한 이익과 가치가 등장했습니다.

선출된 엘리트가 대중으로부터 권한을 위임받는 대의민주주의의 위계적 권력구조도 한계에 직면했습니다. 과거 소수 엘리트가 다수 대중을 지배하고 통제할 수 있었던 것은 정보의 독점과 그들 간의 촘촘한 네트워크 때문이었습니다. 하지만 4차 산업혁명이 만든 초연결사회(hyper-connected society)에서 정보와 네트워크는 이제 소수 엘리트의 전유물이 아닙니다. '엘리트(대표) 정치'는 이제 옛것이 되었습니다. 4차 산업혁명 사회에서는 생산양식뿐 아니라 경제, 사회, 문화, 정치 그리고 심지어 사람까지 산업사회와 다른 속성을 갖습니다. 산업사회의 표준화, 통일화, 집중화 등의 원리는 4차 산업혁명 사회에서는 다양화, 복잡화, 분산화 등으로 대체되었습니다. 개인의 선호가 획일화되었던 대중사회는 지나갔습니다. 대량생산의 시대가 마감되면서 대중 민주주의 또한 그 기능을 잃었습니다. 개인들은 다양한 생활양식을 추구하고 정치적 선호와 요구 또한 정치인들이 감당하기 힘들 만큼 복잡해졌습니다. 대중 민주주의는 대중 운동, 대중 정당, 대중 매체 등과 같은 대량 투입 시스템에 반응할 수 있게 디자인되었습니다. 따라서 파편화된 조각과 같은 다양한 정치적 요구에는 적절하게 대응하지 못합니다. 이 때문에 경제 수준이 높은 국가일수록 시위는 더 많이 발생합니다.

대의민주주의의 위기는 권력구조에 대한 패러다임 전환(paradigm shift)을 요구하고 있습니다. "이른바 '정상과학' 즉 많은 패러다임 중 가장 지배적인 패러다임 하나가 존재하다가, 그 패러다임으로 설명할 수 없는 것들이 많아지고, 그래서 기본 가정들이 도전을 받게 되면 기존의 정상과학에 위기가 찾아옵니다"(Thomas Khun, 『과학혁명의 구조』 1962). 4차 산업혁명의 확산과 함께 네트워크 개인(networked individual)이 주도하는 광장정치의 영향력은 더욱 커졌습니다. 광장정치는 권위주의 권력을 타도했을 뿐 아니라 권력을 사유화한 민주적 권력도 탄핵했습니다. 제도정치가 광장을 지배하고 통제하는 것은 현실적으로 불가능할 뿐 아니라 4차 산업혁명 사회의 시대정신에도 맞지 않습니다. 그렇지만 광장정치가 제도정치를 대체할 수는 없습니다. 적어도 현시점에서는 그렇습니다. 결국 수명을 다한 옛것(대의민주주의)을 대체할 새것은 제도정치와 광장정치가 융합된 모습이어야 할 것입니다. 4차 산업혁명 사회에서 작동 가능한 융합 민주주의(hybrid democracy)는 엘리트 중심의 위계적 권력구조를 수평적 권력구조로 전환하는 것에서 출발해야 합니다. 그러자면 대의제도에 집중된 권력, 그리고 제도 내부의 위계적 권력을 분산하는 개혁이 필요합니다.

민주화 이후 모든 정부가 정치개혁을 시도했지만 별다른 성과가 없었던 것은 권력구조의 패러다임 변화를 인정하지 않았기 때문입니다. 권력분산의 기본 원칙은 엘리트에서 시민으로의 권력 이동이어야 합니다. 다양하고 복잡한 4차 산업혁명 사회에서 소수의 엘리트가 대표하는 '국민을 위한' 정치는 구조적으로 불가능합니다. 융합 민주주의는 '국민에 의한' 정치를 원칙으로 해야 합니다. 국민을 위한 정치가 결과를 중시했다면, 국민에 의한 정치는 과정과 절차를 더 중시합니다. 비록 엘리트 통치보다 못한 결과를 얻더라도 정보사회의 시민은 자기 결정권과 자기 지배권을 더 중요시합니다. 주민자치회, 주민참여예산제도, 공론화위원회 등과 같은 시민 참여제도가 실질적인 '국민에 의한 정치'가 될 수 있도록 제도개혁이 필요합니다. 시민 권력을 실체화하기 위해서는 무엇보다 '소극적 시민'에서 벗어나 '적극적 시민'으로 변화해야 합니다. 소극적 시민은 '정치란 본래 엘리트의 사무이며, 대중은 엘리트를 감시하고 비판하는 역할'을 한다고 인식합니다. 반면 적극적 시민은 아젠다 설정과 정책 결정 과정에서 자신들의 목소리를 내고 사회적 합의를 주도하는 시민입니다. Post-Democracy 저자 크라우치(Colin Crouch)는 "너무나 많은 시민들이 조작되고, 수동적이며 공공 사안에 거의 참여하지 않는 축소된 역할만을 하고 있다"고 걱정합니다.

권력 분산의 두 번째 원칙은 중앙에서 지방으로의 권력 이동입니다. 모든 권력이 최정점에 집중되는 '소용돌이의 정치'를 제거해야 합니다. 지역 균형발전이 관공서나 공기업 이전에 그쳐서는 안 됩니다. 입법, 행정, 재정 등에 있어 중앙정부의 권한을 지방자치단체로 이양해야 합니다. 중앙정부의 업무를 지방정부가 대신 제공하는 권력 위임만으로는 부족합니다. 지방정부가 독립적으로 법을 만들고, 재원을 징수하고, 행정 업무를 집행할 수 있는 권력 이양의 범위를 대폭 확대해야 합니다. 중앙에 집중된 정당 권력 또한 지역정당으로 이양해 다양하고 복잡한 유권자의 이익을 대표할 수 있는 구조로 바뀌어야 합니다.

권력 분산의 세 번째 원칙은 제도 내부 권력의 분산과 민주화입니다. 무엇보다 거대 양당에 의한 국회와 정당 권력의 카르텔을 해체해야 합니다. 이런저런 장점에도 불구하고 현재의 양당 체제는 진영정치와 정치 양극화의 주범입니다. 준연동형 비례대표제와 위성 정당과 같은 꼼수를 타파하고 국회 권력을 분산하는 실질적 비례대표제를 도입해야 합니다. 권력 집중의 문제가 가장 심각한 것은 정당입니다. 대의민주주의는 정당을 중심으로 작동합니다. 정당이 민주적으로 운영되지 않으면 대의민주주의는 실패할 수밖에 없습니다. 우리 정당의 권력은 철저하게 보스 일인에게 집중되어 있습니다. 보스 독재정치를 가능하게 만든 원흉은 공천제도입니다.

한국 정치의 고질병 가운데 하나인 인물 정치, 패거리 정치, 진영정치 모두가 일인 독재 공천에서 비롯되었습니다.

우리는 거대한 사회변동의 전환 시대를 살아가고 있습니다. 인류 역사는 수렵사회, 농경사회, 산업사회를 거쳐 이제 정보사회의 시대로 전환하고 있습니다. 전환 시대마다 기축 재화, 산업구조, 생활양식, 개인 인식 등 모든 면에서 거대한 변화가 일어납니다. 정치와 민주주의 역시 전환 시대의 변화에서 예외일 수 없습니다. 현재 우리가 그리고 전 세계가 겪고 있는 위기의 근원은 전환 시대라는 구조적 변화에 있습니다. 수명을 다한 옛것을 버리고 전환 시대에 맞는 새것을 찾을 때 비로소 위기 탈출의 희망을 볼 수 있습니다.

참 / 고 / 문 / 헌

가상준. 2010. “한국 공공분쟁 특성에 대한 경험적 분석: 공공분쟁의 강도와 기간을 중심으로”. 『평화연구』. 18권 1호, 27-51.

강명세. 2001. “지역주의는 언제 시작되었는가: 역대 대통령 선거를 기반으로”. 『한국과 국제정치』. 17집 2호, 127-158.

강원택. 2009. “한국 정당 연구에 대한 비판적 검토; 정당 조직 유형을 중심으로”. 『한국정당학회보』. 8권 2호, 119-141.

_____. 2007. 『인터넷과 한국 정치: 정당정치에 대한 도전과 변화』. 서울: 집문당.

_____. 2004. “남남갈등의 이념적 특성에 대한 경험적 분석”. 경남대극동문제연구소 편. 『남남 갈등 진단 및 해소방안』. 55-97. 서울: 경남대 극동문제연구소.

_____. 2003a. “2002년 대통령선거와 지역주의”. 한국정치학회 2003년도 춘계학술회의. 서울. 3월.

_____. 2003b. 『한국의 선거정치: 이념, 지역, 세대와 미디어』. 서울: 푸른길.

_____. 2000. “지역주의 투표와 합리적 선택”. 『한국정치학회보』. 34(2), 51-67.

강정인. 1997. 『참여민주주의와 한국 사회』. 서울: 창작과 비평사.

강준만. 2009. 『한국현대사산책 2』. 서울: 인물과사상사.

_____. 2002. 『한국현대사산책 3』. 서울: 인물과사상사.

강홍렬. 2009. 『디지털컨버전스와 경제산업의 미래』. 서울: 정보통신정책연구원.

고영복. 2000. 『사회학 사전』. 서울: 사회문화연구소.

고흥화. 1989. 『자료로 엮은 한국인의 지역감정』. 서울: 성원사.

공석기. 2007. “지구민주주의와 초국적 사회운동: 세계사회포럼(World Social

Forum) 사례를 중심으로". 『한국사회학회 사회학대회 논문집』, 563-580. 서울: 한국사회학회.
권기덕 · 최병삼 · 이성호. 2007. "웹 2.0이 주도하는 사회와 기업의 변화". 삼성경제연구소 편. 『CEO Information』. 서울: 삼성경제연구소.
김강민. 2006. "웹 2.0과 소셜 네트워크". 『인터넷 이슈리포트』. 서울: 한국인터넷진흥원.
김경미. 2007. "미디어, 감정, 그리고 시민참여: 인터넷 시대의 시민모델에 대한 함의를 중심으로". 전기 사회학 대회. 서울. 6월.
김대환. 1997. "참여의 철학과 민주주의". 참여사회연구소 발표. 서울. 10월.
김도종. 2000. "16대 총선과정에서 나타난 정치개혁운동에 대한 평가: 총선시민연대의 낙천, 낙선운동을 중심으로". 『민주시민교육논총』. 5집, 73-90.
김만흠. 1991. "한국의 정치균열에 관한 연구". 서울대학교 박사학위논문.
_____. 1987. 『한국사회 지역갈등 연구: 영 · 호남지방을 중심으로』. 서울: 현대사회연구소.
김무경 · 이갑윤. 2005. "한국인의 이념정향과 갈등". 『사회과학연구』. 13집 2호, 6-32.
김문조. 1993. "지역주의의 형성과정과 특성". 임희섭 · 박길성 편. 『오늘의 한국사회』. 서울: 사회비평사.
김상배. 2008. "네트워크 권력의 세계정치: 전통적인 국제정치 권력이론을 넘어서". 『한국정치학회보』. 42권 4호, 397-408.
김상봉. 2004. "민족과 서로주체성". 『시민과 세계』. 5호, 42-64.
김선혁 · 김병국 · 제고르즈 에키트 · 정원칠. 2006. "민주화와 시민사회의 대정부 항의: 비통상적 시민참여와 거버넌스". 『한국행정연구』. 15권 3호, 249-270.
김성태 · 이영환. 2006. "인터넷을 통한 새로운 의제 설정 모델의 적용: 의제 파급(Agenda-Rippling)과 역의제 설정(Reversed Agenda-Setting)을 중심으로". 『한국언론학보』. 50권 3호, 175-204.
김수진. 2008a. 『한국 민주주의와 정당 정치』. 서울: 백산서당.
_____. 2008b. "촛불집회와 정당정치 그리고 대의민주주의". 경향신문 주

최 촛불집회와 한국민주주의 긴급시국대토론회. 서울. 6월.
김범준. 2002. "사회적 범주화가 지역감정형성에 미치는 영향". 『한국심리학회지』. 16권 1호, 1-17.
김영명. 2006. 『한국의 정치변동』. 서울: 을유문화사.
김용신. 2009. 『보수와 진보의 정신분석』. 서울: 살림.
김용철. 2010. "네트워크 사회와 정부-시민 관계". 『OUGHTOPIA』. 25권 2호, 103-131.
김용학. 1990. "엘리트충원에 있어서의 지역격차". 한국사회학회 편. 『한국의 지역주의와 지역갈등』, 265-296. 서울: 성원사.
김원식. 2002. "한국 사회의 진보와 민주주의의 발전". 『사회와 철학』. 4호, 51-78.
김의영. 2005. "결사체 민주주의에 대한 소고". 『한국정치학회보』. 39집 3호, 433-455.
김주찬 · 윤성이. 2003. "2002년 대통령선거에서 이념성향이 투표에 미친 영향". 『21세기정치학회보』. 13집 2호, 87-103.
김진국. 1988. "지역감정의 실상과 그 해소방안". 한국심리학회 편. 『심리학에서 본 지역감정』. 서울: 성원사.
김형준. 2010. "선거제도개혁과 시민참여". 박재창 편. 『한국 민주주의와 시민사회』. 서울: 아르케.
김혜숙. 1988. "지역 간 고정관념과 편견의 실상: 세대간 전이가 존재하는가?". 한국심리학회 편. 『심리학에서 본 지역감정』. 서울: 성원사.
류석진 · 이현우 · 이원태. 2005. "인터넷의 정치적 이용과 정치참여: 제17대 총선에서 대학생 집단의 매체 이용과 투표참여를 중심으로". 『국가전략』. 11권 3호, 141-169.
마케팅사관학교 · 김영한. 2007. 『You! UCC(세상을 바꾸는 창조세대와 UCC 기업 성공 전략)』. 서울: 랜덤하우스코리아.
무페 저 · 이보경 역. 2007. 『정치적인 것의 귀환』 서울: 후마니타스.
문용직. 1992. "한국의 정당과 지역주의". 『한국과 국제정치』. 8권 1호, 1-18.
문우진. 2009. "지역주의와 이념성향". 『한국정당학회보』. 8권 1호, 87-113.
_____. 2007. "대의민주주의의 최적화 문제와 헌법 설계: 정치거래 이론

과 적용”. 『한국정치학회보』. 41집 3호, 5-31.
민주화운동기념사업회. 2008. 『1987년 6월항쟁 사료집』. 서울: 민주화운동기념사업회.
민주화운동기념사업회연구소. 2010. 『한국민주화운동사 3』. 파주: 돌베개.
박군석 · 한덕웅. 2003. “영 · 호남인의 사회구조요인지각과 사회정체성이 상대적 박탈과 집합 전략에 미치는 영향”. 『한국심리학회지: 사회 및 성격』. 17권 2호, 59-72.
박세길. 1992. 『다시쓰는 한국현대사 3』. 파주: 돌베개.
박재창. 2007. “협력적 거버넌스의 구축과 NGO의 정책과정 참여: 참여정부를 중심으로”. 『한국정책과학학회보』. 11권 2호, 221-250.
박재흥. 2005. 『한국의 세대문제』. 서울: 나남.
박준 · 김용기 · 이동원 · 김선빈. 2009. “한국의 사회갈등과 경제적 비용”. 『CEO Information』. 서울: 삼성경제연구소.
박진근. 2002. “키부츠”. 박진근 저. 『경제학대사전』. 서울: 누리미디어.
새천년민주당. 2003. 『16대 대통령선거 백서』. 서울: 새천년민주당.
서중석. 2011. 『6월 항쟁』. 파주: 돌베개.
손호철. 1996. “‘수평적 정권교체,’ 한국정치의 대안인가?”. 『정치비평』. 창간호, 131-169.
송호근. 2005. 『한국, 어떤 미래를 선택할 것인가』. 서울: 21세기북스.
_____. 2003. 『한국, 무슨 일이 일어나고 있나: 세대, 그 갈등과 조화의 미학』. 서울: 삼성경제연구소.
송효진 · 고경민. 2013. “SNS 정보서비스의 질, 정치적 효능감, 그리고 정치참여의 촉진”. 『한국정당학회보』. 12권 1호, 175-216.
안부근. 2003. “지지도 변화와 투표결과”. 『16대 대선의 선거과정과 의의』. 서울대학교 한국정치연구소 세미나. 서울: 1월.
안철현. 2009. 『한국현대정치사』. 서울: 새로운 사람들.
_____. 2012. “대중정당론과 원내정당론 논쟁에 대한 비판적 고찰”. 『사회과학연구』. 28집 4호, 117-133.
이규정. 2013. “정치의 미디어화와 정부” 『한국정치학회보』 47권 5호, 169-189.
이재민. 2009. “사회운동 주기와 연대형성에서 프레임의 역할: 고속철도 천성산 구간 관통반대운동을 중심으로". 한국사회학회 사회학대회, 6월. 1055-1071.
이태규. 2006『영화산업의 구조변화와 스크린쿼터의 유효성』. 서울: 한국경제연구원.
앤서니 기든스 저 · 한상진 외 역. 2014.『제3의 길』. 서울: 책과 함께.
앤서니 기든스 저 · 권기돈 역. 1997.『현대성과 자아정체성』. 서울: 새물결.
역사비평편집위원회. 2009.『논쟁으로 읽는 한국사 2』. 서울: 역사비평사.
역사학연구소. 2004.『함께보는 한국 근현대사』. 서울: 서해문집.
울리히 벡 외 저 · 이승협 역. 1996.『세계화 이후의 민주주의』. 서울: 평사리.
유경순. 2007. "서울노동운동연합의 성과와 한계".『기억과 전망』. 17호, 311-346.
윤광일. 2013. "지역주의와 제18대 대선".『분쟁해결연구』. 11권 1호, 99-131.
윤성이. 2006. "한국사회 이념갈등의 실체와 변화".『국가전략』. 12권 4호, 163-182.
_____. 1999. "사회운동론의 관점에서 본 한국 권위주의체제 변동: 정치기회구조 개념을 중심으로".『한국정치학회보』. 32집 4호, 111-128.
윤성이 · 이민규. 2014. "한국사회 이념갈등의 세대 간 특성비교: 주관적 이념 결정요인과 이념표상의 차이를 중심으로".『21세기정치학회보』. 24집 3호, 271-292.
월간중앙편집부. 1990.『80년대 한국사회 대논쟁집』. 서울: 중앙일보사.
이갑윤. 2002. "지역주의의 정치적 정향과 태도".『한국과 국제정치』. 18권 2호, 155-178.
_____. 1998.『한국의 선거와 지역주의』. 서울: 오름
이극찬. 2013.『정치학: 제6전정판』. 서울: 법문사.
이남영. 1998.『한국의 선거 2: 제15대 대통령 선거를 중심으로』. 서울: 푸른길
이소영 · 정철희. 2003. "전통적 가치와 지역감정".『한국사회학』. 37권 5호, 31-54.

이연호. 2002. “김대중 정부와 비정부조직 간의 관계에 관한 연구”. 『한국정치학회보』. 35집 4호, 147-164.
이우정. 1999. “지역갈등의 심화와 정치구조의 개편방안”. 『한국동북아논총』. 11권, 179-206.
이재열 · 안정옥 · 송호근. 2007. “네트워크 사회의 가능성과 도전”. 『네트워크 사회의 구조와 쟁점』. 서울: 서울대학교 출판부.
이주하. 2010. “‘민주화 이후의 민주주의’와 공공성”. 『행정논총』. 48권 2호, 145-168.
이현지. 2003. “국민의 정치의식: 정치적 이념의 형성과 가치변화: 16대 대선에 나타난 ‘비동시성의 동시성’의 문제를 중심으로”. 『동아시아연구』. 7호, 125-148.
일송정 편집부. 1990. 『학생운동 논쟁사』. 서울: 일송정.
임혁백. 2005. 『IT와 공공 거버넌스의 새로운 패러다임』. 서울: 정보통신정책연구원.
_____. 1994. 『시장 · 국가 · 민주주의』. 서울: 나남.
장덕진 · 김기훈. 2011. “한국인 트위터 네트워크의 구조와 동학”. 『언론정보연구』. 48권 1호, 59-86.
정보통신정책연구원. 2009. 『디지털시대 사회통합을 위한 시민의식 제고방안』. 서울: 정보통신정책연구원.
정상호. 2011. 『한국민주주의의 제도화』. 서울: 모티브북.
정성헌. 2009. 『조직된 재야의 등장: 가능과 기능』. 서울: 민주화운동기념사업회.
정성호. 2006. 『20대의 정체성』. 서울: 살림.
장승권 · 최종인 · 홍길표. 2005. 『디지털 권력: 디지털기술, 조직 그리고 권력』. 서울: 삼성경제연구소.
장우영. 2012. “트위터 액티비스트 연결망 특성과 이슈파급 영향력: 19대 총선을 사례로”. 『비교민주주의 연구』. 8권 2호, 5-36.
_____. 2011. “소셜네트워크와 선거캠페인: 2011년 서울시장 재보궐선거를 중심으로”. IT정치연구회 월례발표회. 서울. 11월.
정진위. 2013. 『1980년대 학생민주화운동』. 서울: 연세대학교대학출판문화원.

정진민. 2004. “제14장 탈산업사회와 정당정치의 변화”. 심지연 편. 『현대 정당정치의 이해』. 379-404. 백산서당.

장후석. 2012. “현안과 과제: 분노하는 2040, 그러나 희망이 보인다: 2040의 정치 및 경제인식조사”. 『이슈리포트』. 1권, 1-18.

장 훈. 2003. “카르텔 정당체제의 형성과 발전: 민주화 이후 한국의 경우”. 『한국과 국제정치』. 19권 4호, 31-59.

조기숙. 1996. 『합리적 선택: 한국의 선거와 유권자』. 서울: 한울 아카데미

_____. 2000. 『지역주의 선거와 합리적 유권자』. 서울: 나남

조대엽. 2014. “생활정치 패러다임과 공공성의 재구성”. 『현상과 인식』. 38(4), 131-155.

조찬래. 2001. “동서갈등과 지역주의”. 전남대학교 세계한상문화연구단 국내학술회의. 광주. 5월.

조효제 · 박은홍. 2008. 『동아시아의 인권: 시민사회의 시각』. 서울: 아르케.

조희정. 2009. “네트워크 사회의 건거운동 전략에 관한 연구: 2008년 미국 대통령선거를 중심으로”. 『국가전략』. 15권 2호, 89-121.

좌세준. 2011. “이명박 정부 시기 비영리민간단체 지원 정책의 변화”. 『시민과 세계』. 19호, 223-236.

주성수. 2008. “민주적 거버넌스와 시민사회: 시민사회 파트너십을 중심으로”. 『시민사회와 NGO』. 6권 1호, 5-33.

최민재 · 이홍천 · 김위근. 2012. “소셜네트워크서비스 이용이 정치적 의사결정에 미치는 영향: 2011년 10·26 서울특별시장 보궐선거 사례”. 『언론과학연구』. 12권 2호, 502-533.

최상진. 1990. “사회적 표상이론에 대한 한 고찰”. 『한국심리학회지』. 9집 1호, 74-86.

최영진. 2001. “제16대 총선과 한국 지역주의 성격”. 『한국정치학회보』. 35집 2호, 149-165.

_____. 1999. “한국 지역주의 논의의 재검토”. 『한국정치학회보』. 32권 2호, 135-155.

최원규. 1991. 『경제개발의 격차와 지역감정』. 서울: 학민사.

최장집. 2008. “촛불집회가 할 수 있는 것과 할 수 없는 것”. 경향신문 주최 촛불집회와 한국민주주의 긴급시국대토론회. 서울: 6월.
______. 2005. 『민주화 이후의 민주주의: 한국민주주의의 보수적 기원과 위기』. 서울: 후마니타스.
______. 1996. “지역문제와 국민통합”. 최협 편. 『호남사회의 이해』, 143-178. 서울: 풀빛.
______. 1993. 『한국민주주의이론』. 서울: 한길사
______. 1991. “지역감정의 지배이데올로기적 기능”. 김종철 · 최장집 편, 『지역감정연구』. 서울: 학민사
최준영 · 김순흥. 2000. “지역간 거리감을 통해서 본 지역주의의 실상과 문제점”. 『사회연구』. 창간호, 65-96.
최필선 · 민인식. 2015. “한국의 세대 간 사회계층 이동성에 관한 연구”. 제10회 한국교육고용패널 학술대회. 서울. 2월.
하승우. 2008. “촛불집회와 진보정당의 과제”. 진보신당 · 경향신문 공동주최 제2차 긴급시국대토론회 발표집. 서울. 6월.
한국기독교사회연구원. 1986. 『한국의 사회정의 지표』. 서울: 한국기독교사회연구원.
한국사사전편찬회. 2004. 『광주민주화운동』. 서울: 가람.
______. 2005. 『한국근현대사사전』. 서울: 가람.
한국역사연구회. 1991. 『한국현대사 4』. 서울: 풀빛.
한국인터넷진흥원. 2008. 『2008년 인터넷이용실태조사 보고서』. 서울: 인터넷진흥원.
______. 2007. 『UCC 이용실태조사』. 서울: 인터넷진흥원.
______. 2006. 『웹 2.0시대의 네티즌 인터넷 이용현황』. 서울: 인터넷진흥원.
______. 2003. 『인터넷 사용자 수 및 이용행태 조사』. 서울: 인터넷진흥원.
홍석만. 2000. “사건속의 논쟁: 통한으 서울역 회군과 야비 - 전망논쟁”. 『사회진보연대』. 10월호.
홍윤기. 2002. “민주적 공론장에서의 담론적 실천으로서 ‘진보-보수-관계’의 작동과 그 한국적 상황”. 사회와 철학연구회 편. 『진보와 보수』. 서울: 이학사.

황도수. 2010. “헌법 제72조 국민투표의 법적성격: 레퍼렌덤과 플레비시트의 구분”. 『세계헌법연구』. 16권 2호, 571-598.
황아란. 2009a. “정치세대와 이념성향: 민주화성취세대를 중심으로”. 『국가전략』. 15권 2호, 123-151.
_____. 2009b. “한국 정치세대의 이념적 특성과 정치행태”. 『한국과 국제정치』. 25권 3호, 191-217.

Almond, Gabriel. 1960. “A Functional Approach to Comparative Politics.” In *The Politics of the Developing Areas,* edited by Gabriel Almond & James S. Coleman, 26-58. New Jersey: Princeton University Press.
Almond, Gabriel and Bingham jr. Powell. 2011. *Comparative Politics Today: A World View.* New York: Pearson Longman.
Arendt, Hannah, 1973. *The Origins of Totalitarianism.* San Diego: Harcourt Brace.
Barber, Benjamin. 1998. *A Place for Us: How to Make Society Civil and Democracy Strong.* New York: Hill and Wang.
_____ . 1984. *Strong democracy: Participatory politics for a new age.* Berkeley: University of California Press.
Beck, Ulrich. 2005. *Power in the global age: A new global political economy.* Cambridge: Polity Press.
_____. 저 · 문순홍 역. 1998. 『정치의 재발견』. 서울: 거름.
Blaug, Richardo. 2002. “Engineering Democracy.” *Political Studies* 50(1): 102-116.
Boaz, D. 1997. *The Libertarian Reader.* New York: Free press.
Bowler, S., T. Donovan, and J. A. Karp. 2007. “Enraged or engaged? Preferences for direct citizen participation in affluent democracies.” *Political Research Quarterly* 60(3): 351-362.
Buchanan, James M. and Gordon Tullock. 1962. *The Calculus of*

Consent: Logical Foundation of Constitutional Democracy. Ann Arbor: The University of Michigan Press.

Castells, Manuel. 2008. "The new public sphere: Global civil society, communication networks, and global governance." *The ANNALS of the American Academy of Political and Social Science* 616(1): 78-93.

_____. 2000. "Materials for an exploratory theory of the network society." *The British journal of sociology* 51(1): 5-24.

Coglianese, Cary. 2004. "Internet and Citizen Participation in Rulemaking." *I/S: A Journal of Law & Policy* 1(1): 33-58.

_____. 1997. "Assessing consensus: The promise and performance of negotiated Rulemaking." *Duke Law Journal* 46(6): 1255-1349.

Cohen, Joshua. 1991. "Deliberation and Democratic Legitimacy." In *The Good Polity: Normative Analysis of the State,* edited by A. Hamlin and P. Pettit. Oxford: Basil Blackwell.

Cohen, Joshua and A. Arato. 1992. *Civil society and political theory.* Cambridge, Mass.: MIT Press.

Curry, Nigel. 2001. "Community participation and rural policy: Representativeness in the development of millennium greens." *Journal of Environmental Planning and Manage- ment* 44(4): 561 - 576.

Dahl, Robert. 1999. "Can international organizations be democratic? A skeptic's view." In *Democracy's Edges,* edited by Ian Shapiro and C. Hacker-Cordón, 19-36. New York: Cambridge University Press.

Dalton, Russell J. 2009. *The Good Citizen.* Irvine: University of California.

_____. 2006. *Citizen Politics: Public opinion and political parties in advanced industrial democracies.* Washington:

CQ Press.

_____. 1996. *Citizen Politics: Public Opinion and Political Parties in Advanced Industrial Democracies.* Chatham, NJ: Chatham House.

Duverger, Maurice. 1963. *Political Parties: Their Organization and Activity in the Modern state.* New York: John Wiley and Sons Inc.

Edwards, Michael. 2004. *Civil society.* Cambridge: Polity Press.

Fishkin, J. S. 1992. *The Dialogue of Justice: toward a Self-Reflective Society.* New Haven, CT: Yale University Press.

Foweraker, Joe. 1989. *Making Democracy in Spain: Grass-Roots Struggle in the South, 1955-1975.* Cambridge: Cambridge University Press.

Goodwin, Jeff, James M. Jasper, and F. Poletta. 2001. *Passionate Politics: Emotions and social movements.* Chicago: University of Chicago.

Graham, J., J. Haidt, and B. A. Nosek. 2009. "Liberals and conservatives rely on different sets of moral foundations." *Journal of Personality and Social Psychology* 96(5): 1029-1046.

Green, Donald P. and Shapiro, Ian. 1994. *Retrospective Voting in American National Elections.* New Heaven: Yale University Press

Gurr, Ted R. 1968. A Causal Model of Civil Strife: A Comparative Analysis Using New Indices. *American Political Science Review* 62: 104-124.

Habermas, Jürgen. 1989. *The Structural Transformation of the Public Sphere.* Boston: MIT Press.

_____ . 1987. *The theory of communicative action: Lifeworld and system: A critique of functionalist reason(Vol. 2).*

Boston: Beacon.
_____. 1981. “New Social Movements.” *Telos* 29: 33-37.
Haidt, Jonathan. 2008. “Morality.” *Perspectives on Psychological Science* 3(1): 65-72.
Hendricks, Frank. 2010. *Vital Democracy: A theory of Democracy in Action.* Oxford: University Press.
Huntington, Samuel P. 1991. *The Third Wave: Democratization in the Late Twentieth Century.* Norman and London: University of Oklahoma Press.
Inglehart, Ronald. 1977. *The silent revolution(Vol. 8).* Princeton, N.J.: Princeton University Press.
Irvin, Renée A. and John Stansbury. 2004. “Citizen Participation in Decision Making: Is It Worth the Effort?.” *Public Administration Review* 64(1): 55-65.
Jost, J. T., J. Glaser, A. W. Kruglanski, and F. Sulloway. 2003. “Political conservatism as motivated social cognition.” *Psychological Bulletin* 129(3): 339 - 375.
Katz, Richard S., and Mair, Peter. 1995. “Changing Models of Party Organization and Party Democracy: The Emergence of the Cartel Party.” *Party Politics*, 1(1): 5-28.
Kertzer, David I. 1983. “Generation as a Sociological Problem”, *American Review of Sociology* 9, 125-149.
Kinsley, Michael J. 1997. *Economic Renewal Guide: A Collaborative Process for Sustainable Community Development.* Snowmass, CO: Rocky Mountain Institute.
Kooiman, Jan. 2003. *Governing as governance.* London: Sage.
Koole, Ruud. 1996. “Cadre, Catch-all or Cartel? A Comment on the Notion of the Cartel Party.” *Party Politics* 2(4): 507-523.
Levy, Pierre 저 · 권수경 역. 2002. 『집단지성 - 사이버 공간의 인류학을 위하여』. 서울: 문학과 지성사.
Lilleker, Darren. 2013. "Political marketing: Principles and applications." *Journal of Marketing Management* 29(11-12): 1432-1434.
Lilleker, Darren and Theirry Vedel. 2013. "The Internet in campaigns and elections." In *The Oxford Handbook of Internet Studies*, edited by W. H. Dutton, 401-420. Oxford: Oxford University Press.
Linz, Juan J. 1990. "Transitions to Democracy." *The Washington Quarterly* 13(3): 143-164
Linz, Juan J. and Arturo Valenzuela. 1994. *The Failure of Presidential Democracy*. Baltimore and London: Johns Hopkins University Press.
Lipset, Seymour M. 1960. *Political Man: The Social Bases of Politics. Garden City*. New York: Doubleday.
Mannheim, Karl. 1952. "The Problem of Generation." In *Essays on the Sociology of Knowledge*, edited by P. Kecskemeti, Oxford University Press.
Marías, Julián. 1970. *Generations: A Historical Method.* Alabama: University of Alabma Press.
Maslow, Abraham H. 1954. "The Instinctoid Nature of Basic Needs1." *Journal of Personality* 22(3): 326-347.
Moscovici, Serge. 1963. "Attitudes and Opinions." *Annual Review of Psychology* 14: 231-260.
Negrine, Ralph. 2008. "Imagining Turkey British press coverage of Turkey's bid for accession to the European Union in 2004." *Journalism* 9(5): 624-645.
Norris, Pippa. 2002. *Democratic Phoenix: Reinventing Political Activism.* Cambridge, UK: Cambridge University Press.
_____. 2000. *Virtuous Circle: Political Communication in Post*

Industrial Democracies. Cambridge: Cambridge University Press.

O'Donnell, Guillermo. and Philippe C. Schmitter. 1986. *Transitions from Authoritarian Rule: Tentative Conclusions about Uncertain Democracies.* Baltimore: Johns Hopkins University Press.

Ortega Y Gasset, Jose. 1961. *The Modern Theme.* New York: Norton

Ostrom, Elinor. 1990. *Governing the Commons: The Evolution of Institutions for Collective Action.* Cambridge, England: Cambridge University Press.

Prior, Markus. 2007. *Post-broadcast democracy: How media choice increases inequality in political involvement and polarizes elections.* New York: Cambridge University Press.

Przeworski, Adam. 1985. *Capitalism and Social Democracy.* Cambridge: Cambridge University Press.

Przeworski, Adam, Jos'e Antonio Cheibub, and Fernando Limongi. 1996. "Culture and Democracy." *World Culture Report.* Paris: UNESCO.

Putnam, Hilary. 1992. *Renewing Philosophy.* Cambridge, MA: Harvard University Press.

Putnam, Robert. D. 2000. *Bowling alone: The collapse and revival of American community.* New York: Simon and Schuster.

_____ . 1993. *Making Democracy Work : Civic Traditions in Modern Italy.* Princeton. New Jersey: Princeton University Press.

Resnick, David. 1998. *The ethics of science.* London: Routledge.

Richards, B. 2004. "The Emotional Deficit in Political Communication." *Political Communication* 21: 339-352.

Ringen, Stein. 2009. *What Democracy is for. On Freedom and Moral Government.* Princeton: University Press.

Schattaschneider 저·현재호 외 역. 2008. 『절반의 인민주권』. 서울: 후마니타스.

Schmitter, Philippe C. 1975. "Liberation by Golpe Retrospective Thoughts on the Demise of Authoritarian Rule in Portugal." *Armed Forces & Society* 2(1): 5-33.

Schudson, Michael. 1998. *The Good Citizen: A History of American Civic Life.* New York: Free Press.

Schumpeter, Joseph A. 1975. *Capitalism, Socialism and Democracy.* New York: Norton.

Skelcher, C., Smith, M., and Mathur, N. 2006. "Corporate governance in a collaborative environment." *Corporate Governance: An International Review* 14(3): 159-171.

Smith, Aaron W. and Rainie Harrision. 2008. *The Internet and the 2008 election.* Washington D.C: Pew Internet and American Life Project.

Sowell, Thomas. 2002. *A conflict of visions: Idealogical origins of political struggles.* New York: Basic Books.

Sørensen, Carsten. 1993. "What Influences Regular CASE Use In Organizations?: An Empirically Based Model." *Scandinavian Journal of Information Systems* 5(1): 25 - 50.

Suny, Ronald. G. 2004. *Why We Hate You: The passions of National Identity and Ethnic Violence.* Berkeley, California: Institue of Slavic, East European, and Eurasian Studies.

Sustein, C. 2007. *Republic.com 2.0* Princeton, N.J: Princeton University Press.

Tajfel, Henri and Turner, J. C. 1979. "An Integrative Theory of Intergroup Conflict. In *The Social Psychology of Intergroup Relations,* edited by W. G. Austin & S. Worchel, 33-47.

Monterey, CA: Brooks/Cole.
Tapscott, Don. 2008. *Grown Up Digital: How the Net Generation is Changing Your World HC.* New York: McGraw-Hill.
Tarrow, Sidney. 1994. *Power in Moverment: Social Movements, Collective Action and Politics.* New York: Cambridge University.
Tocqueville, Alexis de. 2004. *Democracy in America.* New York: Library of America
Turiel, E. 1983. *The Development of Social knowledge. Morality and Convention.* Cambridge, MA: Cambridge University Press.
Yun, Seongyi and Chang Woo-Young. 2011. "Political Participation of teenagers in the Information Era." *Social Science Computer Review* 29(2): 242-249
Vigoda, Eran. 2008. "From responsiveness to collaboration." In *The age of Direct Citizen Participation*, edited by Nancy C. Roberts. New York: ME. Sharpe.

〈기사 자료〉

고도원. 1985. "위장취업 늘어". 『중앙일보』(12월 26일), 6.
김도균. 2010. "김미화 '제발~투표', 김제동 '꽃씨 하나씩'". 『오마이뉴스』(6월 1일)
http://news.naver.com/main/read.nhn?mode=LSD&mid=sec&sid1=102&oid=047&aid=0001968885&viewType=pc
김문석. 2008. "현장5신, 외신들도 밤늦도록 취재 경쟁". 『경향신문』 (5월 29일)
http://news.naver.com/main/read.nhn?mode=LSD&mid=sec&sid1=101&oid=032&aid=0001958685&viewType=pc
김윤철. 2012. "'NL-PD' 해묵은 갈등이 결국 진보당 발목 잡았다". 『한

겨레』 (6월 18일)
http://www.hani.co.kr/arti/politics/assembly/538271.html=A
FQjCNHH_MbE28yXa_uvoVO7bYNPm3gzsQ&sig2=ZWNn9
lpN15vce4UwSbI18A
김호기. 2008. "쌍방향 소통 '2.0세대'". 『한겨레』 (5월 15일)
동아일보. 1980. "제5공화국 헌법발표". 『동아일보』 (10월 27일)
http://www.pa.go.kr/school/secondary/reform/index0902.jsp#
docRecord10
박세준. 2011. "24년前 직선제 개헌 이끈 8인 정치회담". 『뉴시스』 (8월
13일)
http://www.newsis.com/ar_detail/view.html?ar_id=NISX201
10813_0008973885&cID=10303&pID=10300
박종진. 2008. "촛불든 '유모차부대'… 엄마가 뿔났다". 『머니투데이』 (5월
30일)
http://m.news.naver.com/read.nhn?mode=LSD&mid=sec&sid
1=102&oid=008&aid=0001990540
송세영. 2005. "황우석 교수 '거짓말' 일파만파… 복제소 영로이, 복제개
스너피조차도 의혹". 『쿠키뉴스』 (12월 15일)
http://m.news.naver.com/read.nhn?mode=LSD&mid=sec&sid
1=105&oid=143&aid=0000006759
신미희. 2004. "'누가 한국을 움직이는가' 2004년 조사… 삼성 '경쟁자가
없네'". 『시사저널』 (10월 28일)
유석재. 2008. "5공(共)의 항복 선언… 갈라선 양김(兩金)". 『조선일보』
(8월 4일)
http://m.chosun.com/svc/article.html?sname=news&contid=2
008080400034
이기범. 2009. "노前 대통령 서거, 덕수궁 가득 채운 조문 행렬". 『아시아
경제』 (5월 23일)
http://news.naver.com/main/read.nhn?mode=LSD&mid=sec
&sid1=102&oid=277&aid=0002162822&viewType=pc
이종호. 2002. "'월급날' 맞아 노무현 후보 후원금 쇄도 8일만에 3만7천여

명 11억원 넘게 모금".『오마이뉴스』(10월 25일)
http://m.news.naver.com/read.nhn?mode=LSD&mid=sec&sid1=100&oid=047&aid=0000014924

장정수. 1988. "광주항쟁(2)-비극속의 역사성 그때 그 상황과 오늘의 과제".『한겨레』(5월 18일), 6.

전수영. 2004. "정동영의장 '노인폄하' 발언 사죄".『연합뉴스』(4월 2일)
http://news.naver.com/main/read.nhn?mode=LSD&mid=sec&sid1=102&oid=001&aid=0000610787&viewType=pc

조선일보 디자인편집팀. 2012 "[18대 대통령 박근혜] 막판 트위터 점유율, 朴 52.3% 文 47.7%… 실제 득표율과 비슷".『조선일보』(12월 21일), 11.

최현주・김병기. 2004. "'저기 뚫렸다!', '쿠데타야', '쇼하지마!' 탄핵 가결되던 날 34분간 숨가쁜 기록".『오마이뉴스』(3월 27일)
http://m.news.naver.com/read.nhn?mode=LSD&mid=sec&sid1=100&oid=047&aid=0000044332

허진. 2011. "선거날 '투표' 트위터 글 5배 폭증".『중앙일보』(4월 29일), 14.

AP/뉴시스. 2011. "리비아 시위".『뉴시스』(2월 26일)
http://news.naver.com/main/read.nhn?mode=LSD&mid=sec&sid1=104&oid=003&aid=0003713650&viewType=pc

French, Howard W. 2003. "Online Newspaper Shakes Up Korean Politics." *The New York Times*(March 6)
http://www.nytimes.com/2003/03/06/world/online-newspaper-shakes-up-korean-politics.html

Oberdorfer, Don. 1987. "U.S. Intensifies Pressure on Chun." *The Washington Post*(June 27), A18.

Shin, Jaehoon. 1987. "Unrest and Arrests." *Far Eastern Economic Review* (December 8).

Wade, Nicholas. 2005. "Korean Scientist Said to Admit Fabrication in a Cloning Study." *The New York Times* (December 16)
http://www.nytimes.com/2005/12/16/science/16clone.html?pa

gewanted=all&_r=0
Watts, Jonathan. 2003. “World's first internet president logs on.” *The Guardian* (Feburary 24)
http://www.theguardian.com/technology/2003/feb/24/newmedia.koreanews

〈인터넷 자료〉

경찰청 경찰백서.
http://www.police.go.kr/portal/main/contents.do?menuNo=200135
동아시아 바로미터(East Asian Barometer Surveys).
http://www.asianbarometer.org
랭킹닷컴. http://www.rankey.com
성균관대 서베이리서치센터. http://src.skku.edu 2009 한국종합사회조사.
세계가치관조사. http://www.worldvaluessurvey.org
유네스코한국위원회. 2011. “유네스코 세계기록유산: 1980년 인권기록유산 5·18 광주민주화운동 기록물”.
http://heritage.unesco.or.kr/mows/human-rights-documentary-heritage-1980-archives-for-the-may-18th-democratic-uprising-against-military-regime-in-gwangju/
중앙선거관리위원회. http://info.nec.go.kr
코리안클릭. http://www.koreanclick.com
통계청. http://kostat.go.kr/ 한국의 사회지표 및 사회조사 보고서
판도라TV. http://www.pandora.tv
한국갤럽. http://www.gallup.co.kr/gallupdb/gallupdb.asp
한국사회과학데이터센터(Korean Social Science Data Center) 국회의원 선거 유권자 인식조사(1992-2008). http://www.ksdc.re.kr
한국학중앙연구원 한국민족문화대백과사전.
http://encykorea.aks.ac.kr
Involve Web Editor. 2005. “People and Participation.”

http://www.involve.org.uk/blog/2005/12/12/people-and-parti cipation/ (Retrieved on April 30, 2015)
Open Archives. http://archives.kdemo.or.kr
The Economist Intelligence Unit's Index of Democracy 2014. http://www.systemicpeace.org/polity/polity4.htm
The Worldwide Governance Indicators, 2014 Update. http://info.worldbank.org/governance/wgi/index.aspx

찾 / 아 / 보 / 기

ㄷ

ㄹ

ㅁ

ㅂ

ㅅ

ㅇ

ㅈ

ㅊ

ㅌ

ㅍ

ㅎ

기타

韓國政治 – 민주주의 · 시민사회 · 뉴미디어 [제3판]

2015년 8월 25일 초 판 발행
2018년 2월 10일 제2판 발행
2024년 9월 5일 제3판 1쇄 발행

저 자 윤 성 이

발행인 배 효 선

발행처 도서출판 法 文 社

주 소 10881 경기도 파주시 회동길 37-29
등 록 1957년 12월 12일 / 제2-76호 (윤)
전 화 (031)955-6500~6 FAX (031)955-6525
E-mail (영업) bms@bobmunsa.co.kr
(편집) edit66@bobmunsa.co.kr
홈페이지 http://www.bobmunsa.co.kr
조 판 법 문 사 전 산 실

정가 25,000원 ISBN 978-89-18-91531-9